É Agora... ou Nunca

Marian Keyes

***

Melancia

FÉRIAS!

SUSHI

Casório?!

É Agora... ou Nunca

LOS ANGELES

Um Bestseller pra chamar de meu

Tem Alguém Aí?

Cheio de Charme

A Estrela Mais Brilhante do Céu

CHÁ DE SUMIÇO

Mamãe Walsh

É Agora... ou Nunca

Marian Keyes

15ª edição

Tradução
RENATO MOTTA

BERTRAND BRASIL

Título original: *Last Chance Saloon*

Capa: Carolina Vaz

Editoração: DFL

Texto revisado segundo o novo
Acordo Ortográfico da Língua Portuguesa

2015
Impresso no Brasil
Printed in Brazil

CIP-Brasil. Catalogação na fonte
Sindicato Nacional dos Editores de Livros, RJ.

K55e Keyes, Marian, 1963-
15ª ed. É agora... ou nunca / Marian Keyes; tradução Renato Motta.
- 15ª ed. - Rio de Janeiro: Bertrand Brasil, 2015.
588p.

Tradução de: Last chance saloon
ISBN 978-85-286-1212-7

1. Romance irlandês. I. Motta, Renato. II. Título.

CDD - 828.99153
06-3466 CDU - 821.111(417)-3

EDITORA BERTRAND BRASIL LTDA.
Rua Argentina, 171 - 2º andar - São Cristóvão
20921-380 - Rio de Janeiro - RJ
Tel.: (0xx21) 2585-2070 - Fax: (0xx21) 2585-2087

Atendimento e venda direta ao leitor
mdireto@record.com.br ou (0xx21) 2585-2002

Impresso no Brasil pelo
Sistema Cameron da Divisão Gráfica da
DISTRIBUIDORA RECORD DE SERVIÇOS DE IMPRENSA S.A.

AGRADECIMENTOS

Obrigada a todos na Michael Joseph e na Penguin. Agradecimentos especiais à minha editora, Louise Moore, pela sua visão, entusiasmo, elogios, amizade e edição meticulosa, implacável e consciente.

Agradeço a todos na Poolbeg pelo seu trabalho duro, apoio e aprovação. Devo mencionar, em especial, a orientação editorial de Gaye Shortland.

Obrigada ao meu agente, Jonathan Lloyd, e a todos da Curtis Brown.

Obrigada aos amigos fiéis que estiveram comigo desde o primeiro livro, leram este aqui à medida que eu ia escrevendo e que, através de suas sugestões, comentários e incentivo, me convenceram a continuar — Jenny Boland, Caitriona Keyes, Rita-Anne Keyes e Louise Voss.

Obrigada a Tadhg Keyes pela consultoria sobre moda masculina jovem.

Obrigada a Conor Ferguson, Niall Hadden e Alex Lyons pelas informações a respeito do mundo da propaganda.

Obrigada a Liz McKeon pelas orientações a respeito das mesas de ginástica passiva.

Obrigada ao Dr. Paul Carson, Isabel Thompson, da HUG, Barry Dempsey e AnneMarie McGrath, do Instituto Irlandês do Câncer, e a todos na Terrence Higgins Trust pelo tempo e as informações que me ofereceram, com tanta generosidade.

Obrigada à sra. Mary Keyes pelos ditados típicos de County Clare e por me obrigar a tirar muitos palavrões do texto final.

Obrigada a Emily Godson pela orientação a respeito do mundo dos atores em Los Angeles.

Obrigada a Neville Walker e Geoff Hinchley pelas informações sobre como um jovem gay se diverte nas cidades grandes (eu não sabia!).

Muitas outras pessoas me ajudaram com conselhos práticos, incentivo e apoio. Sou muito grata, agradeço de coração a todos. Espero sinceramente não ter deixado ninguém de fora e, se isso aconteceu, sinto muitíssimo. Suzanne Benson, Suzie Burgin, Paula Campbell, Ailish Connelly, Liz Costello, Lucinda Edmonds, Gai Griffin, Suzanne Power, Eileen Prendergast, Morag Prunty e Annemarie Scanlon.

Agradeço ao meu amado Tony por tudo, pelo seu apoio tanto prático quanto emocional. Por ler a versão final do livro de mãos dadas comigo, garantindo que eu não sou um fracasso completo. Por descer e subir o tempo todo, me trazendo chá. Por me dar sugestões sobre a composição dos personagens, desenvolvimento da história, ortografia, gramática e tudo o mais de que se lembrava. Eu não conseguiria ter escrito este livro sem ele.

Finalmente, obrigada a Kate Cruise O'Brien, que trabalhou comigo neste livro até março de 1998, quando morreu, de forma trágica e inesperada.

Para Kate

O ontem é apenas um sonho
E o amanhã é só uma visão:
O hoje, porém, bem-vivido,
Transforma todo ontem em um sonho de felicidade
E todo amanhã em uma visão de esperança.

Portanto, cuide bem do dia de hoje.

PROVÉRBIO SÂNSCRITO

CAPÍTULO 1

No restaurante em Camden, cheio de vidros e metais cromados, a atendente magra passava a unha roxa ao longo do livro de reservas, murmurando:

— Casey, Casey... onde está esse nome?... Ah, achei! Mesa 12, Você é a...

— ... Primeira a chegar? — emendou Katherine, terminando a frase por ela. Não conseguia esconder seu desapontamento, depois de ter se obrigado, a despeito da resistência feroz de todas as fibras do seu corpo, a se atrasar cinco minutos.

— Você é de Virgem? — Unhas Roxas acreditava cegamente em astrologia.

Diante da concordância de Katherine, continuou:

— Seu destino é ser patologicamente pontual. Aguente isso...

Um garçom chamado Darius, exibindo cachos exuberantes que formavam um coque no alto da cabeça, ao estilo Hepburn, apontou na direção da mesa, onde ela cruzou as pernas e sacudiu a cabeça de leve, para ajeitar o cabelo curto, na esperança de ficar com um ar mais firme e descontraído ao mesmo tempo. Em seguida, fingiu que analisava o menu, desejou ser fumante e jurou baixinho que da próxima vez tentaria chegar *dez* minutos depois da hora marcada.

Talvez, como Tara vivia sugerindo, ela devesse começar a frequentar os Travados Anônimos.

Segundos depois, Tara chegou e, de forma pouco típica para ela, na hora marcada, fazendo barulho com o sapato ao andar pelo piso de madeira clara e com os cabelos cor de trigo voando à sua volta. Usava um vestido assimétrico que rebrilhava de novo, tinha cara de ter custado uma baba e — infelizmente — formava pequenos bolsões de pano em volta dela. Os sapatos, porém, eram o máximo!

— Desculpe por não ter me atrasado — desculpou-se ela. — Sei que você acha que devemos manter a tradição, mas as ruas e o tráfego conspiraram contra mim.

— Então não foi culpa sua — disse Katherine, fitando-a com um olhar severo. — Mas não faça disso um hábito. Feliz aniversário!

— O que há de feliz nisso? — perguntou Tara, com cara de lamento. — Você estava feliz no dia em que fez 31 anos?

— Marquei dez sessões de lifting não cirúrgico — admitiu Katherine. — Mas não se preocupe. Você não parece nem um dia mais velha do que aos 30. Bem, um diazinho, talvez...

Darius apareceu para anotar o pedido de Katherine para as bebidas. Ao ver Tara, porém, um ar de alarme surgiu em seu rosto. Ela, de novo, não!, pensou, preparando-se bravamente.

— Vinn...nho? — perguntou Tara a Katherine, imitando sotaque de português. — Ou vamos partir para álcool de verdade?

— Gim e tônica.

— Então, traga dois. Certo. — Tara esfregou as mãos de satisfação. — E agora, onde estão os meus livrinhos de colorir e a caixa de giz de cera?

Tara e Katherine eram as melhores amigas uma da outra desde que tinham quatro anos, e Tara tinha um saudável respeito pela tradição.

Katherine empurrou um pacote colorido sobre a mesa e Tara rasgou o papel de presente, exclamando, deliciada:

— Coisas da Aveda!

— Produtos da Aveda são o equivalente a livros de colorir e giz de cera para as mulheres de trinta e poucos anos — explicou Katherine.

— Mas quer saber de uma coisa?... — disse Tara, pensativa. — Acho que sinto falta dos livrinhos de colorir com giz de cera.

— Não se preocupe — garantiu Katherine —, porqu. a minha mãe ainda os compra para você, em todos os aniversários. — Tara levantou o rosto para olhar Katherine, que explicou, depressa: — Na cabeça dela, por assim dizer.

Tara acendeu um cigarro e olhou, com ar melancólico, para o terninho da Karen Millen, em um marcante tom de vinho, que Katherine vestia, e elogiou:

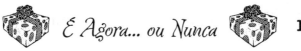

— Você está fantástica!

— Você também.

— Tá me zoando?

— Não! Estou falando sério. Adorei a sua roupa!

— Foi meu presente de aniversário para mim mesma. Sabe de uma coisa?... — o olhar de Tara pareceu ficar sombrio. — Detesto lojas que usam aqueles espelhos ligeiramente convexos, que fazem com que o vestido deixe você magra e esbelta. Sou uma idiota, e sempre acho que é por causa do feitio e do corte excelentes, e é por isso que eles custam o valor da dívida externa de um país sul-americano... — e fez uma pausa, a fim de dar uma tragada monumental no cigarro. — Quando você vê, já está em casa, se olhando em um espelho que *não é* convexo e descobre que está parecendo uma leitoa de roupão.

— Mas você não está parecendo uma leitoa.

— Estou sim. O pior é que eles não fazem troca, a não ser que haja algo errado com o vestido. Eu argumentei que havia muita coisa errada com o vestido, expliquei que ele me fazia parecer uma leitoa de roupão, mas eles disseram que isso não conta... só se fosse um zíper enguiçado, ou algo assim. Enfim, é melhor usá-lo, porque estourei o limite do meu cartão Visa para poder pagar.

— Mas você já estava com o limite do cartão estourado.

— Não, não!... — explicou Tara, com honestidade. — Eu já tinha estourado o limite *oficial*. O limite real é 200 libras acima do que vem no extrato. Você sabe disso!

— Ah!... — disse Katherine, baixinho.

— Olhe aqui! — disse Tara, pegando o menu e parecendo agoniada. — Eles só têm coisas deliciosas! Por favor, Senhor, dai-me forças para não pedir o couvert. Estou tão esfomeada que seria capaz de comer uma vaca inteira, com chifre e tudo!

— Como vai a tal dieta do "nada é proibido"? — quis saber Katherine, embora já desse para imaginar a resposta.

— Já era! — Tara soprou a fumaça, com ar envergonhado.

— Mas que mal havia nela? — consolou-a Katherine.

— Pois é! — replicou Tara, aliviada. — Que mal havia, não é?... Thomas estava furioso com aquilo, como você já deve ter sacado.

Aliás, pensando bem... imagine uma dieta que diz a uma glutona como eu que não há nada proibido. É uma receita para o desastre!

Katherine exclamou algumas frases murmuradas, como vinha fazendo sempre nos últimos 15 anos, desde que Tara saíra dos trilhos com relação à comida. Katherine podia comer exatamente o que gostava, precisamente pelo fato de não querer comer. Por fora, ela aparentava o tipo de mulher brilhante, que jamais precisa se preocupar com nada. Os lindos olhos cinzentos que piscavam por trás da franja pesada e reta eram autoconfiantes e observadores. Ela sabia disso. Praticava no espelho o tempo todo, quando estava sozinha.

A seguir, foi a vez de Fintan aparecer. Sua chegada triunfal através do restaurante foi notada pelos atendentes e também pela maioria dos clientes. Alto, grande e lindo, com o cabelo preto jogado para trás em um topete volumoso e brilhante. O paletó do seu terno roxo cintilante exibia pequenas aberturas, como casas para botão, aplicadas ao longo das duas mangas, e através desses pequenos orifícios dava para ver a camisa verde-limão que também brilhava e cintilava. Suas lapelas eram tão largas que dava para um Boeing aterrissar nelas.

Discretos murmúrios se fizeram ouvir, do tipo "Quem é ele?..." e "Será que ele é um ator?..." ou "Talvez um modelo famoso...".

O burburinho agitava o ar à sua passagem como folhas secas rolando ao vento, e a sensação de bem-estar entre os clientes de sexta à noite foi marcante e palpável. Certamente, todos pensaram, ali está um homem com estilo! Ele avistou Tara e Katherine, que vinham acompanhando a sua chegada com um ar divertido e indulgente, e lançou-lhes um sorriso gigantesco. Foi como se todas as luzes do lugar se acendessem ao mesmo tempo.

— Que bochicho glorioso! — exclamou Katherine, acenando com a cabeça para o seu terno.

— Um bando de anônimos barulhentos — reagiu Fintan, tentando aplicar um ritmo *cockney** às palavras, mas falhando por completo. Não havia jeito de esconder o seu sotaque de County Clare.

Embora nem sempre tivesse sido daquele jeito. Assim que chegou em Londres, 12 anos antes, recém-saído de um ambiente repressivo

---

* Linguajar tipicamente londrino. (N.T.)

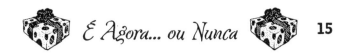

de cidade pequena, Fintan resolveu que ia se reinventar, e se dedicou a isso com afinco. A primeira providência foi o jeito de falar. Tara e Katherine foram forçadas a aturar tudo, sem alternativa, enquanto Fintan recheava as suas frases com exclamações tipicamente londrinas, como "Uau", "Mii...au" e altos papos sobre um iminente convite para participar do musical *Taboo*, com Boy George.

Nos dois anos anteriores, porém, ele voltara ao seu acento irlandês, com algumas modificações. Sotaques eram bem-aceitos, considerados *in* em sua área de atuação, a indústria da moda. As pessoas achavam que era charmoso falar como Jean Paul Gaultier: "*Comme vai, mon caro amigô?*" Fintan, porém, logo compreendeu a importância de se fazer entender. Assim, atualmente ele tinha sotaque irlandês, só que mais *light*. Ao mesmo tempo, os 12 anos de Londres fizeram com que os fortes sotaques de Tara e Katherine também sofressem uma urbanização de leve a moderada.

— Feliz aniversário! — disse Fintan para Tara, sem beijá-la. Embora Tara, Katherine e Fintan beijassem quase todo mundo em encontros sociais, entre eles não havia beijos. Talvez por terem sido criados juntos em Knockavoy, uma cidadezinha que não valorizava muito as manifestações físicas de afeto. A versão clássica de Knockavoy para as preliminares de uma transa era o homem dizer: "Se prepara que lá vai bala, garota!" De qualquer modo, isso não impediu Fintan de tentar introduzir o estilo continental, com dois beijos, um em cada bochecha, quando eles se mudaram para o apartamento de Willesden Green, nos primeiros tempos, logo que chegaram em Londres. Ele até mesmo queria que eles agissem assim entre eles, ao chegar do trabalho. Porém, encontrou muita resistência por parte delas, o que o deixou desapontado. Por que será que todos os seus novos amigos gays tinham mulheres indulgentes ao seu lado, sempre amigas íntimas, e ele não?

— E aí, como é que você está? — perguntou-lhe Tara. — Parece que perdeu alguns quilos, seu sortudo. Como vai a sua beribéri?

— Continua rolando, me atacando loucamente, e chegou ao meu pescoço agora — suspirou Fintan. — E a sua febre tifoide, como anda?

— Consegui me livrar dela — respondeu Tara. — Fiquei uns dias de cama, e ontem tive um surto moderado de raiva, mas já passou.

— Brincar com esse tipo de coisa atrai desgraças, sabiam? — afirmou Katherine, jogando a cabeça para trás com ar de repulsa.

— É culpa minha se estou sempre me sentindo doente? — reagiu Fintan, indignado.

— É culpa sua sim — reagiu Katherine, sem se alterar. — Se você não saísse para se acabar na balada todas as noites da semana, eu garanto que ia se sentir muito melhor de manhã.

— Você vai se sentir cheia de culpa se um dia descobrir que eu estou com aids — resmungou Fintan, com ar sombrio.

Katherine ficou branca ao ouvir isso. Até mesmo Tara estremeceu, pedindo:

— Gostaria que vocês não ficassem falando essas coisas.

— Desculpe — pediu Fintan, com um jeito humilde. — O terror é um diabinho que faz a gente dizer coisas idiotas. Fui visitar um velho amigo de Sandro ontem à noite, e ele parece uma daquelas vítimas do campo de Belsen, na Segunda Guerra. E eu nem sabia que ele era soropositivo. A lista continua a aumentar, e isso me deixa todo encagaçado...

— Nossa... — disse Tara, baixinho.

— Mas *não há* por que ficar apavorado — exclamou Katherine, falando rápido e de forma enérgica. — Você faz sexo seguro e tem um relacionamento estável. Como vai o pônei italiano, a propósito?

— Ele é um rapaz maravilhoso. Ma-ra-vi-lho-so!! — declarou Fintan, de forma expansiva e teatral, o que fez com que os outros clientes do restaurante tornassem a olhar, balançando a cabeça de satisfação ao ver que ele era, afinal, algum ator famoso, como todos imaginaram ao vê-lo chegar.

— Sandro é o máximo! — continuou Fintan, agora com a voz normal. — Não podia ser melhor. Mandou esse cartão para você, com todo o amor... — e entregou um envelope a Tara — ... e pediu desculpas por não estar aqui, mas é que neste exato momento está com a sua gloriosa roupa de tafetá verde-jade dançando "Show me the Way to Amarillo" pelo salão, loucamente. Foi convidado para ser dama de honra no casamento de Peter e Eric, lembram?

Fintan e Sandro já estavam juntos há vários anos. Sandro era italiano, mas baixinho demais para ser qualificado como um "garanhão italiano". Só podia ser "pônei" mesmo. Era arquiteto e vivia com Fintan, com esplendor e estilo, no bairro de Notting Hill.

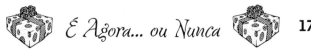

— Você me conta uma coisa que eu vivo querendo saber?... — perguntou Tara, com todo o cuidado. — Você e o pônei nunca têm brigas?

— Brigas?! — Fintan mostrou-se perplexo. — Você quer saber se nós brigamos um com o outro? Que pergunta estranha. Somos *apaixonados* um pelo outro.

— Desculpe — murmurou Tara.

— Nunca *paramos* de brigar! — continuou Fintan. — Vivemos um tentando estrangular o outro, de manhã, de tarde e de noite.

— Então vocês estão, tipo assim, viciados um no outro? — perguntou Tara, com um pouco de ansiedade.

— Vamos colocar do seguinte modo: quem fabricou Sandro fez o melhor trabalho de sua vida. Mas, afinal, por que você está querendo saber das nossas brigas?

— Por nada — Tara entregou-lhe um pacote minúsculo. — Este é o seu presente para mim. Você me deve 20 paus.

Fintan recebeu o pequeno embrulho, admirou o papel de presente e o devolveu para Tara, dizendo:

— Feliz aniversário, boneca. Quais os cartões de crédito que você aceita?

Tara e Katherine tinham um acordo com Fintan, e costumavam comprar os próprios presentes de aniversário e de Natal, para depois cobrarem dele o valor gasto. Essa tradição teve início no aniversário de 21 anos de Fintan, quando as duas quase foram à falência ao comprar para ele a obra completa de Oscar Wilde. Ele aceitara o presente com os devidos agradecimentos, mas manteve o rosto peculiarmente sem expressão. Algumas horas mais tarde, quando a festa já estava avançada, elas o encontraram soluçando, curvado em posição fetal no chão da cozinha, entre restos de batatas fritas esmigalhadas e latas vazias. *Livros!*, choramingava ele. *Essa porra de livros... Sinto muito por parecer ingrato, mas é que eu achei que vocês iam me trazer uma camiseta emborrachada do John Galliano!*

Depois dessa noite, eles chegaram àquele acordo, que ainda vigorava.

— O que foi que eu dei a você? — perguntou Fintan.

Tara rasgou o papel de presente com animação e exibiu um batom.

— Mas este não é um batom qualquer — explicou, empolgada. — Este aqui é indelével, não sai de jeito nenhum. A menina da loja me garantiu que ele resiste até mesmo a um ataque nuclear. Acho que a minha longa busca finalmente acabou.

— Já não era sem tempo! — comentou Katherine. — Quantos batons indeléveis falsos você já foi convencida a comprar?

— Perdi a conta — respondeu Tara. — Eles vêm com essas promessas de marcar os lábios com profundidade e firmeza de cor, e logo depois já estão sujando a borda dos copos e o garfo, exatamente como qualquer batom comum. Dá vontade de chorar!

A próxima a chegar foi Liv, usando uma jaqueta curta da Agnes B, modelo "seria capaz de te matar para ficar com essa roupa". Ela se preocupava muito com grifes, como devia ser, em se tratando de alguém que trabalhava no mundo do design, ainda que na área de decoração de interiores. Liv era sueca. Alta, com braços fortes, tinha dentes resplandecentes de tão brancos, e cabelos pela cintura, quase brancos de tão louros, e com fio totalmente reto. Os homens muitas vezes pensavam reconhecê-la de algum filme pornô.

Liv surgira na vida de Tara e de Katherine há cinco anos, quando Fintan se mudou e foi morar com Sandro. Elas chegaram a colocar um anúncio em busca de mais alguém com quem dividir o apartamento, mas não estavam conseguindo ninguém que estivesse disposto a ocupar um quarto tão minúsculo. Ao ver Liv chegar para visitar o apê, não levaram fé naquela sueca. Ela parecia grande demais para o espaço. No momento, porém, que Liv descobriu que Tara e Katherine eram irlandesas — e, melhor ainda, que tinham vindo da região rural da Irlanda —, seus olhos azuis se acenderam, ela pegou a bolsa e entregou o dinheiro do depósito na mesma hora.

— Mas... — perguntou Katherine, surpresa. — Você nem perguntou se nós temos máquina de lavar roupa.

— Isso é o de menos — disse Tara, visivelmente abalada. — Você nem quer saber onde fica o bar mais próximo?

— Tudo bem — assegurou Liv, com um leve sotaque. — Essas coisas não são importantes.

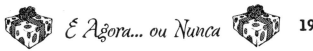

— Se você pensa assim... — Tara já estava se perguntando se Liv tinha alguns amigos suecos em Londres. Gigantes louros e bronzeados que ela ia trazer para casa e apresentar às amigas.

Só que, poucos dias depois de Liv se mudar para o apartamento, o motivo de seu entusiasmo instantâneo veio à tona. Para alarme e consternação de Tara e Katherine, Liv perguntou se poderia acompanhá-las à missa, ou juntar-se a elas para rezar o terço, à noite. Parece que Liv estava à procura de algum significado para a vida. Havia encalhado temporariamente nos recifes da psicoterapia e estava agora apostando todas as esperanças na iluminação espiritual, torcendo para que o catolicismo das novas amigas pudesse passar para ela.

— Desculpe desapontá-la — explicou Katherine, com gentileza —, mas é que não somos assim muuuito católicas não...

— Não somos muito católicas? — exclamou Tara. — Sobre o que você está falando?

Katherine pareceu surpresa. Certamente não reparara em nenhum sinal de renovação recente na fé de Tara.

— Não somos muito católicas é uma expressão meio fraca — continuou Tara, explicando melhor. — Católicas *totalmente relapsas* seria uma descrição mais precisa.

Liv, porém, acabou superando o desapontamento inicial. E, embora passasse uma porcentagem de tempo alarmantemente alta em conversas sobre reencarnação com o jornaleiro da esquina — que era indiano e seguia a religião sique —, de resto ela era perfeitamente normal. Tinha namorados, ressacas, recebia cartas ameaçadoras da administradora de seus cartões de crédito e possuía um guarda-roupa cheio de modelos que comprara em liquidações, com descontos de até 70 por cento, e nunca usara.

Liv dividiu o apartamento com Tara e Katherine durante três anos e meio, até que decidiu tentar banir sua dor existencial comprando um apartamento próprio. Mas passou todas as noites dos primeiros seis meses no velho apê de Tara e Katherine, chorando e explicando o quanto era solitário morar sozinha, e ainda estaria nessa se Katherine e Tara não tivessem saído de lá e ido cada uma cuidar da sua vida.

CAPÍTULO 2

— Então, somos só nós quatro? — Fintan parecia surpreso.

Tara fez que sim com a cabeça, explicando:

— Estou muito fragilizada para celebrações loucas. Preciso do conforto de um pequeno grupo de amigos neste dia triste.

— O que eu quis perguntar, na realidade, foi "Cadê o Thomas?" — os olhos de Fintan cintilaram.

— Ahn... ele queria curtir uma noite em casa, sossegado — disse Tara, ligeiramente envergonhada.

— Mas hoje é o seu aniversário! — protestaram todos, em coro — ... E ele é o seu namorado!

— Ele nunca sai conosco — reclamou Fintan. — O bundão ranzinza devia ter feito um esforço para vir, já que era o seu aniversário.

— Mas eu não me importo! — insistiu Tara, com sinceridade. — E ele vai me levar ao cinema, amanhã à noite. Deixem-no em paz! Admito que ele não é o cara mais fácil de se conviver no mundo, mas também não é tão detestável. Ele simplesmente é emocionalmente marcado porque...

— Sim, sim, sim — interrompeu Fintan —, já sabemos. A mãe dele o abandonou quando ele tinha sete anos, e então não é culpa dele o fato de ser um bundão ranzinza. Mas ele devia tratar você melhor. Você merece o máximo!

— Mas eu já estou satisfeita com o que tenho — exclamou Tara. — Juro por Deus! A expectativa que vocês têm de mim é muito... muito... — e fez uma pausa, buscando a melhor palavra. — ... Muito *exacerbada*. Vocês são como aqueles pais que querem que o filho seja um neurocirurgião quando ele só presta, na verdade, para ser catador de lixo. Eu amo Thomas.

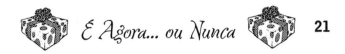

Fintan ficou mudo de tanta frustração. O amor era cego mesmo, sem sombra de dúvida. No caso de Tara, além de cego, era surdo, mudo, disléxico, andava torto e estava com um princípio de Alzheimer.

— E Thomas me ama — assegurou Tara, com firmeza. — E antes que vocês comecem a me dizer o quanto eu estaria melhor sem ele, devo lembrá-los de que estou em pleno sufoco do "agora ou nunca". Em meus decrépitos 31 anos, provavelmente nunca mais vai passar outro homem no qual eu possa embarcar!

Liv entregou a Tara seu cartão e o presente. O cartão era coberto com seda e pintado a mão, e o presente era um vaso de vidro comprido e liso, em azul-cobalto.

— Nossa, é lindo!... Liv, você é tão estilosa que chega a doer! — exclamou Tara, escondendo o seu desapontamento ao ver que o presente não era a loção anticelulite da Clarins, sobre a qual ela havia soltado indiretas quase explícitas. — Obrigada!

— Estão prontos para fazer o pedido? — perguntou Darius, já com a caneta na mão.

— Acho que sim — murmuraram todos. — Alguém aí, pode começar...

— Certo, então eu começo! — Tara sorriu por trás do cardápio. — Vou querer um Chokito gratinado, acompanhado por uma barra de cereais refogada e um cappuccino de raiz-forte.

Darius continuou olhando para ela, sem achar graça. Tara fizera exatamente a mesma coisa da última vez.

— Desculpe — disse ela, dando uma risadinha. — É que é divertido imaginar essas combinações malucas.

Darius continuava a olhar fixamente para ela, impassível.

— Por favor — sussurrou Katherine. — ... Simplesmente peça!

— Tá bom, desculpe. — Tara pigarreou. — Muito bem, vou quere o bife *brûlé* com molho de coentro, broto de raiz de beterraba refogado com curry e um purê de chocolate.

— Tara! — explodiu Katherine.

— Não, não, está certo — disse Fintan, apressado, tentando acalmá-la. — Isso realmente tem no cardápio.

— Ah, é? — Katherine olhou para a lista de pratos. — Então, tá... desculpe. Na verdade, traga um pra mim também...

Depois que a comida chegou, com cada prato mais elaborado que o anterior, a conversa rumou para questões relacionadas com a idade.

— Apesar de tudo o que as pessoas falam — insistiu Katherine —, não são as rugas que me deixam deprimida. É o fato de que, nos últimos dez anos, o meu rosto inteiro simplesmente...

— Despencou! — falaram em coro Tara e Liv. Elas sempre faziam isso.

— Sei exatamente o que você quer dizer. — Tão bem treinada como se estivesse disputando uma corrida de revezamento, Tara assumiu o bastão e continuou: — Se você olhar para a foto que está no meu passaporte, que foi tirada nove anos atrás, vão notar que minha boca estava quase na testa. Em compensação, agora meus olhos estão totalmente caídos, batendo lá no queixo... *Qual dos queixos?*, eu sei que vocês estão pensando... e as minhas têmporas estão quase na altura da minha cintura.

— Que sorte a nossa termos à disposição as maravilhas da cirurgia plástica! — exclamou Liv, com ar passional.

— Não sei não... — disse Fintan, pensativo. — Acho que é maravilhoso envelhecer com graça e deixar a natureza seguir o seu curso. Um rosto maduro tem tanta personalidade...!

As três mulheres olharam para ele com a cara azeda. Obviamente, Fintan não conseguia visualizar como era assistir às próprias feições se desfazendo diante do espelho. Mas, também, o que se poderia esperar? Embora fosse gay, Fintan continuava sendo do sexo masculino, abençoado com níveis tão elevados de colágeno que se achava Dorian Gray. Mas deixe que se passem mais dez anos, e então vamos ver se ele continua com essa história absurda de envelhecer de forma graciosa. Ele vai correr de joelhos, pedindo por um bisturi, pensaram elas, com sombria satisfação.

— Um rosto maduro tem tanta personalidade...! — imitou Tara. — Essa é boa, ainda mais vindo do sujeito que quase teve que se mudar para um apê maior, a fim de abrigar a sua coleção de potes da Clinique. Um curador, é disso que o seu banheiro precisa. Você até poderia abri-lo para visitação pública.

— Mii-au!... — riu Fintan (algumas das expressões que usava haviam resistido à sua reinvenção).

Então a conversa seguiu, inexoravelmente, para o tique-taque dos seus relógios biológicos.

— Eu adoraria ter um bebê — disse Liv, com ar pensativo e melancólico. — Detesto ter um útero aqui dentro em compasso de espera.

— Não! — ralhou Katherine. — Você está apenas em busca de realização, mas só vai conseguir sofrimento.

— Não se preocupe, pois isto não vai acontecer — lamentou Liv. — Pelo menos não enquanto o meu namorado estiver casado com outra mulher e morando na Suécia.

— Pelo menos você *tem* um namorado — disse Fintan, com ar alegre. — Não é como a nossa Katherine aqui. Faz quanto tempo desde que você transou pela última vez? — Katherine simplesmente sorriu de forma misteriosa e Fintan suspirou. — O que vamos fazer com você? Não é nem o caso de você não receber cantadas masculinas.

Katherine tornou a curvar os lábios, dessa vez com um sorriso ligeiramente mais firme.

— Sabem de uma coisa? Eu adoraria ter um bebê — admitiu Fintan. — Esse é o único arrependimento que eu tenho por ser viado.

— Mas você pode ter um bebê — animou-o Tara. — Arrume uma mulher prestativa, faça um contrato de barriga de aluguel e vá em frente!

— É mesmo... Que tal uma de vocês? Katherine?

— Não — respondeu Katherine, bem depressa. — Jamais vou ter filhos.

Fintan riu ao ver a expressão de nojo em seu rosto e previu:

— O amor de um homem legal vai fazer você mudar de ideia. E quanto a você, Tara? Sente alguma fisgada no útero diante da ideia de ficar cuidando de um bebê de um lado para outro?

— Sinto... Não... Quer dizer, não sei. Talvez... — hesitou. — Mas vamos reconhecer... Eu mal consigo cuidar de mim mesma. Ter que lavar, alimentar e vestir alguém ia ser um desastre! Sou muito imatura.

— Vejam só o que aconteceu com Emma — concordou Katherine. Emma, uma velha amiga de todos à mesa, fora, no passado, a mais divertida das mulheres, até arrumar dois filhos, um atrás do outro. — Ela era uma mulher absolutamente *fantástica*, mas agora parece uma daquelas ativistas ambientais.

— Desperdício de uma grande figura feminina — disse Tara. — Não tem tempo nem de lavar os cabelos, porque vive ocupada, limpando bundas. Mas está feliz.

— Pensem em Gerri — lembrou Katherine. Gerri era outra amiga das antigas, que adorava festas, até ter um filho e imediatamente se transformar ela própria em um bebê. — Gerri perdeu por completo a capacidade de falar como uma pessoa adulta.

— Mas ela já aprendeu a usar o peniquinho e sabe contar até dez — informou Liv. — E está feliz também.

— E não esqueçam da Melanie — disse Katherine, com ar sombrio. — Costumava ser tão liberal... agora se transformou em uma verdadeira fascista de extrema-direita, e seria uma adversária dura para a Frente Nacional. É isso o que uma criança pode fazer por você. Melanie vive tão ocupada assinando petições contra pedofilia que se esqueceu da própria vida.

— Mas pensem só a emoção que seria segurar o seu próprio bebê nos braços — disse Liv, com a voz suave. — Que alegria! Que felicidade!

— Alerta de sentimentalismo, acudam todos! — riu Tara. — Liv está ficando toda derretida! Alguém aí, impeça isso!

— O que foi que Thomas lhe deu de presente de aniversário, Tara? — A fim de desviar a atenção de Liv, antes que ela explodisse em lágrimas sentimentais, Katherine acabou falando sem pensar:

— Uma nota de 10 shillings*? — sugeriu Fintan.

— Dez shillings? — debochou Tara. — Cai na real! Ele jamais seria assim tão perdulário — acrescentou. — Uma moeda de 1 farthing**, essa talvez ele me desse de presente... — Bateu com o punho na mesa e anunciou, com um forte sotaque de Yorkshire: — Não sou pão-duro, sou apenas controlado! — A voz de Tara soou incrivelmente igual à de Thomas.

— Então foi um vasinho para flores revestido de conchinhas presas com cola branca, que ele mesmo fez? Ou quem sabe uma caneta esferográfica usada? — pressionou Fintan.

---

* Nota fora de circulação, ainda do tempo em que o sistema monetário britânico não era decimal. Dez shillings era o equivalente a meia libra. (N.T.)

** Moeda mais antiga e ainda de menor valor. (N.T.)

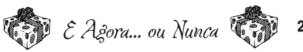

— Ele me deu um especial Thomas Holmes — contou Tara, voltando a usar a voz normal. — Um potinho de creme para as mãos e a promessa de uma lipoaspiração no dia em que ele ganhar na loteria.

— Ele não é mesmo hilário? — perguntou Fintan, com sarcasmo.

— Foi um potinho de creme para as mãos *novo*? — perguntou Katherine, com tom neutro. — Ou ele roubou o produto no banheiro feminino do lugar onde trabalha?

— Ora, por favor! — Tara pareceu indignada. — Claro que não era novo! Era o mesmo que ele me deu no Natal passado. Eu havia enfiado o presente no fundo de alguma gaveta, ele obviamente o encontrou e resolveu reciclá-lo.

— Mas que unha de fome! — Liv não conseguiu se segurar.

— Ele *não é* unha de fome — rebateu Tara.

Liv pareceu surpresa. Normalmente, Tara era a primeira a comentar o quanto Thomas era mão-fechada, antes de qualquer pessoa falar isso, só para mostrar que ela não se importava.

— Ele é só ligeiramente sovina — completou Tara. — Vamos lá, Liv, pode dizer...

— Thomas é só ligeiramente sovina — repetiu Liv. — Obrigada, Tara.

— De qualquer modo, dá para entender o seu ponto de vista disse Tara. — Essas datas foram todas inventadas pelos comerciantes, para poderem ganhar mais dinheiro. Natal, Dia dos Namorados e toda essa xaropada. Eu o admiro por se recusar a ser manipulado. E isso não quer dizer que Thomas nunca me compre presentes. Algumas semanas atrás, sem motivo especial, ele me trouxe uma linda bolsa de água quente com revestimento felpudo para minhas cólicas.

— É tão avarento que prefere isso a comprar um bom analgésico todo mês, porque ia acabar saindo mais caro — debochou Fintan.

— Ah, não fale assim — e Tara quase riu. — Você não vê o que eu vejo.

— E o que você vê?

— Sei que Thomas parece meio grosso, mas, na verdade, ele sabe ser carinhoso. Às vezes... — e pareceu levemente envergonhada ao relatar o fato — ele me conta lindas histórias na hora de dormir, sobre um ursinho chamado Ernest.

— Isso é um eufemismo para o pau dele? — perguntou Fintan, com ar desconfiado. — Esse Ernest costuma se esconder à noite em cavernas escuras?

— Ah, acho que estou perdendo meu tempo com você — reagiu Tara, dando boas risadas. — Você tem alguma fofoca nova? Vamos lá, conte-nos algo bem indecente a respeito de alguém famoso.

Fintan, que era o braço direito da famosa Carmella Garcia, uma decoradora espanhola ligada em coca, que costumava ser chamada pela crítica especializada de "gênio impressionante" e, ao mesmo tempo, de "megera alucinada", estava por dentro de todo tipo de informação escandalosa a respeito dos ricos e famosos.

— Certo, tenho fofocas, mas posso, antes, pedir outro drinque?

— O papa é católico? — reagiu Tara, sendo óbvia.

Muito tempo e vários cafés mais tarde, Katherine começou a reparar, com certo desconforto, que Unhas Roxas estava louca para fechar o caixa e ir para casa. Ou, talvez, fechar o caixa, sair e ficar doidona em algum lugar.

— Acho que é melhor fecharmos a conta — disse, interrompendo as risadas bêbadas e escandalosas.

— Deixem que eu pago — ofereceu Fintan, com o ar magnânimo das pessoas que já estão pra lá de Marrakech. — Eu... absolutamente... insisto!

— De jeito nenhum! — disse Katherine.

— Você está me ofendendo — reagiu Fintan, colocando o cartão de crédito sobre a mesa com força. — Está me insultando!

— Como você vai conseguir manter a sua conta negativa em apenas dez milhões se continuar pagando o jantar para todo mundo? — alertou Katherine.

— Ela tem razão — concordou Tara, com determinação. — Você me disse que ia acabar preso se continuasse a aumentar a conta do cartão sem controle. Comentou que os caras de farda iam chegar com algemas e cassetetes, prontos para lhe enfiar o cacete.

— Deus te ouça! — exclamaram a uma voz Fintan e Liv, cutucando-se mutuamente e caindo na risada.

— ... Disse ainda que eles iam levar você para longe e nós nunca mais íamos ver você. "Impeça-me se eu for usar este cartão novamente" foi o que você pediu. — Tara empurrou o cartão sobre a mesa de volta para ele.

— Até parece!... Logo *você* falando isso!

— Dois erros não formam um acerto.

— Como é que pode eu viver assim sem grana, totalmente durango...? — quis saber Fintan. — Eu ganho um salário decente.

— Pois é por isso mesmo! — consolou Tara, com lógica de bêbado. — Eu, por exemplo. Quanto mais o meu salário aumenta, mais pobre eu fico. Sempre que consigo um aumento, minhas despesas crescem mais, até absorver toda a grana nova, porque a expansão do que sai é muito maior do que a do que entra. Dizem que fazer dieta só serve pra gente engordar ainda mais, não é? Pois eu acho que aumentos de salário só servem pra deixar a gente mais pobre!

— Por que não conseguimos ser um pouco mais como você, Katherine? — especulou Fintan.

Katherine, certa vez, confessara que sempre que era aumentada no emprego fazia uma transferência mensal para a poupança, exatamente no mesmo valor do aumento recebido, partindo do princípio de que, como ela não tinha aquele dinheiro antes, não ia sentir falta dele mesmo. Dividiu a conta por todos e disse:

— Preciso de gente perdulária por perto, para poder me sentir superior.

Finalmente, foram embora.

Darius, o garçom, observou Katherine, que deslizava com elegância rumo à saída. Ela não era o seu tipo, mas algo em seu jeito o deixara intrigado. Reparou o quanto ela bebera, mas não estava cambaleando, nem dando guinchos agudos ou se amparando nos outros, como o resto do grupo. E ficara impressionado pela forma como ela se comportara logo que chegou. Era especialista em mulheres que fingiam indiferença ao ficar esperando à mesa, sozinhas, por alguém, e tinha certeza de que a pose despreocupada de Katherine era legítima. Tentou achar uma palavra para descrevê-la (ele queria ser um DJ, e palavras não eram exatamente o seu ponto forte). Enigmática, seria a palavra que ele procurava, se ao menos conhecesse o termo.

* * *

— Para onde vamos agora? perguntou Tara, com avidez, depois que todos conseguiram chegar na calçada, aos trancos e barrancos. Embora ainda fosse princípio de outubro, já estava bem frio. — Alguém sabe de alguma festa?

— Não, essa noite não.

— Não tem festa nenhuma? Geralmente sempre alguém descola alguma...

— Podíamos ir ao Bar Mundo — sugeriu Katherine.

— Não! — recusou Tara, balançando a cabeça. — Vou lá toda quarta-feira com o pessoal da minha seção, e associo o lugar com ambiente de trabalho.

— Que tal o Blue Note?

— Deve estar entulhado. Não íamos conseguir uma mesa.

— E o Happiness Stan?

— A música estava uma bosta, da última vez que fomos lá.

— E o Subvertido?

— Ah, por favor, me poupe!

— Acho que isso é uma negativa. — Katherine já estava acabando com a lista dos lugares que costumavam frequentar.

— Que tal a Câmara de Torturas? — sugeriu Fintan, com ar alegre. — Tem um monte de bofes lindos andando de um lado para outro, presos por coleiras.

— Não, você já esqueceu? — lembrou Katherine. — Fomos barradas lá naquela vez, por sermos mulheres.

— Ah, foi por isso? — surpreendeu-se Liv. — Achei que tinha sido porque nossas cabeças não estavam raspadas.

— Sabem de uma coisa? Não estou a fim de ir para uma boate dessas não — admitiu Tara. — Não estou no clima pra fazer zona. Queria mesmo era sossegar o facho, sentar em um lugar confortável, sem precisar sair na porrada para conseguir um drinque, e me sentir capaz até de ouvir o que estamos conversando... Puxa, caramba!... — e apertou o próprio estômago com ar de pavor. — Já começou a acontecer! Menos de um dia depois dos 31 e eu já estou parecendo uma velha! Agora vou ter que ir para um lugar doido desses, só para provar a mim mesma que é o que eu quero.

— Também não estou muito a fim de ir para a balada hoje não... — consolou-a Liv — mas talvez seja porque eu já cheguei aos 31 e meio, e devo estar começando a aceitar a velhice.

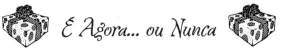

— Não! — Tara fez cara de indignação. — Já é péssimo o fato de eu não querer ir, mas aceitar isso, nunca! Odeio o processo de envelhecimento, odeio de verdade!

— O próximo passo é começar a achar que era melhor ficar na cama vendo televisão do que fazer qualquer outra coisa — os olhos de Katherine cintilavam de maldade. — Então, você vai começar a dar desculpas para não sair de casa. Tem até um nome oficial para essa síndrome: enclausuramento. O controle remoto vai virar o seu melhor amigo.

— Eu já o amo — confessou Tara.

— E então você vai deixar de comprar *Vogue* e começar a comprar *Living Etc.*

— Essa é aquela revista de decoração de interiores?

Katherine concordou com ar diabólico e Tara fez cara de nojo, exclamando:

— Argh!...

— Vamos para o apartamento de alguém — tentou Fintan, decidido a manter a agitação da noite. — Podemos fingir que lá é um point da moda.

— Então, o que acham da minha casa? — sugeriu Tara, pensando em Thomas e torcendo para eles recusarem. Estava bêbada, mas não tão bêbada assim.

— E que tal a *minha* casa? — sugeriu Katherine, também pensando em Thomas.

— Eu voto na casa de Katherine — falaram Liv e Fintan, ao mesmo tempo e bem depressa, também pensando em Thomas.

— Tem birita lá? — quis saber Tara.

— Claro que tem! — respondeu Katherine, com ar de ofendida.

— Puxa, viramos adultos de verdade — murmurou Tara, com a língua engrolada.

Katherine fez sinal para um táxi, o que aborreceu os dois homens que estavam na rua a 50 metros adiante deles e que já estavam esperando há mais tempo.

— Gospel Oak, por favor — pediu ela.

— É tão perto que vocês podiam ir a pé — reclamou o motorista.

— Eu não podia não — explicou Tara, com cara de empolgada. — Estou de porre.

— Vocês lembram... — recordou ela, depois que os quatro já haviam entrado no táxi — que o álcool não durava nada, acabava rapidinho, no tempo em que morávamos todos juntos? Sempre que íamos para a Irlanda — esticou o braço na direção de Katherine e Fintan —, ou *você* ia para a Suécia — apontou para Liv —, e trazíamos bebida do shree fop... quer dizer, do free shop, detonávamos tudo, até a última gota, assim que chegávamos em casa.

— Essa era a nossa pobreza — confirmou Liv.

— A palavra certa é "fraqueza" — corrigiu Tara, de forma casual. — Mas não se tratava apenas disso. Éramos jovens, tínhamos *fogo* aqui dentro! — e massageou a barriga.

— Agora, somos velhos — disse Liv, pesarosa.

— Não! — comandou Katherine. — Ainda está muito cedo pra vocês duas desmoronarem. Ainda temos pelo menos mais uma hora para curtir.

CAPÍTULO 3

Enquanto Fintan e as amigas estavam no restaurante, a poucos passos dali, uma festa acontecia. É claro que havia várias festas acontecendo em toda parte, porque era Londres, em plena sexta-feira à noite, e na região de Camden. Esta festa em particular, porém, contava com a presença de Lorcan Larkin.

Lorcan Larkin era um homem para quem quase tudo dava certo. Na verdade, a única coisa que não funcionava bem para ele era o próprio nome — meio estranho de pronunciar. Tinha um metro e noventa, peito largo, barriga lisa e sarada, tipo tanquinho, pernas compridas, quadris estreitos em um corpo escultural que ele conseguia manter à base de muita comida, bebida e fumo. Exibia cabelos espessos, ruivo-escuros, olhos estreitos cor de violeta e uma das bocas mais lindas e sensuais que se podia encontrar na virada do século 21, na área de azaração de Camden.

Milhares de mulheres eram lançadas em um turbilhão confuso sempre que *encontravam* Lorcan e imediatamente se viam invadidas de tesão por ele.

— Mas eu nem mesmo acho homens ruivos atraentes! — era um refrão comum. — Isso é tão embaraçoso!

Lorcan era um ruivo muito especial. Nada de gozações do tipo "Olha só aquele babaca com cabelo cor de gengibre" quando ele passava pela rua. O mais comum era um desfile de olhares extasiados.

E, nos raros casos em que alguma mulher se via prestes a ficar pau da vida com ele, em vez de se lançar a seus pés, Lorcan usava a sua arma secreta. O sotaque irlandês. Só que não era aquele sotaque caricato, que as pessoas usavam para fazer piada com os irlandeses, tipo "ói nóis aqui". Nada disso... a voz suave de Lorcan era fluida, lírica, mas, acima de tudo, culta e refinada. Ele não tinha receio de injetar alguma citação estranha ou um verso poético no meio da conversa se achasse que a situação pedia isso. As mulheres ficavam hipnotizadas pela voz de Lorcan, porque era assim que ele queria.

No exato momento em que Tara estava pedindo para comer duas sobremesas ("Ora, é o *meu* aniversário, afinal", anunciou, com ar de desafio), Lorcan decidiu que ia comer a filha da dona da casa, que tinha 16 anos e se chamava Kelly. Obviamente, ela estava louca para que isso acontecesse, pois dera em cima dele a noite inteira, lançando-lhe olhares provocantes com seus imensos olhos de gazela, roçando os peitos grandes e firmes em seu braço sempre que passava perto dele. Tudo bem que Angeline, sua mãe, ia ficar muito pau da vida, mas não seria a primeira vez que mãe e filha iam sair no tapa por causa dele, e também não seria a última. Lorcan observou Kelly com atenção, distraindo-se com a sua gloriosa abundância adolescente. Suas pernas eram compridas e esbeltas, seu traseiro empinado e bem redondo. Dava para sacar que era o tipo de mulher que ia engordar muito cedo e muito rápido. Em mais uns dois anos, tudo aquilo estaria completamente perdido, entre pneuzinhos, barrigas duplas cheias de gordura e o resto todo desperdiçado. E ela estaria se perguntando o que acontecera de errado com o seu corpo. Naquele instante, porém, estava perfeita.

— Hora de vazar, meu chapa — Benjy lembrou a Lorcan, tentando disfarçar a ansiedade. Lorcan já devia estar na casa da namorada, Amy, há várias horas, para comemorar o seu aniversário.

— Ainda não... — Lorcan enxotou Benjy com a mão.

— Mas... — protestou Benjy.

— Larga do meu pé! — falou Lorcan, entre dentes.

Benjy já dividira um apartamento com Lorcan, quando os dois eram mais jovens, e era uma espécie de secretário social não oficial do amigo. Vivia colado em Lorcan, na esperança de que o seu tremendo sucesso com as mulheres passasse para ele, pelo menos um pouco. No caso de isso falhar, sempre havia a oportunidade de estar por perto para receber as sobras de Lorcan — só isso já significava uma legião de mulheres — e recolhê-las com carinho, de preferência na cama.

Lorcan se levantou do sofá, esticando o corpo com descontração e graça. Com o rosto brilhando, foi em direção a Kelly, que baixou

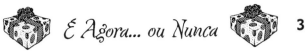

os olhos com ar tímido, não sem antes Benjy perceber um brilho de triunfo neles. Não conseguiu ouvir o que Lorcan disse para Kelly, mas dava para imaginar. Lorcan, certa vez, por pura bondade, lhe contara algumas de suas cantadas infalíveis.

— Tente murmurar bem junto da orelha dela "você é uma mulher terrível, me atormentando assim, com esse olhar..." — aconselhara ele a Benjy. — Ou então diga, de forma inesperada, como se estivesse nervoso: "Desculpe incomodá-la, mas preciso lhe dizer que você possui a boca mais maravilhosa que eu já vi... Desculpe mais uma vez por ter vindo perturbá-la, já estou de saída." Fale essas coisas e o seu sucesso com elas vai aumentar em 100 por cento — garantiu a Benjy.

Só que 100 por cento de aumento em cima de zero é zero mesmo. E as frases que funcionavam tão bem com Lorcan rendiam a Benjy apenas olhares sem expressão ou gargalhadas de desdém, sendo que em uma dessas vezes o resultado fora um tapa tão grande na cara que o deixou ouvindo sininhos por três dias.

— O que estou fazendo de errado? — quis saber Benjy, já desesperado, assim que sua audição voltou ao normal. Talvez ajudasse um pouco se ele não tivesse apenas um metro e sessenta e cinco de altura, não fosse gordinho e nem tivesse o cabelo desbotado e ralo, mas Lorcan não lhe disse nada disso. Gostava de bancar o benfeitor.

— Certo — concedeu Lorcan, sorrindo —, aprenda com o mestre. Você vê duas garotas. Uma delas é uma tremenda gata, e a outra, o contrário. Isso acontece com frequência. Pois bem, você começa a dar em cima do dragão, entende?... Fica atrás dela que nem sarna e ignora a gostosa. A medonha fica toda empolgada por estar se dando bem, deixando a gata pra trás. A gata fica muito puta por estar sendo ignorada, e tenta fazer com que você se interesse por ela. No fim, você ganha as duas!

Benjy se encheu de esperança. Lorcan fazia tudo soar muito razoável.

— Você tem alguma outra dica, Lorcan?

Ele meditou por um momento, e então disse:

— Olhe... toda mulher aprecia algo em si mesma — explicou. — Toda mulher tem o que elas chamam de "ponto forte". Tente descobrir o que é. Pode acreditar, cara, é sempre óbvio. Então, elogie, seja lá o que for.

— Tem mais alguma coisa que eu precise saber? — concordou Benjy, com ar esperançoso.

— Sim. Com as gordas é mais difícil de descobrir o ponto forte.

Segundos depois de Lorcan e Kelly desaparecerem, Angeline, uma mulher atraente que vivia preocupada com o tamanho da barriga, correu até onde Benjy estava.

— Para onde foi o Lorcan? — perguntou, preocupada. — E onde está Kelly?

— Ahn... Nã-não sei — gaguejou Benjy. — Mas não esquente, eles devem estar por aqui, em algum lugar — acrescentou, perguntando a si mesmo por que se preocupava com aquilo.

Eles realmente *estavam* por ali, na verdade dentro do quarto de Kelly, todo cor-de-rosa e entulhado de badulaques. Quase não dava para ver a cor do edredom sobre a cama, escondido por uma superabundância de bichinhos de pelúcia, todos arrumadinhos. Kelly parecia uma mulher feita, mas o resto dela ainda não percebera esse fato.

As coisas com Lorcan estavam indo rápido demais. Ela queria apenas que ele a beijasse, para ela poder dizer depois para a mãe, com ar de vitória: "Viu só, sua velha com cara de grávida? Eu disse que era mais gostosa que você." Ela ainda não decidira se o deixaria apenas apalpar seus seios, por fora da roupa, é claro, mas acabou resolvendo que era melhor não... Assim, quando Lorcan começou a abrir as próprias calças, isso foi um choque. Quando as arriou até o meio das pernas e acariciou sua ereção imensa e assustadora na cara de Kelly, isso foi um choque ainda maior.

— É melhor voltarmos para a festa — propôs ela, aterrorizada.

— Ainda não... — disse Lorcan, abrindo um sorriso perigoso e colocando a mão atrás dos cabelos macios de sua nuca.

Benjy levantou os olhos com uma mistura de admiração, ódio e inveja ao ver Lorcan voltar para a sala andando de maneira pomposa, como se estivesse dando a volta olímpica.

— Seu filho da mãe sortudo! — murmurou.

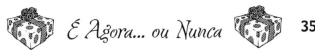

— Eu não trepei com ela. — Os olhos de Lorcan estavam límpidos, embebidos de bondade. — Sua honra continua intacta.

— Sei, tá legal... Você não encostou um dedo sequer nela — debochou Benjy. — E quanto a Amy? É aniversário dela.

— Não consigo evitar — explicou Lorcan, sorrindo e levantando os ombros de um jeito que faria várias mulheres adultas se jogarem aos seus pés. — Eu amo as mulheres.

— Não, não ama... — falou Benjy, baixinho. — Acho que você as odeia.

— Ah, qual é?... — reagiu Lorcan. — Hora de cair fora. Vamos logo, cara, estamos atrasados! — E saiu andando na frente, com ares de quem tem um compromisso, ignorando Kelly, chorosa e humilhada, toda encolhida no primeiro degrau da escada.

— Por que você sempre trata as mulheres como lixo? — quis saber Benjy, assim que saíram para a rua, naquela noite fria de outubro, enquanto esperavam um táxi. — O que a sua mãe fez para você? Amamentou você no peito por tempo demais? Não amamentou o bastante?

— Minha mãe era ótima — disse Lorcan, com a voz suave e melodiosa contrastando com a de Benjy, aguda e cheia de raiva. Por que será que as pessoas viviam procurando motivos idiotas e freudianos para a pouca atenção que ele dispensava às mulheres? Era tudo muito simples. — No fundo, Benjy, trata-se apenas da velha piada, entendeu?

— Que velha piada? — berrou Benjy, ao ver que Lorcan não respondeu, seguindo a direção do seu olhar que pousou sobre três mulheres e um homem que estavam do lado de fora de um restaurante próximo.

— Que velha piada?! — repetiu Benjy, ainda mais alto, com a raiva amplificada pela imagem das quatro pessoas entrando no táxi que seria deles.

— Por que motivo os cães lambem o próprio saco? — perguntou Lorcan.

Benjy olhou para ele com um silêncio mal-humorado, sem saber a resposta.

— Porque eles podem, Benjy... — explicou Lorcan, com ar de tédio. — Porque eles podem.

CAPÍTULO 4

Liv, Tara, Fintan e Katherine beberam gim-tônica, dançaram ao som do *Wham!* e incomodaram Roger, o vizinho de baixo de Katherine.

— Esses caras não são o máximo? — comentou Tara, com o rosto afogueado de cana. — Vocês se lembram da gente dançando essa música no verão dos nossos 15 anos? Você lembra, Fintan?... Você lembra, Katherine?...

— Lembro — confirmou Fintan, meio sem graça. — Mas não fique falando do nosso passado, senão a Liv vai se sentir deslocada.

— Não, não... — avisou Liv, da forma mais jovial que conseguiu. — Está tudo bem, eu sempre me sinto deslocada mesmo.

— A não ser quando você conhece as pessoas muito bem — lembrou Fintan, de forma gentil.

— Não, *especialmente* nesse caso.

Por fim, depois de uma hora, Liv se sentiu tomada por uma onda de melancolia e decidiu que era melhor ir para casa.

— Você está legal? — perguntou Katherine, enquanto Liv se dirigia para a porta.

Liv assentiu, com ar arrasado, e explicou:

— Vou comer 12 sacos de batata frita, dormir por 18 horas seguidas, e então vou acordar bem melhor.

— Que Deus a ajude — afirmou Tara, com um tom solidário, assim que ela saiu. — Sei que eu tenho uns ataques de depressão de vez em quando, mas os dela são tão regulares que dá para marcar pelo relógio, não é?

— Acho que também vou para casa — anunciou Fintan.

— O quê? Assim vão acabar tirando de você o título de baladeiro mais tradicional da cidade — avisou Tara.

— Mas eu estou supercansado — explicou —, além de estar sentindo uma dor no pescoço e outra bem aqui do lado, onde ficava o meu fígado.

A agitação diminuiu depois disso, para alívio total de Roger, no andar de baixo.

— Acho que dancei tanto que fiquei sóbria — disse Tara.

Mandaram George Michael, o vocalista do *Wham!*, calar a boca, pediram um radiotáxi para Tara e Katherine começou a se aprontar para dormir.

— Você é tão certinha que não tem mais jeito, né?... — comentou Tara, cheia de inveja e admiração, enquanto vistoriava o quarto impecável e perfumado de Katherine. O edredom sobre a cama estava esticadinho, sem dobras nem calombos. As pequenas plantas tinham um tom de verde-esmeralda, estavam florindo, e a poeira passava longe dali. Os muitos e muitos frascos de loção para o corpo sobre a penteadeira estavam quase cheios e pareciam novos. Não havia vidrinhos velhos comemorando o aniversário de cinco anos juntos, todos com a tampa ensebada e meio milímetro de produto no fundo. E quem se desse o trabalho de olhar para o seu banheiro imaculado ia descobrir que para cada fragrância de loção para o corpo da penteadeira havia um sabonete do mesmo conjunto e um gel para banho arrumadinho em alguma prateleira.

Katherine adorava *conjuntos*. Não ligava muito para produtos avulsos. Quando, porém, encontrava um par para eles, se apaixonava e comprava. Assim, lenços de pescoço e cachecóis tinham sempre que combinar com as luvas; talcos precisavam ter sempre um sabonete para servir de fiel escudeiro, com o mesmo perfume; qualquer tigelinha ornamental não servia de nada, a não ser que tivesse uma irmã menor, completamente idêntica, ao lado. Na verdade, Tara sempre zoava Katherine, dizendo que o seu homem ideal teria que ter boa-pinta, um corpo fantástico e um irmão gêmeo.

Tara continuava a analisar o quarto.

— Você me faz sentir tão estranha e inadequada... — afirmou, com ar de tristeza. — Deixou sua cama feita, mesmo sem saber que ia receber visitas.

Tara se esquecera, por algum tempo, da dona de casa perfeita que Katherine era, pois já fazia um ano desde que elas finalmente resolveram morar separadas. Katherine comprara um cantinho para ela; Thomas levara Tara para morar com ele e, já que estavam juntos, colocou-a para pagar metade da prestação do apartamento.

Sem conseguir resistir, Tara foi olhar nas gavetas. Tudo lá dentro estava organizado, cheiroso, dobrado, limpo e bem-passado. Katherine era uma daquelas pessoas muito raras: uma mulher que regularmente fazia uma limpa geral nas gavetas, pegava todas as roupas de baixo velhas com manchas de encardido ou elásticos frouxos e as atirava direto no lixo.

— Estou enxergando dobrado por causa da bebida... — quis saber Tara — ou você tem realmente duas calcinhas iguais de cada modelo?

— Exato! — confirmou Katherine. — E dois sutiãs também, sempre em pares.

Tara simplesmente não compreendia o motivo daquilo. Não ligava para roupas de baixo. Importava-se apenas com o que ficava do lado de fora, as coisas que as pessoas viam. É claro que Thomas já conhecia as suas calcinhas e sutiãs, todos mais velhos que o garçom da Santa Ceia, mas ele já estava com ela há dois anos. Manter o mistério e a sofisticação no relacionamento por mais de três meses dava muito trabalho. Além do mais, ele também não era grande coisa no quesito cuecas novas e elegantes, lembrou ela, esperando quietinha até a culpa ir embora.

Tara abriu outra gaveta e encontrou vários conjuntinhos especiais para dormir, embora tudo fosse bonito e não especificamente sexy. Nada de baby-dolls em poliéster preto transparente, nem camisolas com calcinhas dotadas de aberturas estratégicas.

— Você é tão arrumadinha — disse Tara. — Gasta um monte de tempo e grana em calcinhas e sutiãs.

— Mas não é assim com todo mundo?

— Talvez. Mas ninguém mais, que eu conheça, *compra tantas coisas só para si mesma.*

Tara se recostou na cama e observou com inveja as pernas de Katherine — firmes e bem torneadas, devido às aulas de sapateado — enquanto ela vestia um shortinho em jérsei azul com bolinhas brancas. Por cima, uma camiseta curta sem mangas do mesmo material, formando um conjunto. Katherine vestiu a parte de cima do avesso, com as costas pra frente e a etiqueta pra fora, e dava para ler as instruções de lavagem bem abaixo do seu queixo. Fora isso, nem dava para notar o quanto ela estava bêbada.

— Já está na hora de você arrumar um cara legal, que possa usufruir os benefícios de suas lindas roupas íntimas — sugeriu Tara.

— Estou muito bem sozinha.

— Mas todas essas calcinhas lindas e nenhum homem para apreciá-las — lamentou Tara. — Acho isso meio triste.

— Não acho nada triste — replicou Katherine. — Além do mais, as calcinhas são minhas.

— Pois eu acho triste.

— Então você devia procurar ajuda.

— Não preciso de ajuda — reagiu Tara, meio tonta, mas sentindo-se grata. — Tenho namorado!

— Mas e se o namoro acabar...? — implicou Katherine, com um jeito travesso.

— Pare! — declarou Tara, com horror nos olhos. — O que seria de mim? — e pensou na possibilidade por um momento. — Ia acabar me transformando em uma mulher esquisita...

— Lá vamos nós de novo — suspirou Katherine.

O grande receio de Tara era que as mulheres com mais de 30 anos e sem namorado iam ficando cada vez mais excêntricas, e a bizarrice crescente só servia para perpetuar a solteirice. Desenvolviam hábitos cada vez mais estranhos, olhando cada vez mais para o próprio umbigo. Mesmo que o homem perfeito eventualmente aparecesse, Tara sabia que elas estariam tão aprisionadas dentro de si mesmas que não conseguiriam esticar o braço para alcançar a mão estendida que poderia libertá-las.

— Provavelmente eu ia virar uma solteirona pirada coletora de lixo — disse Tara. — Aquelas que não jogam nada fora e guardam tudo, desde cascas de batata até jornais amarelados de dez anos atrás.

— Mas você já é quase assim, mesmo com namorado — argumentou Katherine.

— Jamais iria abrir a porta para estranhos, nem mesmo para o cara da Saúde Pública que vem inspecionar os focos de dengue – continuou Tara, impressionada com a sua visão apocalíptica. — Ia dar para sentir o cheiro do meu apartamento a cem metros de distância. Era assim que eu ficaria, sem um homem por perto.

— Ainda bem que você tem namorado, então — disse Katherine.

A campainha tocou, avisando que o radiotáxi de Tara acabara de chegar.

— Caraca, desculpe se a ofendi, Katherine. — Tara de repente se viu mortificada. — Você é a minha melhor amiga, a gente se adora e eu não quis insinuar que *você* estava ficando esquisita...

— Tudo bem, eu não me senti ofendida. Agora pode ir, porque eu tenho um encontro secreto com o controle remoto da tevê. Só que, antes disso — acrescentou Katherine —, preciso lavar as mãos 50 vezes e passar a ferro todas as minhas malhas de ginástica. Sabe como são essas coisas... Sou uma mulher sozinha! Sou uma Mártir do Transtorno Obsessivo-Compulsivo!

CAPÍTULO 5

Tara entrou no táxi, acendeu um cigarro e ficou olhando para o nada, a meia distância, sentindo-se culpada. Não só era uma covarde desprezível que não conseguia viver sem um homem por perto como também havia uma chance, ainda que pequena, de ela ter deixado Katherine chateada. Katherine era tão equilibrada e independente que Tara às vezes se esquecia de que ela também tinha sentimentos.

Quando, porém, o táxi virou na rua onde Alasdair morava, Tara se esqueceu de Katherine na mesma hora. Sentou-se reta no banco e se colocou em estado de alerta. Não conseguia evitar. Tentando dar uma espiada nele, nem que fosse de relance, olhou para cima, para as janelas do seu apartamento. Estavam todas apagadas, e o táxi passou tão depressa que não deu nem para ela descobrir se a escuridão era pelo fato de Alasdair e *sua esposa* já estarem na cama ou sentados na varanda.

É maluquice continuar nessa, pensou Tara. Além do mais, pode ser que ele nem more mais aqui. Quando as pessoas casavam, acabavam saindo de seus apartamentos estilosos no centro de Londres e se mudando para bem longe dos bares e restaurantes da moda, enfiando-se em alguma casa de três quartos com um jardinzinho na frente em algum bairro residencial pra lá de Heathrow.

Seu estômago roncou de insatisfação. Tara amava Thomas, mas ainda continuava com uma espécie de interesse territorial em Alasdair. Era doloroso pensar nele passando por grandes mudanças em sua vida sem que ela sequer fosse informada. Alasdair fora o namorado de Tara, antes de Thomas. E era muito diferente de Thomas. Era generoso, espontâneo, agitado, afetuoso, sociável. Adorava jantar fora e jamais olhava para o cardápio, exclamando "Dez libras?

Dez suadas libras por um pedacinho de frango? Dava pra comprar isso no supermercado por uma libra e vinte!", como Thomas costumava fazer.

Tara conhecera Alasdair depois de uma série de namorados avulsos com quem foi levando a vida, sem compromissos, até os 26 anos. Então, se encantou com o sotaque escocês de Alasdair, seu cabelo muito preto cortado à escovinha e seus olhos que pareciam de doidão, muito brilhantes e ligados, por trás de óculos com armação fina de metal. Ela achou até mesmo o seu nome sedutor. Não levou muito tempo para Tara descobrir que encontrara o homem com quem ia casar. Todos os sinais eram promissores.

Reconheceu que já estava na hora de se casar. Como Alasdair era dois anos mais velho do que ela, chegara o momento certo para ele também. Os dois tinham bons empregos e vinham de famílias do interior. O mais importante, porém, é que ambos desejavam as mesmas coisas da vida: muita diversão e comer fora. A despeito de todos os restaurantes aos quais costumavam ir, na época, Tara não estava tão acima do peso quanto se poderia esperar.

Os dois faziam parte da geração que só consumia o sofisticado vinagre balsâmico — um casal bonito de vinte e poucos anos — e adoravam festas, usufruíam todas as facilidades da máquina de cappuccino de Alasdair, dirigiam por toda Londres no MG vermelho dele, tomavam champanhe pelo menos uma vez por semana e iam às compras todo sábado, frequentando lojas de grife, como a Paul Smith ou Joseph (às vezes eles chegavam até a comprar realmente alguma coisa, tipo um par de meias ou um prendedor de gravatas).

Quando Tara foi para a Irlanda passar uma semana, no verão, Alasdair foi com ela. De repente, ela passou a ver Knockavoy pelos olhos dele. O magnífico e agitado Atlântico que arrancava com paciência blocos dos penhascos, a imensa extensão de areias douradas, o ar tão suave e limpo que parecia quase palpável. Até então, Tara odiara sua terra natal. Um buraco do interior, cercado de vazio por todos os lados, onde nada jamais acontecia, a não ser nos meses de verão, quando os turistas apareciam.

A mãe de Tara adorara Alasdair. Seu pai não, é claro, mas ele odiava tudo que tivesse relação com Tara. Por que Alasdair seria diferente? Depois disso, Alasdair levou-a para conhecer a sua família em Skye, fato que ela considerou muito confortador. Tara sempre tivera um certo temor de que as pessoas que conhecera em Londres não fossem muito autênticas. Achava que, de certo modo, elas haviam reinventado a si próprias, simplesmente por poderem fazer isso, pois quase ninguém havia realmente *nascido* em Londres e, devido a isso, não havia nenhuma família chata em volta deles, pronta para desmentir qualquer fantasia que inventassem para os amigos. Mesmo tendo de levar mais de uma semana para se recuperar das festas exageradas que a família de Alasdair preparou para ela, ao menos Tara sabia ao certo de onde e de que família ele viera.

Pouco depois de eles retornarem de Skye, já era o aniversário de dois anos de namoro, e Tara achou que já estava na hora de as coisas se movimentarem na direção do casamento. Ou, pelo menos, para a fase de eles morarem juntos. De qualquer modo, ela praticamente já morava no apartamento de Alasdair, e reconhecia que tornar tudo oficial era apenas uma formalidade.

Entretanto, ao propor isso a ele, ficou surpresa ao notar o seu olhar aterrorizado.

— Mas... — disse ele, com aqueles olhos normalmente tão agitados fixos nos dela. — Mas nós estamos tão bem desse jeito, não há necessidade de apressarmos as coisas...

Terrivelmente abalada e disfarçando a mágoa, Tara recuara.

— Você tem razão — assegurou ela, de forma calorosa. — As coisas *estão* muito bem desse jeito, não há necessidade de apressarmos nada — e se preparou para uma guerra com ela mesma. Tudo bem que as coisas aconteciam para quem sabia esperar. O problema é que, aos 28 anos, ela sabia que tempo era uma mercadoria que ela já não possuía em abundância.

Acalmou sua histeria dizendo a si mesma que ele a amava. Disso ela estava certa, e agarrou-se a esse fato como se a própria vida estivesse em jogo.

As coisas continuaram nesse pé por mais uns seis meses, de forma ostensivamente iguais, só que não exatamente iguais. Alasdair exibia um constante ar de alguém caçado, e isso se infiltrava em tudo, manchando e melando a diversão. E Tara começou a sentir medo e ansiedade. Percebeu que já não estava mais com vinte "e poucos" anos; viu-se consciente de que todas as garotas que haviam

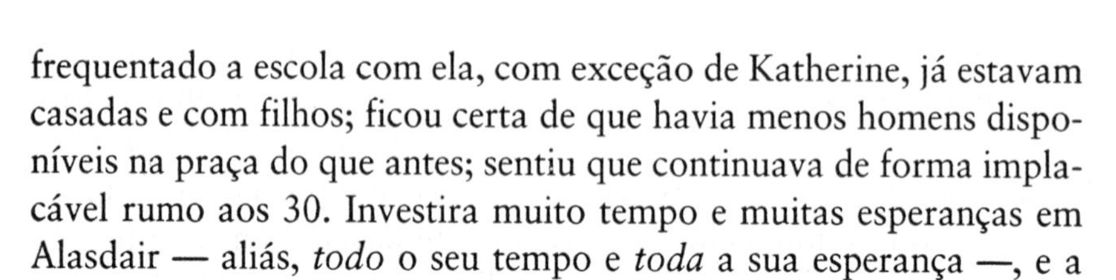

frequentado a escola com ela, com exceção de Katherine, já estavam casadas e com filhos; ficou certa de que havia menos homens disponíveis na praça do que antes; sentiu que continuava de forma implacável rumo aos 30. Investira muito tempo e muitas esperanças em Alasdair — aliás, *todo* o seu tempo e *toda* a sua esperança —, e a ideia de que talvez tivesse apostado no cavalo errado era inaceitável.

Estou velha demais para começar tudo novamente, pensava, com frequência, tomada de um pânico nauseante sempre que acordava no meio da noite. Não tenho mais *tempo*. Isso aqui *tem* que dar certo.

Por fim, como a paciência nunca foi uma de suas qualidades, Tara não se conteve e perguntou a Alasdair quais eram as suas intenções de longo prazo com relação a ela. Sabia que não devia ter feito isso. Sabia que se a resposta fosse boa ele mesmo teria dito, sem precisar de pressão. Sabia que forçar a barra só serviria para precipitar as coisas, levando-as a um resultado que ela não desejava.

Estava certa. De forma brusca, pois ele estava zangado com ela por vê-la arruinar uma coisa tão boa com suas exigências irracionais, Alasdair disse que não queria se casar com ela. Ele a amava, mas queria apenas se divertir, e não estava nem um pouco interessado no tédio da vida doméstica.

Tara ficou tão chocada que tirou uma semana de folga no trabalho.

"Tire o seu time de campo!", todos lhe aconselharam enquanto ela ricocheteava de um para outro em busca de apoio, enlouquecida, magoada e sem conseguir acreditar. — "Caia fora, pare de atirar pérolas aos porcos", mas ela não conseguia. Simplesmente não conseguia dizer adeus a dois anos e meio. Não conseguia sequer admitir a possibilidade de haver um futuro sem ele.

Continuou tentando salvar a relação, investiu nela, a princípio fingindo que jamais levantara a lebre, e tudo estava como sempre fora. Depois, quando viver em um estado de normalidade forçada se tornou muito difícil, tentou mais uma vez fazer Alasdair mudar de ideia, dessa vez pagando pra ver e ameaçando acabar com o relacionamento deles ali e agora. Tara soubera de outros casos parecidos com o dela: sempre que um homem se via frente a frente com a realidade de continuar sem a mulher que o acompanhava, percebia que um compromisso era uma ideia maravilhosa, afinal. Só que a coisa deu errado. Em vez de aceitar, Alasdair dissera, com tom de tristeza:

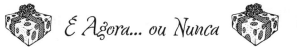

— Então vá, se você tem que ir... não a culpo por isso. Ninguém a culparia.

— Mas... você não me ama? — quis saber ela, quase sem ar, com a voz esganiçada pelo horror daquilo, ao mesmo tempo que percebia a sua avaliação equivocada. -- Você não vai sentir a minha falta?

— Sim, eu amo você! — replicou ele, com gentileza. — Claro que vou sentir a sua falta. Mas não tenho o direito de segurá-la, se você quer ir embora.

Arrasada, Tara parou com aquele papo dramático de "está tudo acabado entre nós". Esse tiro saíra pela culatra e a bomba explodira na cara dela. Como estratégia, freou sua onda, pegou o retorno mais próximo e voltou à pista principal, torcendo para ninguém notar a mancada. Porém, o relacionamento que um ano antes era maravilhoso não parecia mais charmoso, muito menos encantador. Era um faz de conta, uma relação pela metade, pensou, com amargura. De qualquer modo, era melhor do que nada.

Só que não era assim. Pelo menos, não para Alasdair.

— Não está legal... — sentenciou ele, cerca de um mês depois. Tara ficou olhando para Alasdair com puro terror, e o relacionamento ridicularizado por ser capenga cresceu de intensidade, tornando-se algo muito desejado e subitamente em perigo.

— Mas... nada mudou! — gaguejou ela, sentindo-se confusa porque, afinal, era ela quem deveria estar com o moral por cima. Era ela quem devia estar ameaçando-o, porque fora ele que a magoara, e não o contrário. — Desculpe por ter mencionado novamente aquela história de casamento, e desculpe por ser uma chata... esqueça tudo isso e vamos voltar ao jeito que éramos.

— Não podemos voltar. — Ele balançou a cabeça e foi categórico.

— Podemos sim — insistiu ela, já com a voz histérica, tentando descobrir por que coisas ruins insistiam em acontecer quando a pessoa já estava caída e arrasada.

— Não podemos — repetiu ele.

— O que você quer dizer? — perguntou ela, já sabendo, mas, de modo desafiador, recusando-se a descobrir sozinha.

— Está na hora de encerrarmos o expediente — disse ele, baixinho. Por um segundo, Tara fingiu que ele não dissera nada, recusando-se a trocar a vida como era pela vida como ia ficar.

— Não, não precisa... — disse, frenética. — Não há necessidade disso, as coisas estão muito bem do jeito que estão.

— Não, não estão nada bem — afirmou ele. — Você merece alguém melhor, alguém que possa lhe dar tudo o que quer. Vá em frente, não adianta ficar comigo, você está perdendo tempo.

— Mas eu não quero mais ninguém — garantiu ela, desesperada. — Prefiro ficar com você desse jeito a estar casada com outra pessoa.

Porém, não importa o quanto ela tentasse dizer a Alasdair que estava feliz daquele jeito, ele não aceitou, tornando-se mais determinado a cada momento. Até que ela compreendeu que não havia jeito de convencê-lo e, na verdade, nunca houvera. Ele já decidira tudo antes mesmo de ela puxar o assunto.

Tara quase enlouqueceu. Durante várias semanas, agiu de forma alucinada e histérica. Seu pesar era tão torturante que ela ficava deitada na cama, urrando como um animal. Tão alto, na verdade, que os vizinhos do andar de cima chegaram a chamar a polícia, uma noite.

Levou o som para o quarto e, rugindo e chorando, pegou o CD de Roy Orbison com a música que dizia "tudo acabou" e o colocou para tocar sem parar. Toda vez que os últimos acordes da canção iam desaparecendo no ar, ela soluçava ainda mais alto e colocava a música para tocar de novo. Liv e Katherine contaram 29 execuções consecutivas da música, certa noite. Às vezes ela uivava, e parecia acompanhar o refrão, sentindo alívio especialmente na parte em que a canção subia uma oitava. "Tudo acabooooou!", e subia uma oitava: "TUUU-DO AAA-CAAAAA-BOOOOU!" Os vizinhos do andar de cima já estavam pensando em chamar novamente a polícia.

Tara precisou tirar mais uma semana de folga no trabalho e, quando voltou, seus colegas desejaram que ela não tivesse voltado. Todos os programas que ela colocava no ar travavam, fazendo com que os sistemas caíssem em cascata por toda Londres. A carga de trabalho de seu departamento dobrou, e por mais de dois meses foi necessário um aumento de mão de obra. Os funcionários trabalharam em ritmo de emergência só para conseguir consertar a bagunça que ela fez. Tara só conseguia dormir três horas a cada noite, e vagava pelo apartamento às escuras, fumando um cigarro atrás do outro. Perdeu a capacidade de funcionar normalmente. Esquecia de tirar o condicionador do cabelo. Chegava para trabalhar em pleno sábado e ficava se perguntando, ao chegar, por que o prédio estava trancado. Ia dirigindo para o trabalho, voltava de metrô e achava que o carro havia sido roubado quando não o encontrava na calçada, na manhã seguinte. Tirava a tampa do copinho de iogurte, jogava o produto na lata de lixo e ficava olhando para a tampinha, sem expressão, tentando entender o que fizera de errado. Nos momentos mais calmos, dizia que ia fazer algum curso à noite, e apertava a mão uma na outra até os nós dos dedos ficarem brancos. Artesanato em cerâmica, aulas de russo e lições sobre como confeitar bolos estavam em seus planos.

Quase toda semana, quando a dor era demasiada, ligava para Alasdair e implorava que ele a recebesse em casa, para conversarem. Ele sempre atendia e, naturalmente, dormiam juntos. O sexo era frenético, louco, com os dois rasgando as roupas um do outro e se arranhando, empolgados com o alívio da familiaridade.

Isso começou a acontecer com tanta frequência que ela começou a achar que talvez houvesse uma chance de eles voltarem. Era óbvio que ele também estava arrasado pelo rompimento, tanto quanto ela, pois ainda a amava.

Até que, uma noite, ele a recusou, ao telefone.

— Hoje não — disse ele.

— Por que não? — perguntou ela. Afinal, Alasdair sempre parecera ansioso por vê-la.

Ela o ouviu respirar fundo e, no milésimo de segundo da pausa entre ele soltar o ar e começar a falar, sentiu que algo de mau ia acontecer. Antes mesmo de ele responder, ela já sabia.

— É que eu encontrei outra pessoa.

Tara colocou o fone no gancho com toda a calma, entrou no carro, foi dirigindo até o apartamento de Alasdair, entrou com a chave que ainda não havia devolvido, viu-o na cozinha colocando uma chaleira para ferver e, esticando o braço, aplicou-lhe um golpe com tanta força na parte de trás da cabeça que os seus óculos voaram longe.

Antes que ele tivesse a chance de se recobrar do susto, ela o esbofeteou com a mão aberta, um monte de vezes.

— Canalha! — arfava ela. — Seu canalhíssimo canalha! — Só que esbofeteá-lo não estava ajudando a diminuir o ódio nem a dor que sentia, então ela passou a socar-lhe o estômago, e ficou surpresa ao perceber que o braço estava praticamente sem forças.

Apesar disso, a fúria servira para alguma coisa, pensou, sem emoção, ao ver Alasdair se engasgar e ficar com ânsias de vômito.

— Alasdinho...? — chamou alguém. Tara se virou na direção da entrada da cozinha e viu uma loura rechonchuda, parada sob o portal.

— O que está acontecendo? — perguntou a jovem, horrorizada, tentando entender a cena.

Tara saiu do transe em que estava. Fez uma pequena pausa, apenas o tempo suficiente para empurrar Alasdair com violência em cima da usurpadora, e saiu.

Ao chegar em casa e contar a Katherine e Liv o que acontecera, elas não conseguiram disfarçar o choque. Apesar de ser tarde demais, tentaram fazer com que ela se sentisse melhor a respeito.

— Mas que canalha! — disseram para consolá-la. — Você fez muito bem... tomara que tenha quebrado algumas costelas dele.

— Parem! — implorou Tara. A névoa rubra desaparecera da sua frente, deixando-a enjoada e nervosa, cheia de aversão por si mesma. — Eu bati nele! — gemeu, balançando-se para a frente e para trás, com as mãos no rosto. — Agora, nunca mais vou consegui-lo de volta. Achava que nada me faria sentir pior do que essas últimas sete semanas, quatro dias... — parou para consultar o relógio — e 16 horas e meia, mas estava enganada. Agora, preciso me jogar na cama e uivar como um lobo — continuou, com a voz entrecortada, e correu para o quarto.

Katherine e Liv se prepararam para uma nova rodada do festival Roy Orbison. Porém, para sua surpresa e alívio imediato, não ouviram "Tudo acabou", e sim "Encontrei outra pessoa". E tornaram a ouvir. E mais uma vez. E mais uma vez. E mais uma vez. E mais uma vez. E mais uma vez...

Mais tarde, naquela mesma noite, Tara reapareceu na sala.

— Vou ligar para ele — anunciou.

— Não! — gritou Katherine, mergulhando em cima do telefone e confiscando-o. — Isso só vai piorar as coisas.

— Piorar? — perguntou Tara, com cara de infelicidade. — Como poderia piorar? Ó Jeová?... Ó Jeová, Jeová!...

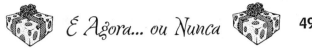

— Essa é uma cena do filme *A Vida de Brian* — explicou Katherine, na mesma hora, para Liv, que estava com ar perplexo. — Não, Tara. Nada de ligar para ele!

— Deixe-me pelo menos pedir desculpas a ele — implorou. — Se você não me deixar ligar, eu espero até você ir dormir e aí vai ser muito pior, porque vou acordá-lo no meio da madrugada.

Por fim, Katherine concordou, mas avisou:

— Se você começar a gritar com ele ou fazer ameaças, eu desligo o telefone!

— Obrigada — disse Tara, com ar de arrasada, e digitou o número de Alasdair.

— Alô?!... — disse ela, com a voz apressada, assim que ele atendeu. — Sou eu... Desculpe... Por favor, não desligue. Você não acredita no quanto eu sinto pelo que fiz, nem o quanto estou envergonhada.

Em vez de bater com o telefone na cara dela, Alasdair falou:

— Tudo bem, eu compreendo. — Na verdade, ele estava aliviado. Andava se sentindo culpado por seu envolvimento com Caroline, mas cada tapa que Tara lhe deu foi fazendo a balança da pena que sentia pender a seu favor. Agora, em vez de "Coitada da Tara, foi chifrada..." seria "Coitado do Alasdair, tomou porrada...".

— Sabia que você tem um tremendo gancho de direita? — gracejou, tentando tornar a coisa mais leve.

— Desculpe — sussurrou ela. — Por favor, me perdoe.

— Eu perdoo — disse ele.

Mesmo assim, quando ele telefonou para Tara seis semanas depois, para avisá-la de que ia se casar, tomou a precaução de trocar a fechadura antes.

Foi nessa noite que Tara conheceu Thomas.

Os dois estavam em uma festa oferecida por Dolly, assistente de Fintan. Tara, dançando como uma possessa, pegou o cigarro de Thomas de sua boca, num gesto casual, e deu uma tragada. Na verdade, aquilo não foi uma tentativa de se mostrar provocante — ela nem *vira* Thomas direito. Simplesmente estava louca por um cigarro e não sabia onde colocara os seus. Desde a hora em que soubera das iminentes núpcias de Alasdair, estava perdendo *tudo*.

Apesar do roubo do cigarro, Thomas se viu imediatamente louco por Tara. Interpretou a sua piração de forma errada, achando que era vivacidade, e decidiu que, por ela ser assim tão atirada, devia ser desinibida na cama também. Além disso, ficou impressionado com a silhueta esbelta que ela conseguira depois de atirar todas aquelas embalagens de iogurte na lata de lixo. Por alguns instantes hesitou, tentando decidir que frase de efeito deveria usar na cantada. Thomas, porém, era um homem muito franco, então se decidiu pelo óbvio.

— Posso ter pelo menos a guimba de volta? — ouviu Tara, interrompendo na mesma hora a sua dança frenética. Virou-se para trás e viu um homem em pé com ar decidido, sorrindo para ela. Até que não era feio. Embora também não fosse bonito. Pelo menos, não se comparado a Alasdair.

Olhando mais de perto, porém, viu que ele tinha cabelos castanhos brilhantes e uma compleição meio gorducha e baixa, o que a fez sentir vontade de se recostar nele.

Ele continuava a sorrir, inundando-a com seu calor e sua admiração.

— Você é uma garota biruta, sabia? — ele disse a Tara, com uma adorável mistura de timidez e confiança. — Pode ficar com a guimba.

Sob circunstâncias normais, Tara atravessaria a rua correndo para escapar de um homem que a chamasse de “garota biruta”, mas ela já sofrera muito ultimamente. Os olhos castanhos de Thomas se mantiveram fixos nos dela, e Tara percebeu, atônita, um ar de devoção e respeito neles. Depois do que Alasdair aprontara com ela, Tara estava se achando mais sem valor do que uma moeda russa. Com grande espanto, sentiu que talvez aquele homem fosse capaz de redefini-la e valorizá-la.

Assim, embora ele abusasse um pouco da cor marrom, mais do que ela considerava aceitável (*qualquer* quantidade de marrom era pouco aceitável), ela se sentiu estranhamente atraída. Quando percebeu que ele estava livre para quem quisesse rebocar, a alegria que sentiu fervilhou-lhe nas veias como se fosse uma droga.

— Venha dançar comigo — convidou ela, de forma atrevida, pegando-o pela mão. Embora as roupas pardas dele, cor de burro quando foge, parecessem ficar paradas no mesmo lugar, enquanto o resto do corpo tentava dançar, o mundo de Tara imediatamente se transformou em um lugar mágico e cintilante. Um futuro alternativo se abrira diante dela. Alasdair ia se casar com outra mulher, mas havia outros homens que gostavam dela. Homens que se importavam com ela mais do que ela se importava com eles... Que poderiam até casar com ela. Sua dor passou na mesma hora, embora ela achasse que isso jamais aconteceria. Thomas era o seu salvador.

— Há um provérbio chinês — murmurou ela — que diz que quando alguém salva a sua vida, vira seu dono.

Thomas fez que sim com a cabeça, sem entender nada. Então, cutucou o amigo Eddie, dizendo:

— Ela está mais doidona do que eu pensava. Acho que me dei bem hoje.

Ficaram de sexta à noite até segunda de manhã no apartamento de Tara, a maior parte do tempo na cama, embora ocasionalmente se levantassem para ir até a sala assistir tevê, Tara toda enroscada em Thomas, os dois beijando-se apaixonadamente, enquanto Katherine e Liv assistiam *Chupar Trek*, isto é, *Star Trek*, para tentar abafar os ruídos.

— Eles ficam fazendo um barulho que parece o de cascos de cavalo chapinhando na lama — disse Katherine, ligando para Fintan a fim de reclamar.

Liv agarrou o fone e falou:

— Temos um troço com ventosas que fica grudado na pia do banheiro, feito uma saboneteira — disse a Fintan. — Sabe quando alguém puxa as ventosas do mármore? Pois é esse o barulho que Tara e esse sujeito estão fazendo. Podemos ir dormir em sua casa?

Tara, porém, estava empolgadíssima com Thomas.

— Estou louca por ele — anunciava a todos.

— Louca é a palavra certa — resmungava Katherine, olhando de forma fulminante na direção de Thomas, em toda a sua glória amarronzada.

— Ela está na polvorosa — afirmou Liv, com ar de sabedoria.

— A palavra é "rebordosa" — corrigiu Katherine —, mas eu entendi e acho que você tem razão.

CAPÍTULO 6

Os sentimentos que afloraram depois de Tara passar diante do apartamento de Alasdair fizeram com que ela ficasse morrendo de vontade de ver Thomas. Quase correu do táxi até a portaria do prédio, mas entre o seu entusiasmo e o álcool que ainda circulava livremente dentro dela, teve dificuldade para enfiar a chave no buraco da fechadura. Foram necessárias quatro tentativas, até que finalmente conseguiu irromper no prédio, tropeçando pelo corredor adentro. Esticando-se toda, chamou:

— Thomas?!

Ele estava na sala, acompanhado por quatro latas vazias de cerveja Newcastle e uma embalagem de torta pronta que esquentara no micro-ondas e abandonara ao lado do sofá.

— Até que enfim! — resmungou, com ar casual.

— Ficou com saudade? — quis saber Tara, esperançosa e muito alegre por vê-lo.

— Talvez sim... — e deu um sorriso irresistível, apertando os olhos — ou talvez não... De qualquer modo, Beryl me fez companhia.

Beryl era a gata de estimação de Thomas, a quem ele dedicava toda a atenção, afeto e admiração. Tara morria de ciúme dela e de seu jeito esquivo e descuidado, bem como da forma com que recebia o amor de Thomas, esfregando-se nas pernas dele para depois, por capricho, abandoná-lo como se não lhe custasse nada.

— A noite foi legal? — quis saber ele.

— Foi. — Não disse que foi uma pena ele não ter ido, pois seus amigos e Thomas não se entrosavam muito bem, e aquela era uma situação bem comum, que ficava ainda pior quando alguém tentava forçar a barra. — Eu quase não comi nada, e dispensei o primeiro prato, mas deixe eu lhe mostrar os presentes que ganhei! Olhe para este batom. Não é o máximo?!

— Parece legal... — e deu de ombros.

Tara reparou em algo sobre a mesinha de centro e sorriu.

— Thomas, você preencheu os formulários para renovar o seguro do carro! Obrigada. Você sabe o quanto eu odeio fazer isso.

— Depois não diga que eu não faço nada por você — sorriu ele. — E, por falar nisso, comprei ingressos para irmos ao cinema, amanhã à noite.

— Qual o filme?

— *Jogos, Trapaças e Dois Canos Fumegantes*. É sobre gângsteres. Parece bom.

— Ah... — o sorriso dela se desfez. — Eu disse que queria assistir *O Encantador de Cavalos*.

— Não estou a fim de ver um filme romântico e meloso como esse.

— Mas...

Thomas pareceu ofendido e, antes que ele apresentasse uma de suas súbitas mudanças de humor, Tara acudiu, depressa:

— Mas tudo bem... Esse outro filme também deve ser muito bom.

Thomas era terrivelmente sensível. A causa disso foi o que aconteceu em uma manhã de domingo, quando ele tinha apenas sete anos e encontrou sua mãe na porta, já saindo, com as malas prontas. Quando, surpreso, perguntou a ela onde estava indo, ela rira da cara dele, dizendo:

— Não se faça de tolo. Você sabe...

Ele protestou, garantindo que não sabia, e então ela falou, com amargura:

— Estamos nos separando, eu e seu pai. — Fora a primeira vez que Thomas ouvira algo a respeito daquilo, e vivia dizendo a Tara que, mesmo agora, 25 anos depois, ainda doía saber que sua mãe esteve prestes a abandoná-lo sem nem mesmo se despedir.

— Não precisa ir ao cinema, se não quiser — assegurou Thomas, parecendo magoado —, apesar de eu ter me dado ao trabalho de comprar as entradas e...

— Eu quero ir — garantiu Tara. — De verdade, quero mesmo. Obrigada por ir até lá comprar. Quem quer ver Robert Redford cheio de rugas e pelancas, daquele jeito? — Reparou no pacote de amendoins sobre o qual Thomas estava praticamente deitado. — Hummm... que delícia!

— Ei! — ele deu um tapa na mão esticada de Tara.

— Ah, mas hoje é meu aniversário! — reclamou ela.

— Eu... sou... a sua... consciência — falou ele, com a voz mais grossa. — Você vai me agradecer por isso.

— Acho que vou mesmo — concordou ela, com tristeza.

— Anime-se, Tara — ralhou ele. — É para o seu próprio bem.

— Você tem razão — e remexeu no fundo da bolsa. — Ah, não!.... Meu cigarro acabou! Como é que isso aconteceu? Você tem algum aí?...

Depois de um rápido instante de hesitação, ele jogou para ela o seu maço de cigarros. Ao se inclinar na direção dela com o isqueiro aceso, disse:

— Precisamos parar de fumar, Tara.

— Precisamos mesmo...

— Esse vício custa uma fortuna!

— Custa mesmo...

— Três libras por dia, Tara. Para cada um!...

— Eu sei.

Isso dá mais de 1.000 libras por ano! Para cada um! Pense só nas coisas que poderíamos comprar com toda essa grana, Tara, falou uma voz dentro de sua cabeça.

— Isso dá mais de 1.000 libras por ano! Para cada um! — disse Thomas. — Pense só nas coisas que poderíamos comprar com toda essa grana, Tara — disse Thomas.

E do seu lado está tudo tranquilo, porque você é uma analista de sistemas e ganha duas vezes mais do que eu, pensou Tara.

— E do meu lado está tudo tranquilo — disse ela em voz alta, de forma insolente — porque eu sou analista de sistemas e ganho duas vezes mais do que você.

Houve uma pausa pequena e tensa, e então Thomas sorriu com ar melancólico.

Como se narrasse um documentário, com a voz impostada e séria, Tara recitou:

— Ele era o sujeito mais pão-duro que já existiu.

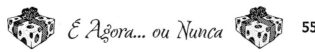

— Até parece que eu tive oportunidades para ser diferente — declarou Thomas, com raiva.

Todos os amigos de Thomas que haviam feito faculdade com ele haviam conseguido empregos fabulosamente bem remunerados, e só os seus bônus trimestrais já eram maiores do que o seu salário do ano inteiro. Porém, como ele era muito sincero e sem jogo de cintura, não conseguira encantar nenhum empresário da área, e acabou se tornando professor de geografia em uma escola na zona oeste de Londres. Trabalhava com dedicação, recebia uma mixaria e sua amargura perpétua era lendária. Não tão lendária, porém, quanto a sua avareza.

Eu devia ganhar tanto quanto o ministro da Educação, porque ensinar crianças é um dos trabalhos mais valorosos que alguém pode realizar, dizia, com frequência (*Desculpe, mas esqueci a carteira, você vai ter que pagar* era outra de suas frases favoritas). As pessoas diziam que ele tinha braços curtos e bolsos fundos; falavam que ele instalara um cadeado na carteira; comentavam que ele era sempre o primeiro a sair do táxi e o último a sair do bar, e também que apertava uma moeda com tanta força que ela até chorava, implorando para ser libertada.

E ele não fazia o mínimo esforço para diminuir essa fama. Em vez de ao menos fingir que era generoso, ainda fazia aumentar a sua reputação de parasita e sanguessuga, pois jamais deixava moedas soltas nos bolsos da calça, como gente normal faz. Guardava-as todas em um porta-moedas, uma bolsinha de plástico marrom daquelas que têm um fecho de metal em cima, usadas pelas velhinhas quando vão à feira. Katherine, certa vez, conseguiu arrancar o porta-moedas das mãos dele e o abriu, antes de Thomas conseguir resgatá-lo. Ela *jura* que viu uma mariposa sair voando lá de dentro.

— Detesto ver a gente sempre sem grana, Tara — choramingou Thomas. — Você não para de esbanjar, enquanto eu vivo duro. Vamos ter que desistir dos cigarros.

— O início do mês sempre é o melhor momento para parar de fumar — concordou Tara, para animá-lo.

— Por acaso, você tem razão.

— E já perdemos o início de outubro. Portanto, vamos parar juntos no início de novembro.

— Combinado!

E os dois imediatamente se esqueceram do assunto.

— Hora de ir para a cama! — anunciou Thomas, rebocando-se de cima do sofá e deixando-o coberto por embalagens de alumínio. — Vamos lá, aniversariante, tenho um presente para você.

O rosto de Tara se acendeu, até ver que Thomas olhava para um ponto abaixo da própria cintura. Ah, notou ela, *é esse* o presente...

Com ar melancólico, lembrou-se do seu aniversário de dois anos antes. Estava saindo com Thomas há menos de um mês e, como ela estava fazendo 29 anos, ele lhe dera 29 presentes. É verdade que muitos eram minúsculos; um deles foi uma caixa com fósforos de várias cores. Além disso, a maioria dos presentes era lixo — como o vidrinho de esmalte rosa fluorescente e os brincos que lhe provocaram uma inflamação nas orelhas. O tempo que ele gastara, porém, a ideia e o esforço que fizera para comprar cada uma daquelas coisinhas, e depois o trabalho que teve para embrulhá-las individualmente deixaram-na comovida.

Suspirou. A empolgação inicial não durava para sempre mesmo, todo mundo sabia disso. No escuro do quarto, ela o envolveu em seus braços e apertou seu corpo contra o calor aconchegante do dele, sentindo um formigamento de felicidade lhe correr pelas veias. Sentia-se segura e amada, e estava na cama com o homem que escolhera.

CAPÍTULO 7

Apesar de o dia seguinte ser sábado, Katherine precisava ir para o trabalho. Antes de sair, ligou para a avó, que fazia 91 anos. A princípio, relutou em dar o telefonema. Não pela aniversariante, pois Katherine adorava a avó. Enquanto teclava o número e esperava a ligação ser atendida em Knockavoy, rezou, como sempre fazia, para que sua mãe, Delia, não atendesse o telefone.

— Alô! — ouviu a voz ofegante de Delia.

— Alô, mamãe — Katherine conseguiu falar, com uma pontada de irritação que lhe era familiar.

— Katherine! — exclamou Delia. — Por tudo o que é mais sagrado!... Estava falando de você agorinha mesmo, não faz nem cinco minutos, não é verdade, Agnes?

— Não — ouviu Katherine, reconhecendo a avó falando bem de longe. — Não estava falando nela, não, a não ser que estivesse falando sozinha, para você mesma e, se foi o caso, não seria a primeira vez.

— Mas eu *estava* falando sobre você sim, Katherine — sustentou Delia, com determinação. — *Sabia* que o telefone ia tocar, e *sabia* que era você. Sempre sinto essas coisas. Tenho algum dom, uma visão interior ou algo assim.

— Bem que você gostaria de ter, mamãe — zombou Katherine. — Você sabe que eu sempre ligo no aniversário da vovó.

— Não a chame de vovó, seu nome é Agnes! E eu já não lhe disse, desde o dia em que você nasceu, que não quero ser chamada de mamãe? Meu nome é Delia!

A família de Katherine era muito incomum. Pelo menos para os padrões de Knockavoy. O centro de tudo era Delia, mãe de Katherine, que fora uma mulher linda e liberada quando jovem. Sempre se mostrara muito avançada, em termos de comportamento, e passou toda a adolescência, nos anos 60, discursando abertamente para quem quisesse ouvir (muito poucos, por sinal, em Knockavoy) contra o jugo sob o qual a Igreja Católica mantinha a Irlanda. Não tinha medo de nada.

Certo dia, depois de completar 17 anos, chegou na cozinha com as mãos sujas, os cabelos pretos mais desgrenhados que o habitual e um ar de júbilo que mal conseguia conter nos olhos brilhantes.

— Onde você andou? — quis saber Agnes, já temendo o pior.

— Estava atirando pedaços de turfa na batina do cura, que acabou de passar aqui em frente, de bicicleta — e Delia soltou uma gargalhada gostosa.

Agnes correu para a janela a tempo de ver, no fim da rua, o jovem padre Crimmond pedalando furiosamente, com um torrão de turfa úmida ainda agarrado à longa batina preta.

— Você devia se comportar! Isso vai nos causar problemas terríveis — repreendeu Agnes, alarmada com a história, mas, ao mesmo tempo, vergonhosamente satisfeita.

— Ora, mas é de um pouco de problema que esse lugar precisa — replicou Delia, com ar sombrio. — Aborrecimentos só vão fazer bem a esse pessoal.

Quando as notícias sobre a travessura de Delia se espalharam, os habitantes da cidadezinha se revoltaram, e duas matronas avantajadas fingiram um desmaio de indignação. Jamais haviam ouvido algo desse tipo. O padre Crimmond soltou algumas indiretas a respeito do atentado que sofrera, no sermão de domingo, e exortou os fiéis a fazer preces pela criatura demente que o atacara.

— Ela é mais digna de pena do que de censura — concluiu o sacerdote, o que causou um desapontamento geral, pois todos estavam esperando manifestações de desprezo e repúdio.

Delia se tornou a pessoa mais famosa em todas as paróquias da região. As pessoas balançavam a cabeça quando a viam chegar e comentavam "Aquela menina dos Casey tem um parafuso a menos" ou "Essa filha do Casey... há algo de errado com ela".

Austin, pai de Delia, um homem perigosamente calmo, suspeitava que a filha tivesse sido trocada na maternidade. Outros, menos sutis, simplesmente achavam que Agnes havia pulado a cerca.

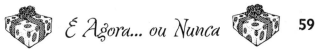

Delia continuou a se rebelar. Ninguém, porém, a acompanhava em seus protestos, pois todos morriam de medo. Como ser rebelde sozinha não tinha muita graça, saiu de Knockavoy em 1966 e foi para Londres, onde descobriu muitas outras maneiras de desafiar as normas estabelecidas, sem precisar atirar fertilizante sobre clérigos em movimento.

Canalizando a maior parte da sua rebeldia para as áreas de sexo e drogas, se fartava com imensas quantidades de ambos. Para o caso de alguém suspeitar da sinceridade de sua rebeldia descontrolada, Delia fez questão de tranquilizá-los e manteve-se coerente ao arrumar uma gravidez avulsa. E o que era melhor... o responsável por engravidá-la era casado e não tinha a mínima intenção de abandonar a esposa.

Subitamente, e para sua grande surpresa, Delia começou a se sentir assustada. Viu-se muito jovem, sozinha e apavorada. Lastimava o dia em que saíra da Irlanda. Lamentava ter ouvido falar em Londres. Amaldiçoou-se por ser sempre do contra. Por que razão ela não se comportara bem, como as garotas com quem frequentara a escola? Uma em cinco já havia virado freira. Por que ela jamais tivera medo do inferno, nem da condenação divina, como todo mundo?

E o seu pobre pai... ia se sentir obrigado a lhe aplicar uma surra de cinto; afinal, essa era a coisa certa a fazer. Ele detestaria fazer isso pois era uma alma boa e gentil, mas regras eram regras.

No fim, Austin foi poupado desse desgosto, pois, uma semana depois de Delia descobrir que estava grávida, ele teve um infarto e morreu (estava do lado de fora da casa, recolhendo turfa para a lareira. Como disse Agnes, a turfa só trouxera tristeza para os Casey).

No trem, a caminho do funeral do pai, Delia treinava as suas justificativas. "Vem uma nova vida em substituição à que perdemos. Papai se foi, mas um novo ser vai surgir em seu lugar." Estava nervosa. Ficar grávida e ser chutada pelo namorado ao mesmo tempo a deixara sem chão.

Os princípios do espírito livre que pareciam tão válidos e verdadeiros em Londres foram se tornando cada vez menos convincentes à medida que ela se aproximava de Knockavoy.

Ainda por cima, teve que esperar enquanto as carpideiras e parasitas devoravam os sanduíches de presunto e acabavam com a cerveja, durante o velório, até que finalmente foram embora, e ela teve a chance de anunciar a novidade:

— Mamãe, vou ter um bebê.

— Já imaginava, minha filha — reagiu Agnes. Ela não esperava outra coisa. Sabia dos desatinos que os jovens cometiam em lugares sem religião como Londres, e já estava estoicamente preparada para aceitar as consequências. Seu único arrependimento era o de não ter tido chance, ela mesma, de passar algum tempo no desvario de Londres. Não tinha motivo algum para empolgação há muitos anos. Pensando bem, desde a guerra civil, nada de interessante lhe acontecera.

A criança nasceu em fins de agosto de 1967. Aquele foi o chamado Verão do Amor, e Delia planejava dar à filha um nome típico da época, como Luar, Primavera ou Cristal, mas Agnes impediu, argumentando:

— Aqui na cidade todos já sabem que ela é um bebê ilegítimo — sua voz estava serena. — Será que você não poderia dar um nome normal à menina, para que ela não se torne alvo de risadas pelo resto da vida?

Todos imaginavam que Delia ia voltar para Londres, mas isso não aconteceu. Ela ficou em Knockavoy, e ninguém conseguia entender o porquê daquilo, muito menos ela. Sabia apenas que tinha a ver com o terror que sentira ao se descobrir grávida. O medo era algo com o qual não estava familiarizada, e Delia não pretendia reencontrá-lo. Ficou morando com a mãe, na casa em que crescera, e ali criou a filha. Arrumou empregos informais. Trabalhava como garçonete nos meses de verão, dirigia o ônibus escolar, pois o motorista regular vivia bêbado, ajudava a mãe a criar galinhas e vacas, além de plantar hortaliças na pequena propriedade em que viviam.

Linda, mas ainda carregando a velha fama de maluca, Delia não teve nenhum homem da cidade que se interessasse por ela, especialmente com uma filha a tiracolo. Mantinha-se sincera e falava o que lhe vinha à cabeça, o que lhe valeu a fama de difícil, tornando-a mais estranha do que nunca à comunidade. Exercitava as suas visões políticas radicais mesmo a distância. Organizou um evento em massa contra a intervenção americana no Vietnã, um protesto popular que aconteceria às quatro da tarde do lado de fora do armazém do Tully. O pacato dono do estabelecimento fora escolhido como alvo do protesto simplesmente por ter morado em Boston por um ano e meio nos anos 50. Só que as duas únicas pessoas que apareceram para protestar foram a própria Delia e a filha Katherine, então com dois anos (Agnes garantiu-lhe que adoraria apoiar a causa, mas estaria muito ocupada, ordenhando as vacas). Cinco minutos antes das cinco da tarde, quando Delia se preparava para dar por encerrada a manifestação, viu um grupo de seis ou sete pessoas vindo pela rua em sua direção. Em vez de passarem direto por ela soltando piadinhas, como acontecera a tarde toda, pararam. Delia se empolgou toda. Até perceber que o grupo estava ali apenas a fim de ajudar Padgraig Cronin a escolher uma escada nova para comprar.

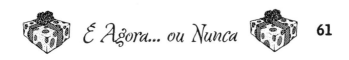

Depois, Delia organizou um abaixo-assinado contra o *apartheid* e pegou pessoas que saíam da missa de meio-dia e meia para fazê-las assinar. Conseguiu sete assinaturas — a sua, a da sua mãe, a da sua filha, um tal de sr. Pernalonga, um sr. Donald, um que assinou Mickey Mouse e, por último, o sr. J. F. Kennedy.

No final dos anos 70, ficou com ideia fixa a respeito dos sandinistas, e organizou um bazar a fim de levantar fundos para ajudá-los. Compareceram quatro pessoas, gerando um total de 2 libras e 11 pence.

Sonhava em abrir um centro de ajuda a drogados e vítimas em geral. Às vezes, anunciava que ia montar um abrigo para mulheres estupradas em Knockavoy, embora na cidade não houvesse um caso de estupro há décadas.

Tentou dar aulas de ioga, só que ninguém apareceu. Em seguida, organizou uma oficina de artesanato, mas as peças fabricadas ficaram todas uma bosta.

Vestiu mantos exóticos, passou a usar tamancos e bijuterias de madeira e assegurava a todos que era dotada de poderes psíquicos. Insistia para que Katherine a chamasse de Delia, avisou que ela não precisava ir para a escola, se não quisesse, e *certamente* não precisava ir à missa, se assim resolvesse. Katherine acabou aprendendo tudo sobre as partes internas e externas dos sistemas reprodutores masculino e feminino antes mesmo de lhe ensinarem a dar laços nos próprios sapatos.

Naturalmente, Katherine se rebelou, e fez isso mostrando-se limpa, organizada, respeitosa, diligente e devota. Era dócil, não questionava nada, fazia tudo o que as freiras mandavam, sabia o catecismo de trás para a frente (e de forma impecável) e dizia a todos que o dia da primeira comunhão fora o mais feliz de toda a sua vida.

Delia ficou arrasada.

— Esperem até Katherine chegar à adolescência — choramingava, esperançosa. — Os genes vão acabar prevalecendo e ela vai sair à mãe.

Só que ela parecia ter puxado ao pai.

Fiel a seus princípios libertários, Delia jamais contou à Katherine o pacote padrão de mentiras de mães solteiras, sobre como seu pai morrera tragicamente em um desastre de carro ou um bizarro acidente com alguma máquina agrícola (bem barulhenta, de preferência). Desde a mais tenra idade, Katherine sabia que seu pai era um covarde burguês ardiloso que se chamava Geoff Melody, o qual levara Delia para a cama depois de drogá-la e fazer um monte de promessas sobre abandonar a esposa, todas falsas.

Embora não houvesse contato nem sentimentos de perda entre Delia e Geoff Melody, Delia continuamente enfatizava para Katherine que se ela, algum dia, tivesse vontade de entrar em contato com o pai, poderia contar com a mãe, que faria de tudo para facilitar este encontro. Katherine, porém, só aceitou essa ideia aos 19 anos. É claro que a falta do pai era motivo de escárnio no pátio da escola. Pelo menos nas raras ocasiões em que Tara não estava junto dela, protegendo-a dos ataques. Katherine, no entanto, exibia uma autoconfiança admirável sempre que as colegas, com medo de Tara aparecer a qualquer momento, cantavam: "Você não tem pai! Você não tem pai!"

— Como é que alguém pode sentir falta do que nunca teve? — perguntava Katherine, com toda a calma. Em seguida, com um de seus sorrisos enigmáticos, deixava as colegas confusas e via a cantoria morrer aos poucos. Afinal, pensavam as colegas, por que ela não estava chorando por causa da zoação, como deveria? Por que será que eram elas que se sentiam idiotas? E onde será que Tara Butler aprendera a torcer os braços das colegas de forma tão dolorosa?

Quando, finalmente, depois de sofrer sua primeira decepção amorosa, Katherine anunciou que queria entrar em contato com o pai, Delia forneceu, com toda a boa vontade, o último endereço que tinha dele.

— Embora já se tenham passado 20 anos, seu pai provavelmente está morando lá até hoje — comentou, sem conseguir evitar o comentário maldoso que fez em seguida: — ... Ele era esse tipo de pessoa.

Agnes foi atender o telefone para falar com Katherine. Disse que estava passando um dia ótimo, e agradeceu pelas duas echarpes de seda em tons complementares que Katherine lhe enviara.

— Estão sendo muito úteis, ontem mesmo usei uma delas — contou à neta, falando a verdade. A echarpe havia lhe servido com perfeição na véspera, pois a dobradiça da porta do galinheiro se soltara e era preciso algo resistente para fixá-la no portal. — Como está Londres? — quis saber Agnes, com tom esperançoso. — Continua uma cidade sem Deus?

— Totalmente sem Deus, vovó — confirmou Katherine, entusiasmada. — Está pior do que nunca. Por que não vem me visitar para ver por si mesma?

— Não... — disse Agnes. — Pode não ser tão mau como você diz, e eu ia acabar me decepcionando. É melhor ficar aqui com a minha imaginação, curtindo de longe.

CAPÍTULO 8

Katherine saiu do prédio de tijolinhos como se desfilasse. Era uma antiga casa convertida em prédio de apartamentos, e era lá, no primeiro andar, que ficava o seu apê. Ao descer os degraus, notou que um motorista passou olhando fixamente para ela, com tanto interesse, na verdade, que quase fez o carro subir na calçada. Com seu tailleur cinza, ela andava de forma ágil e cheia de classe, e nem um cabelo sequer estava fora do lugar, pois não ousaria tal rebeldia. Ao chegar ao portão, fez uma pausa e festejou com o olhar, cheia de orgulho e alegria, o seu Karmann Ghia azul-bebê. Katherine amava muito o seu carro e seria capaz de beijá-lo se não tivesse receio de algum dos vizinhos madrugadores pegá-la em flagrante.

As pessoas geralmente se mostravam surpresas ao ver que Katherine possuía um carro com tanto estilo. Não percebiam que ela era o tipo de pessoa que almejava atingir um ponto bem alto. Isto é, quando resolvia almejar algo.

Todos ficavam igualmente surpresos por Katherine possuir um carro tão pouco confiável. O Karmann Ghia era a única coisa que não era "certinha" em sua existência cautelosa e organizada. Embora seu coração e seu saldo bancário se quebrassem constantemente por causa dele, Katherine mantinha sua devoção ao carro. Frequentava tanto a oficina que brincava com Lionel, o mecânico, assegurando-lhe que pretendia dar seu nome ao primeiro filho que tivesse, como homenagem. Lionel ficava encantado ao ouvir isso, e Katherine achava que não precisava dizer a ele que não pretendia ter filhos.

Normalmente, Katherine não ia de carro para o trabalho, mas como era sábado e as ruas estavam vazias, resolveu fazê-lo. Para sua surpresa, conseguiu estacionar na porta da Breen Helmsford, a agência de propaganda na qual trabalhava como contadora.

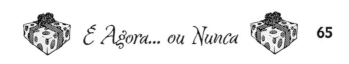

— Graças a Deus — murmurou, enquanto parava o carro. — Isso é um milagre!

Da mesma forma que acontecia com relação ao carro, as pessoas muitas vezes demonstravam surpresa ao saber que Katherine trabalhava em uma firma de propaganda. Não a achavam dinâmica e entusiasmada o suficiente para esse tipo de emprego. Afinal, ela era séria e reservada demais. Felizmente, para ser contadora ela não precisava se mostrar loucamente empolgada o tempo todo, nem circular pela firma gritando frases de efeito como "Vamos colocar a vara em pé e o peixe bem na ponta para atrairmos todos os gatos do pedaço!". Pelo contrário, a sua principal tarefa era justamente dosar e cortar os excessos, investigar as despesas que corriam por conta da firma, insistir em receber recibos de corridas de táxi, questionar as contas de hotel discriminadas como "quarto duplo em fim de semana com nove garrafas de champanhe" e explicar aos funcionários que enviar para reembolso uma conta de restaurante em companhia de cliente para depois solicitar pagamento de recibo de cartão de crédito pela mesma refeição era considerado reembolso em duplicidade e, portanto, ligeiramente fraudulento para com a empresa. Embora, como contadora, não exercesse tarefas mundanas de inspeção, não confiava nos assistentes na hora de detectar quem estava armando para cima da firma.

— Bom-dia, Katherine — cumprimentou Desmond, o porteiro, quando a viu caminhando em direção aos elevadores. — Esses caras estão fazendo você trabalhar até nos fins de semana, não é?

Em vez de ouvir a concordância amarga que recebera dos outros empregados que já haviam chegado, Katherine simplesmente sorriu para ele de forma reservada e respondeu:

— Pois é... alguém tem que segurar essa peteca.

Desmond ficou desconcertado. *Uma jovem diferente*, era como a descrevia. *Não tem namorado, e isso está na cara! Se tivesse, não ficaria tão feliz por ter que trabalhar em pleno sábado. Isso não é vida para uma jovem*, costumava dizer, com um longo suspiro.

A firma Breen Helmsford era pequena para os padrões das agências de publicidade e tinha apenas 70 empregados, todos amontoados em dois andares sem divisórias, com um ou outro "aquário" funcionando de escritório para os manda-chuvas.

Quando Katherine entrou, um monte de gente já estava trabalhando. Além dos assistentes de Katherine, Breda, Charmaine e Henry, havia um punhado dos chamados "criativos", que se consideravam a *verdadeira* mão de obra da empresa, ao contrário do bando de burocratas que seguravam a grana e negavam reembolsos sem motivo. Os "criativos" — um bando de rapazes e moças sempre na moda, que pareciam ter adquirido todo o estoque da Duffer of St George* — estavam dando os toques finais na campanha de um absorvente íntimo a ser apresentada na segunda-feira de manhã. Muitas imagens de garotas sorridentes aterrissando na Lua, além de uma paisagem amarela que representava o planeta Vênus, tudo ao som da canção "Freedom", de George Michael. Os slogans que pretendiam usar nos anúncios era "Aposto que ela bebe Carling Black Label"** e "Provavelmente o melhor produto para higiene íntima em todo o universo".

Havia duas regras simples e rígidas, quando se tratava de anúncios de absorventes íntimos: a primeira é que o produto deveria ser citado apenas de forma eufemística; a segunda é que a cor vermelha *jamais* poderia aparecer.

Todos levantaram a cabeça de forma automática quando Katherine entrou, e desviaram o olhar na mesma hora ao ver quem era. Katherine não era muito popular no escritório. Também não era impopular. Porém, como não saía para beber até cair várias noites por semana, nem dormia com todos os colegas, era como se não existisse.

Sexo era uma das maiores prioridades na lista de atividades da Breen Helmsford. Como muitos ali se viam frequentemente na posição de já ter dormido com todo o quadro de funcionários da empresa, a chegada de alguma estagiária causava mais empolgação do que a conquista de uma nova conta. Felizmente, os criativos eram despedidos e substituídos com uma velocidade espantosa, de modo que

---

* Duffer of St George é uma loja com roupas de grife, localizada no centro de Londres. (N.T.)

** Carling Black Label é uma cerveja escura que simboliza liberdade e espírito moderno. (N.T.)

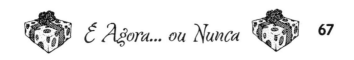

sempre havia sangue novo na companhia e corpos novos com os quais compartilhar a cama.

Os colegas se referiam a Katherine como "Miss Gelo", e ela sabia do apelido. Sua única objeção era a de que, como se tratava de uma firma de publicitários, eles deviam mostrar um pouco mais de imaginação.

O diretor da conta do absorvente íntimo, Joe Roth, estava bem no meio de cinco rapazes que, de forma empolgada, diziam coisas como "Mas todo mundo já sabe que dá para praticar *bungee jumping* usando um tampão" e "Isso mesmo, usar *bungee jumping* em anúncios já era..." ou "Imagens do espaço são o grande lance agora!". Joe Roth observou enquanto Katherine caminhava em direção à mesa em que trabalhava e ligava o computador.

— Bom trabalho, galera! — elogiou ele. — Eu, pessoalmente, adoraria comprar esses absorventes. Puxa, quase dá vontade de ter menstruação só para poder usá-los. Agora, se me dão licença — continuou ele, com os olhos em Katherine. — Está na hora da minha dose diária.

Joe Roth estava intrigado com Katherine. Ele trabalhava na Breen Helmsford há três semanas. Em outros empregos, isso queria dizer que estava ainda começando. Na área de propaganda, porém, esse período tinha o peso de três anos. Três semanas era o tempo suficiente para conseguir um cliente importante, ser promovido duas vezes, publicar um artigo na revista *Campanha*, ser pego na cama com a mulher do diretor-geral, perder o cliente importante e ser despedido. Normalmente, Joe achava que três semanas era tempo suficiente para ter feito algum progresso com Katherine, mas ele não tinha certeza de estar chegando a algum lugar com ela.

No dia em que Joe Roth entrou na empresa, Fred Franklin, o sujeito nascido em Lancaster, obeso, quarentão e beberrão que fora designado para ser seu chefe, chamou-o em um canto. Primeiro, perguntou para qual time de futebol Joe torcia. Era o Arsenal. Em seguida, deu-lhe alguns sábios conselhos sobre o novo trabalho, bancando o tio boa-praça. Informou onde ficava a máquina de café, como armar na hora de pedir reembolsos à empresa e, o mais importante, quais as mulheres que eram mais fáceis de faturar.

— Veja só aquela ali, a Martini — apontou Fred, indicando uma ruiva alta e sorridente. — Tem duas castanholas entre as pernas.

— Pensei que o nome dela fosse Samantha — disse Joe.

— Bem, tecnicamente falando, sim, seu nome é esse — admitiu Fred —, mas nós a apelidamos de Martini porque ela "desce bem a qualquer hora, em qualquer lugar". Ela é ótima! — garantiu Fred, com um sorriso de orgulho. — Topa fazer qualquer coisa. *Qualquer coisa!* E não fica cobrando da gente aquelas coisas idiotas que as mulheres sempre exigem.

— Você quer dizer flores e chocolates? — perguntou Joe.

— Não. Estou falando de telefonemas, lembrar o nome dela, esse tipo de coisa. Está sempre a fim de sexo, simplesmente. Deixa até a gente assistir ao jogo pela tevê, depois da transa. É realmente o máximo! — confirmou Fred, mais uma vez, e então externou o maior elogio que poderia oferecer a uma mulher: — Ela é como se fosse um homem, só que com peitos. Agora, aquela ali, a Flora — indicou Fred, apontando para uma moça baixinha com cabelos louros encaracolados —, sabe lidar muito bem com um frasco de óleo para bebê e uma luva de banho, mas é perigosa. Ligou para minha mulher e contou a ela que...

— Eu achava que o nome dela era Connie — interrompeu Joe.

— E é... — confirmou Fred. — Só que nós a chamamos Flora porque ela...

— ... Se espalha por toda parte — terminou Joe, com um tom seco.

Fred abriu um sorriso generoso para Joe, concordando:

— Acertou! Acho que você vai gostar daqui, filho.

Joe não estava tão certo a respeito disso.

— E quanto à... ahn... Katherine, a contadora? — perguntou, em um tom casual.

— Quem?

— Você sabe, aquela magrinha, bonita, que usa tailleurs.

— Bonita? — Fred pareceu perplexo. — Magrinha? Você deve estar se referindo a Tristina? — e apontou para uma jovem de cabelos escuros, tão esquelética que as pernas eram quase tão finas quanto os braços. — Você não vai curtir aquela ali não. A não ser que consiga um momento "pasta de dente", quando ela estiver chupando o seu pau. Mas vou logo avisando que ela não engole nada, porque morre de medo de engordar.

— Mas eu achava que o nome dela fosse Deirdre — disse Joe.

— E é mesmo... — disse Fred. — Nós colocamos o nome de Tristina nela porque vive deprimida, é uma vaca que vive se lamentando da vida. Pelo menos, quando está com a boca cheia, não consegue reclamar de nada.

— Sei... — disse Joe. — Mas não estou falando dela não. Quero saber sobre a garota irlandesa.

Fred se mostrou tão chocado que perdeu a fala.

— Ela?!... — conseguiu exclamar, por fim. — Aquela ameixa seca?

— Mas ela é linda! — reagiu Joe, surpreso.

— A mulher é linda pelo que faz — argumentou Fred —, e ela não faz nada! Não perca seu tempo com ela, filho. Ainda mais com todas essas outras gatas para faturar. Acho que essa Katherine é sapatão.

— Então será que é por isso que ela nunca topou sair com você? — perguntou Joe, tentando parecer simpático.

— Não só comigo — rugiu Fred. — Ela não sai com ninguém! É um tremendo desperdício a presença dela aqui. E saca só as roupas que usa! Parece uma freira ou algo assim!

Katherine sempre ia para o trabalho com terninhos ou tailleurs elegantes, clássicos, com blusas brancas e bem passadas. Algumas das outras funcionárias da Breen Helmsford também usavam tailleurs, mas de forma quase irônica. Os delas eram sexy, sempre na moda, em cores berrantes e saias curtíssimas. Em contraste, Katherine usava as suas saias sempre a uma altura segura, invariavelmente pouco acima do joelho.

Joe, no entanto, reparara alguns sinais que delatavam a mulher que havia por baixo das roupas. Uma discreta protuberância por baixo das saias cortadas sob medida indicava que ela estava usando meias avulsas e cintas-ligas, em vez de meias-calças, tão sem graça. A ausência da marca do elástico na altura da barriga confirmava suas suspeitas. Outras vezes, quando se sentava diante dela e levava uma bronca por sempre perder as notas dos restaurantes aos quais ia com clientes, notava a pontinha de algo rendado por baixo da impecável blusa branca. Resolveu que ia sempre perder os recibos. Assim, pelo décimo primeiro dia útil consecutivo, ele se chegou, caminhando com passos largos, e se encostou na mesa dela.

Joe era muito alto — quase um metro e noventa — e magro. Todos concordavam, porém, que o corpo comprido ficava muito bem nele. As roupas caíam como uma luva em seu corpo delgado, emprestando-lhe um ar marcante e cheio de estilo. Naquele dia, ele usava calças largas pretas e uma camiseta de manga comprida. Para olhar para ele, Katherine teve que colocar a cabeça para trás a um ponto em que lhe pareceu estar olhando para o teto.

— Bom-dia, Katie — cumprimentou ele, com um sorriso imenso em seu rosto comprido. — O que a traz aqui em pleno sábado?

Katherine ficou pasma com a intimidade do "Katie". No trabalho, ela cultivava uma distância definida e deliberada. Ninguém a chamava de Kathy, Kate, Katie, Kath nem Kitty. Era sempre Katherine. Para falar a verdade, ela preferia até que fosse srta. Casey, mas sabia estar querendo demais. A Breen Helmsford era uma firma assumidamente informal para aceitar sobrenomes. Até mesmo o diretor-geral, sr. Denning, insistia em ser chamado de Johnny (embora seu nome, na verdade, fosse Norman).

Ali, só a faxineira era conhecida pelo sobrenome. Uma verdadeira chaminé humana de cara amarrada que vivia tossindo os bofes para fora, acendendo um cigarro atrás do outro e reclamando constantemente da zona. Todos morriam de medo dela e não ousavam demonstrar intimidade. Ela provavelmente *fora batizada,* ao nascer, como sra. Twyford.

Katherine lançou para Joe o seu Olhar Assustador nível 4. Era um olhar furioso, que inundava os homens com um inesperado e chocante medo. Ficava dois níveis abaixo do Olhar de Medusa, e Katherine muitas vezes assustava a si mesma ao tentar ajustá-lo e aperfeiçoá-lo de manhã, diante do espelho do banheiro. Antes, porém, de ter a chance de avisar a ele, em termos gélidos, que ninguém ali tinha permissão para abreviar o seu nome, Joe perguntou, repuxando e piscando os olhos castanhos muito amigáveis:

— Nossa, você está com dor de dente? Que chato! Ou será que foi algum cisco no seu olho?

— Ahn... nenhum dos dois — murmurou Katherine, libertando os músculos faciais da posição "olhos apertados e dentes arreganhados".

— Por que veio trabalhar hoje? — quis saber Joe.

— Normalmente eu não trabalho nos fins de semana — respondeu ela, de forma educada. — Só que estamos no fim do ano fiscal e ando muito atarefada.

— Adoro esse seu sotaque — afirmou Joe, com um sorriso que iluminou toda a sala. — Acho que conseguiria ouvi-lo o dia inteiro.

— Receio que você jamais terá essa oportunidade. — Katherine lançou-lhe um sorriso forçado e frio.

Joe se mostrou levemente chocado, mas seguiu em frente com a determinação de um soldado, perguntando:

— Quer dizer que não vale a pena convidá-la nem para almoçar comigo?

— Não, não vale — respondeu ela, com a voz seca. — Por que não me deixa em paz?

— Por que não me deixa em paz? — refletiu Joe. — Vou lhe dizer. É como cantou certa vez um sábio poeta... Como era mesmo a letra da música...? — e ficou olhando pensativo a meia distância. — Ah, lembrei!... "Se todos fossem iguais a você, que maravilha viver...".

— É mesmo...? Pois bem, nas palavras de um dos meus heróis, o também sábio e grande humanista Rhett Butler* — retorquiu Katherine, de modo ríspido. — "... Para ser franca, meu caro, estou pouco me lixando".

— Ai!... Ela é cruel! — ofegou Joe, cambaleando diante da mesa como se tivesse sido esfaqueado.

Katherine ficou olhando para ele com controlado descaso.

— Agora, se você me dá licença, por favor, tenho que trabalhar — disse ela, virando-se para o monitor.

— Então, que tal tomarmos um drinque depois do expediente? — sugeriu ele, todo animado.

— Que parte da palavra "não" você não compreendeu? O "N", o "acomtil" ou o "O"?

— Puxa, mas assim você está me partindo o coração.

— Ótimo!

---

* Rhett Butler, personagem de Clark Gable em *E o vento levou...* e que fala, no final do filme, esta mesma frase, que se tornou uma das mais famosas da história do cinema. (N.T.)

— Você é a mulher mais misteriosa que eu já conheci — afirmou ele, olhando para Katherine com admiração.

— Você devia sair mais de casa.

Joe, como era um sujeito inteligente, percebeu que estava perdendo tempo.

— Sem mais perguntas, Meritíssimo! — disse, com ar decidido, como se fosse um jovem e determinado advogado diante de uma testemunha. Esperava que Katherine fosse rir disso. Ela não o fez. Joe resolveu tirar o time de campo, lançando uma última frase: — Bem, agora preciso conversar com um homem a respeito de absorventes íntimos. Porém, como o grande sábio e filósofo Arnold Schwarzenegger disse... — e fez uma pausa para dar ênfase, enquanto se inclinava na direção de Katherine e sussurrava em seus ouvidos, com a voz rouca: — *Eu voltarei!*

Com um sorriso fulgurante, afastou-se da mesa. Sim, ela certamente estava começando a se soltar mais, pensou ele. Estava mais falante, sem dúvida. Nesse ritmo, em no máximo dez anos era capaz até de sorrir para ele.

Katherine o observou, enquanto ele se afastava. Sabia que fora gratuitamente cruel, mas reconheceu que gostara da abordagem. Sentindo-se culpada, pensou em tomar um drinque rápido com ele. Não, pensou ela, refletindo melhor. Lembre do que aconteceu na última vez que você saiu com alguém, pensou consigo mesma, e na vez anterior também.

— É isso aí, garota! — Katherine ouviu Charmaine elogiar, ao seu lado. — Ele é um gato!

Imediatamente, Katherine se virou para repreendê-la.

— Já sei!... — disse Charmaine, antes dela. — Cale a boca e continue quebrando pedra como os outros prisioneiros.

Mais tarde, naquele mesmo dia, Joe viu quando Katherine abriu a porta do seu Karmann Ghia, entrou nele, acomodou seu traseiro lindo diante do volante e saiu pela rua. Ficou olhando para o carro que se afastava, estupefato, e sentiu sua admiração se multiplicar por dez. Afinal, uma mulher com um grande corpo era uma coisa, mas uma mulher com um grande corpo e um grande carro, isso eram outros quinhentos...

CAPÍTULO 9

— Use aquele vestido vermelho — aconselhou Thomas. — Você fica muito sexy nele...

— Mas nós vamos apenas ao cinema... — reagiu Tara. Já fazia algum tempo desde a última vez que usara aquele vestido, e ela desconfiava que engordara *muito* desde então.

— Coloque aquele vestido — insistiu ele.

— Escute, Thomas, depois do jantar nós resolvemos esse assunto — prometeu ela, na esperança de ele esquecer o vestido. — Agora venha jantar, a comida já está na mesa. — E foi empurrando-o na direção da mesa enfeitada com velas acesas.

— É bolo de batata recheado com carne? — perguntou Thomas, desconfiado.

— Sim, só que a surpresa — garantiu ela, com cara feliz — é que o meu tem 127 por cento a menos de gordura, e o seu é a versão normal, turbinada com colesterol.

— Beleza!

— Desligue a televisão, por favor.

— Mas está passando o campeonato de luta livre feminino.

— Então, tá legal...

Com as velas bruxuleando, os dois assistiram à luta livre e jantaram em silêncio. Ao perceber que Thomas não resmungou, reclamando que "A Ulrika Johnson é que era uma grande lutadora", Tara achou que era um momento seguro para sorrir e afirmar:

— Isso é romântico... devíamos jantar juntos mais vezes.

Depois da sobremesa, cheesecake com calda de framboesa (o de Tara com 210 por cento menos gordura, e o de Thomas, normal), Thomas tornou a pedir que Tara colocasse o vestido vermelho. Com um mau pressentimento, ela foi para o quarto e descobriu que, como desconfiava, seu corpo se expandira muito desde a última vez que usara o vestido. Encolhendo o estômago e prendendo a respiração, foi exibir a roupa para Thomas.

— Ora, ora... vamos dar uma olhada em você — disse ele, com tom de orgulho.

Seus olhos a examinaram de cima a baixo, e Tara notou que sua atenção fixou-se um pouco a mais do que o desejado em seu estômago. Ao olhar para baixo, viu que o vestido estava todo repuxado na barriga grande demais. Só que ela não conseguia mais prender a respiração. Desesperada, torceu para Thomas não ter um dos seus ataques de mau humor por conta do seu peso. O tamanho de Tara a deixava deprimida; Thomas ficava ainda mais deprimido que ela. Thomas de bom humor era legal, mas de mau humor era difícil de aguentar.

— Tem alguma coisa diferente nesse vestido — declarou ele, confuso e aborrecido.

Dois anos antes, quando começou a sair com Tara, Thomas mal conseguira acreditar em sua sorte. Deu-lhe nota 10 pelos cabelos louros, busto generoso, cintura fina, quadris de bom tamanho e boas pernas. Como muitos dos homens catequizados pelos tabloides populares, Thomas possuía padrões elevados e ideias específicas a respeito das "qualidades" que a namorada ideal devia ter.

O problema é que, assim que Tara se acostumou com a realidade de ser a namorada de outra pessoa, tendo conseguido superar os horrores da rejeição de Alasdair, começou novamente a se encher de comida. Ganhou peso com muito mais rapidez do que havia perdido, e Thomas, aos poucos, foi se mostrando amargamente desapontado. Por que será que as mulheres sempre o decepcionavam? Em uma tentativa de recriar os tempos perfeitos do início de namoro, ele gastou um bocado de tempo e energia tentando fazer com que Tara emagrecesse. Incentivava-a para que corresse, sugeria que ela fizesse academia e a deixava com sentimento de culpa por qualquer coisa que comesse. Apesar de tudo isso, ele não era nenhum magricela. *Olhem só para ele*, cochichavam as professoras da escola em que dava aula, especialmente às quintas-feiras (dia de rocambole na merenda escolar). *Ele come até a sobremesa dos alunos e acha que ninguém está percebendo*, diziam.

Porém, apesar de ser ele mesmo um pouco roliço, sua devoção total a Tara foi desvanecendo à medida que ela embuchava.

— Ah, Tara!... — resmungou ele, analisando o vestido vermelho por todos os ângulos. — Você parece que enfiou fermento na bunda e depois a levou ao forno pra crescer. Quando a gente se conheceu, você era muito mais gata!...

— Eu, gata?! Não precisa ir tão longe no elogio — riu ela.

— Mas era gata, mesmo. Se eu a conhecesse agora, não ia querer nada com você.

— Não o culpo por isso — reagiu ela, com descontração. — Se eu pudesse escolher, também não ia querer nada comigo.

— Grávida de seis meses... — disse ele, acenando com a cabeça na direção da sua barriga. — É isso que você está parecendo.

— Está mais para sete meses — sugeriu ela, com um sorriso pesaroso.

Quando viu, porém, que ele não riu, ela se arriscou, insinuando:

— Não seria hilário se descobríssemos que eu estou *realmente* grávida? O que nós faríamos?

Ela tinha esperança de tirá-lo do estado de mau humor antes que ele se estabelecesse. Normalmente, Tara conseguia fazer isso. Certamente, porém, não esperava a reação dele. — *Nós?!...* — perguntou Thomas, como se jamais tivesse ouvido a palavra em toda a sua vida.

— Nós?! — repetiu ele, ainda mais surpreso. — Você quer saber o que *nós* faríamos?

— Sim, nós!... — De forma gaiata, girou os olhos e olhou para cima, diante da reação dele. — Você sabe, Thomas... as duas pessoas responsáveis pelo lance.

— Eu não teria nada a ver com esse lance não... — retorquiu Thomas, com ar de pouco caso.

— Já pensou?... Noites em claro, fraldas cagadas — ela franziu os olhos, com jeito brincalhão. — Quem poderia culpar você? A pobre criança provavelmente ia morrer abandonada.

E esperava, com isso, colocar um ponto final no assunto. Só que a conversa não ficou caída no chão, fingindo-se de morta, porque Thomas continuou repetindo, com o mesmo tom de confronto:

— Eu não teria nada a ver com esse lance não...

Tara sabia que não devia, mas não conseguiu se conter e, com a voz muito reduzida, perguntou:

— O que quer dizer?

— Quero dizer exatamente o que ouviu. Eu não teria nada a ver com o lance.

Tara foi assaltada por um horripilante pavor. Tudo aquilo era para ser apenas uma brincadeira, mas Thomas não estava rindo.

Deixe isso pra lá, sua cabeça apressou-se em aconselhar. Deixe o papo morrer. Não abra portas que depois não vai conseguir fechar. Ele não está falando sério. E se estiver, você não vai querer ter certeza.

— Então, o que está querendo dizer é que você não... — e parou, segundos antes de dizer as palavras "se casaria comigo?". Depois de assustar Alasdair com aquela ideia, jurara para si mesma que não repetiria o mesmo erro com Thomas. Em vez disso, continuou: — ... está querendo dizer que você não ficaria ao meu lado? — e conseguiu exibir um sorriso tardio e frágil, pouco convincente.

Thomas se sentou no sofá e ficou olhando para ela. Tara começou a se arrepender de ter aberto a boca. Teve uma péssima sensação de *déjà-vu* e um terrível pressentimento do que ia ouvir.

— Não sei... — disse ele, secamente.

O coração de Tara mergulhou de cabeça nas profundezas do seu corpo, levado por uma cachoeira de medo gélido.

— Você ia continuar comigo e deixar a coisa fluir, não ia? — perguntou, desesperada. Sua voz parecia abafada e distante, como se suas orelhas estivessem tapadas.

— Acho que não ia querer fazer isso não — disse ele, tornando a olhar para ela como se tivesse acabado de fazer uma revelação.

Não é de estranhar, lembrou a si mesma, quase sem fôlego. *Como é que ele pode acreditar no conceito de família, depois do que aconteceu com os seus pais?*

Só que isso não a confortou.

— Mas você me ama!... — protestou.

— Eu sei, mas...

— Você pelo menos não me daria algum dinheiro para ajudar a cuidar do bebê? — perguntou, com a voz rachada, sentindo-se apavorada como se realmente existisse algum bebê.

— Mas, Tara... — argumentou ele, com amargor na voz. — Você ganha mais do dobro do meu salário.

— Sei que sim — admitiu Tara, envergonhada.

Caiu um silêncio profundo e uma corda bamba de pura tensão se estendeu entre os dois.

Perguntas terríveis começaram a pipocar na cabeça de Tara. O que significava tudo aquilo? Que tipo de futuro eles teriam?

— Então, se você não... — começou Tara, mas parou de falar na mesma hora. Por que mexer em casa de marimbondo? — Essa discussão não faz sentido, porque eu não estou grávida — exclamou, forçando um sorriso, ao mesmo tempo que tentava remendar o rasgo bem depressa, antes que ele reparasse. Bem depressa, antes que *ela* reparasse também. — Gorda, certamente eu estou, mas não grávida. Não há com o que nos preocuparmos!

Thomas estava olhando para ela de um jeito diferente. Confuso, talvez. Como se as perguntas estivessem começando a surgir em sua cabeça também. Abriu a boca para dizer algo.

— Vamos nessa! — soltou Tara, depressa, evitando que ele falasse. — Vamos acabar chegando tarde ao cinema.

Ele hesitou, com a boca ainda aberta e a respiração suspensa, pronto para falar. Mas em algum ponto entre a fala e o ar que tornou a inspirar, a luz mortífera que havia em seus olhos se apagou.

— Então tá legal... — disse ele, colocando a mão sobre o ombro dela. — Vamos nessa!

Nada mais foi falado a respeito do assunto. Depois do filme, porém, em vez de ir a alguma festa ou boate, como costumavam fazer, voltaram para casa e ficaram assistindo tevê, fumando e bebendo uma garrafa inteira de vinho em silêncio. Quando o vinho acabou, Tara foi até a cozinha e preparou para si mesma uma dose gigantesca e secreta de gim-tônica. Depois outra, e mais outra. Bebeu tanto que dava para derrubar um elefante, mas isso não a fez se sentir mais feliz.

Mais tarde, naquela mesma noite, enquanto Thomas roncava a seu lado, Tara, completamente bêbada, pôs-se a fazer planos. Embora não estivesse disposta a analisar o caso, sabia que recebera uma espécie de aviso naquela noite. Precisava se esforçar mais para manter o seu companheiro completamente feliz, já que ele era tão atormentado e ferido pelo próprio passado.

Estava ao seu alcance conseguir isso. Ele era louco por ela, no início. *Louco* por ela. Nossa, como ela ansiava por voltar àqueles dias maravilhosos do princípio, quando ele sorria o tempo todo e lhe dizia o quanto ela era divertida. Quando eles transavam o tempo todo. Quando ele dizia que ela era uma figuraça, melhor do que qualquer outra garota que ele tivesse conhecido. Quando ela se sentia adorada, bem cuidada e poderosa.

Ela não conseguia lembrar de quando foi que as coisas começaram a degringolar. Mas aquilo era uma crise passageira. Os bons tempos iam voltar. Tudo o que ela precisava fazer era se esforçar um pouco mais.

Cerrando os dentes com força, jurou de pés juntos que ia começar a perder peso de verdade. E, já que suas extravagâncias o chateavam tanto, ia deixar de gastar dinheiro à toa. Ia comprar um monte de lingerie sexy. Lingerie sexy bem baratinha, é claro, já que ela ia parar de torrar dinheiro. Ia se transformar em uma máquina sexual, atirando-o no chão assim que ele colocasse os pés dentro de casa, ao chegar do trabalho, e transariam no meio do corredor. Depois, prepararia refeições deliciosas para ele. E nada para ela.

Olhou para o escuro e se concentrou o mais que pôde, tentando pensar em algo realmente especial que pudesse fazer para Thomas. Qual a coisa mais inesquecível que alguém já fizera por ela? Na verdade, com relação a Tara, a coisa mais legal que alguém lhe fizera foi algo que aconteceu quando ela estava com nove anos. Havia implorado à sua mãe para que ela lhe comprasse uma saia jeans com colete no mesmo tecido, igualzinho ao que vira no filme *Jackie*, mas Fidelma Butler, que vivia dura, não tinha grana para dar isso à filha. Apesar de tudo, foi até a loja Ennis de ônibus, comprou um molde pronto e jeans desbotado em quantidade suficiente para costurar a tão desejada saia com colete. Seguiu exatamente as especificações de Tara, e fez tudo como a filha pediu.

— Precisa deixar aparecendo duas linhas laranja na bainha, como se fosse alinhavado, mamãe. E a cor tem que ser bem forte para as pessoas enxergarem de longe...

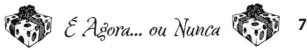

Embora Fidelma se sentisse envergonhada só de pensar em estar costurando uma bainha que ficaria visível a olho nu, respirou fundo e foi em frente, pois era isso que a filha queria. Essa havia sido a melhor coisa que alguém já fizera por ela, decidiu Tara. Mesmo depois, quando seu pai levantou os olhos do jornal e debochou, dizendo "Você pode vestir uma cabra com seda, mas ela vai continuar sendo uma cabra", nada poderia ter arruinado a alegria que sentiu com a roupa nova.

De qualquer modo, não conseguia imaginar Thomas muito empolgado com a ideia de receber como presente uma saia jeans e colete feitos por Tara, à mão. Porém, a ideia de fazer algo que pudesse agasalhá-lo tinha um certo apelo e, subitamente, ficou bem claro o que ela poderia fazer. Ela ia... ela ia... ia... *tricotar um pulôver para ele!*

CAPÍTULO 10

Na manhã seguinte, Tara acordou bem cedo. Algo parecia errado. Ela estava de ressaca! *Estou velha demais para essas coisas*, pensou, enquanto ingeria um punhado de analgésicos. *Não posso mais me detonar desse jeito*... Porém, embora a dor de cabeça começasse a passar, uma leve sensação de tragédia iminente enroscou-se nela, como uma espécie de fogo-fátuo ou nuvem negra que a seguia do quarto para o banheiro e para a cozinha.

Apesar de sua resolução noturna de fazer dieta para emagrecer, Tara se sentia terrivelmente esfomeada. Era esse efeito que as ressacas costumavam provocar nela. Normalmente as pessoas com ressaca se sentiam tão enjoadas que não conseguiam nem olhar para comida o dia todo. No caso de Tara, porém, uma ressaca a deixava como se jamais tivesse comido coisa alguma em toda a sua vida. Era uma fome de fazer o estômago roncar e a cabeça ficar leve, de um jeito quase primitivo. Estava louca por carboidratos. Só de pensar em torradas já sentia uma quantidade tão grande de adrenalina na corrente sanguínea que quase a levantava do chão.

Com toda a cautela, fechou a porta da cozinha, para que Thomas não sentisse o cheiro do que ela estava fazendo, e colocou duas fatias de pão de forma na torradeira. Agitada e impaciente, ficou olhando para a torradeira, desejando que ela acabasse logo. *Depressa*, torceu ela, de forma passional, *faça um esforço*, sussurrou, incentivando o utensílio. Se não conseguisse algo para comer *naquele momento, naquele exato momento*, ela ia se virar sozinha. O problema era que tudo o que havia nos armários da cozinha era macarrão, molho de tomate e comida de gato. Thomas, há muito tempo, esvaziara a despensa de biscoitos e batatas fritas, em uma espécie de autossacrifício que visava tirar a tentação da frente de Tara.

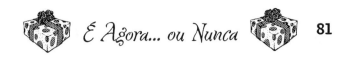

As torradas pularam e as mãos de Tara começaram a tremer enquanto ela cobria uma delas com queijo e a outra com geleia. Enquanto devorava tudo, colocou mais duas fatias na torradeira. Depois, mais duas. Em uma orgia de torradas, ela se sentiu no paraíso. Torrada com manteiga de amendoim, torrada com geleia, torrada com Marmite*.

Coberta de migalhas, ela praticamente engolia cada torrada inteira, com o ouvido encostado na porta da cozinha, vigiando para ver se Thomas estava vindo.

Dois olhos apareceram na janela da cozinha e Tara pulou de susto. Percebeu então que era Beryl, com os olhos verdes insolentes no meio da cara preta, provocando-lhe uma sensação de culpa. Tara fez um sinal obsceno para ela, e então desviou o olhar da janela, tornando a se fixar nas torradas. Até se preparar para colocar mais duas fatias na torradeira e reparar que o pão de forma acabara.

Minha nossa!, pensou. Ela acabara com um pão de forma inteirinho! Thomas ia reparar na falta do pão, ia querer saber o que acontecera com ele. Tara teve um momento de pânico, antes de se acalmar. Qual é o problema?, perguntou a si mesma. Você está sendo tola. Basta sair e comprar outro pão de forma, com a desculpa de ir buscar o jornal de domingo. Se o armazém do paquistanês não estivesse aberto — embora ela não se lembrasse de um só momento, dia ou noite, em que a loja estivesse fechada, pois os imigrantes trabalhavam como escravos para ganhar a vida —, ela poderia ir até a loja de conveniência 24 horas no posto de gasolina. Vestiu-se sem fazer ruídos, desesperada para não acordar Thomas, e saiu pela úmida neblina da manhã, olhando desconfiada para Beryl. Era bem capaz daquela gata idiota dedurá-la.

O armazém não estava aberto, então Tara foi ao posto e comprou o pão e o jornal. Não resistiu e comprou também três sonhos, um com recheio de chocolate e dois de creme — nossa, como ela gostava de sonho de creme —, e os comeu durante a volta para casa, efetuada em ritmo deliberadamente lento, sendo que os papéis e guardanapos que os envolviam foram enfiados na lata de lixo do jardim

* Marca de um patê de levedura com sabor marcante e muito popular na Grã-Bretanha. (N.T.)

de um dos vizinhos. Limpando com vigor todas as possíveis migalhas incriminadoras e passando a língua pelos dentes, a fim de se livrar de qualquer prova, preparou-se para voltar ao apartamento.

Thomas ainda não se levantara, o que significava que ela estava livre para comer mais, se quisesse. A fissura, porém, já passara. Só estou comendo desse jeito por causa da ressaca, disse Tara para si mesma, confortando-se enquanto acendia um cigarro. Vou começar uma dieta séria amanhã, mas hoje já vou tentar ficar sem comer pelo resto do dia. Sentou-se à mesa da cozinha, fumando e tentando ler o jornal. Não era terrível acordar cedo demais em uma manhã fria e úmida de outubro?, perguntou a si mesma. Poderia voltar para a cama com o jornal, mas receava acordar Thomas. Com isso, finalmente se permitiu enxergar o que a estava deixando encucada: as palavras que ele dissera na noite anterior.

Na mesma hora, Tara sentiu outra fisgada, como se fosse algo semelhante à fome que tentava abrir caminho através da ideia de comida para emergir, por fim, sob a forma de náusea.

Com uma firmeza nascida do temor aterrorizante, tentou raciocinar com os pés no chão. E daí se ele não queria que ela engravidasse? Ela também não queria engravidar, imagina!... Ela e Thomas haviam tido uma discussão sem sentido, em cima de algo hipotético. Grande coisa!...

Não era nem um pouco parecido com o que aconteceu na época de Alasdair. Ela estava *vivendo* com Thomas. Fora ele mesmo, e não ela, que sugerira que ela se mudasse para lá. Prova inegável de que ele a amava — embora Tara suspeitasse que os seus olhos brilharam com a luz de dois cifrões, em vez de emitirem lampejos de amor.

Ela tomara muito cuidado nos últimos dois anos, jamais fazendo pressão sobre Thomas, jamais sequer mencionando a palavra casamento, de modo que as coisas *não podiam* degringolar do jeito que acontecera com Alasdair. Se ela continuasse a fazer o jogo da espera tão bem como fizera até agora, tudo daria certo. Não havia razão para ela se preocupar, pois ele a amava e agora tudo ia funcionar. O raio jamais cai duas vezes no mesmo lugar.

Ligou para a mãe, pois queria conversar com alguém que a amasse, mas, em vez disso, quem atendeu foi o pai.

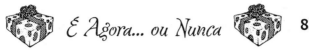

— Sua mãe não está — avisou ele, mal-humorado como sempre.

— Onde é que ela foi a essa hora da manhã? — perguntou Tara.

— Para onde você acha que ela foi, sua pagã? — replicou ele.

Ainda desesperada em busca de conforto, ligou para Katherine. Não havia perigo de ela ter ido à missa.

— Desculpe ligar assim tão cedo — desculpou-se. — Espero não tê-la acordado.

— Está tudo bem — disse Katherine. — Vou ter que ir para o trabalho mesmo.

— Em pleno domingo? Vocês, que trabalham com propaganda, são doidos!

— É movimento extra, contabilidade típica de fim de ano fiscal, não é comum isso acontecer.

— Eu me sinto horrível — disse Tara.

— Tome vitamina C e dê uma caminhada revigorante.

— Estou tomando aspirinas como se fossem confeitos de chocolate. Na verdade eu *adoraria* se fossem confeitos de chocolate mesmo. De qualquer modo, não estou falando da minha ressaca, embora ela seja faraônica.

— O que foi, então?

— Não vou falar agora, senão vou acabar fazendo você se atrasar para o trabalho. Diga-me uma coisa apenas. O raio jamais cai duas vezes no mesmo lugar, cai?

— Você sabe que cai — lembrou Katherine, mas de forma gentil, sentindo que algo importante acontecera. — Você se recorda daquele monte de palha no celeiro de Billy Queally que foi atingido por um raio durante uma tempestade e lambeu todo, e depois, dois anos depois, o mesmo Billy foi eletrocutado e atirado do outro lado da cozinha ao ligar a torradeira durante outra tempestade?

— Eu não estou falando *literalmente* — disse Tara, sentindo-se péssima. — De qualquer modo, obrigada.

— Desculpe, então — confortou-a Katherine. — Conte-me o que houve.

— Pode não ser nada... — disse Tara, com a voz pesada.

— Passe por aqui logo mais à noite, depois que eu chegar do trabalho.

— Obrigada, você é um anjo!

Katherine adivinhou qual era o problema. Jamais imaginou que Thomas ia durar mais de duas semanas com Tara e, por isso, já estava preparada para o fim do relacionamento deles há quase dois anos.

Ela não foi com a cara de Thomas desde a noite em que o conheceu. Claro que se empolgou ao saber que Tara arrumara um novo namorado, especialmente depois de ter testemunhado o sufoco que ela passara depois que Alasdair a dispensara, e acompanhara a sua dor excruciante. Sem mencionar que, apesar da maior boa vontade do mundo, dividir o apartamento com alguém que acabara de levar um pé na bunda se tornou ligeiramente entediante, ainda mais depois de três meses de histeria e comportamento bizarro.

Algo instintivo dentro dela, porém, gritava que Thomas não era um Príncipe Encantado para Tara. Não era nem mesmo um Sapo Encantado, para falar a verdade.

— Parece que ela arrumou um novo amiguinho — murmurara Fintan no ouvido de Katherine, enquanto Tara e Thomas se engoliam de tanto se beijar na cozinha de Dolly, esquecidos das pessoas à sua volta.

— Hummm... — reagiu Katherine, com ar evasivo.

— Que foi? — quis saber Fintan.

— Não sei... talvez sejam os jeans marrons que ele está usando.

— Marrom é o novo preto, é a cor da moda.

— É que eles são horríveis. E olhe só... a camisa dele é marrom também.

— Não seja tão antimarrom! — aconselhou Fintan. — Provavelmente ele é um cara legal.

Mais tarde, porém, quando voltaram para casa, Tara, Katherine, Liv e Thomas tomaram um táxi, mas ele se recusou a dividir a corrida.

— Não! — disse Thomas, de forma brusca. — Se eu não estivesse aqui, vocês iam ter que pagar o valor de sempre. É sacanagem, vocês lucrarem com o fato de eu estar aqui. Eu falo o que eu acho.

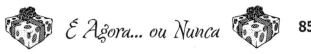

Katherine deu uma gargalhada ao ouvir isso. Talvez Thomas fosse um cara divertido, afinal.

— "Eu falo o que eu acho"?... Essa é boa! — com um sotaque do interior de Yorkshire, ela continuou: — "Ele não mete prego sem estopa"; "em casa sem grana, todo mundo se esgana"; "televisão de pobre é buraco de fechadura"; "depois da tempestade, vem a gripe"; "quem dá aos pobres, paga a conta do motel". Adoro esses ditados engraçados. Tem mais algum?

De repente, ela reparou que Tara, Thomas e Liv estavam parados como estátuas. Então, Tara falou, entre dentes:

— Katherine! Fecha essa matraca! — Só nesse momento foi que ela percebeu que Thomas não falara de brincadeira.

Sob um silêncio funéreo, Tara pagou o taxista. E quando Katherine observou Thomas entrar com ar arrogante no apartamento, para ser levado de imediato para o quarto de Tara, achou que ia explodir de tão injustiçada.

"Eu falo o que eu acho" era a frase favorita de Thomas. E o que ele achava quase nunca era agradável.

Mesmo assim, ele falava o que achava.

Logo no dia seguinte àquele em que Tara conhecera Thomas, quando já estava todo mundo esparramado pela sala, Katherine decidiu que chegara a hora de acertar as coisas, embora soubesse que ia receber objeções.

— Preciso colocar uma coisa para fora. Está aqui dentro, presa no meu peito — começou.

— E você chama isso de peito? — interrompeu Thomas.

Tara soltou uma gargalhada escandalosa, tão alta que até Thomas começou a se sentir alarmado. E quando Katherine se recobrou do choque e tentou fazer uma objeção ao que ouvira, ele interrompeu, falando alto:

— Mas isso é VERDADE, não é?

— Não vem ao caso — disse Katherine, com a voz fria. — É muita falta de educação a pessoa...

— MAS É VERDADE, NÃO É? — perguntou novamente, ainda mais alto. — Você não tem peitos. Isso é um fato, e eu não gosto de mentir.

— Mas ninguém pediu para você dizer nada, para começo de conversa — reagiu Katherine.

— Você não consegue aceitar a verdade, é isso? — e deu de ombros. — É muito sensível. Eu só falo...

— ... O que você acha — terminou Katherine. — É, já sei disso.

Em poucos dias, Thomas conseguira insultar todos os amigos de Tara. Chamou Liv de giganta, e assim que ela conseguiu uma chance para ver no dicionário o que a palavra significava, ficou muito chateada. Ao ser formalmente apresentado a Fintan, o jeito com que hesitou na hora de cumprimentá-lo e a velocidade com que limpou a palma da mão na lateral do jeans tornou abundantemente claro que não aprovava os homossexuais.

Entretanto, foi quando Thomas apontou as armas da franqueza contra Tara, em uma tentativa sutil de fazer a balança do poder pender para o seu lado, que os outros *realmente* ficaram contra ele. A essa altura, porém, Tara já estava envolvida demais. Thomas a resgatara no instante em que ela já se via como uma solteirona de 45 anos. Ficara viciada com a dedicação dele e, sempre que Thomas lhe fazia alguma crítica, Tara tentava ao máximo mudar, para agradá-lo.

Tara já estava saindo com ele há quase um mês na primeira vez que deixou escapar, em conversa com os amigos, que Thomas estava aborrecido pelo fato de ela ter engordado.

— Que horror! — disse Liv, chocada. — Mas ele devia amá-la pela pessoa que você é!

— Ele só fica me dizendo isso porque se importa comigo — insistiu Tara. — Ele tem razão. Engordei uns quilinhos mesmo. Agora vou ter que perdê-los.

— Depois do que Alasdair aprontou com você, Tara, sua autoestima está menor que um capiongo.

— A palavra é camundongo... — interrompeu Katherine, com ar gentil.

— Thomas adora intimidar você, não se renda diante dele! — aconselhou Liv.

— Ahn... olhe, Liv... — disse Tara, com a voz macia. — Eu sei que você ficou chateada por aquilo que ele falou a respeito da sua altura. E você, Katherine, sei que você ficou aborrecida pelo que ele falou sobre os seus peitos. Mas sejamos justas, ele estava apenas falando com honestidade. Não é reconfortante estar junto de alguém que lhe diz com toda a franqueza como você está?

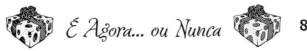

Katherine decidiu, naquele instante, que ia mudar de apartamento e comprar um lugar só para ela.

— Adoro a visão que ele demonstra das coisas, muito forte e direta — admitiu Tara, com ar sonhador. — Adoro o jeito como ele defende as suas posições, sem arredar pé. Vocês não acham que essa autoconfiança e essa atitude objetiva são muito sexy? Aliás, por falar em sexy, ele é um furacão na cama, dia e noite, e... você está legal, Katherine? Ficou toda vermelha de repente...

— Estou bem — murmurou Katherine. Se tivesse que ouvir uma vezinha mais que fosse o quanto Thomas era bom de cama, ia começar a gritar de desespero.

— Além do mais — continuou Tara, voltando ao assunto —, se às vezes Thomas magoa as pessoas, não é culpa dele.

Ao notar as expressões de descrença, voltou novamente com a história de que a mãe o abandonara quando era pequeno.

— Se a mãe de uma de nós tivesse nos abandonado assim tão novas, em uma idade em que estamos em plena formação psicológica, *também* íamos sair por aí falando tudo o que pensamos.

Embora Fintan e Liv, esta com menos intensidade, tentassem fazê-la enxergar as coisas, estavam perdendo tempo. Tara, com seu coração de manteiga, estava imbuída da missão de amar Thomas cada vez mais. Mesmo nos seus momentos de "difícil-de-agradar", ela não conseguia deixar de perdoá-lo. O problema é que Thomas foi se tornando cada vez mais difícil de agradar ao longo dos meses, ao mesmo tempo que recuperava todo o poder que outorgara a Tara nos primeiros dias do namoro.

Ela via o menino abandonado no Thomas adulto. Era de espantar que ele ocasionalmente descontasse nos outros a traição extrema que sofrera na infância?

E sempre havia um prêmio de consolação em tudo aquilo. Lealdade era muito importante para Thomas. Ele exigia fidelidade, mas oferecia o mesmo em troca.

CAPÍTULO 11

Quando Tara saiu do telefone, depois de falar com Katherine, e se aventurou a voltar à cozinha, Thomas já se levantara. Olhava para o pão de forma lacrado sobre a mesa, lembrando-se do outro, que ele comprara em oferta no supermercado, na véspera, e disse:

— Mas esse pão... ele já estava aberto ontem à noite.

Tara sentiu-se esmagada pela fria mão do medo e começou a apalpar a roupa em busca dos cigarros. Por que ela deixara o pão na cesta, sem abrir? Por que não recriara a cena exata que encontrara ao acordar?

— Esse aqui é um pacote de pão novo? — gritou ele, com ar incrédulo.

— Sim — confirmou Tara. Não conseguiu reunir a energia para mentir ou dizer algo engraçado.

— E onde foi parar o outro?

Tara pensou em dizer que o pão havia mofado e ela resolvera colocar tudo fora, mas estava deprimida demais para se importar e respondeu:

— Eu comi.

Ele olhou para ela com a boca aberta e os olhos arregalados. Parecia tão chocado que mal conseguiu falar:

— Vo-você comeu quase um pão de forma inteirinho? — gaguejou ele. — Mas por quê?

Tara sentiu um arroubo de petulância e respondeu, sarcástica:

— Ele estava na minha frente, eu estava me sentindo só e resolvi comê-lo.

— Não tem graça nenhuma, Tara — explodiu ele.

— Ah, qual é?... — sorriu ela. — Tudo bem, estou começando agora. Subalimentação para mim, a partir desse instante. E vou começar com aula de step amanhã na academia, depois do trabalho.

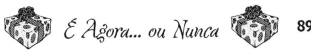

Um mal-estar pesado instalou-se entre eles. Foi como se a névoa densa e úmida lá de fora tivesse conseguido penetrar no apartamento, ajeitando-se com cuidado entre os dois e impregnando o ar com um peso mortal. A insatisfação que se irradiava de Thomas era tão intensa que Tara quase conseguia enxergá-la fisicamente. Era como uma chaminé arrotando nuvens escuras de negatividade.

O ambiente na sala de estar, que já era deprimente nos dias bons devido ao sofá marrom e ao piso de lajotas no mesmo tom que Thomas mandara instalar, tornou-se cada vez mais opressivo. Eles se puseram a fumar mais do que o normal, e a fumaça presa no ar abafado do cômodo fez pesar ainda mais a atmosfera. Tara estava desesperada para desarmar o clima que pintara, de algum modo; queria ter algo leve e descontraído para dizer, a fim de recolocar um sorriso no rosto de Thomas e acertar as coisas de novo. Só que não conseguia pensar em nada. Sempre que comentava alguma coisa que lera no jornal, ele simplesmente grunhia ou a ignorava por completo.

Os dois haviam se sentado inúmeras vezes, daquele mesmo jeito, em incontáveis domingos, e o clima sempre fora confortável. Pelo que Tara avaliava, o cenário era o mesmo, e nada estava diferente. Não havia motivos para os nós que sentia no estômago... *Expectativa.* Sim, era essa a palavra certa. Expectativa. Mas pelo quê, exatamente, ela estava esperando?

— Eu estava muito a fim de assistir àquela peça que fala de Woodstock — disse Tara, quebrando uma hora inteira de silêncio. Na verdade, ela estava pouco ligando para a tal peça sobre Woodstock, mas não aguentava mais a ausência de som na sala. Sentiu a necessidade de um pretexto para falar com ele, e queria a promessa de algum tipo de intimidade, ou a sugestão de que ele iria à peça com ela.

Thomas olhou para ela por cima do jornal.

— Ora... mas então por que você não *vai* assistir a essa peça que fala de Woodstock? — ladrou ele, como se jamais tivesse ouvido nada mais idiota em sua vida. Em seguida, deu uma sacudida violenta no jornal e tornou a desaparecer por trás dele, deixando de ver o rosto arrasado de Tara.

Beryl entrou toda saltitante na sala, lançou um olhar de desdém para Tara e balançou o corpo, altiva, como se dissesse *eu vi você comendo aquele monte de torradas, sua vaca gorda*, e pulou sobre o colo de Thomas.

— Veio ver o papai? — recebeu-a Thomas, acendendo-se todo como uma árvore de Natal. — Quem é a lindinha do papai? Quem é a lindinha?...

Tara observou a mão de Thomas que se curvava ao longo das costas e da cauda de Beryl. Viu em seguida a gata olhar para ela com ar de convencida e analisou o momento em que se aninhou entre as pernas de Thomas. Tara se sentiu como se estivesse em um triângulo amoroso. Teve um desejo ridículo de ser aquela gata idiota, só para conseguir ao menos dez por cento do afeto que Thomas lhe dispensava; só para conseguir que ele lhe fizesse uma cosquinha na barriga; só para ganhar um pedaço de madeira para afiar as garras e receber comida de gato na boquinha.

Beryl ficou por ali mais alguns minutos, apenas o tempo que lhe interessava, exibindo o tipo de independência "você-tem-que-me-aguentar" que Tara sonhava em copiar. Em seguida, saltou do colo de seu dono e foi embora. O ar soturno de Thomas ressurgiu na mesma hora.

— Vou tomar uma ducha — murmurou Tara, quando sentiu que as paredes começavam a se fechar sobre ela, sufocando-a. A água que caía do chuveiro e o cheirinho fresco de limpeza serviram para animá-la um pouco. Ao voltar para a sala da frente, onde Thomas continuava, imóvel, sentiu a ansiedade vir recebê-la na porta para, em seguida, se acomodar ao seu lado como uma aparição.

— Há algo errado? — perguntou ela. Isso pareceu irritá-lo mais ainda. Depois de algum tempo, ela já não aguentava mais. — Qual é?... Vamos agitar, em vez de ficarmos sentados, trancados aqui dentro como duas lesmas. Vamos fazer alguma coisa.

— O quê, por exemplo? — perguntou ele, olhando-a com escárnio.

— Sei lá!... — reagiu Tara, com a voz meio mole e a confiança abalada por sua hostilidade. — Vamos sair. Moramos em Londres, pelo amor de Deus! Há milhões de coisas que podemos fazer.

— O quê, por exemplo? — repetiu ele.

— Ahn... — De forma agitada, tentou pensar em algo, bem depressa, louca para ter alguma ideia interessante. — Podíamos ir a uma galeria de arte. A Tate, por exemplo. Lá é muito legal...

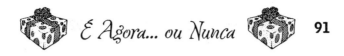

— Ah, sai dessa! — reagiu ele, de forma brusca, e Tara teve que admitir para si mesma que ficou aliviada. Por mais desagradável que fosse ficar ali trancada na sala de estar, perambular por uma porcaria de galeria de arte seria infinitamente pior. Imagine se acotovelar no meio de montes de turistas mal-educados e encarar pessoas terríveis que dizem "entender" de arte, para depois ter que enfrentar uma fila de uma hora na cafeteria, só para comer a obrigatória fatia de bolo de cenoura. Esse programa não era nada atraente.

— Então, que tal ir ao shopping? — sugeriu ela. — É o grande lance do momento.

Thomas deu um sorriso de deboche ao ouvir isso.

— Você está com saldo negativo na conta e ultrapassou os limites de todos os cartões. Quanto a mim, apesar de exercer uma das profissões *mais importantes* que existem, também estou sem grana.

— Eu sei! — declarou ela, com ar de revolta. — Então, vamos dar uma volta de carro.

— Uma volta de carro?! — Thomas fora reprovado em três exames de motorista, de forma que vivia tentando transmitir a ideia de que o ato de dirigir era uma espécie de aberração. — Uma volta até onde?

— O litoral — sugeriu ela, sem conseguir pensar em mais nada e sentindo o próprio entusiasmo ser esmagado pelo desespero.

Só que, subitamente, Tara achou que essa era uma grande ideia. O ar fresco e revigorante do mar faria desaparecer a estagnação que os envolvia. Um pouco de espontaneidade ao ar livre só lhes faria bem.

— O litoral? No dia 4 de outubro, em pleno outono? — E olhou para Tara como se ela tivesse enlouquecido.

— Por que não? Podemos nos agasalhar.

— Tá legal, então — aceitou ele, com a cara amarrada.

Depois do arranca-rabo provocado pelo pão de forma, Tara estava até com medo de almoçar antes de sair. De forma que, durante toda a viagem até o litoral, fumou sem parar, obcecada por comida. Tudo que via pelo caminho lhe parecia algo comestível. As copas redondas das árvores se tornaram brócolis. Fardos de feno se transformaram em rocamboles ou — melhor ainda — em mil-folhas com recheio transbordante de mel e açúcar. Ao passarem por um pasto cheio de ovelhas, sua respiração se acelerou no instante em que ela imaginou um monte de marshmallows. Um penhasco de calcário branco a fez lembrar de um maravilhoso torrone gigante. Sua boca se encheu de água ao passar por um campo enlameado e muito brilhante... Um bolo com cobertura de chocolate e dois acres de extensão, pensou. Os outros veículos na estrada a atormentavam mais do que qualquer outra coisa, e não só porque os pneus se pareciam com rosquinhas de licor. É que os carros com tinta metálica faziam a sua mente vagar, e ela enxergava bombons, como se cada carro estivesse envolto em um papel de alumínio colorido. Pareciam bombons Quality Street sobre rodas. Um carro vermelho vinha em direção contrária... era o bombom da Quality Street com recheio de morango. Um outro passou, em um tom de roxo... a cor da embalagem do bombom de avelã caramelada. Vinha vindo um outro, amarelo... Toffee De Luxe. Depois, veio um verde... nozes. Um marrom veio em seguida... creme de café.

Isso acontecia frequentemente com Tara. Quando Liv usava as lentes de contato verdes, Tara não conseguia olhar para ela sem imaginar na mesma hora dois drops de limão. Quando Tara viajara para a Itália e sobrevoara montanhas nevadas pontilhadas por vegetação escura, só conseguia pensar em tiramisu. Certa vez, ao chegar à casa de uma amiga, avistou, assim que entrou, um pote cheio de doces. Jujubas coloridas, deduziu, e perguntou na mesma hora se podia pegar uma. Só que eram pequenos cristais, e Tara teve que passar a meia hora seguinte fingindo que os achava lindos.

— Eu sofro de um troço chamado "analogia com comida" — murmurou para Thomas, mas ele estava ocupado demais fumando no banco do carona, e olhava pela janela, longe dali. De qualquer modo, Tara não queria mesmo que ele a ouvisse.

Depois de já estar dirigindo há mais de uma hora, Thomas indicou com o dedo um lugar, apontando na direção de uma lanchonete da rede Little Chef.

— Olhe! — exclamou ele.

O coração de Tara deu um pulo de alegria. Talvez ele a deixasse comer algo. Porém, como reparou em seguida, Thomas estava apontando para o mar, que surgira ao longe. Pararam na praia de

Whitstable, em Kent, e notaram que a areia pedregosa fora deixada apenas para eles. O dia continuava úmido e enevoado, como acontecera desde manhã cedo. O mar, imóvel, exibia um tom entre o marrom e o cinza, e o céu parecia feito de concreto. O vazio do lugar e os tons cinzentos deixaram Tara ainda mais deprimida. Ir até ali fora um erro. As duas horas que haviam passado aprisionados dentro do carro, só os dois, fumando como chaminés e cheios de tensão, haviam sido mais elétricas do que a manhã passada na sala de casa. Apesar do tempo pouco convidativo, ela insistiu para que eles saíssem do carro, a fim de dar uma volta a pé, na esperança de que o ar fresco executasse algum milagre. Com as cabeças baixas, andaram arrastando os pés sobre o cascalho e, ao chegar à beira d'água, pararam. Sentaram-se na areia úmida e ficaram ali, fitando o mar estático. Aquilo foi tão benéfico quanto olhar demoradamente para uma tevê desligada. Nenhum pássaro cantou.

Depois de ficar ali por 15 minutos, totalmente em silêncio, arrastaram-se de volta para o carro e voltaram para casa. No caminho de volta para Londres, começou a chover.

CAPÍTULO 12

Fintan e Sandro curtiam um dia muito mais agradável do que Tara e Thomas. Depois de um almoço animado com um monte de amigos, em Picadilly Circus, estavam agora novamente em casa, lendo os jornais de domingo. Fintan parecia ainda mais comprido, esticado como um gato ao longo do lindo sofá de couro do tipo "descolado-fashion", e seus pés estavam no colo de Sandro.

Perfeitamente sintonizados um com o outro, mal precisavam dar início às frases para se comunicarem entre si.

— Você leu...

— A coluna de Michael Bywater?

— Hum-hum... estava engraçada.

— Hum-hum...

Um longo e confortável silêncio se seguiu.

— O que acha de comprarmos...

— ... Um tapete felpudo? Boa ideia. Podíamos procurar...

— ... Na semana que vem. Eu topo!

Outro cobertor de aconchegante quietude.

Sandro dobrou o caderno cultural do *Independent* e abriu a boca para pedir que Fintan lhe passasse o caderno de notícias locais, mas Fintan se adiantara e já estava com o braço esticado e o jornal estendido.

Fintan e Sandro haviam se conhecido seis anos antes, no tempo em que Fintan ainda dividia o apartamento de Kentish Town com Tara e Katherine. Sandro era, literalmente, o vizinho do outro lado do corredor.

No dia em que Sandro se mudara para o apartamento em frente, Fintan observou com interesse o seu corpo pequeno e vistoso, seu rosto de duende, sua cabeça raspada, seus óculos redondos e se apaixonou. Já se sentia pronto para esse sentimento. Há um ano ele já vinha reclamando que estava cansado da vida de baladas e precisava sossegar o facho.

— Quero alguém importante em minha vida — dizia.

Tara, Fintan e Katherine descobriram que o nome do novo vizinho era Sandro Cetti. Ele se comportava de forma amigável e sempre sorria quando encontrava um dos três no corredor, de modo que, certa manhã, Tara, audaciosamente, perguntou-lhe fatos de sua vida pessoal e descobriu que Sandro era arquiteto e viera de Roma.

— Um garanhão italiano — comentou Fintan ao saber.

— Bem, não exatamente um garanhão — objetou Tara. — Está mais para pônei.

E o nome pegou.

— Mas eu não sei se ele é gay — reclamava Fintan, agoniado. — Não consigo detectar nenhum sinal.

— Nem eu — concordou Tara. — Mas também não estou certa sobre ele ser hétero.

— Talvez ele seja um ET — gritou a voz de Katherine, do banheiro.

— Venha, ele está saindo do prédio, está saindo!... — guinchou Tara, e Fintan correu para a janela, a fim de olhar discretamente. Sandro caminhava pela rua de forma leve e descontraída, todo arrumado, com seu corpo pequeno dentro de um terno estiloso e reluzentes sapatos Doc Martens.

— Ele não é um sonho? — suspirou Fintan. — Lindo como ele só!...

À medida que as semanas foram passando, tudo o que Sandro dizia ou fazia só servia para aumentar a devoção de Fintan. Certa noite aconteceu uma batida entre dois veículos bem em frente ao prédio, e Sandro estava todo empolgado no dia seguinte, na portaria, com olhos inquietos que dançavam de um lado para outro.

— Eu tinha deitado, já estava quietinho dormindo e, de repente: BUM! — e levantou as duas mãos como se estivesse conduzindo uma orquestra. — Ouvi um barulho muito, muito grande. Corri para a janela e vi cacos de vidro em toda parte!

Mais tarde, Fintan repetiu cada palavra do relato de Sandro:

— "Vi cacos de vidro em toda parte!" Como alguém pode resistir a isso? "Eu tinha deitado, já estava quietinho dormindo." O boyzinho é um anjo... — e suspirou, apaixonado: — Ai, isso está piorando!...

O tempo passou e Fintan continuava levando a vida em alta octanagem: pubs, festas, boates, sempre de olho para ver se Sandro aparecia em algum dos clubes gays que frequentava. Só que ele não aparecia, e a empolgação inicial de Fintan começou a diminuir, até que ele começou a se lamentar:

— A vida perdeu a graça!

O lance aconteceu certa noite, já bem tarde, quando Fintan voltava para casa usando as calças brancas em estilo neossádico, com tiras apertadas amarrando as pernas uma na outra, que comprara na butique de Katherine Hamnett. Saltou do ônibus meio desengonçado e começou a caminhar com passinhos de gueixa, devido às pernas presas, quando foi parado por um bando de brutamontes que transbordavam de preconceitos e tinham muito tempo livre. Fintan bem que tentou escapar. Porém, como era impossível correr, começou a pular de forma engraçada, como alguém numa corrida de sacos, enquanto tentava desfazer os laços. Só que era tarde demais e ele levou uma surra. Apanhou tanto que chegou a perder os sentidos. Já acontecera antes, mas jamais de forma tão terrível.

Depois de três dias no hospital, voltou para casa, e foi quando Sandro entrou em cena. Ele se ofereceu para cuidar de Fintan durante o dia, quando as meninas estivessem no trabalho. Fintan parecia ter sido atropelado por um trem, e estava tão choroso e deprimido pela violência da agressão que sofrera que nem se preocupou com vaidades.

Sandro preparou chá e sopa para Fintan e, para não piorar o estado de seu maxilar deslocado, ajudou-o a beber tudo com um canudo. Depois, como Fintan mal conseguia enxergar devido ao inchaço e às marcas roxas nos dois olhos, Sandro se ofereceu para ler alguma coisa para ele.

— Sim, eu agradeço... Por favor, leia algo de uma das revistas daquela pilha ali.

Fintan balançou a mão, e Sandro, hesitante, se aproximou, perguntando-se que revistas seriam. Eram folhetos de viagem.

A depressão de Fintan foi desaparecendo enquanto ele ficava ali, em um delicioso tormento e a um braço de distância do seu objeto de desejo, que despejava palavras doces em seus ouvidos:

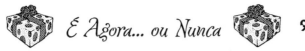

— ... Bar dentro da piscina, com banquinhos submersos, jardins ornamentais, ar-condicionado central, cafeteria, casa de chá e área de lazer com recreadores.

— Meia-pensão?

— Não, sem refeições. Mas aqui diz que há três restaurantes perto. "Uma churrascaria à beira-mar, uma lanchonete Harvey's, para as crianças, e o Cochon Gros, este último mais formal" — leu ele.

— Até parece que algum dia eu vou conseguir visitar um desses lugares... — murmurou Fintan. — Mas é doce sonhar. Qual é a temperatura média, nessa época do ano?

Sandro virou o folheto para consultar a tabela na última página, mas, de repente, o atirou no chão, reclamando:

— Estou louco de raiva com esses caras, esses *animais* que fizeram isso com você — disse, com ar feroz.

— Você está...? De verdade? — Fintan quase se engasgou.

— Fico louco por eles fazerem isso com os gays, e estou louco por terem feito com você!

Mas o que aquela explosão indignada queria dizer?, perguntou-se Fintan. Será que Sandro era apenas um liberal esquentado? Um liberal esquentado *hétero*?

Felizmente, não. Sandro era tão gay quanto Fintan. Quando pressionado, entregou tudo, e admitiu que perdera o namorado dois anos antes, assassinado "pelo vírus".

— Achava que nunca mais ia conseguir me envolver com outra pessoa, mas passei a reparar em você, entrando e saindo de casa... — Sandro abaixou a cabeça, envergonhado, embora isso não fizesse a mínima diferença, pois Fintan ainda estava, para todos os efeitos, "cego" — e comecei a pensar, "Puxa... esse cara é bonito." Depois, você começou a me trazer a correspondência, quando subia para casa, além de propaganda de pizzarias com entrega em casa e serviços de limpeza de vidraças, e então comecei a achar você muito legal.

Bem devagar, com todo o cuidado para não deslocar ainda mais o maxilar de Fintan, trocaram o primeiro beijo, e Fintan se viu invadido por uma sensação de felicidade tão intensa que achou que seu coração ia se partir, como acontecera com seus lábios. Desse dia em diante, Sandro e Fintan permaneceram juntos, em um encontro que parecia celestial.

Eram loucos um pelo outro. Sandro não aguentava de tanta felicidade por se ver novamente apaixonado, enquanto Fintan sabia que encontrara o homem certo.

— Agora eu entendo o que as pessoas dizem quando falam de encontrar "a outra metade" — admitiu. — É isso que Sandro representa para mim.

Os dois estavam machucados. Fintan pelo trauma de ter sido espancado, e Sandro pela morte do companheiro anterior, e isso os tornava carinhosos e preocupados um com o outro. Ao mesmo tempo, ambos possuíam energia de sobra, um enorme círculo de amigos e adoravam a intensa vida social que levavam. O inglês de Sandro melhorou muito. O único problema é que agora ele falava com um leve sotaque irlandês e encaixava gírias de Dublin no meio das conversas.

Seis meses depois, compraram um apartamento de cobertura em Notting Hill. Sandro colocou em prática os seus dotes de arquiteto, demolindo quantos tetos e paredes conseguiu, a fim de instalar mezaninos, janelas redondas e pisos de concreto polido. O apê acabou aparecendo nas revistas *Elle Decoração* e *Casas dos Famosos*.

— Hora de levantar! — anunciou Fintan, tirando os pés do colo de Sandro. — Temos coisas a fazer, pessoas para visitar... Você está a fim de ir ao apartamento de Katherine, mais tarde? — Sandro concordou com a cabeça, entusiasmado. Esse era outro dos motivos de Fintan e Sandro se darem tão bem. Fintan veio em um pacote fechado, do tipo "quem me ama, tem que amar minhas amigas", trazendo Tara e Katherine com ele. Fintan já dispensara um relacionamento amoroso em potencial porque o rapaz não fora com a cara de Katherine, chamando-a de "muito travada".

— Depois de visitar Katherine, podemos sair para tomar uns drinques e dançar? — perguntou Sandro.

— Claro. Só que é melhor organizarmos as coisas para a sua viagem a Norwich agora, porque você vai estar cansado demais amanhã de manhã — agitou-se Fintan. No dia seguinte, Sandro ia para Norwich, onde passaria uma semana trabalhando no projeto de uma

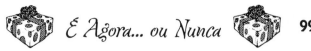

casa na cidade. — Traga as camisas que você vai levar para eu passá-las a ferro.

— Você sabe que não precisa fazer isso — protestou Sandro. — Eu poderia tentar.

— Não, pode deixar... você nunca conseguiria fazer isso tão bem.

— É mesmo — concordou, com um jeito tímido. — Obrigado.

Fintan pegou a tábua de passar roupa e Sandro lhe trouxe cinco camisas.

— O que eu preciso levar? — berrou Sandro do quarto todo bege, em estilo japonês, diante da mala aberta sobre a cama elevada.

— Cinco pares de tênis, cinco pares de meias, escova de dentes, desodorante. O carregador do celular, que você esqueceu da última vez...

— Posso levar a sua jaqueta jeans?

— Se não se importa por ela ficar grande demais em você...

Depois de Fintan remover, com todo o carinho, cada amassado das camisas de Sandro, colocou-as com todo o cuidado na mala, apertando-as com a palma das mãos.

— Pronto, já está tudo preparado! Agora, vou ligar para mamãe.

Todo domingo, sem falta, Fintan ligava para a mãe. Para uma senhora de setenta e poucos anos, muito católica, JaneAnn era superlegal. Sabia que Fintan era gay e parecia aceitar bem o fato. O único detalhe que estragava as coisas era o problema do "amigo que dividia o apartamento" com Fintan. Ele jamais descobrira como trazer à baila com a mãe o tema de ele estar morando com o namorado e, à medida que o tempo passava e nenhuma menção era feita a respeito do caso, parecia cada vez mais difícil tocar no assunto. Fintan pegou o telefone e ficou conversando com JaneAnn durante um tempão, embora só a mãe falasse a maior parte do tempo. Para uma cidade pequena, Knockavoy tinha dramas emocionantes. Três novilhos haviam escapado do pasto de Clancy e destruíram um dos arbustos do jardim da paróquia; agora, a caseira do padre deixara de falar com Francie Clancy. Delia Casey estava organizando um luau beneficente para Ruanda. "O que é isso, um luau beneficente? Será que é algum tipo de bazar?", quis saber JaneAnn. A notícia mais importante do dia, porém, era que eles estavam de saída para comprar tortinhas de frutas no supermercado.

Depois de desligar, Fintan sugeriu a Sandro:

— Por que não vai comigo para a Irlanda, no Natal?

— Tenho receio... — riu Sandro, meio nervoso. — E se a sua mãe e os seus irmãos não gostarem de mim?

— Claro que vão gostar! Puxa, Sandro, cinco anos é tempo demais para ficarmos sem conhecer a família um do outro. Já está na hora de lidarmos com isso.

— Você tem razão. Depois, podíamos ir passar o *Réveillon* com a minha família.

Fintan empalideceu e sugeriu:

— Ou podíamos esquecer tudo isso e ir para a ilha de Lanzarote, nas Canárias.

— De novo?

— Depois a gente resolve... Vamos nos aprontar para visitar Katherine.

— Você tomou suas vitaminas hoje?

— Não, esqueci! Vou tomar...

— Fintan, você não pode esquecer! É importante tomar as suas vitaminas. — Sandro parecia aborrecido.

— Desculpe, mamãe.

CAPÍTULO 13

Naquela noite, Tara estava preocupada em sair de casa. Relutava em deixar Thomas sozinho, com as coisas ainda tensas e estranhas entre eles daquele jeito. Era quase como reconhecer um erro. Só que no momento em que se viu na porta da rua e depois dentro do carro, notou que estava respirando mais rápido. Que alívio sair daquele apartamento! Ficar longe daquela terrível atmosfera claustrofóbica, cheia de tensão e medo.

— Você está bem? — perguntou Katherine, assim que abriu a porta.

Tara fez que sim com a cabeça, acendendo um cigarro.

— Desculpe pelo telefonema tipo "pedido de socorro" hoje de manhã tão cedo. Foi a minha cabeça de ressaca, que faz o mundo parecer... nefasto, eu acho. Isso é pra eu aprender a não beber tanto gim.

— Tudo bem — disse Katherine. Tara resolvera não lhe contar nada... por enquanto.

— Ah, essa não! — exclamou Tara, exibindo o cigarro, onde se via uma marca de batom na ponta do filtro. — Meu novo batom indelével não é indelével, afinal! A garota que me vendeu disse que era preciso aguarrás para removê-lo de tão firme que era a cor.

— Típico — condenou Katherine.

— Por que as pessoas sempre mentem para mim? — quis saber Tara, com ar tristonho. — Por que todo mundo sempre me decepciona?

— Beba alguma coisa — consolou Katherine. — Quer cerveja ou vinho?

— Cerveja. Vou tricotar um agasalho para Thomas.

Katherine sentiu-se, por um momento, absolutamente desnorteada. Rapidamente, porém, conseguiu se mostrar entusiasmada e disse:

— É mesmo? Que legal!

— Eu era boa nas aulas de tricô da escola, lembra? — comentou Tara. — Você se lembra do lindo cachecol cor-de-rosa que eu fiz para Fluffy, o meu gato?

— Sim — disse Katherine, desanimada. — Será que faz diferença o fato de isso ter acontecido há mais de um quarto de século, quando você tinha cinco anos?

— Ora, tricotar é feito andar de bicicleta — garantiu Tara. — Apesar disso... — continuou ela, parecendo ansiosa e tragando o cigarro com toda a força. — Você se lembra do jeito que ele se contorceu todo, tentando arrancar o lindo cachecol, até conseguir? Não parou um momento, até conseguir arrancá-lo do pescoço.

— Os gatos são assim mesmo — sorriu Katherine, encorajando-a.

— É... os gatos são assim mesmo — concordou Tara, com ar amargo. — Safado, ingrato! Agora, os cães não são assim não... são muito diferentes, muito afetuosos e totalmente leais. Os gatos são uns traidores, egoístas, capazes de comer o último biscoito Trakinas do seu pacote e passar você para trás só pelo prazer de fazê-lo. São capazes de vender a própria avó se acharem que vão se dar bem com isso, ou então sujar o seu nome na praça...

— Talvez cor-de-rosa não fosse a cor favorita de Fluffy — disse Katherine, depressa, achando que era melhor interromper a amiga.

Tara olhou para Katherine como se não a reconhecesse.

— É... talvez não fosse — murmurou. Em seguida, olhou em volta como se não reconhecesse onde estava. — Puxa, Katherine, o que há de *errado* comigo?

Será o seu namorado, que é abominável?, pensou Katherine, evitando falar em voz alta.

— Talvez sejam os hormônios — respondeu Tara a si mesma. — É meio cedo para isso, mas talvez explicasse muito do que eu senti hoje. Só faltava eu despencar por um lance de escadas e depois gastar um mês de salário em um saca-rolhas amarelo para o resto dos sintomas se encaixarem. A tensão pré-menstrual vai piorando à medida que a gente fica mais velha, não é?

— Só que agora isso se chama "síndrome pré-menstrual" — corrigiu Katherine, concordando.

— Não fazia ideia de o quanto eu era feliz aos vinte e poucos anos — disse Tara, com ar sonhador. — Tudo o que acontecia era que, durante dez dias por mês, eu ingeria quatro quilos de balas e chorava só de alguém me perguntar as horas; agora, depois dos 30, a coisa evoluiu e virou *psicose* completa. Imagine quando chegar a menopausa!...

— Você me parece bem — disse-lhe Katherine, com pena. — E não se esqueça de que eu tenho um quarto extra, caso precise de um lugar para dormir...

Tara voltou a se sentir péssima. E logo agora, quando já estava começando a se sentir melhor. Tudo bem...

— Liguei para Fintan — comentou Katherine — e ele me disse que ia aparecer por aqui, trazendo o pônei.

Tara se animou na mesma hora. Fintan sempre conseguia levantar o seu astral, e ela começou a sentir que a nuvem densa e cinza que pairara sobre a sua cabeça o dia inteiro começava a se dissipar.

— Liguei para Liv, também — continuou Katherine —, mas Lars está na cidade. Chegou sem avisar.

Lars era o sueco casado com quem Liv andava saindo. Ou melhor, ficando... Vinha a Londres a cada dois meses, sempre mantendo o espaço entre as visitas no ponto certo de deixar Liv louca de solidão, embora não tempo bastante para ela resolver largá-lo. Devido à curta duração de suas visitas, eles passavam quase todo o pouco tempo disponível na cama.

A campainha tocou, indicando que os rapazes haviam chegado. Katherine apertou o interfone e ficou esperando eles subirem, com a porta aberta. Fintan vinha subindo as escadas ruidosamente e vestia um casaco de peles verde-pistache que parecia ter custado uma fortuna. Estava todo agitado.

— Rápido, meninas, rápido! — comandou ele, recusando-se a entrar no apartamento. — Venham depressa! Bem aqui no portão do prédio eu quase caí de quatro ao dar de cara com um gato gatíssimo. O gato dos gatos! Veio desfilando pela calçada como um viking! Sandro ficou de olho nele, lá na porta. — Agarrando Katherine pela mão, tentou levá-la para baixo, pela escada. — Ele era imenso — relatou —, mais parecia uma parede e, além disso — eu sei que não dá pra acreditar —, tinha cabelos ruivos maravilhosos! Cabelos ruivos! É mole?!... Mas ele era delicio... ei, o que há com você, Katherine? Está com cara de cachorro de mendigo que engoliu vespa!

— Não tenho nada...

— Então, venha comigo até lá embaixo para dar uma olhada nesse deus grego, antes que ele suma...

— Mas está chovendo.

— Faça como quiser, então, sua solteirona. Vamos lá, Tara.

— Esta noite não, Josephine — disse Tara. Ela adorava Fintan, mas não ia se dar o trabalho de botar a cara na rua em plena noite fria só para ver um idiota com cabelos ruivos. — Sossegue o facho! Entre e nos mostre o seu casaco fantástico!

— *Et tu, Brute?* Não sei o que deu em vocês duas, suas Minnies patéticas — reclamou Fintan. Porém, reconhecendo que seu viking já estava fora de vista a essa altura, enfiou dois dedos na boca e soltou um assobio ensurdecedor. Ouviram-se passos apressados subindo os degraus e Sandro apareceu no alto da escada.

— O deus nórdico está escapando — disse ele, sem fôlego. — Se a gente não descer correndo para olhar...

— Esqueça, Sandy — avisou Fintan. — Elas não estão interessadas.

Sandro olhou para ele com cara de horror e Fintan murmurou:

— Eu sei...

Quando Sandro lançou os olhos para cima, Fintan repetiu:

— Eu sei...

Sandro disse:

— Garotas! — e Fintan murmurou mais uma vez:

— Eu sei...

— Ei, entrem aqui vocês dois, agora! — ralhou Katherine, e ambos pularam de susto.

Baixando a cabeça, vieram se chegando, mansinhos.

— Então, qual é a de vocês, caçando homens no meio da rua quando já estão praticamente casados? — interrogou Tara, olhando para Sandro e Fintan, que se sentaram no sofá, Fintan ainda envergando o casaco verde-pistache.

— Que mal faz olhar? — sorriu Sandro. — Nós não o sequestramos nem nada.

— Só porque esquecemos nossa rede para peixes graúdos em casa. — Fintan deu uma cotovelada em Sandro e os dois caíram na gargalhada, sem conseguir parar de rir, apoiados um no outro.

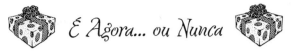

— Vocês gostam é de uma sacanagem, né? — suspirou Tara. — São muito sortudos os dois, sabiam? Nunca sentem ciúme um do outro, ou insegurança?

— Não. — Olharam um para o outro e encolheram os ombros.

— Mas como?!... — quis saber Tara.

— Por que procurar hambúrgueres quando você tem bife de filé em casa? — explicou Fintan, com voz cantarolada.

— Ai, que lindo! — guinchou Tara, quase às lágrimas. Um ar radiante começou a se espalhar pelo ambiente, até chegar onde estava Katherine; nesse momento, porém, ele se dissipou, colocou o rabo entre as pernas e fugiu.

— Só que às vezes... — Sandro quebrou o silêncio dizendo com ar acanhado — é mais legal comer um hambúrguer.

— Certamente não há mal em ficar só olhando — concordou Fintan, com cautela.

— Se Thomas lançasse os olhos para alguma mulher bonita no meio da rua, tentando prendê-la com essa rede, eu seria capaz de capá-lo — admitiu Tara. — Sei o quanto todos vocês o odeiam, mas...

— Nós não o odiamos — interrompeu Katherine.

— Eu odeio — comunicou Fintan, com coragem.

— Eu também — complementou Sandro. — E Liv odeia também.

— Bem, eu também — admitiu Katherine, por fim. — Desculpe, Tara, você tem razão... *todos nós* o odiamos. Agora, pode continuar.

Tara olhou sem expressão para os três, que se acabavam de tanto rir.

— Estou só brincando — acudiu Katherine, depressa. Ao contrário de Fintan, Katherine normalmente conseguia esconder o desprezo que sentia por Thomas. Vivia em uma corda bamba, pois embora fosse seu papel mostrar a Tara que ela merecia alguém melhor do que Thomas, também era seu papel servir de tábua de salvação para a amiga. Se Tara descobrisse o quanto Katherine detestava Thomas, nunca mais lhe contaria nada, e isso não seria bom. Pelo menos para Tara. Por outro lado, seria ótimo para Katherine, pois a sua pressão subia às alturas toda vez que ouvia o que Thomas fez ou deixou de fazer.

— Sei muito bem que todos o odeiam — reiterou Tara. — É que vocês não veem o que eu vejo.

— Ainda bem! — murmurou Fintan, sem conseguir olhar para nenhum dos outros, evitando assim que todos caíssem na gargalhada novamente.

— Sei que às vezes ele parece uma pessoa... difícil. É porque a sua mãe o abandonou quando ele era pequeno. Ele me ama e jamais me traiu — garantiu Tara. — Isso conta muito, especialmente depois que...

Todos esperaram ela continuar.

Já conheciam o script.

— Especialmente depois que... — Tara soltou um pequeno soluço agourento. — Especialmente depois que... — tornou a tentar.

— ... Alasdair largou você... — ajudou-a Fintan, com delicadeza.

— ... E se casou com outra pessoa... — completou Katherine.

Tara olhou para eles com ar desconfiado e perguntou:

— Eu ando repetindo essa ladainha há muito tempo?

— Não, não! — assegurou-lhe Fintan, com carinho — Dois anos não é nada...

— Vocês têm certeza? — animou-se ela.

— Claro que temos certeza — responderam em coro.

Estava na hora de analisar as roupas de Fintan.

— Posso tocar nesse casaco? — perguntou Tara, com reverência. — É seu mesmo ou é emprestado?

— Peguei emprestado da nova coleção. Carmella ia usar o meu saco como elástico, se descobrisse.

— As roupas caem tão bem em você — suspirou Tara, com inveja. — E ficam ainda melhor desde que você perdeu um pouco de peso.

Fintan sempre se vestia com esmero. Como o casaco era parte do visual Manchester, ele também estava usando calças bag jeans, um blusão largo e botas rústicas azul-cobalto.

— Estou me sentindo um pouco nostálgico hoje — disse ele para ninguém achar que ele considerava o estilo Manchester ainda na moda. Ele vivia por dentro das coisas, e fazia questão de que todos soubessem disso. — Pensei em curtir um visual retrô hoje. De volta a 1997.

— O único acessório que está faltando... — continuou, devagar, olhando para os óculos de Sandro.

— Não! — Sandro adotou uma postura defensiva. — Não vou emprestá-los para você!

— Cinco minutinhos, é tudo o que eu peço! — suplicou Fintan. — Estou me sentindo nu sem eles. Não dá para fazer o visual Manchester sem os óculos de John Lennon. Por favooor!...

— Tá legal... — relutante, Sandro entregou os pequenos óculos de aro redondo, e Fintan os colocou na mesma hora.

— Pronto! — anunciou ele. — Finalmente eu me sinto completamente vestido. Minha nossa, essas lentes são muito fortes! — e tentou focar a imagem dos outros. — Puxa, isso é o máximo! Gostaria de ter descoberto isso há mais tempo. Isso é que é alucinação! Eu teria economizado *uma fortuna* em drogas ao longo dos anos.

— Agora você pode devolver meus óculos, por favor? — pediu Sandro. — Sem eles eu fico cegueta!

— Mas você já sai e fica cegueta de bêbado todo domingo, de qualquer jeito — lembrou Fintan. — Considere isso como o tiro de largada para hoje à noite.

Tara balançou a mão, dispensando a oferta de Fintan para que experimentasse os óculos de Sandro.

— Quando eu ponho óculos fico com cara de coruja.

— Coruja sábia?

— Não, coruja idiota mesmo — riu Tara.

— Como é que você faz? Usa lentes de contato?

— Uso — disse Tara.

— E você? — perguntou Fintan, olhando para Katherine. — Como é a sua vista?

— Visão 20 por 20 — disse ela.

Todos caíram na gargalhada, inclusive Katherine.

— A sua vista só podia ser maravilhosa mesmo — atalhou Tara, ofegante. — Você é a Senhorita Certinha.

— Às vezes nem eu mesma me aguento — concordou Katherine, com o rosto contorcido de tanto rir.

— Bundões Anônimos — aconselhou Tara. — Era esse grupo de apoio que você precisava frequentar.

— Ai, ai! — reclamou Fintan, rindo tanto que colocou a mão atrás da orelha. — Nossa, até o meu cérebro dói! Ai, minhas glândulas! Tô até com uma dor no pescoço, aqui do lado.

— Olhe, quem está aí do seu lado é o Sandro. Isso não é jeito de falar dele — brincou Tara.

— Não, não... estou falando sério. Estou com o pescoço, o estômago também, tô todo bichado! Essa maldita virose... passei o dia inteiro bem, achei que tinha me livrado dela.

Katherine abriu a boca para zoá-lo com a palavra "bichado", mas tornou a fechá-la ao notar o olhar preocupado que Sandro lançou para Fintan.

— *E você* como está, com esse tempo úmido? — perguntou Fintan, virando-se na direção de Tara. — Qual a sua aflição de hoje?

— Subnutrição — suspirou Tara. — Estou no estágio em que a barriga começa a inchar por falta de comida. E já evoluí para a forma mais avançada da doença, que é quando as coxas, a bunda e todo o resto começam a inchar junto.

— Por falar em comida — disse Katherine, com a voz suave —, vamos pedir algumas pizzas?

— Comida? — reagiu Fintan, como se não fosse com ele. — Nem toco nessas coisas! Nós, pessoas do mundo fashion, jamais comemos.

— Mas você precisa comer alguma coisa.

— Não posso! — guinchou Fintan, batendo no estômago, aflito. — Tomei uma aspirina na terça-feira passada e ela me fez engordar um grama. Já estou quase com 25 quilos! É isso que eu tenho que ouvir todo dia daquelas peruas no trabalho, sabiam? — comentou ele, com ar sombrio. — Dá vontade de vomitar. Mas... tudo bem! Katherine, vou querer uma pizza margherita com porção extra de queijo, tomates, champignons, pepperoni, presunto e... — todo mundo esperou que ele completasse "Ah, que se dane! Peça logo *duas* margheritas gigantes e fim de papo!", como sempre fazia. Só que dessa vez ele não o fez, e quando Katherine o lembrou disso, Fintan comentou, simplesmente: — É que eu não estou com muita fome. Uma só é suficiente.

— Uma quatro queijos para mim, tamanho família — pediu Sandro, com firmeza. Ele era uma daquelas pessoas baixinhas e magrinhas que comem mais que um porco e não engordam um grama sequer.

— Estou com tanta fome que era capaz de devorar a coxa traseira do Cordeiro de Deus — disse Tara —, só que não posso comer nada. Estou de dieta!

— Vocês sabem como é... — continuou ela. — Quando estou de dieta, como tanto quanto normalmente; a diferença é que fico pensando em comida o tempo todo. Embora, pensando bem, eu pense em comida sem parar, com dieta ou sem dieta. Vivo esfomeada. Se ficar na ponta dos pés, já abro a boca! — Sua voz começou a ficar mais aguda. — Quando fico nervosa, me dá vontade de comer. Quando fico excitada, me dá vontade de comer. Quando estou preocupada, me dá vontade de comer. Até quando fico doente, a única coisa que acalma o meu estômago é *comida*. Minha vida é um PESADELO — terminou ela, com ar dramático, as últimas palavras ainda ecoando no silêncio solidário dos amigos.

— Então, isso quer dizer que você vai querer o de sempre? — perguntou Katherine.

— E que tal uma porção extra de pão de alho com queijo? — sugeriu Tara.

Katherine fez o pedido, e então os quatro se recostaram para assistir ao seriado *A Embaixadora*, na tevê.

— Essa série é ótima — observou Fintan, no primeiro intervalo comercial. — Boa, muito bem-feita e divertida. Como nos velhos tempos.

— Não devia ter pedido tanta comida — interrompeu Tara, falando baixinho, quase para si mesma. — Não devia *mesmo*! — A voz começou a aumentar. — Gostaria de não ter pedido *tanta* coisa!... Puxa, gostaria *mesmo* de não ter pedido tanta coisa!

— Você vão precisa comer tudo — sugeriu Katherine, com tom de indiferença.

— Não tenho escolha — uivou Tara, colocando em cena sua melhor cara de histeria. — Não tenho nenhuma escolha! Agora que pedi, não vou conseguir parar de comer até acabar tudo. Não tenho nem um pingo de força de vontade. O pior é que todo o meu futuro depende disso. Ah, meu Deus! — e quase se engasgou. — O que vai ser de mim?

Com isso, colocou o rosto entre as mãos e começou a chorar, balançando os ombros.

O entregador de pizza escolheu este exato momento para aparecer, e enquanto Tara era confortada por Katherine e Sandro, Fintan desceu para pegar as pizzas e pagar. Não resistiu e esticou o pescoço para fora, olhando para a rua em uma tentativa de dar uma última olhada em seu viking. Lorcan, porém, já fora embora há muito tempo.

Assim que começara a chover, ele fora para casa. Lorcan sempre evitava sair quanto chovia assim fininho porque, apesar da beleza e da sedosidade dos seus cabelos, eles invariavelmente se armavam, formando uma esfera imensa, cheia de frisos e caracóis, poucos segundos depois de pegar chuva. Ele também tinha medo de parecer pouco merecedor do respeito das pessoas se fosse visto correndo pelo meio da rua, de modo que, ao chegar em seu apartamento, cerca de 20 minutos depois, poderia servir de dublê para Ronald McDonald. Precisava lavar aqueles cabelos! Para sorte sua, era mesmo a noite de fazer um intenso tratamento condicionador neles. No momento em que Fintan estava dando uma espiada esperançosa para cima e para baixo, na calçada, Lorcan já se preparava para enrolar a cabeça com uma toalha quente. Espremeu os fios e deslizou os dedos por eles, a fim de fazer escorrer o restinho de condicionador que ainda ficara nas pontas. Porque eu mereço, disse a si mesmo, todo convencido, sorrindo para uma câmera imaginária. Porque eu mereço...

Fintan tornou a entrar.

— Desculpem por tudo isso — soluçou Tara. — É que a barra está meio pesada para mim, nesse momento, por causa de tudo o que aconteceu hoje, por causa de Thomas e do meu aniversário, por ser uma vaca gorda, por ter passado um dia horroroso na praia e por descobrir que o meu batom indelével não era indelével nem aqui nem na China! Sei que tudo vai ficar bem, depois de eu perder um pouco de peso e tricotar o agasalho para Thomas... desculpem.

— Você não precisa se desculpar — sussurrou Fintan.
— Claro que não precisa — confortou-a Sandro.
— Não conosco — garantiu-lhe Katherine.
— Somos seus amigos! — disseram, a uma só voz.

CAPÍTULO 14

Embora Tara e Katherine fossem as melhores amigas uma da outra desde a primeira semana em que se conheceram, na escola, com quatro anos, Fintan era um amigo relativamente recente. Eles não haviam se conhecido até as duas estarem com 14 anos e ele, com 15. É claro que elas já o conheciam antes disso. Afinal, Knockavoy era uma cidade pequena e todos sabiam de quase tudo a respeito dos vizinhos. Especialmente pelo fato de Fintan sempre ter sido diferente dos outros meninos. Seu carinho excessivo com a mãe, sua terrível coordenação motora fina e sua falta de entusiasmo nas aulas de dissecção de sapos eram prova disso.

Foi só em 1981, quando ele descobriu o movimento dos Novos Românticos, que a singularidade de Fintan ficou fora de controle. (A fase dos Novos Românticos já chegara ao resto do mundo civilizado algum tempo antes, mas Knockavoy ficava em um fuso horário diferente, entre seis e nove meses atrasada em relação ao resto do mundo.) De repente, lá estava ele desfilando pelas duas ruas da cidade envolto em um elemento têxtil amarelo brilhante. (O próprio fato de ele chamar um tecido de "elemento têxtil" já era um sinal inegável da carreira no mundo da moda que o aguardava no futuro.) Exibia uma tiara de seda em volta do cabelo picotado em corte assimétrico, batom roxo e brincos artesanais que ele mesmo fabricara, usando as penas que roubara do equipamento de pesca dos irmãos e tingira de vermelho e azul.

— Fintan O'Grady furou as orelhas!

O bochicho se espalhou de casa em casa como fogo morro acima. Não havia tanta empolgação em Knockavoy desde a última vez que Delia Casey fizera algo bem louco. Houve um grande desapontamento quando se constatou que os brincos eram de pressão.

Apesar disso, Fintan continuava a despertar a curiosidade do pessoal da cidadezinha.

— Olhem só para ele... — murmuravam entre si no fundo dos bares escuros de teto baixo, nas lojas e na agência dos correios. — Circulando para cima e para baixo como se fosse um pavão. E aquela roupa que está usando não é a toalha de mesa de JaneAnn O'Grady? Jeremiah O'Grady deve estar se revirando no túmulo.

Pela ordem natural das coisas, Fintan poderia muito bem estar à espera de ser transformado em purê pelos outros rapazes da cidade. Certamente havia uma hostilidade amarga no ar. Alguns rapazes da esquina chegavam a caçoar:

— Uhhh!... Sua bicha louca! Sai fora! — cantarolavam para ele, enquanto Fintan passava altivo, coberto de seda cor de açafrão. Um deles chegou a dizer: — Ei, seu boiola, iu-hu...

Mas, então, Fintan reagiu, dizendo:

— Ah, é, Owen Lyons, não era disso que você estava me chamando no domingo passado, atrás do celeiro do Cronin. Nem você, Michael Kenny.

A rapaziada toda parou na mesma hora de zoá-lo. E, apesar das apressadas declarações de Owen Lyons e Michael Kenny, que garantiam, em pânico, "Eu não sei do que esse boiola mentiroso está falando", o medo e a suspeita uns dos outros floresceram no grupo.

Fintan possuía uma língua ferina e afiada. Era alto e robusto. Tinha quatro irmãos mais velhos igualmente altos e robustos, *além* de serem muito protetores com relação a ele. Com tudo e por tudo, os rapazes da cidade nervosamente decidiram que era melhor deixá-lo em paz.

Por ter escolhido o papel de excluído, ou por terem escolhido esse papel para ele, Fintan não tinha amigos. O que provocava ataques de ansiedade em Tara.

— É desesperador — dizia ela a Katherine, enquanto o observavam vir andando pela rua principal, recebendo pelo caminho olhares assassinos e insultos sussurrados. — Ele deve se sentir terrivelmente solitário.

Uma lâmpada pareceu se acender acima da cabeça de Tara e ela determinou:

— Já sei! *Nós* seremos suas amigas.

Katherine e Tara haviam acabado de sair dos anos rebeldes em que a regra era demonstrar aversão e desprezo pelos meninos (tradicionalmente o período entre os sete e os 12 anos). Aos 14 anos, ambas já estavam menos radicais a esse respeito. Pelo menos, Tara e Katherine já não faziam tantas objeções aos meninos quanto antes, embora Fintan não fosse exatamente um menino, isto é, não estava dentro dos moldes convencionais, pela interpretação de Tara, ou, em outras palavras, ela não acalentava nenhuma esperança de sair com ele.

— Para que você quer fazer amizade com ele? — quis saber Katherine, com a voz fraca e um peso na boca do estômago, provocado pelo ciúme. — É só porque ele é... — e hesitou, antes de pronunciar a palavra proibida — ... gay? Ou é porque as meninas que vieram de Limerick riram das suas botinhas, no último verão?

Katherine suspeitava das intenções de Tara. Naquele tempo, ter um amigo gay ainda trazia fama e tinha valor de novidade. Ter Fintan ao lado provavelmente impressionaria as garotas de Limerick que vinham fazer turismo em Knockavoy. Talvez impressionasse até mesmo as garotas de Dublin. Bem mais, pelo menos, do que uma camiseta pintada com tinta cintilante ou botas de boca franjada enfeitada com contas.

Tara ficou chocada pela insinuação de Katherine de que Fintan seria apenas um acessório de moda.

— Não! É porque ele não tem nenhum amigo!

— Bem, de qualquer modo — argumentou Katherine, sem se dar por convencida e sentindo um gosto amargo na boca — ele não é gay coisa nenhuma... Como ele seria gay se não há ninguém em Knockavoy *com quem* ele pudesse ser gay?

Para seu desânimo, nem esse surpreendente argumento conseguiu fazer Tara desistir da empreitada, e Katherine teve que aguentar duas agonizantes semanas, enquanto a aliança delas com Fintan era fortalecida. Muito calada, com medo e sofrendo, Katherine tinha certeza de que, no momento em que Fintan e Tara se tornassem oficialmente amigos, eles a abandonariam. Com um sorriso rígido na cara, tentava conseguir um pouco da confiança vinda de Tara, mas não sabia como lhe perguntar algo sobre isso.

— Você e eu sempre vamos ser as melhores amigas — afirmou Tara, com uma leve suspeita das preocupações de Katherine —, mas não podemos abandonar o pobre Fintan à própria sorte.

— Pobre Fintan uma ova! — foram as palavras que Katherine articulou com os lábios, em uma mímica embebida de sarcasmo. Para sua surpresa, no entanto, ela e Fintan gostaram um do outro logo de cara, e a afinidade foi tanta que Tara quase se sentiu relegada a segundo plano.

Afinal, tanto Katherine quanto Fintan haviam sido criados sem pai — o pai de Fintan morreu quando ele tinha seis meses. E Fintan adorava o jeito de Katherine, que era suave, mas, ao mesmo tempo, impetuosa, pronta para revidar. Ele tinha grandes planos para torná-la uma espécie de Holly Golightly, a personagem do filme *Bonequinha de Luxo*.

— Katherine, você tem um ar bem-cuidado e sedutor, tipo Audrey Hepburn — garantiu-lhe ele. Tara tentava domar sua inveja.

Apesar de Katherine não se imaginar com chapéus de abas largas e vestidos Givenchy, sentiu-se inundada de alívio por Fintan tê-la aprovado. Agora ela podia dizer que tinha duas amizades, em vez de uma!

Entretanto, essa amizade com Fintan não agradava muito à sua avó.

— Com quem você estava? — perguntou-lhe Agnes certa noite, no início da primavera, quando Katherine chegou em casa com as bochechas rosadas de frio.

— Estava com Tara e Fintan O'Grady — disse ela, sem conseguir esconder uma pontinha de orgulho na voz.

— Fintan O'Grady? Você pode me dizer por que motivos ele usa os vestidos de JaneAnn? — quis saber Agnes.

— Porque ele é gay — explicou Katherine.

— Gay?!... — objetou Agnes, com ar zangado. — E como é que você sabe disso? Gay, ora, onde já se viu?!...

Katherine e Delia ficaram atônitas com essa reação, porque normalmente Agnes era uma senhora muito tolerante.

— Eu mostro a ele essa história de gay... — ameaçou ela.

Delia ficou chocada, pois já estava planejando um protesto contra a homofobia.

— Mamãe... isto é, Agnes, você precisa deixar de ser tão quadrada. Fintan tem todo o direito de expressar as suas preferências sexuais.

— Mas eu não estou reclamando das preferências sexuais dele! — explodiu Agnes. — Estou cagando e andando para as suas preferências sexuais. Por mim, ele pode transar até com as galinhas, e que tenha boa sorte! Talvez elas até ponham mais ovos depois disso. Estou falando é de "gay". Antigamente, essa era uma palavra tão linda*... — Seu rosto adquiriu uma expressão sonhadora. — Quando as pessoas visitavam a minha mãe, que Deus a tenha, quando a encontravam com um ar satisfeito da vida, no cantinho junto da lareira, diziam: "Nossa, Maudie, você parece mais 'gay' do que sino de igreja em dia santo", elogiando o seu ar tranquilo e feliz. Hoje não se pode mais dizer isso. Seria um insulto!

A mãe de Tara, por sua vez, adorava Fintan. Quando ele chegava da aula com Tara e Katherine, sentava-se sobre uma arca baixa que havia na sala, com as pernas recolhidas por baixo do corpo, de forma bem feminina, e fumava cigarros Woodbines usando uma piteira de marfim, enquanto discutia filmes com ela. Enquanto os três irmãos mais novos de Tara — Michael, Gerard e Kieran — apareciam com a cabeça no portal, prendendo o riso diante da estranha e exótica criatura, Fidelma e Fintan comentavam cenas de *Os Homens Preferem as Louras, A Doce Vida* e de outros filmes a que Fidelma assistira ainda no tempo em que trabalhava em Limerick, antes de se casar com Frank e se mudar para Knockavoy.

O cérebro de Tara parecia fora do ar durante aquelas intermináveis reminiscências cinematográficas, mas era divertido ver seu pai reclamar da conversa. Adorava quando ele surgia mais tarde, na sala, e esbravejava furiosamente com Fidelma, perguntando:

— Esse idiota já pode fumar? Aposto que JaneAnn O'Grady não lhe deu permissão para isso.

Tara gostava ainda mais quando Fidelma replicava, no mesmo tom:

---

* A palavra "gay", que, em inglês, originalmente, significava "alegre", foi perdendo o seu sentido original, até se tornar um termo quase pejorativo, a partir dos anos 1970. (N.T.)

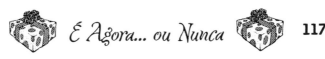

— Eu diria que não há muita coisa que JaneAnn O'Grady não o deixe fazer.

Frank Butler era um homem muito mal-humorado. Comportava-se como um patriarca ditador, e todos morriam de medo dele. Nunca estava satisfeito. Ele e o irmão tinham um pequeno negócio, cortando e vendendo turfa. Como resultado disso, sempre que o inverno era menos rigoroso, sem exigir muita turfa para aquecer as casas, todos agradeciam a Deus por isso, enquanto Frank Butler trovejava de fúria:

— Lindo dia! — falava ele, imitando a mulher com voz de deboche, ao ouvi-la comentar com alguém a respeito do tempo pouco inclemente. — Lindo dia!... Você não ia achá-lo tão lindo se visse a nossa lista de pedidos.

— Ainda temos os gansos e os perus — confortava ela.

— Isso é dinheiro seu! — explicava ele, com raiva. — Esse dinheiro deve ficar com você. Apareceu algum serviço de costura?

— Apareceram alguns, sim — respondia Fidelma, com a voz suave.

— Que serviço? — quis saber Frank. — Encomenda de quem? Seria uma dádiva de Deus se você conseguisse algum trabalho grande, do tipo trocar as cortinas do hotel.

— Seria — concordou Fidelma. Ela não queria contar a ele que Fintan estava para chegar com uma peça de tecido magenta brilhante debaixo do braço e um pedido para que Fidelma costurasse para ele uma espécie de capa, em um modelo que ele mesmo desenhara.

Apesar de sua fenomenal rabugice, Katherine secretamente idolatrava Frank Butler. Mesmo com todas as regras e seu modo intratável, ele era um homem do tipo que ela gostava. Frank Butler era particularmente intransigente em relação ao dever de casa. Uma das maiores preocupações de Katherine, com relação a perder a amizade de Tara, era o fato de que não poderia mais ir à casa dos Butler todas as tardes, depois da escola, para curtir aquela atmosfera de tensão.

Às vezes ficava acordada à noite, deitada de barriga para cima e *sonhando* com um pai que gritasse com ela por não ter feito o dever de casa: "Quantos quilômetros há em uma milha? Qual foi o ano da Proclamação da República? Qual é a capital de Lima?" Embora ela tivesse ficado muito embaraçada pelo sr. Butler quando Tara finalmente conseguiu que ele compreendesse que Lima não poderia ter capital porque *já era* uma capital.

Delia, mãe de Katherine, se recusava, de modo desafiador, a verificar se Katherine fizera ou não o dever de casa.

— Isso não são modos de ensinar as crianças — vivia repetindo. — Instilar medo e ansiedade nelas, obrigando-as a decorar tudo feito papagaio. Se elas tiverem interesse em alguma coisa vão procurar aprender sobre o assunto, e, se não estiverem interessadas, não há por que forçá-las.

Katherine torcia para que ela reformulasse suas ideias.

CAPÍTULO 15

Algo fez Lorcan Larkin despertar de um sono profundo. Automaticamente, fez a primeira coisa que fazia todas as manhãs, assim que acordava — agarrou o próprio pênis para se certificar de que ele continuava grudado no corpo.

Percebeu que sim e relaxou, com uma familiar sensação de alívio.

O quarto estava às escuras e seu corpo lhe dizia que ainda era de madrugada. O que o teria acordado?

Não havia ninguém ao seu lado a quem ele pudesse perguntar isso, pois, de forma incomum, estava na cama sozinho.

Na sexta-feira à noite, depois que ele acabou aparecendo na festa de aniversário de Amy, tão tarde que quase todo mundo já tinha ido embora, ela ficara histérica de tanta fúria. Ele sorriu, lançou-lhe um balançar de ombros do tipo "o-que-posso-dizer?", em seguida anunciou que estava faminto e jogou na boca perfeita um dos sanduíches de pão de forma que sobraram, a essa hora tão ressecados que as pontas já começavam a levantar. Para sua surpresa, Amy cometeu a temeridade de berrar com ele, mandando-o largar o sanduíche na mesma hora, pois ele já conseguira tudo o que podia arrancar dela, deixando-a tão humilhada que ela nunca mais queria vê-lo.

— E quanto a você!... — guinchou ainda mais alto, desviando a atenção para Benjy, que andava experimentando os restos de uma bandeja de canapés — ... deixe a minha comida em paz e caia fora!

Benjy fez uma pausa, com uma miniquiche do tamanho de uma moeda pequena a dez centímetros da boca. Será que deveria correr o risco? Talvez não, pensou, refletindo com cuidado. Amy não estava regulando muito bem, e não havia como prever o que poderia fazer.

— Muito bem... se é isso o que você quer... — Lorcan lançou-lhe um sorriso imenso, com dentes brancos e perfeitos. Estava muito revoltado com a cena, mas não ia demonstrar isso de jeito nenhum.

— Devemos sair? — perguntou a Benjy, fazendo parecer que ele já escolhera ir embora. Benjy ficou olhando como um coelho assustado para Lorcan, sem saber que resposta dar. Tentou concordar com a cabeça, de forma hesitante. Para sua sorte, essa era a resposta correta.

— Vamos! — disse Lorcan, marchando para fora através da sala, pisando em pedaços de fitas de presente soltas sobre o carpete e chutando bolas coloridas já meio murchas, seguido de perto por Benjy.

Claro que, algumas horas depois, Amy já mudara de ideia e, quando ele acordou no sábado de manhã, sua secretária eletrônica estava cheia de mensagens dela, cada uma mais desesperada do que a anterior.

— Sinto *muito*.

— Sinto *demais*!

— *Por favor*, ligue para mim.

— Onde está você?

— Por favor, por favorzinho, ligue para mim.

— Ouça só isso — disse ele, com ar de deboche, para Benjy, que dormira no sofá da sala. — Rasteje, garota, rasteje!

Benjy, que passara a noite deitado ao lado do telefone e da secretária eletrônica, já ouvira todas as mensagens de Amy.

— Você vai ligar para ela? — perguntou, incomodado com a agonia que sentia na voz de Amy.

— Ligar para ela? — Lorcan fez uma cara horrível, como se Benjy tivesse lhe sugerido algo nojento para comer. — Depois do que ela me fez?

— Mas era aniversário dela — lembrou Benjy — e você chegou lá muito atrasado.

— Do lado de quem você está, afinal? — perguntou Lorcan, com frieza, e Benjy calou a boca.

As mensagens continuaram a chegar por mais 36 horas e, no domingo à noite, enquanto Lorcan passava condicionador nos cabelos, Amy ligou sem parar. Às vezes ela desligava, e outras vezes deixava uma mensagem:

— Se você está aí, por favor, pegue o telefone — implorava, tentando conter a histeria. — A essa altura, você já deve ter recebido os meus recados. E se não recebeu, onde está você, afinal?

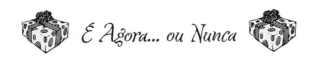

Lorcan reparou no terror que havia em sua voz e sorriu com sombria satisfação. Isso ia servir para ensinar-lhe a jamais gritar com ele na frente de todo mundo. Nem atacá-lo, dizendo que estava tudo terminado. Ele ficara tão aborrecido que só conseguiu mandar Benjy para casa no domingo à tarde.

Ao longo de todo o fim de semana, sua raiva fora se tornando mais defensiva, e sua postura de ultrajado foi se fortalecendo cada vez mais. No momento de ir para a cama, no domingo à noite, ele se sentia a pessoa mais insultada do universo. Com a cabeça enrolada em uma toalha cor-de-rosa e protegido em um casulo de autocomplacência moral, dormiu como uma pedra.

Mas agora acordara.

Olhou para o despertador: eram quatro e dez da manhã. O que o acordara? Certamente não fora a sua consciência que andara sussurrando, pois ele não tinha consciência.

Ao ficar deitado ali, de barriga para cima, segurando o pênis, ouviu com surpresa a campainha tocar. Percebeu que ela já tocara alguns minutos antes. Foi isso que o acordara.

Quem poderia ser? Vejamos, pensou ele, com sarcasmo... será que era Amy? Por outro lado, é claro que poderia ser Amy. Não seria a primeira vez que uma mulher aparecia pessoalmente, no meio da noite, desorientada e enlouquecida por ele se recusar a responder seus recados. Pois ela que esperasse, decidiu Lorcan. Por que razão ele deveria tirá-la daquele sofrimento? Não foi ela mesma que disse que jamais queria tornar a vê-lo? Ela o *magoara*.

A campainha, porém, tornou a tocar, e Lorcan começou a pensar em atender. Ela obviamente estava arrasada, e talvez já tivesse sofrido o bastante. Quando ela tocou mais uma vez, ele se levantou.

Surpreso, conseguiu ouvir vozes estranhas do outro lado da porta, no corredor do prédio. Vozes... no plural. Pelo menos uma delas era masculina, portanto não poderia ser Amy falando sozinha, louca de sofrimento. Então, ouviu ruídos de transmissões de rádio e estática, como se um entregador de pizza ou um taxista estivesse do lado de fora. Depois, mais vozes, distantes e abafadas. Muito esquisito...

Lorcan deu um pulo ao ouvir um som forte martelar a porta, com força. Foram batidas vibrantes e impertinentes, e não as batidas mansas de uma mulher arrasada.

— Sr. Larkin! — berrou uma voz masculina. — O senhor está me ouvindo? Poderia abrir a porta, por favor? — Outra torrente de estática se seguiu.

— Pelo jeito, ele não vai atender — continuou a voz.

— É melhor arrombarmos — replicou uma voz de mulher que *não era* a de Amy.

Lorcan estava mais intrigado com aquilo do que propriamente com medo. Na verdade, não tinha nenhum receio. Afinal, se aquilo era uma tentativa de roubo, alguém estava fazendo um trabalho bem porco, sem se preocupar com a discrição, característica fundamental de um bom ladrão.

— Vamos tentar remover o tambor da fechadura — disse o homem.

Vão uma ova!, pensou Lorcan, alarmado com a ideia. *Fechaduras custam muito caro!* Marchou em direção à porta e a escancarou.

Com grande surpresa, os policiais Nigel Dickson e Linda Miles se viram frente a frente com um homem muito corpulento, com cara de chateado, nu, usando uma toalha amarrada em torno da cabeça e segurando o pênis com força.

— Ahn... sr. Larkin?... — perguntou o policial Dickson, assim que conseguiu recuperar a pose.

— Quem são vocês? — replicou Lorcan, desconfiado, enquanto analisava a dupla imponente, os uniformes, os chapéus, os walkie-talkies, os cassetetes pesados, os coletes fluorescentes e os detalhes quadriculados em preto e branco, espalhados por toda parte.

— Deram parte do desaparecimento de um tal de sr. Lorcan Larkin. O comunicado foi feito por uma srta. Amy... qual é mesmo o sobrenome dela? — perguntou à sua colega.

A policial Linda Miles, porém, não estava prestando atenção ao que ele dizia. Não conseguia tirar os olhos de Lorcan. Jamais vira pelos púbicos cor de gengibre antes. Embora, pensando bem, não fossem exatamente da cor de gengibre, e sim um lindo tom de dourado...

— Srta. Amy Jones. — Nigel teve que consultar o seu caderninho de anotações ao perceber que sua colega não desgrudava os olhos da região púbica de Lorcan. — Ela ficou preocupada pelo fato de o senhor não ter retornado as ligações, embora pudesse ver as luzes acesas em seu apartamento. Ficou preocupada de que o senhor pudesse estar ferido, talvez sem querer ou... deliberadamente — sua voz foi diminuindo ao ver a fúria que se apossou do rosto de Lorcan.

— Onde está ela? — rugiu Lorcan, soltando o membro que segurava.

— No carro de patrulha. — Nigel engoliu em seco, nervoso. Talvez aquele fosse um daqueles membros que não aumentavam muito de tamanho ao ficar em ereção. — Combinamos de avisar a ela assim que entrássemos aqui.

— Antes de a prenderem por desperdiçar o tempo da polícia — ameaçou Lorcan —, avisem-na de que eu tenho um teste de palco amanhã de manhã. Se não conseguir o papel, a culpa vai ser dela.

Lorcan bateu com a porta na cara deles e Linda apertou os olhos ao olhar para Nigel, dizendo:

— Viu só? Eu bem que desconfiei que ouvir aquela mulher ia ser uma perda de tempo.

— Mas você gostou dele... — acusou Nigel, olhando com ciúme para Linda.

— Ora, Nigel, mas que absurdo! — exclamou ela, na defensiva.

— Gostou sim. Reparei que você não desgrudou o olho do pau dele. Aposto que estava torcendo para que o meu fosse assim tão grande.

— Nigel, que absurdo!

Os policiais Nigel Dickson e Linda Miles já estavam tendo um caso há quatro meses e meio, e aquela era a sua primeira briga.

— De qualquer modo — resmungou Nigel, com despeito —, esse cara é um irlandês, e provavelmente trabalha para o IRA.

— Ah, ele é irlandês, Nigel? — perguntou Linda, desapontada. — Não gosto dos irlandeses.

Lorcan, depois de bater a porta, voltou para a cama. Não tão zangado quanto gostaria. Na verdade, sentia-se até aliviado. Por um pavoroso instante achou que o seu passado finalmente o derrubara e se viu preso, fichado por um desses crimes ridículos, como fazer sexo com menores de idade.

Em vez disso, uma mulher acionara a polícia em uma tentativa desesperada de fazer com que ele a atendesse. Isso era a primeira vez que acontecia, e ele teve que admitir para si mesmo que estava orgulhoso do fato.

CAPÍTULO 16

Na segunda de manhã, ao acordar, Tara estava morrendo de fome. Porém, resolveu manter a determinação de não comer. A fome é minha amiga, repetia para si mesma sem parar, largada na cama enquanto bebia o café puro que Thomas deixara para ela. A fome é a minha melhor amiga.

Ela dormira muito mal, virando-se de um lado para outro até só-Deus-sabe que horas, tomada de grande medo. E se Thomas deixasse de amá-la e lhe desse o fora? E se ele tivesse descoberto, no sábado à noite, que não queria mais ficar com ela? O que seria dela? Agora, depois de completar 31 anos, não dava mais tempo para começar nada do zero. Ela achou que fora ruim quando Alasdair a dispensara. Só que, aos 29 anos, ela não percebeu a sorte que tivera. Homens solteiros na faixa dos 30 eram mais raros do que ouro em pó — às vezes levava *anos* para uma mulher encontrar um novo namorado. Então, quando isso acontecia, ela era obrigada a ganhar tempo, fingindo que o relacionamento era sem compromisso por, pelo menos, 12 meses. A essa altura, ela já estaria com 34 ou 35 anos. Caraca!... Muito velha!... Quando Tara começou a se vestir, ficou feliz por Thomas já ter saído para trabalhar. Se ele a visse lutando, desesperada, para entrar em roupas que ficaram pequenas demais para ela, ia acabar ficando chateado novamente. Embora fosse uma manhã fria, ela estava suando e sentiu as mãos escorregadias ao tentar fechar a saia.

Estava usando roupas tamanho 48 há algum tempo, mas essa era uma medida temporária, só até ela perder um pouco de peso e voltar ao tamanho 46. Embora, veja bem, usar 46 ia valer só por algum tempo, até ela emagrecer ainda mais e voltar ao seu tamanho normal, seu tamanho verdadeiro, sua morada espiritual no nirvana do

44. Naquele momento, porém, com o cós da saia tão apertado que esmagava seus órgãos, Tara, com certa relutância, começou a encarar o fato de que talvez fosse melhor ela comprar algumas peças tamanho 50. Pelo menos, conseguiria respirar. Claro que não seria algo definitivo. Só até ela perder um pouco de peso e conseguir voltar ao 48.

Mas... 50?, pensou ela, apavorada ao ver onde chegara. *Cinquenta!* Depois disso, vinha o 52, e depois o 54. Onde aquilo ia parar?

Quando finalmente conseguiu abotoar o paletó do tailleur, suava tanto e se sentia tão exausta que deu vontade de voltar para a cama. Detestava o próprio corpo, ah, como detestava! E era obrigada a carregar aquela banha por toda parte, mesmo sentindo que era uma gordura que não lhe pertencia.

Não lhe pertencia, tornou a lembrar a si mesma. Tratava-se apenas de uma visita inesperada que se hospedara tempo demais dentro dela, mas ia ser despejada dali, e seus dias estavam contados!

Forçou-se a olhar para o reflexo no espelho antes de sair. Estava medonha, admitiu, arrasada. O paletó do tailleur parecia todo esticado e formara um calombo em cima do estômago, enquanto a barriga redonda tentava escapar por entre os dois lados que já não se encontravam.

Estou gorda, compreendeu, horrorizada. Realmente, oficialmente, gorda. Não estou mais ligeiramente acima do peso, nem ligeiramente rechonchuda ou "cheinha". Estou gorda. Gorda de verdade!

Viu a si própria em direção desenfreada rumo à marginalização extrema. Não vou mais conseguiu encarar escadas, nem subir nos ônibus. Vou ser obrigada a pagar mais ao entrar nos aviões, devido ao excesso de bagagem representado pela minha bunda. Os meninos na rua vão me atirar pedras. Vou quebrar cadeiras quando for convidada a jantar na casa das pessoas. Vou ser rebaixada de cargo na firma, pois todos sabem que gente gorda é muito menos competente do que gente magra. Quando entrar no carro, só vou conseguir sair depois com guincho. Todo mundo vai me achar uma fracassada, porque peso demais é sinal comprovado de infelicidade. Vou ser obrigada a mentir, dizendo que estou com problema de hormônios.

Não devia nem colocar a cara para fora de casa, disse a si mesma, de tanta vergonha que estava sentindo.

De repente viu a esbelta e sinuosa Beryl, olhando para ela com aquela cara de "posso comer o que quiser sem engordar um grama", e sentiu vontade de dar um bico na gata. Então, muito a contragosto, Tara saiu de casa. Estava se odiando tanto que esperou que as pessoas nos carros, a qualquer momento, começassem a tocar as buzinas, berrando "Olhem só que vaca gorda!", enquanto ela se encaminhava para o carro. Estava caindo uma garoa, e Tara agradeceu a Deus por isso. As pessoas olhavam menos umas para as outras quando chovia. O carro de Tara era um fusca usado laranja, barulhento e pouco confiável. Uma lata velha ambulante que fedia a cigarro e tinha um monte de fitas cassete soltas de suas embalagens, todas espalhadas por baixo dos bancos. Os quais, por sua vez, estavam cheios de mapas, folhetos, papéis velhos, latas vazias e um par de calcinhas, que ela usava para desembaçar os vidros.

Os limpadores de para-brisa estavam enguiçados, de modo que, em todos os sinais fechados, ela era obrigada a saltar do carro e limpar o vidro da frente com folhas de jornal amassadas, enquanto dispensava meninos agressivos armados com trapos e baldes de água com sabão, prontos para limpar o para-brisa e pedir-lhe uma libra pelo trabalho. O caminho de Holloway Road até Hammersmith era longo, e quando ela conseguiu chegar ao trabalho estava encharcada e exausta, depois de ter berrado "Não!" 28 vezes e "Cai fora, estou sem trocado!" 11 vezes.

Ao entrar em seu cantinho do escritório, viu que só Ravi chegara antes dela. Como sempre, ele estava comendo.

— Bom-dia, Tara — zurrou ele, com seu sotaque forte. — Está a fim de um pedaço de bolo de chocolate com duas camadas de recheio? Vinte e sete gramas de gordura em cada fatia. Está uma delícia!

— Como é que você consegue comer tudo isso a essa hora da manhã? — perguntou Tara. Gostava de fingir que tinha o apetite de uma pessoa normal.

— Levantei às cinco da matina — falou ele, com a voz muito alta — e remei mais de 30 quilômetros. Tô morrendo de fome!

Ravi fazia uma quantidade absurda de exercícios, todos os dias. Além de fazer parte de uma equipe de remo, ia à academia pelo menos quatro vezes por semana, e não saía dali até que os aparelhos

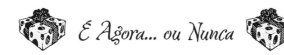

computadorizados lhe informassem que já queimara 1.000 calorias. Sua prodigiosa malhação só ficava atrás de sua prodigiosa comilança. Não havia uma manhã sequer em que ele não chegasse ao trabalho carregando um monte de sacolas de supermercado cheias de guloseimas.

— Quer guardar a tampa da caixinha do bolo para lamber mais tarde, Tara? — e balançou um pedaço de plástico triangular para ela, que aceitou. — Que tal o novo batom que Fintan lhe deu? Funcionou?

— Não, Ravi. Outro desapontamento.

— Ah, que pena! Então, a busca continua...?

— Com certeza!

— Você assistiu ao *Vida Real,* sexta à noite, na tevê? Um cara foi voar de balão, despencou em cima de um prédio, atravessou uma claraboia e caiu dentro de um banheiro. Quebrou uma perna e quase se afogou. Foi demais!

— Ah, por favor, pare com essas histórias. Já atualizou o bolão com os jogos do fim de semana? — quis saber Tara, enquanto ligava o computador.

— Com certeza! — confirmou Ravi, deixando um punhado de cabelos pesados e muito pretos cair da testa. Parecia uma espécie de Elvis indiano.

Ravi organizava um bolão de futebol para os empregados da GK Software. No começo do ano, cada pessoa fazia previsões sobre a pontuação de cada time do Campeonato Inglês ao longo do torneio. A cada fim de semana, Ravi atualizava os resultados, de forma que todos podiam acompanhar com precisão o progresso de suas previsões. Comentava-se à boca pequena que essa era a única motivação que os funcionários tinham para levantar da cama e ir para o trabalho na segunda de manhã.

Os funcionários da firma começaram a aparecer, aos poucos. Evelyn e Teddy chegaram. Eram casados. Moravam juntos, iam de carro juntos para o escritório, trabalhavam lado a lado, almoçavam no mesmo horário e voltavam para casa em companhia um do outro.

— Bom-dia! — cumprimentaram, falando ao mesmo tempo.

— Ravi, você já... — perguntou Evelyn.

— Claro! — ele riu de forma afetada.

Evelyn e Teddy sentaram às suas respectivas mesas, digitando freneticamente até encontrarem a tabela do bolão devidamente atualizada.

Vinnie, o chefe direto de Tara, também chegou. Era um sujeito simpático, na casa dos 40 anos, com quatro filhos e uma testa que crescia lentamente devido à calvície que se instalava. Sonhava em se tornar um executivo dinâmico, que repetisse sem parar coisas como "Coloquei o cu na reta por causa desse trabalho, galera". Porém, sempre que tentava falar algo desse tipo, todos riam dele e davam tapinhas em sua careca, que só fazia aumentar de tamanho.

— Bom-dia para todo mundo! — cumprimentou ele, em voz alta. — Todos tiveram um bom fim de semana?

— Não! — foi a resposta automática, em uníssono.

— Ravi, você já atualizou...? — começou ele, ansioso, e quando a resposta foi afirmativa, correu para o seu terminal e ligou o monitor.

Apesar de trabalharem em uma empresa de computação, os colegas de Tara não eram muito obcecados com informática. Eram pessoas normais, cujos papos no escritório basicamente se resumiam a férias e comida. Como costuma acontecer.

O telefone de Tara tocou. Era Thomas. Seu coração deu um pulo, tanto de preocupação quanto de alegria. Mas ele não ligara para conversar com ela, conforme avisou logo de cara, de uma forma mais brusca do que Tara achava necessário. Queria apenas lembrar a ela de pagar a conta da tevê a cabo. *Não leve para o lado pessoal*, disse ela a si mesma, tentando se tranquilizar e minimizando o fato. *Ele é assim mesmo...*

Na hora do almoço, às segundas-feiras, era tradição para todos na seção de Tara uma visita à lanchonete italiana ali perto, que vendia comida muito engordurada, mas também muito barata. Era uma alusão ao fim de semana, a confirmação de que todos por ali estavam a fim de manter a ressaca. A partir das dez e meia da manhã, assim que os sanduíches de bacon acabavam, todos começavam a declarar o que iam pedir no "gordurão".

— Vou querer um bauru com ovos mexidos, champignons, tomates, um pedacinho de linguiça, uma barrinha de chocolate e uma Coca — anunciou Teddy, sem levantar os olhos da tela.

— Dois ovos mexidos com bacon, batatas fritas, uma fatia de pão de forma com manteiga e uma garrafa de água mineral com toque de frutas — replicou Vinnie, também com os olhos colados no monitor.

— Torradas, duas linguiças, uma omelete com queijo e cebola, uma bomba de chocolate e uma xícara de chá com muito açúcar! — era a voz de Cheryl Magriça, que vinha do fundo, atrás de uma divisória baixa. Cheryl Magriça trabalhara na equipe de Vinnie por mais de um ano e, embora tivesse se transferido para a equipe de Jessica, sempre mantinha contato com Vinnie.

— Quatro linguiças, quatro ovos fritos, champignons, tomates, bacon, porção dupla de batatas fritas, seis fatias de pão de forma e uma bebida energética — disse Ravi.

Meio-dia e meia em ponto, todos se levantaram das mesas, vestiram os casacos e marcharam em bando, como se fossem um só corpo, para o Cafolla. Um dos funcionários sempre tinha que ficar trabalhando na hora do almoço, para atender às chamadas dos clientes e aturar as ligações histéricas daqueles cujos sistemas haviam acabado de cair. Pela tabela do rodízio, naquela segunda era a vez do desafortunado Steve Cochilo ficar de serviço e almoçar depois. (Ele era conhecido pelo apelido de Steve Cochilo devido ao seu hábito de tomar um porre todo dia depois do expediente, cochilando no trem ao voltar para casa, em Watford, até ser acordado no fim da linha, em Birmingham.) Com olho comprido, ele observou o êxodo e pediu, com uma vozinha fraca, se alguém podia lhe trazer um sanduíche quando voltasse.

— Vamos, Tara! — ordenou Ravi, em voz alta e tom de sargento. — Vamos nessa!

— Acho que eu não devia ir.

— Ah, qual é...? — reagiu Ravi, desapontado. — É por causa da droga da sua dieta? Deixe de ser boba!... Tá legal, vão vocês, então, soldados, vou ficar aqui, fazendo companhia a Tara.

Ela se sentiu culpada. Ravi não era o funcionário mais destacado da empresa, mas tinha um coração de ouro. Não era justo privá-lo do seu elefantino almoço engordurado.

Além do mais, ela não comera nadinha desde que levantara, e seu plano para o jantar era um prato imenso, só com legumes. Sem falar, lembrou Tara a si mesma, que você vai fazer uma aula de step depois do trabalho, e vai acabar desmaiando na academia se não colocar alguma coisa no estômago.

— Tudo bem — disse a Ravi. — Vou com vocês, então.

Sentar toda espremida em uma cabine apertada, diante de uma mesa de fórmica, em uma lanchonete barulhenta com atmosfera de vapor e gordura, comendo um prato de batatas fritas com salada de feijão e bebendo chá forte em copinho de isopor sempre deixava Tara mais animada. Só que, naquele dia, não deu certo. Thomas fora frio e impaciente ao telefone, e ela estava novamente com aquela sensação de desastre iminente.

Depois daquela gordurada toda, era comum os rapazes irem ao pub anexo para tomar um chopinho, enquanto as meninas ficavam na lanchonete, comendo pão doce. O sr. Cafolla em pessoa veio anotar os pedidos da confeitaria, enquanto recolhia os pratos engordurados.

Evelyn pediu uma fatia de torta de maçã.

— Uma torta de maçã! — gritou o sr. Cafolla para a mulher, que ficava atrás do balcão.

Cheryl Magriça pediu outra bomba de chocolate.

— Uma bomba de chocolate! — berrou o sr. Cafolla.

— E quanto a você, minha jovem? — perguntou a Tara, com seu sotaque carregado, ao sentir que ela não queria pedir nada por causa da dieta. — O que vai querer? Uma tortinha de creme?

Tara se encolheu toda. Aquele cretino!... Certamente já sacara qual era o seu ponto fraco. Ela não podia entrar nessa. Jamais conseguiria ficar magrinha se continuasse a comer tortinhas de creme. Mas também não podia dispensar, pois era umazinha só...

Ao olhar para a abundância cremosa muito amarela e ondulada, tão espessa que conseguia ficar em pé sozinha, toda polvilhada com nozes e castanhas no centro de uma base de massa firme e circundada por papel de alumínio colorido, Tara conheceu a felicidade por um momento. Segundos mais tarde, quando a tortinha era apenas uma lembrança, surgiu a culpa. Como ela se odiava por ser tão fraca! Por um instante, pensou em pedir ao sr. Cafolla a chave do banheiro para ir até lá e fazer força, a fim de colocar tudo pra fora, mas, sempre que tentara isso, no passado, não conseguira. Nem valia o esforço. Não tinha ideia de como as pessoas com bulimia conseguiam essa façanha. Tara tirava o chapéu para elas. Talvez houvesse um macete para fazer isso, algum truque que ela não conhecia.

CAPÍTULO 17

De volta ao trabalho, Tara deu um pulo no banheiro feminino, a fim de fumar um cigarro. Foi lá que encontrou Amy Jones, que trabalhava no andar de cima, na seção de compras. Até então, as duas só se cumprimentavam com educados acenos de cabeça, mas na sexta-feira, na hora do almoço, descobriram que faziam aniversário no mesmo dia. As duas foram ao mesmo pub depois do trabalho, a fim de celebrar a data com os colegas dos respectivos departamentos. Embora os dois grupos não se conhecessem tão bem a ponto de se unirem em uma única mesa, acenaram a distância, e brindaram à coincidência, trocando sorrisos.

Na sexta-feira, com quatro gins-tônicas na barriga, Tara chegara à conclusão de que Amy era uma pessoa muito legal. Agora, porém, enquanto tragava o cigarro com tanta força que suas orelhas pareciam se afastar uma da outra, Tara analisou Amy, que lentamente passava uma escova pelos cabelos longos, louros e encacheados, e decidiu que a odiava. Talvez ela até fosse uma pessoa legal, mas com aquele cabelo maravilhoso, magra, alta, bonita e elegante, certamente jamais tivera um dia ruim em toda a sua vida. Como é que duas pessoas nascidas na mesma data poderiam ser tão diferentes? Expliquem *isso*, senhores astrólogos.

— Seu aniversário foi bom? — perguntou-lhe Tara, com ar educado. Era melhor agir assim, senão Amy ia acabar descobrindo que Tara a odiava por ser tão magra e ter cabelos encaracolados e maravilhosos.

— Ahh... foi bom, sim — respondeu Amy, com um sorriso de hesitação. Parecia meio chateada, e obviamente tivera algum problema no fim de semana, sacou Tara. — O problema é que... — continuou Amy, com a voz mais alta e aguda — ... eu, ahn... briguei com o meu namorado e acabei assim, tipo... indo presa.

Lágrimas começaram a escorrer pelo rosto maravilhosamente branco de Amy, enquanto ela desfiava toda a história da festa de aniversário; a tremenda vergonha pelo fato de o seu namorado não ter ido à festa, a hora em que ele, finalmente, aparecera, a cena dos sanduíches, a ordem para que ele fosse embora, as horas infernais que se seguiram, a infinidade de telefonemas, o sábado e o domingo mais longos da história, o desespero histérico, a ligação para a polícia... Tara tentava fazer expressões de choque adequadas, enquanto fazia as devidas observações de praxe, como "Ora, mas foi só uma briga...", "Você sabe como os homens são, dê um tempo até o mau humor dele passar", "Talvez fosse melhor você deixá-lo em paz por alguns dias", "Sim, eu sei bem o quanto é difícil fazer isso, sei mesmo...", "Um dia vocês dois ainda vão lembrar de tudo isso e rir muito", "Sabe de uma coisa... de repente isso vai servir para aproximar ainda mais vocês dois", "Os homens são duros de aturar!" e "Ahn, desculpe perguntar, mas o que, exatamente, significa *conseguir fiança,* só por curiosidade?".

De volta à sua sala, Tara ficou louca para telefonar para Thomas. Normalmente, ela não sentia vontade de ligar para ele no trabalho, especialmente pelo fato de ter de tirá-lo da sala de aula, a fim de falar com ela. Além do mais, como sua sala era toda aberta, era impossível uma conversa íntima ao telefone. Ravi, em particular, mostrava grande interesse pela vida de Tara. Como temia que algo estivesse saindo dos trilhos em seu relacionamento com Thomas, Tara precisava restaurar sua confiança. Queria se certificar de que apenas imaginara a hostilidade que sentira pela manhã, ao falar com ele ao telefone.

Entretanto, depois de ela ter se convencido a fazer a ligação, Lulu, a secretária da escola, não quis chamar Thomas. Sempre agia como se fosse dona dele.

— Pode deixar que eu digo ao professor Holmes que você ligou — mentiu ela.

— Piranhuda! — resmungou Tara, batendo com o fone no gancho.

— Quem é piranhuda?... Lulu? — perguntou Ravi, em voz alta.

— Quem mais poderia ser? — respondeu Tara. Ela se consolou por algum tempo, lembrando que, pelo menos, não mandara a polícia atrás de Thomas. Tremeu só de pensar naquilo. Ele não a perdoaria por isso, jamais! Ainda chateada, telefonou para Liv, a fim de desabafar, mas a ligação caiu na secretária eletrônica. Tentou o celular.

— Alô? — atendeu Liv.

— Sou eu. Você está muito ocupada?

— Estou em Hampshire com uma mulher doida que quer tudo dentro de sua casa folheado a ouro — reclamou.

— Argh! Tipo torneiras do banheiro e maçanetas?

— Não. Tipo armários de cozinha e ferramentas para jardinagem.

— Eu, hein!... E você, como vão as coisas com Lars?

— Vão ótimas! — Liv pareceu otimista, o que não era muito comum. — Ele me garantiu que dessa vez vai *realmente* largar a mulher.

— Excelente! — Tara forçou-se a exclamar. Só acreditaria quando visse... Não gostava de Lars. Só porque ele era alto, louro e tinha feições másculas, isso não lhe dava o direito de enrolar Liv há mais de 15 meses com aquele papo manjado de abandonar a mulher para ficar com ela. — Quando ele volta? — perguntou.

— No sábado.

— Certo. Vou aparecer em sua casa, então, para ajudar na operação faxina.

— Agora preciso desligar — sussurrou Liv. — A Rainha Midas está voltando.

— Ele já abandonou a mulher? — quis saber Ravi, assim que Tara desligou.

— Diz que está prestes a fazer isso — respondeu Tara, e os dois viraram os olhos para cima, com ar incrédulo. Em seguida, Tara tornou a pegar no telefone e ligou para o trabalho de Fintan. Vinnie lançou-lhe um olhar de censura. — Se eu não telefonar para as pessoas, vou ficar mandando e-mails do mesmo jeito — argumentou Tara, achando que era mais honesto assumir.

— Não, não faça isso! — pediu Ravi. — Como é que eu vou ficar sabendo das coisas?

— Ainda bem que vocês são muito bons no que fazem! — resmungou Vinnie. Fintan não fora trabalhar. Estava doente, segundo informaram. Tara sabia muito bem qual era o problema dele. À meia-noite, na véspera, quando ela saiu do apartamento de Katherine, Fintan e

Sandro estavam indo para a balada. A noite estava apenas começando para eles.

— Hoje eu vou soltar a franga! — declarou Fintan ao passar por ela.

Tara ligou para a casa dele.

— Fintan está de ressaca, não é? — quis saber Ravi.

— Aposto as ceroulas do meu avô nisso... — replicou ela. O telefone tocou, tocou e tocou, antes de Fintan finalmente atender. — E aí, seu porra-louca? — perguntou Tara, com jeito alegre.

— Há algo de errado com o meu pescoço. Apareceu um caroço enorme, hoje de manhã.

— Nossa, você é tão fresco — suspirou Tara. — Todo mundo tem espinhas.

— Não, Tara, não é espinha não... está tão inchado que estou parecendo o Homem-Elefante.

— Também me senti assim hoje de manhã — disse Tara, solidária. — Achei que tinha virado um imenso furúnculo.

— Qual é, Tara?!... — insistiu Fintan. — Estou falando sério. Estou com um calombo do tamanho de um melão no pescoço.

— Tá legal... que tipo de calombo?

— Do tipo calombado!

— Mas não pode ser do tamanho de um melão — e sorriu ao lembrar que Fintan era a rainha do drama. — Uma uva, talvez...?

— Não, muito maior, Tara, eu juro!... O calombo é realmente do tamanho de um melão.

— Que tipo de melão? Gália? Cantalupo? Pingo-de-mel?

— Tá legal, talvez não seja do tamanho de um melão. Mas do tamanho de um kiwi, com certeza!

— Passa uma pomadinha de cânfora.

— Pomadinha?! É de *remédio* que eu preciso!

— Então, é melhor ir ao médico.

— Ah, que nada!... — reagiu ele, com sarcasmo. — Estava pensando em ficar aqui deitado, por algum tempo, para ver se o caroço resolve diminuir de tamanho por livre e espontânea vontade. Já marquei uma consulta para hoje de tardinha — acrescentou ele.

Fintan parecia preocupado, e Tara se arrependeu de ter debochado tanto.

— Quer que eu vá ao médico com você? — e começou a falar baixinho, junto do bocal do telefone: — Vinnie me deixa sair mais cedo se eu disser que fiquei menstruada. Isso sempre o deixa super sem graça. Às vezes eu dou a desculpa de que fiquei menstruada duas ou três vezes no mesmo mês. Ele nem discute, morre de vergonha e me dispensa.

— Não, não precisa não. Vou ficar legal.

— A que horas você vai chegar em casa, de volta do médico?

— Não sei quanto tempo vai levar a consulta, mas acho que por volta das oito da noite, para garantir.

— Então, por essa hora eu dou uma ligada para você, para saber como correu tudo. Boa sorte, mas eu tenho certeza que não é nada de grave.

Assim que desligou, Ravi quis saber, todo afobado:

— O que aconteceu com Fintan?

— Alguma glândula inchada, ou algo desse tipo — Tara deu de ombros. — Ele é um tremendo hipocondríaco.

Em seguida, ligou para Katherine, mas ela ainda não voltara do almoço.

Às três e meia da tarde?, pensou Tara. Isso não está certo, Senhorita Certinha!

— Pronto, Vinnie, acabei de ligar pra todo mundo.

Ao voltar ao trabalho, porém, começou a pensar em Fintan. E se não fosse um dos dramas que ele armava em busca de atenção? E se realmente houvesse algo de errado com ele? Algo sério? Esse era o problema, sempre que um amigo que era gay caía de cama. A doença com a letra "A" sempre vinha à cabeça das pessoas. Então, sentiu um certo desconforto por pensar daquela forma. Será que, no fundo, ela ainda achava que as palavras "homossexual" e "aids" eram correlacionadas?

A preocupação com Fintan foi se modificando e se transformou em preocupação com Thomas. O que era aquele clima estranho que pintara e continuava suspenso acima deles? Talvez tudo fosse apenas coisa de sua cabeça. Mas ela se via voltando a toda hora para as palavras que ele dissera no sábado à noite, sem conseguir decidir se estava neurótica por dar atenção àquilo ou se era melhor ignorar tudo, na esperança de que a história passasse.

Não conseguia nem trabalhar direito, e então, às quatro horas, resolveu ir embora para casa.

— Desculpe, mas... aonde você vai? — perguntou Ravi, desconfiado.

— Estou pensando em ir a uma sessão de compraterapia.

— Não! — Ravi tentou bloquear-lhe a passagem, como ela mandara que ele fizesse. — Você precisa parar de gastar dinheiro!

— Obrigada, Ravi — agradeceu Tara, tentando se desviar dele. — Agradeço a sua vigilância, mas hoje eu *não quero* que você me impeça de ir às compras.

— Você me avisou que eu devia impedi-la, mesmo que você implorasse — insistiu Ravi com a cara séria, sem deixá-la passar.

Tara deu um pulo para o lado e tentou passar pela lateral de sua mesa. Ravi, porém, com a rapidez de um relâmpago, barrou-lhe a passagem. Houve um pequeno confronto corpo a corpo.

— Vinnie, mande ele parar!

— Ravi está fazendo apenas o que você pediu — disse Vinnie, levantando os ombros. Não era de espantar que estivesse ficando careca.

Os dois se encararam. Ravi estava inclinado para a frente, os joelhos ligeiramente dobrados, os músculos retesados e as mãos com os dedos unidos formando uma cruz, em posição de kung-fu. Tara se arrependeu na mesma hora de tê-lo convocado para impedi-la a qualquer custo.

— Não podemos começar amanhã? — tentou convencê-lo, com a voz suave. — ... Por favor?!...

Com cara de desapontamento, Ravi abandonou a postura de *en garde*, dizendo:

— Está bem, então... pode ir.

Assim, Tara foi às compras e tentou fingir que não estava morrendo de fome. Alimentava esperanças de que ficar olhando para as roupas afastasse sua cabeça de outras ideias, mas não conseguia aceitar a ideia de estar usando tamanho 50. Comprar roupas era algo que deixara de lhe proporcionar prazer; em vez disso, se tornara um exercício de limitação de danos.

Havia muitas roupas para as quais ela estava automaticamente desqualificada. Tops sem manga, macacõezinhos colados no corpo, vestidos em crochê, tudo que envolvesse jérsei, lycra, babados ou fosse feito para usar sem sutiã. Tara *nem lembrava* mais quando fora a última vez que usara calças.

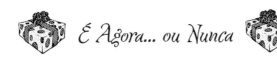

Seu único consolo era olhar para sapatos estilosos e sexy. Sapatos eram os verdadeiros amigos da mulher gorda. Sapatos continuavam a parecer maravilhosos mesmo que o resto do corpo estivesse empilhado como uma trouxa em cima de um carrinho de mão.

Tinturas de cabelo sempre eram uma boa ideia — Tara tinha um instinto bom quando se tratava de distrair os olhares. Joias interessantes, bolsas escandalosas e maquiagem em tecnicólor eram parte do seu arsenal do tipo "olhe só aquilo ali...". Franjas azuis também eram muito boas para impedir as pessoas de reparar na sua barriga rotunda.

Quando acabou de comprar o aromatizador para o carro com perfume de morango, o par de sapatos de salto alto, a rinçagem azul, a rinçagem roxa, o livro com pontos de tricô, as agulhas de tricô e a lã para fazer o casaco para Thomas, notou que perdera a hora da aula de step.

Fingiu que estava triste com isso. Sempre havia a opção de ir para a sala de ginástica, mas lá vivia cheio de homens musculosos fazendo flexões com um braço só e soltando grunhidos ao mesmo tempo. Ela não aguentava aquilo, muito menos dentro de um collant cor-de-rosa. *Começo amanhã, sem falta*, jurou para si mesma.

CAPÍTULO 18

A caminho de casa, por impulso, resolveu fazer uma visitinha a Katherine. Não conseguira falar com ela pelo telefone a tarde toda e estava a fim de bater um pouco de papo.

Aparecer para visitar Katherine sem avisar não era algo que Tara costumasse fazer. Elas já estavam muito influenciadas pelos costumes londrinos, e em Londres era considerado o cúmulo da grosseria aparecer na casa de alguém sem avisar. As palavras "Estava passando aqui por perto..." eram consideradas tão ofensivas quanto "Seu nariz é imenso". A maioria dos londrinos, acostumados a monitorar os telefonemas com a ajuda da secretária eletrônica antes de atender, ficavam literalmente desnorteados ao ouvir a campainha tocar. Uma pessoa! Em carne e osso! Na porta de casa!

Se tivessem certeza de que não era o carteiro, as pessoas simplesmente se recusavam a abrir a porta. O costume era ficar encostado na parede, ao lado da janela, tentando ver quem era, como alguém que troca tiros com a polícia. Não com a ideia de abrir a porta para a visita, é claro, mas sim para descobrir quem era o mal-educado, a fim de cortá-lo da lista de cartões de Natal daquele dia em diante.

Katherine estava tomando banho, mas Tara achou que estava sendo ignorada por não ter avisado da visita com antecedência. Pegou o celular e resolveu ligar para Katherine, ordenando-lhe que abrisse a porta, mas esquecera de carregar a bateria.

— Sou eu! — gritou Tara, afastando-se do interfone e colocando-se sobre o gramado do minúsculo jardim da frente, olhando para cima, na direção da janela de Katherine. — Deixe eu entrar!... Sua idiota, grandessíssima pamonha — berrou, frustrada. — Eu sei que você está em casa, estou vendo a luz acesa!

— Olá — disse uma voz. — Está procurando Katherine?

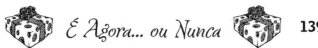

Tara se virou e uma pessoa, que devia ser o pobre Roger, estava vindo em direção à porta da frente com uma chave na mão.

— Sim... — Tara mal conseguia encará-lo, lembrando das poucas ocasiões em que haviam tido contato um com o outro — Roger batendo com o cabo de vassoura no teto e Tara guinchando, bêbada: "Segure sua onda, seu mané reacionário!"

— Obrigada — viu-se agradecendo a Roger, enquanto saía correndo rumo às escadas, para subir ao andar onde Katherine morava. Assim que Tara começou a batucar na porta com os punhos, berrando "Me deixa entrar!", Katherine abriu a porta, com a maior calma do mundo. Usava um baby-doll de seda bem curto e um roupão por cima combinando, com a frente aberta, exibindo as suas perninhas esbeltas. Irradiava uma sensação de bem-estar, mas Tara estava agitada demais para reparar nisso.

— Oi! — Katherine recebeu-a com um sorriso. — Como conseguiu subir?

— Roger, o esquisito. Foi ele que abriu a porta para mim.

— Coitado do Roger — disse Katherine. — Preciso pedir desculpas a ele por toda a agitação. O que houve? Por que estava tentando colocar a minha porta abaixo?

— Achei que você estava me ignorando.

— E por que razão eu faria isso? — perguntou Katherine, abrindo outro sorriso. Tinha pés lindos. Pequenos e delicados, com as unhas tratadas e pintadas em um tom fluorescente. O motivo de Katherine se dar o trabalho de pintar as unhas dos pés era incompreensível para Tara. Ela não daria a mínima para esse detalhe, se não tivesse namorado. Na verdade, *mesmo com namorado* ela não ligava para isso.

Tara sentiu-se ligeiramente confortada só de ver os pezinhos de Katherine se movendo ágeis pelo carpete espesso, enquanto ia com a amiga na direção da sala; ao chegar lá, Katherine perguntou se Tara gostaria de um sanduíche de queijo.

— Afasta-te de mim, Satanás! — reagiu Tara. — Vou tomar só uma xícara de chá. Apesar de estar tão faminta que seria capaz de comer um filé de elefante, eu lhe imploro: não me ofereça comida!

Ela estava a salvo na casa de Katherine. Não havia o mínimo perigo de ela estar com planos de se entregar a uma refeição copiosa, cheia de calorias e gorduras, que Tara acabaria por aceitar só para lhe fazer companhia. Na maioria das vezes, quando alguém perguntava o que Katherine ia preparar para o jantar ela dizia apenas, com tom vago: "Não sei... algumas torradas, ou algo assim", enquanto que, no caso de Tara, ela já teria a refeição planejada desde a quarta-feira da semana anterior.

— Vou colocar a chaleira para ferver — anunciou Katherine.

O saquinho de Baconzitos estava sobre o aparador da sala de estar desde a véspera. Tara se lembrava perfeitamente de tê-lo visto ali. Como é que Katherine conseguia abandonar todos aqueles deliciosos Baconzitos ali, a noite toda sozinhos, sem serem comidos? Ela não teria conseguido nem pegar no sono, pensando nos pobrezinhos. Já que ainda estavam ali, ela ia comê-los naquele momento. Ficar cara a cara com comida desmontava a sua determinação. Além do mais, ela já perdera a aula de step na academia mesmo, de forma que o mal já estava feito. Preparava o bote sobre o saquinho no exato instante em que Katherine voltou.

— Não! — berrou Katherine, e Tara deu um pulo de susto.

— Abaixe... o saco... de Baconzitos — falou Katherine, com tom autoritário, do outro lado da sala. Juntou as duas mãos, colocou-as ao redor da boca, fingindo estar com um megafone, e tornou a dizer: — Repito... Abaixe... o saco... de Baconzitos.

Tara ficou petrificada, assustada com o tom de voz bruto, tão incomum em Katherine.

— Abaixe-se! — trovejou Katherine. — De cara no chão... bem devagar. Não tente nenhum truque!

Tara se viu colocando o saquinho com todo o cuidado no chão, ao lado do seu pé. Katherine normalmente não age desse jeito agressivo, pensou, confusa.

— Muito bem! — continuou Katherine. — Agora, coloque as mãos na cabeça, onde eu possa vê-las.

Tara obedeceu.

— Agora, chute o saquinho de Baconzitos na minha direção.

A embalagem vermelha deslizou pelo carpete e Katherine o agarrou assim que chegou junto dela, com um imenso sorriso no rosto.

— Obrigada! — suspirou Tara, e as duas começaram a rir. Tara com um jeito levemente histérico e Katherine de forma tranquila, transbordante de *joie de vivre*. — Essa passou perto!

— Você não devia ficar comprando essas coisas, se anda tão preocupada em manter o peso, Tara — ralhou Katherine, com um jeito bem-humorado.

— Mas eu não comprei. O saquinho é seu! Como é que pode você não reparar nesses detalhes? — gemeu Tara. — No instante em que eu coloquei os pés nesta sala, a embalagem começou a brilhar como se fosse um farol, atraindo a minha atenção. Exibindo-se descaradamente diante de mim. Dando cambalhotas na minha frente. Se ela estivesse vestida, ia fazer um striptease em minha homenagem...

Katherine deu uma gargalhada e Tara reparou vagamente que a amiga estava com uma aparência ótima.

— Comprei a lã para tricotar o casaco de Thomas — anunciou Tara.

— Isso é muito bom!

— É bom mesmo. Sou eu, finalmente assumindo o controle da minha própria vida. Tricotando, fazendo dieta e evitando gastar dinheiro. A nova Tara. — Mentalmente, jogou um pano para encobrir os sapatos novos, comprados há 35 minutos e que latejavam, com ar acusador, no banco de trás do carro. — E então, por onde você andou hoje? Liguei para o seu trabalho às três e meia da tarde, e me disseram que você ainda não voltara do almoço.

Katherine não respondeu.

— Aonde você foi? — Tara tornou a perguntar.

— Hummm. O que foi que disse? — perguntou Katherine, com uma expressão sonhadora.

Que diabos estava acontecendo com ela?, perguntou-se Tara. Algo estava diferente. Havia uma espécie de brilho diferente em seus olhos, um ar de autoconfiança em torno da boca. Além disso, Katherine estava lançando no ar vibrações de empolgação disfarçada.

— Para ficar fora por tanto tempo na hora do almoço, onde você esteve...? — Tara fez uma pausa e perguntou, com certa hesitação: — Você está me ouvindo?

— Estou — garantiu Katherine, de forma pouco convincente.

Tara tornou a olhar para Katherine, com mais atenção. Sua pele estava radiante, tinha uma textura de pêssego, e ela tinha o ar afetado de quem escondia um segredo agradável.

— Você não está... você não anda... você não anda transando com alguém, anda? — quis saber Tara.

— Não.

— Bem, pois há alguma coisa que anda lhe fazendo muito bem. Você está a fim de alguém?

— Não.

— Alguém está a fim de você?

— Não... — disse Katherine, mas Tara percebeu uma pequena hesitação.

— Ahá... — cantou. — Ahá... Tem alguém a fim de você! Quem é? Conte logo!

— Não há nada para contar — garantiu Katherine, com firmeza.

Tara ficou empolgada. Sentiu-se alegre por algo estar dando certo para um dos seus amigos.

— Aposto que ele é lindo — disse Tara, falando depressa. — Os seus namorados sempre são...

Nas raras ocasiões em que Katherine arrumava um namorado, eles geralmente eram extraordinariamente bonitos. Supergatos, de virar a cabeça. Muita areia para o caminhãozinho de Tara. Se bem que nunca ficavam com Katherine por muito tempo, mas mesmo assim...

— Deve ser um cara do seu trabalho — supôs Tara. — Onde mais você conseguiria encontrar alguém?

— Comporte-se — pediu Katherine.

— Ih, qual é?... O que há de errado em estar a fim de alguém?

— Mas eu não estou.

— Bem, então, o que há de errado em alguém estar a fim de você?

Katherine não respondeu. Todo o brilho que havia em seu rosto, porém, desapareceu, e ela ficou com uma cara totalmente inexpressiva.

— Katherine — disse Tara, com jeitinho. — Sei que nós já brigamos à beça por causa desse assunto, mas se apaixonar é uma coisa legal, uma coisa boa... sei que você não gosta de abrir mão de seu famoso controle, sei que não gosta de se sentir vulnerável, mas às vezes a gente precisa correr riscos.

— Relacionamentos são podres, do princípio ao fim — garantiu Katherine, com frieza.

— Não necessariamente... — falou Tara, apressada, e chegou a abrir a boca para dizer "Olhe só o meu caso com Thomas, veja o quanto estamos numa boa", mas descobriu que não conseguiria falar tal coisa.

— Estou perfeitamente bem por conta própria — garantiu Katherine, com o rosto rígido como pedra. — Estar sozinha não significa sentir-se solitária.

— Você não pode se desviar disso para sempre — reagiu Tara, exasperada. — Apaixonar-se faz parte da condição humana. Sem isso você vive só pela metade. Todos precisam de alguém como parceiro, é uma necessidade humana básica.

— Não é uma necessidade — disse Katherine —, é um desejo. E o que eu *desejo* nesse momento, mais do que alguém com quem disputar quem gosta mais de quem, é ausência de dor. Apaixonar-se deixa a pessoa aberta, e relacionamentos só trazem sofrimento.

— Relacionamentos não representam apenas sofrimento — protestou Tara, alarmada diante da intransigência de Katherine. Ela parecia ter se tornado ainda mais entrincheirada em suas ideias, desde a última vez que elas haviam discutido o assunto.

— Quer dizer então que relacionamentos não significam sofrimento? — interrompeu Katherine. — Quem é você para dizer uma coisa dessas? Veja o quanto está sofrendo por causa daquele bundão que é o Thomas.

— Eu não estou sofrendo — disse Tara, corajosamente.

Apesar da raiva, Katherine não deixou de reparar que Tara não negara o fato de que Thomas era um bundão.

— Pois olhe... se estar feliz é assim — disse a Tara —, então estou muito melhor do meu jeito.

As duas ficaram cara a cara, com as cabeças próximas uma da outra, trocando farpas furiosas com o olhar.

— Só vou lhe perguntar mais uma vez — ameaçou Tara.

— O quê? — sibilou Katherine.

— É alguém do seu trabalho?

Os olhos de Katherine quase saltaram de ódio. Abriu a boca, preparando um sermão sobre a falta de educação de Tara, mas ficou abrindo e fechando a boca em silêncio, tentando achar as palavras adequadas.

— É! — respondeu por fim.

CAPÍTULO 19

— Conte-me tudo! — ordenou Tara.

Na verdade, porém, conforme Katherine decidiu, havia muito pouca coisa para contar. Assim que chegara ao escritório, naquela manhã, Joe Roth havia vindo com seu andar cadenciado direto até sua mesa, do mesmo jeito que fizera todas as manhãs nos últimos 12 dias. Talvez fosse por causa da camisa verde-clara que ele resolveu usar, em homenagem à apresentação da conta do absorvente íntimo, ou talvez o modo como o paletó azul-cobalto acompanhava as linhas de seu corpo alto e magro, mas o fato é que algo fez Katherine admitir que ele estava particularmente atraente naquele dia. Automaticamente, sua expressão se tornou mais dura e enigmática.

— Bom-dia, Katie — cumprimentou Joe, com um sorriso gigantesco que lhe ocupou todo o rosto.

— Sr. Roth — reagiu Katherine, com muita frieza e o Olhar Assustador de nível 3; achou que não havia necessidade de lançar-lhe o nível 4 ou 5 porque o tom de sua voz já era uma arma letal. — Meu nome é Katherine e eu não respondo quando me chamam por apelidos ou abreviações.

Katherine ficou esperando que ele se retirasse, intimidado e abatido. Em vez disso, no momento em que ele se apoiou em sua mesa, começou a rir e continuou a rir sem parar, ela teve uma inesperada premonição de desastre. Olhou para os seus dentes, todos arrumados de forma perfeita, como bandeiras brancas pregadas lado a lado em um varal, e se assustou. Ficou receosa de si mesma, muito receosa.

Ele finalmente parou de rir.

— Sr. Roth — ele imitou a voz dela, como um papagaio, com os olhos castanhos olhando para Katherine com o que pareceu ser uma onda de afeição. Imóvel, ela o encarou, fazendo o que podia para transparecer a paciência de uma mulher extremamente ocupada, mas muito educada também. — Sr. Roth... — repetiu ele. — Adoro isso! Sabe de uma coisa, Katherine...? Você é maravilhosa. Simplesmente maravilhosa.

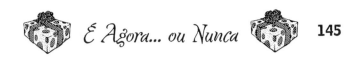

Ao ver que ela continuava a olhar para ele, impassível, disse:

— Desculpe se a ofendi dando a impressão de intimidade. Vou tratá-la de Katherine de agora em diante. A não ser que prefira ser chamada de srta. Casey.

A fração de segundo que ela levou para externar um protesto foi longa demais. Joe rolou de rir, mais uma vez, dizendo:

— Acho que você prefere isso, afinal. Pois muito bem, será srta. Casey, então. Agora, srta. Casey — continuou ele, com um tom de voz subitamente muito profissional —, precisamos marcar uma reunião para discutirmos o excesso de despesas na conta da cerveja Noritaki. Os executivos do absorvente Geetex estão chegando para a apresentação da campanha, de modo que seria melhor discutirmos o assunto durante o almoço.

— Almoço? — perguntou ela, com indiferença. — Pago com a verba de que cliente?

Katherine Casey não estava disposta a ser comprada. Embora não fosse profissionalmente convidada com frequência para almoços caros em restaurantes da moda, pois no mundo da propaganda a conta é sempre a Cinderela das agências, ela se recusava a demonstrar empolgação diante da ideia de um almoço à base de salada de queijo de cabra. Pelo contrário. O mais fácil era ela se irritar diante da ideia de uma campanha estourando a verba.

— Afinal — continuou ela —, se o assunto é excesso de despesas, não me parece apropriado que discutamos isso gastando mais dinheiro ainda.

— *Eu* pago o almoço — ofereceu Joe.

Katherine riu, e Joe não se sentiu encorajado pelo tom do riso.

— Boa tentativa, Joe — elogiou ela. — Mas saiba que eu vou verificar todas as requisições de reembolso depois.

Os diretores de contas jamais pagavam coisa alguma. Guardavam os recibos de tudo o que consumiam na vida, e depois tentavam um reembolso pela empresa. Não eram apenas contas de hotéis e restaurantes, mas todo o resto, desde espuma para barba ("Tinha uma apresentação importante e precisava estar com boa aparência") e gravatas (idem), até cartões de aniversário e compras da semana no supermercado.

Uma vez, alguém tentou encaixar nas requisições de reembolso o recibo de compra de um terno Armani, e outra vez pintou a nota fiscal de uma jacuzzi. Katherine já vira de tudo ali.

— Você tem a minha palavra — insistiu ele. — Vou pagar pelo almoço com dinheiro do meu próprio bolso.

— Não.

— Ora, vamos... — brincou ele. — Almoço. Com Joe Roth. Não aceite um produto similar.

— Não.

— Isso não é uma cantada — a expressão dele se tornou séria. — Eu realmente preciso conversar com você a respeito do excesso de despesas na planilha de uma das contas.

— Sinto muito — mentiu Katherine. — Estou atolada de trabalho, por causa do fechamento do ano fiscal. — Ela conseguira adiantar tudo indo trabalhar na véspera, mas não ia lhe contar isso. — Por que não conversa com a minha assistente, Breda? — sugeriu. — Ela tem condições de ajudá-lo, e estou certa de que apreciaria almoçar fora.

— Certo — disse Joe, desolado, e se afastou.

Aquilo não era uma coisa que normalmente ele faria, mas estava desesperado diante da quarta semana seguida sendo rejeitado e, devido a isso, foi até Fred Franklin para pedir-lhe que mexesse alguns pauzinhos. Fred estava em seu pequeno escritório envidraçado em companhia de Myles, um jovem e promissor redator de propaganda.

— Fred, preciso que você me faça um favor — disse Joe, dispensando as amabilidades.

Fred já sabia o que Joe queria, pois andara observando o papo entre ele e Katherine. Fred conhecia muito bem o idioma internacional da rejeição. Na verdade, era fluente nessa linguagem, pois não tivera sorte alguma com mulheres até ser promovido, aos 35 anos. Pelos gestos que acompanhavam o papo de Joe com Katherine, o jeito pidão, os braços estendidos, a expressão fechada em seu rosto — estava claro que o sujeito estava levando um fora.

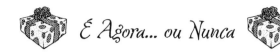

— Você é um pervertido — disse Fred.

— É mesmo? — perguntou Myles, já empolgado. — Pervertido a que ponto? Fornecemos dicas para a maioria das taras por aqui. Que tal Algema, das impressoras, ou é alguma coisa estranha de verdade que você está procurando?

— Quem é essa Ema? Alguma colega nova?

— Não é Ema. O nome é *Algema*. Ela vai gostar de você.

— Qual é o nome verdadeiro dela? — perguntou Joe, com ar cansado. Ele já chamara, sem querer, várias colegas pelo apelido, desde que começara a trabalhar na Breen Helmsford. A maioria delas nem ligou, mas ele, sim.

— Pauline — respondeu Myles —, mas nós a chamamos de Algema porque... bem, se eu usar a expressão "algema peluda" acho que você vai entender do que eu estou falando...

— Não adianta, porque ele está a fim da Bete Frígida — soltou Fred, de repente.

— Quem? A Miss Gelo? — perguntou Myles, atônito. — Não sabia que você curtia masoquismo.

— Não curto.

— Ah, curte sim, colega... está batendo com a cabeça em um muro de tijolos.

Myles gostara de Joe Roth, a princípio. Achou que ele era um cara legal, com quem poderia curtir algumas piadas. Decidiu que talvez fosse melhor reconsiderar as suas impressões.

— Que tal a Gracinha, do setor de correspondência? — sugeriu ele, desesperado para salvar Joe. — Você deve conhecê-la... Mamilos tão protuberantes que dá para pendurar o paletó neles; um traseiro tão grande que dá para estacionar uma jamanta na porta. Está a fim? Vai nessa! Só porque ela está participando do programa de readaptação ao trabalho do departamento de ajuda comunitária, não deixe que isso o desanime. Não há nada de errado com um pouquinho de insanidade, é o que eu sempre digo. *Neurótica* é o que ela é, cara!...

— Qual é o seu nome verdadeiro? — perguntou Joe, sentindo-se deprimido.

— Gracinha... — respondeu Myles, simplesmente. — E ela é engraçadinha mesmo, sem piada nem trocadilho!

Tanto Fred quanto Joe explodiram em uma barulhenta e rouca gargalhada tipicamente masculina, e Joe começou a considerar uma mudança de profissão. Será que a misoginia era bem maior ali do que na última firma em que trabalhara, ou ele é que estava simplesmente ficando velho?

Ele colocou um ponto final nas gargalhadas ao dizer:

— Independentemente de qualquer outra coisa, eu preciso realmente conversar a respeito da verba da conta da Noritaki com Katherine. — A alegria acabou na mesma hora.

— Você pensa que eu nasci ontem, meu rapaz? — debochou Fred. — Converse sobre isso com Breda Chiclete.

— Vá em frente! — encorajou Fred, ao ver que Joe não disse nada. — Pelo menos, Breda Chiclete tem peitos.

— Bata um papo com Katherine — pressionou Joe — e eu vou ficar em débito com você.

Fred parou para considerar o assunto. Joe era um cara muito pintoso, conforme ele já descobrira ao bater papo com muitas das funcionárias. Se Joe conseguisse chegar a algum lugar com Bete Frígida, ia acabar perdendo o interesse nela. A essa altura, *ela* é que provavelmente estaria a fim dele, e *isso, sim*, ele gostaria de presenciar.

— Está certo, então — resmungou Fred, levantando-se pesadamente da sua cadeira de couro.

Quando Katherine viu Fred se arrastando devagar em sua direção, sacou o que vinha em seguida. Uma parte dela estava profundamente chateada por Joe ter corrido para fazer queixinha ao chefe. Porém, contra todos os seus instintos de autopreservação, seu interesse pareceu se aguçar ao avaliar que Joe estava tentando *com vontade* chegar nela. Embora os homens já tivessem tentado chegar nela com essa mesma disposição antes, e, mesmo assim, tudo tivesse acabado em lágrimas...

— Olhe aqui, escute uma coisa — ladrou Fred para Katherine. Detestava falar com ela. Ela sempre o fazia se sentir como se tivesse acabado de chegar rastejando, vindo debaixo de uma pedra. Desde o dia em que, três anos atrás, na primeira semana dela na Breen

Helmsford, quando ele a convidara para tomar um drinque e ela respondeu "Não saio com homens casados".

Embora Fred tivesse ficado sem graça e explicado que "estava apenas querendo ser amigável, fazendo-a se sentir bem-vinda", ela lhe lançara um olhar penetrante e astuto, e quando ele se viu desprezando a si mesmo, acabou por dirigir todo o seu ódio para ela.

— Você vai ter que sair com Joe Roth, para discutir a porcaria das verbas.

— Isso é uma ordem?

— Sim, podemos dizer que sim!

— Você não é meu superior — sorriu ela. Em seguida, pensou consigo mesma que ele nem fazia parte da mesma escala evolucionária que ela. E ligou um sorriso artificial no volume máximo.

— Sei que não sou seu chefe direto — admitiu Fred, detestando-se ao extremo por isso —, mas acontece que o rapaz está superpreocupado com a conta. Breda é uma moça ótima, mas Joe quer resolver o assunto direto com quem comanda as coisas.

— Você devia estar usando um paletó branco estilo jaquetão — disse Katherine, pensativa —, com um casaco de peles jogado sobre os ombros, um chapéu-panamá colocado meio de lado e uma piranha enfiada em um vestido vermelho colante pendurada em cada braço.

— O quê?...

— Não é assim que os cafetões normalmente andam?

— Cafetão? — Fred estava indignado. — Não sou cafetão! Ele só quer almoçar com você!

O ar fervilhou de animosidade entre eles e, por um momento, Katherine desejou ser como as outras pessoas. Por que será que ela não era uma mulher festiva? Por que jamais poderia sair com alguém como Fred Franklin? Nem mesmo curtir uma noitada com ele? Um caso com um homem casado não ia matá-la, e ela sabia muito bem disso. Certamente algo desse tipo tornaria muito mais fácil a sua vida no trabalho. Katherine bem sabia que não era muito popular, e às vezes isso a incomodava. Como naquele momento.

— Trata-se apenas de um *almoço*! — repetiu Fred, em voz alta, com os olhos quase saltando das órbitas de tanto ultraje. — Para falar de trabalho!

Era *apenas* um almoço, reconheceu Katherine.

— Certo — suspirou ela, concordando.

Fred foi devagar, mas de forma altiva, em direção ao seu "aquário".

— Você está dentro, meu jovem — comunicou a Joe, que parecia aflito. — Não se esqueça de vir nos contar depois como é que foram as coisas.

O telefone em sua mesa tocou.

— O pessoal da Geetex já chegou — avisou assim que ouviu o recado.

A euforia de Joe o ajudou a fazer uma deslumbrante apresentação para a comitiva da Geetex. Sua oratória foi tão poderosa que eles mesmos quase começaram a acreditar nas qualidades do produto.

— Acho que já estão no papo — comentou Myles, ao ver os homens da Geetex saírem dali, maravilhados.

Normalmente, depois de uma apresentação bem-sucedida como aquela, toda a equipe saía para comemorar com um almoço farto e regado a bebida. Entretanto, naquele dia Joe abriu mão de se juntar a eles. Apesar disso, incentivou-os a ir, dando-lhes as suas bênçãos, não sem antes verificar que restaurante pretendiam invadir. Queria levar Katherine para o mais longe possível desse local.

Ao mesmo tempo, Katherine passara a manhã atolada até o pescoço de projeções e assuntos contábeis. Esquecera-se por completo de Joe Roth. Não era seu estilo dar desculpas esfarrapadas, alegando necessidade de ir ao banco/papelaria/farmácia, e ir voando até a Oxford Street para comprar correndo uma escova de dentes nova, pasta, batom, base, loção para o corpo, meias de seda, sapatos de salto alto e um terninho novo com saia bem curta em homenagem ao inesperado convite para o almoço.

Recusava-se terminantemente a se sentir empolgada com aquilo. Anos de prática já a haviam endurecido, e combater as expectativas já não representava esforço algum.

É claro que o seu trabalho ajudava muito. Um mundo perfeitamente organizado, onde só havia números e jamais sobravam pontas soltas. Quando as contas batiam todas, você sabia que não tinha erro; simplesmente *não havia lugar* para dúvida. Era lindo.

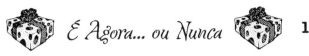

À uma hora da tarde, Joe, com jeito tímido, se materializou diante de sua mesa, com a onda de euforia já dissolvida pelo embaraço de ter apelado para a prepotência a fim de sair com ela.

— Ah, sim, é claro, o almoço de trabalho a respeito da conta Noritaki — disse ela, indiferente, mantendo-o parado ali, enquanto ela terminava de fazer alguns cálculos. Era algo que não tinha pressa, mas por que deixar o trabalho inacabado?

Ao desligar a calculadora, sentiu que estava louca para ir ao banheiro, mas ficou muito sem graça de dizer isso a ele. Deixaria para ir ao toalete no restaurante. Por outro lado, por que razão ela não poderia ir agora? Afinal, ele não significava nada para ela. No antigo e longínquo passado, quando ela estava a fim de alguém, era algo muito diferente. Qualquer função corporal deveria ser evitada, negada e jamais aparecer em cena. Mas não era o caso de Joe Roth.

— Preciso ir ao toalete, antes de sair — avisou, quase em tom de desafio. Deliberadamente deixou a bolsa em cima da mesa, para que ele não começasse a se congratular, achando que ela fora passar uma escova nos cabelos ou retocar a maquiagem para ele.

CAPÍTULO 20

O restaurante a que ele a levou era tão perto que dava para ir a pé. Katherine agradeceu a Deus por isso. O pensamento de se ver presa dentro de um táxi ao lado dele era insuportável, quase sufocante. Embora caminhar também não fosse muito agradável. Ela se sentiu estranha ao lado de Joe, e não conseguiu olhar para ele. Para piorar, os dois caminhavam em ritmos diferentes, tentando adivinhar a velocidade natural um do outro. Como Joe era muito alto, Katherine decidiu que ele, provavelmente, andava muito depressa. Não queria ficar atrás, então começou a andar com muita rapidez, para acompanhá-lo. De repente, sentiu que provavelmente estava andando rápido demais, e então diminuiu a marcha de forma exagerada. Ao mesmo tempo, ele reparou que ela diminuíra a velocidade dos seus passos e, chateado consigo mesmo, deduziu que devia estar forçando-a a acompanhar as suas passadas longas, e começou a caminhar a passos lerdos, em estilo devagar-quase-parando. Nesse momento, Katherine reparou no quanto ele estava caminhando em ritmo deliberadamente lento, viu que aquilo parecia pouco natural e então resolveu acelerar novamente. Ele fez o mesmo, pensando que ficara lento demais para ela. E assim, nesse ridículo passo corre-para, meio desencontrado, chegaram ao Pimenta Malagueta.

Restaurante muito caro e barulhento, o Pimenta Malagueta estava no auge da moda, aproveitando seus 15 minutos de fama. Com sua fachada em linhas curvas, feita de tijolos de vidro, e um exagero no uso de madeira clara por dentro, não era muito diferente do lugar onde Katherine fora no sábado à noite, com Tara. Nem precisou olhar o cardápio para saber o tipo de comida que eles ofereciam. Era capaz de apostar que um dos pratos era dourado grelhado, que ia acabar aparecendo por ali, em algum lugar.

Joe tivera o cuidado de reservar uma mesa no canto. Depois de se instalarem, o barulho pareceu diminuir e Katherine começou a relaxar. A ponto de pedir um cálice de vinho.

— Não fique olhando para mim desse jeito — disse ela, com ar condescendente. — Eu posso ser muito "caxias" no trabalho, mas ainda sou humana.

— Não estou olhando para você "desse jeito" — reagiu ele, lançando um de seus sorrisos raio-do-sol. — Se você quer um cálice de vinho, terá o seu cálice de vinho. Tome quantos quiser...

Olhou para ela com tanta satisfação e estima que ela disse, de forma objetiva:

— Vamos aos negócios. Na conta da cerveja Noritaki, as principais áreas em que o orçamento estourou foram...

— Katherine... — interrompeu ele, de forma gentil, e o jeito com que pronunciou o nome dela, quase com tristeza, a fez ficar com vontade de se levantar e ir embora. — Podemos fazer o pedido antes? E, subitamente, ela decidiu baixar as armas e dar a si mesma um tempo, só por uma hora. Já o estava rechaçando há três semanas, e se viu subitamente sem munição. Que se dane, pensou. Sou apenas humana. Por que não deixar alguém ser simpático comigo? Pelo menos por uma hora. E o sorriso que lançou para Joe foi, pela primeira vez, despido de sarcasmo ou desdém.

— O que vamos pedir de entrada? — perguntou ele, apontando com a cabeça para o cardápio dela, ainda fechado.

— Provavelmente o risoto de cantarela com trufas — disse ela, com brilho no olhar. — E você?

— Eu quero a sopa de coentro com ervas finas. Ei! — exclamou ele, examinando o cardápio. — Aqui não tem risoto de cantarela com trufas.

— Ah, tem que ter! — sorriu ela. — Olhe só para este lugar! — E esticou a mão, circulando pelo lugar com ela enquanto exibia as paredes texturizadas em tom verde-limão, os pequenos jardins orientais, as minúsculas luminárias metálicas embutidas no teto. Ao notar que Joe estava rindo muito, sentiu-se desabrochar diante de seus olhos. Ao abrir seu cardápio, Katherine exclamou: — Aqui não tem sopa de coentro com ervas finas também.

— Ora, mas tem que ter — ecoou Joe. — Isto é, olhe só para este lugar!

Então, para desconforto de Katherine, foi a sua vez de ver Joe se abrir diante dela.

O problema é que Katherine não conseguia encaixá-lo em uma das categorias usuais de homem. A maioria dos homens que a perseguiam com tanto empenho possuía um ego do tamanho de um continente. *Só podiam* ter. Se havia uma rachadura, por menor que fosse, em sua armadura de autoconfiança, o desdém que ela lhes lançava encontrava essa falha, e produzia feridas mortais. Portanto, se ele não era um egoísta terminal, só podia ser cabeça-dura, ou ter a ingenuidade de Forrest Gump. E ela não achava que ele fosse nada disso.

A garçonete chegou.

— Gostaria de informar a vocês a respeito dos pratos especiais de hoje — disse ela. — Como entrada, temos o risoto de cantarela com...

Katherine nem ouviu o resto. Lançou um sorriso imenso para Joe que, pego de surpresa pela calorosa demonstração, devolveu-lhe com satisfação uma fileira de dentes brancos. Katherine acabara de se lembrar de como aquele tipo de coisa podia ser divertido. Ao observar com atenção os longos e delicados dedos dele, que brincavam com a haste do cálice de vinho, girando-a devagar, sentiu uma antiga sensação, já quase esquecida, que lhe desceu pelo corpo abaixo. Com um elástico que tivesse arrebentado. Oh, não!

Pediu tagliatelle. Não desistiria. Recusava-se a pedir algum tipo de refeição segura, daquelas que não oferecem riscos de acidentes à mesa e sempre devem ser consumidas em um primeiro encontro. E daí se o tagliatelle ficava na ponta do garfo, em pontas desencontradas, no caminho do prato à boca? E daí que um pouco da comida ficava grudado no queixo, cobrindo-o de molho de porcini com queijo Cashel faixa azul? Isso mostrava que ela não estava nem aí para isso... Se tivesse suflê de espinafre ela teria pedido, só para deixar umas pontinhas presas entre os dentes, só que, infelizmente, o cardápio não oferecia essa iguaria.

À medida que comiam o primeiro prato, a conversa migrou naturalmente para o assunto que eles tinham em comum: trabalho.

Joe falava de forma descontraída a respeito de si próprio, e isso fez Katherine suspeitar que ele desejava que ela fizesse o mesmo. Mencionou alguma coisa a respeito de ter "ido em casa" há poucas semanas. Então, disse:

— Fiz 30 anos em julho, e minha mãe decidiu que, já que eu não me casei até agora, devo ser gay.

Em seguida, como ele não fez um longo silêncio, nem a ficou fitando com expectativa, como um cão olhando um osso, Katherine relaxou. Talvez a afirmação dele não fosse uma tentativa de tentar descobrir a sua idade, nem a fama que ela desfrutava em casa.

— Onde a sua família mora? — perguntou ela.

— Devon. No fundo, sou um menino do interior. — Como se aquilo fosse algo do que se orgulhar, pensou ela, com desdém. Em seguida, porém, viu-se dizendo:

— Eu vim do interior também.

E, em resposta às suas perguntas, contou-lhe um pouco de Knockavoy. Pelo menos, descreveu alguns dos locais. Falou das ondas gigantescas do Atlântico e da forma como elas subiam tão alto, em dias de ressaca, que às vezes chegavam na altura das janelas das casas. Descreveu o ar, tão marcante e poderoso que, segundo a sua amiga Tara, daria para comer com garfo e faca. Pobre Tara, pensou em seguida. Ela tem razão, *só pensa* em comida.

— Nossa, estou aqui falando tanto da Irlanda que pareço até um folheto turístico. — Katherine sorriu.

— Deve ter sido muito difícil ir embora de lá.

— Não, pelo contrário... eu mal podia esperar para me ver longe daquela cidade — admitiu ela. — Gosto mais do anonimato de Londres.

— Mas isto aqui é um desperdício urbano — implicou Joe —, um lugar onde as pessoas não dão a mínima umas para as outras.

— Pode ser. Mas tem lojas de sapatos incríveis! — rebateu ela, com sarcasmo.

Ele riu e olhou para ela com franca admiração. Ele realmente era muito bonito, pensou. Isso a deixou chateada.

Os pratos principais chegaram. O de Joe era uma surpreendente e elaborada construção vertical.

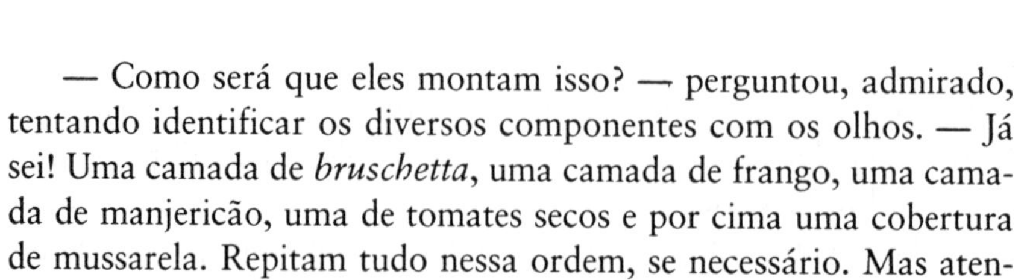

— Como será que eles montam isso? — perguntou, admirado, tentando identificar os diversos componentes com os olhos. — Já sei! Uma camada de *bruschetta*, uma camada de frango, uma camada de manjericão, uma de tomates secos e por cima uma cobertura de mussarela. Repitam tudo nessa ordem, se necessário. Mas atenção, telespectadores, não tentem montar isso em casa sem a ajuda de um especialista!

— Você sabe cozinhar? — Katherine nem sabia por que perguntara aquilo. O que lhe interessava, afinal?

— Sei sim! — garantiu ele, piscando o olho. — Preparo um ensopado com curry verde que é comida tailandesa da melhor qualidade. Quer saber como eu faço?

Ela fez que sim com a cabeça, enquanto enrolava o tagliatelle no garfo, sentindo a empolgação diminuir. Agora ele ia tentar impressioná-la com sua habilidade para cozinhar, típica do Homem Moderno. Um tédio só!...

— Bem, primeiro você tem que ir comprar os ingredientes. Qualquer supermercado serve. Ao entrar, vá primeiro aos balcões refrigerados. Isso é muito importante, Katherine — e balançou o dedo, como se estivesse ralhando com ela —, porque muita gente comete o erro fatal de ir direto à seção de congelados para pegar um ensopado com curry verde já pronto, mas o produto resfriado é muito melhor. Ao chegar em casa, retire o papelão que fica em volta, com todo o cuidado, e fure a cobertura de plástico com o garfo. Tem que furar quatro vezes, não mais do que isso. — Fez uma pausa e continuou, com ar sério: — Também não pode ser menos. Então, e esse é o meu grande segredo, você *não deve* seguir as instruções. Embora na caixa diga que o prato deve ir ao micro-ondas por quatro minutos, programe *apenas três minutos e meio* — e balançou a cabeça, com um ar sábio, olhando para Katherine. — Nesse momento, retire a cobertura plástica e torne a colocar no forno por mais 30 segundos. Isso dá um resultado fantástico, que nós, especialistas, gostamos de chamar de efeito *caramelizado*.

E terminou o relato com um sorriso ao ver que ela riu de verdade, aliviada, achando a história realmente divertida.

— Bem, na verdade, fica um pouco duro, às vezes — admitiu ele —, o que é quase o mesmo que caramelizado. Sirva tudo com arroz, que pode ser pedido em qualquer restaurante indiano. Agora é a sua vez de me ensinar uma de suas receitas.

— Certo — concordou ela, entrando no clima aos poucos. — Deixe-me pensar um pouco. Ah, já sei!... Lembrei de uma receita boa. Você vai precisar de um catálogo telefônico, embora esses folhetos que vêm junto com a correspondência ou até mesmo aqueles que colocam por baixo da sua porta possam quebrar o galho. Pegue o fone com cuidado, digite o número especificado, peça uma pizza gigante de atum com borda crocante e porção extra de molho de tomate e, em seguida, atenção que essa é a parte mais importante, diga em voz alta o seu endereço. Pronto! Uma refeição deliciosa pronta em menos de meia hora, dependendo do motoboy.

— É bom saber disso — disse ele, pensativo. — Talvez eu experimente essa receita uma noite dessas, quando o chefe do meu marido vier jantar conosco.

— Você *alguma vez na vida* já cozinhou? — ela estava se sentindo à vontade com ele.

— Não. — Seus olhos castanhos pareciam sinceros. — Nunca. E você, já...?

— Você odeia gente que se gaba de saber cozinhar?

— Não os odeio, exatamente. Simplesmente não os compreendo.

— Sei o que quer dizer.

— Se Deus queria que todos nós soubéssemos preparar bolos, por que inventou as confeitarias?

— Exato.

Os dois se olharam em um silêncio cúmplice.

— Nós dois poderíamos escrever um livro de culinária — sugeriu ele, de repente. — Para pessoas que odeiam cozinhar.

— Poderíamos mesmo. Conheço um monte de receitas. — O rosto de Katherine pareceu brilhar. — Tem uma ótima, para fazer homus tahine. Vá ao supermercado, compre uma embalagem, retire o produto da caixa, abra o celofane protetor e... sirva!

— Adorei essa! — Ele a ofuscou com um sorriso. — Agora, deixe-me ensinar como conseguir um assado delicioso sem complicações. Instruções: vá passar o fim de semana com a sua mãe.

— E poderíamos conseguir lindas fotos coloridas para ilustrar o livro — sugeriu Katherine, entusiasmada. — Fotos do forno de micro-ondas, do rapaz que entrega pizzas e talvez uma que mostrasse pessoas comendo em embalagens de plástico.

— Seria um diferencial no mercado — o rosto de Joe Roth estava brilhando de empolgação. — Delia Smith*, você está com os dias contados!

Katherine tinha de admitir que Joe era legal. Ou, pelo menos, que *parecia* legal. Isso significava que ele poderia até ser um daqueles loucos que matavam pessoas a machadadas. Normalmente eles também pareciam assim, bem normaizinhos. Seguiu-se um silêncio, e então eles repararam que começara a chover.

— Chuva — suspirou Katherine.

— Eu gosto de chuva.

— Pelo jeito, você gosta de tudo. — Katherine se viu, subitamente, invadida por uma onda de amargura. — Será que existe uma versão masculina para Polianna? Se existir, é você...

Joe riu e replicou:

— Acaba de me ocorrer que a maioria das coisas pode acabar sendo boa para nós. A chuva, por exemplo. Imagine essa cena... — sugeriu ele, balançando a mão com suavidade. — Chove sem parar do lado de fora, e os pingos estão batucando alegremente nas vidraças, mas você está dentro de casa, com a lareira acesa, deitada no sofá, debaixo das cobertas, acompanhada por uma garrafa de vinho tinto...

— ... Usando meias grossas de lã e calças de moletom — interrompeu Katherine, surpresa por ter entrado no clima tão depressa.

— E a comida chinesa que você encomendou já está a caminho — concordou Joe.

— Um filme maravilhoso está rolando na tevê...

— Um daqueles antigos, em preto e branco. — Os olhos de Joe estavam acesos de tanto entusiasmo.

— É claro.

— Qual é o filme? *Núpcias de Escândalo...?*

— *Casablanca...?*

— Não! — falaram ao mesmo tempo. — *A Princesa e o Plebeu*!

* A inglesa Delia Smith é uma famosa apresentadora de tevê e também escreveu diversos livros sobre culinária. (N.T.)

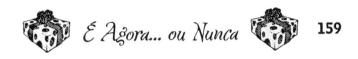

Ambos se olharam fixamente. Um relâmpago pareceu conectar os dois, em um momento tão íntimo que Katherine sentiu como se ele tivesse revistado a sua alma de cima a baixo, apalpando-a com força. Quando a garçonete escolheu este exato momento para colocar a cara entre os dois e perguntar se já haviam terminado, Katherine quase a beijou, agradecida, enquanto Joe sentiu vontade de rachar-lhe a cabeça com um porrete.

Em um esforço para adiar o momento em que teriam de voltar para o trabalho, Joe sugeriu a Katherine, com bastante entusiasmo, que ela pedisse um pudim ou algo desse tipo, para comer de sobremesa.

— Que tal uma torta com triplo recheio de chocolate? — propôs, lendo o cardápio. — Ou um doce de amêndoas carameladas?

Os lábios de Katherine se apertaram com força. O que ele pensava que ela era? Uma mulher comum?

— Você vai pedir alguma coisa? — perguntou a ele.

— Não, mas...

— Então, é isso aí... — replicou ela, com frieza. Ele ficou se perguntando o que acontecera de errado. Estava tudo correndo tão bem...

É que Katherine olhara para o relógio e vira que já era tarde. Na verdade, eles haviam estourado por completo a hora de almoço, e ela se sentiu chateada consigo mesma, e com ele também.

Sua máscara estava de volta. Pediu um café expresso duplo e começou a declamar fatos a respeito dos custos fixos e variáveis da conta Noritaki. E para mostrar a ele que a hora do recreio terminara, pegou uma planilha na bolsa. Em seguida — sem nenhuma outra razão, a não ser a vontade de ser cruel — colocou uma calculadora portátil em cima da mesa.

— Que tal um licor? — sugeriu Joe, quando ela acabou de fazer as contas. — Só um e podemos ir embora.

Ela balançou a cabeça, com a cara fechada.

— Ora, vamos lá... como disse certa vez um homem sábio: "Você não quer ficar nem mais um pouquinho?"

— Nas palavras de um dos maiores pensadores do século 20 — replicou Katherine, imitando o coelho Pernalonga enquanto guardava a calculadora na bolsa e assumia um ar ainda mais frio: — "Por hoje é só, pessoal!..."

E se levantou.

Deixou que ele pagasse a conta, pisando em seus sentimentos de culpa. Afinal, ela nem queria vir. Quando ele se levantou, ela lembrou, com astúcia:

— Não se esqueça da nota, para poder pedir reembolso. — O olhar que ele lhe lançou, de mágoa e repulsa diante das palavras desagradáveis, quase a fez se arrepender de ter dito aquilo.

Já eram quase quatro da tarde quando eles chegaram de volta na firma. Isso não deveria ter acontecido. Bem, não tornaria a acontecer, e ela ia se assegurar disso. De qualquer modo, ele já devia estar prestes a ser demitido do emprego, no máximo até o fim do mês. Já trabalhava lá há tempo demais, pelos padrões da Breen Helmsford. Preparar os cálculos trabalhistas para a sua demissão lhe daria um enorme prazer.

O único problema era que Joe era muito bom em seu trabalho, e as pessoas gostavam muito dele. Isso causou nela uma estranha sensação de medo.

Ao chegar em casa, à noite, seu mau humor havia sido suplantado por um brilho caloroso no olhar, o qual ela nem percebera. Até Tara sacar e comentar o fato com ela. Katherine não ficou nem um pouco satisfeita com aquilo.

CAPÍTULO 21

Quando Tara abriu a porta da frente do apartamento, tentando esconder as compras que fizera, Thomas estava na sala, com Beryl aninhada entre as pernas, com ar de posse.

— Como foi a sua aula? — quis saber ele.

Tara levou um momento para lembrar sobre o que ele estava falando.

— Minha aula de step? Nossa, foi pesada — conseguiu mentir. — Muito puxada mesmo!

— Ótimo! — e Thomas estalou os lábios de satisfação.

Talvez a causa tenha sido a fome que sentia, ou a raiva reprimida pelo que Thomas lhe dissera no sábado à noite, mas o fato é que algo a atiçou por dentro, pois Tara girou o corpo na direção de Thomas com uma fúria súbita e inexplicável, berrando:

— Ótimo! *Ótimo?* Você vai colar uma estrela dourada na minha prova? Vai me dar uma nota? Quanto eu tirei? Muito bom...? Bom...? Regular...? Pelo amor de Deus!

Os olhos de Thomas se arregalaram de choque, e ele ficou abrindo e fechando a boca, sem dizer coisa alguma.

— Você está parecendo um peixe de aquário! — zombou ela. — Vou dar um telefonema!

Batendo a porta, colocou as compras no chão e acendeu um cigarro com uma das mãos, enquanto digitava o número de Fintan com a outra.

— E então, o que foi que o médico disse?

— Eu não cheguei a ir lá... — acalmou-a Fintan. — Logo depois que conversamos, de manhã, você não sabe o que aconteceu.

— O que aconteceu?

— O caroço sumiu! — riu ele. — Foi como um balão que murchou. Um minuto era um kiwi de tão grande. Logo depois, virou uma uva e, em seguida, uma passa!

— E eu fiquei toda preocupada, sabia? — Tara se sentiu uma idiota. — Acho que você deveria ter ido ao médico mesmo assim. Pelo menos para descobrir o que provocou o caroço.

— Não precisa... — argumentou ele. — Crise debelada! Foi só uma piscadinha na tela, podemos esquecer o assunto.

— O caroço era mesmo do tamanho de um kiwi?

— Quase...

— As pessoas não aparecem com um caroço no pescoço assim, de uma hora para outra — insistiu ela, tragando o cigarro com força. — Tem alguma coisa errada e acho que você devia tentar descobrir o que é. E se acontecer novamente?

— Não vai acontecer.

— Mas pode ser que aconteça.

— Não vai.

— O que Sandro pensa dessa história?

— Ele não *pensa*, ou pelo menos faz isso o mínimo necessário, como você sabe muito bem.

— Fintan, por favor, fale comigo a sério...

— De jeito nenhum!

Houve uma longa pausa. Finalmente, Tara resolveu externar sua preocupação:

— Fintan, vou ter que lhe perguntar uma coisa. Não é da minha conta, mas vou perguntar mesmo assim. Você fez algum exame de HIV recentemente?

— Tara, você está fazendo tempestade em copo d'água!

— Olhe bem nos meus olhos — interrompeu ela, com determinação —, e me diga que fez um exame de HIV recentemente.

— Não posso fazer isso.

— Quer dizer que você *não fez* nenhum exame? — a ansiedade elevou a voz de Tara, que ficou mais forte e aguda.

— Não, estou dizendo que não posso olhar bem nos seus olhos porque estamos falando ao telefone.

— Sei, mas você sabe do que estou falando.

— E quanto a você? Já fez algum exame de HIV? — perguntou Fintan, pegando-a de surpresa.

— Não, mas...

— Mas o quê?

Ela fez uma pausa, tentando ser delicada. Como poderia explicar isto a ele?...

— Você sempre usa camisinha com Thomas? — Fintan interrompeu seus pensamentos.

Sob outras circunstâncias Tara teria caído na gargalhada ao lembrar os malabarismos que Thomas executou para escapar disso, na primeira noite deles, quando Tara tentou fazê-lo usar camisinha. "Isso é como chupar bala com papel", choramingou ele. "É como chapinhar na água usando meias!"

Ela nunca mais tornou a sugerir. A sorte é que ainda continuava tomando pílula, desde a época de Alasdair.

— Bem, nem sempre usamos — respondeu ela —, mas...

— Thomas já fez algum exame de HIV?

Até parece, pensou Tara. Ele seria o último homem na face da Terra a fazer um exame desses.

— Não — respondeu ela —, mas é que...

— Então, por favor, feche a matraca — disse Fintan, colocando-a em seu devido lugar, com delicadeza, mas sem abrir mão da firmeza. — Obrigado por se preocupar comigo, mas foi provavelmente um ataque brando de mixomatose. Ou talvez diabetes. Como você anda de doenças, no momento?

Tara, porém, vermelha de vergonha, não queria brincar daquilo.

— Teve alguma recaída da sua raiva? — perguntou ele.

Ela não disse nada, xingando-se pela preocupação instintiva, mas sem cabimento. Provavelmente a chance de *ela* ser HIV positivo era maior que a de Fintan.

— E quanto à malária? — perguntou ele, com delicadeza.

Ela continuou calada.

— Ouvi dizer que o antraz anda solto por aí — informou ele. — Tenha cuidado!

— Tudo bem, se você tem certeza de que está bem... — recuou ela, humildemente. — Tenho que ir jantar. Falo com você amanhã.

— Vou estar fora a semana toda. Vou a Brighton, a trabalho — avisou ele. — A gente se vê no fim de semana.

Thomas estava ouvindo a conversa toda, parado na porta. Tara passou por ele e foi para a cozinha. Estava zangada consigo mesma, depois de ter sido espicaçada por Fintan. Estava faminta também, e sem a mínima disposição de seguir a dieta.

— Tem alguma coisa para se comer por aqui? — Abriu o armário e olhou, com desagrado, para as embalagens de sopa dos Vigilantes do Peso, tomates em lata, macarrão cru e comida de gato. — Isto aqui mais parece um país assolado pela fome. — Uma cozinha do Terceiro Mundo. Se não tomarmos cuidado, a Organização Mundial da Saúde vai começar a mandar aviões para sobrevoar a nossa casa, lançando engradados com milho e farinha. Se organizarmos uma fila de doações, ficaremos ricos.

Thomas olhou para Tara, chocado. Jamais a vira assim daquele jeito. A outra porta do armário revelou apenas uma pilha de comida enlatada e embalagens de torta de rim industrializada.

— Você pode comer uma dessas tortas, se quiser — sugeriu ele, surpreso ao notar o tremor na própria voz.

— Preferia comer o *meu próprio* rim — retorquiu ela. — Que horas são? O supermercado ainda deve estar aberto, vou até lá comprar comida.

— Espera um instantinho, vou com você.

— Não, não vai não! — disse ela, pegando as chaves do carro.

— Traga bastante legumes — berrou ele ao vê-la sair.

Tara se virou, voltou até onde ele estava e colocou o rosto bem perto do dele.

— Por que não cala essa boca? — sugeriu, e tornou a sair, deixando-o confuso ao entrar no carro e sair cantando pneu. Sua barriga não estava mais reclamando, estava *se contorcendo* de fome.

Havia duas regras básicas pelas quais Tara pautava a sua existência. "Faça aos outros o que você gostaria que lhe fizessem" era uma delas. "Não vá ao supermercado quando estiver com fome" era a outra.

Só que ela estava a fim de quebrar as regras. Carrinho de compras ou cestinha de mão? Cestinha ou carrinho? Qual a extensão do estrago que estava disposta a fazer?

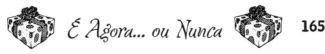

Carrinho, decidiu.

Passou direto pela seção de frutas e legumes, lançando olhares de desdém à direita e à esquerda. Nenhum produto fresco iria com ela para casa naquela noite, nem unzinho! De repente, porém, algumas cenouras atraíram a sua atenção. Cenouras são amigas, lembrou. Muitas vezes, foram as cenouras que mantiveram o espectro da fome distante dela. Mas hoje, não. A não ser que estivessem cobertas de chocolate.

— Quero que vocês se fodam, cenouras! — murmurou ela.

Um rapaz que saltara do ônibus há apenas dois dias, vindo de Cardiff, ouviu-a dizer isso. Então era verdade o que sua mãe dissera: Londres estava *realmente* cheia de gente doida. Ótimo!

Tara reparou que o jovem estava olhando para ela com ar especulativo e lembrou de uma coisa: alguns supermercados em Londres promoviam compras à noite só para solteiros, em certos dias da semana. Será que ela entrara em um deles? Olhou meio de lado, com timidez, e notou que o rapaz continuava com os olhos fixos nela. Ficou surpresa, mas achou aquela sensação agradável. Pensou vagamente em sorrir para ele, mas decidiu deixar isso pra lá.

Quem precisa de homem quando pode ter comida?

E era comida que ela ia ter...

Normalmente, uma visita ao supermercado fazia Tara perder muito, muito tempo. Era como caminhar por um campo minado. Tentação por todos os lados. Cada compra era refletida e considerada, deixando-a agoniada. Com todo o cuidado, o verso de cada embalagem era examinado para ver quantas calorias e gramas de gordura continha. Nada que tivesse mais de cinco por cento de gordura era admitido dentro do carrinho. "Elas não passarão!" era o seu lema.

A não ser que Thomas não estivesse olhando.

Às vezes, ela passava o dedo, com ar melancólico, ao longo das embalagens proibidas de comida indiana e pizzas congeladas, desejando que as coisas fossem diferentes em sua vida. Há muito tempo deixara de circular pelo corredor de biscoitos, porque a sensação de perda era grande demais. Era melhor fechar a porta desse passado. Aquele fora um caso de amor apaixonado, *muito* apaixonado, e ela sabia que eles jamais poderiam ser apenas bons amigos. Às vezes, porém, não conseguia evitar as lembranças dos bons tempos.

Lembranças podiam ser algo maravilhoso, mas mesmo assim... Viu uma imagem rosada, com as bordas enevoadas, onde ela aparecia rindo e girando o corpo em câmera lenta, com os cabelos voando e uma embalagem dos crocantes biscoitos Jammy Dodgers em seus braços. Depois, se viu correndo monte abaixo, atravessando um milharal em um lindo dia de verão, de mãos dadas com um pacote de cookies de laranja Visconti. Depois, lembrou de si mesma soltando risadinhas felizes, de rostinho colado a uma barra de chocolate com nozes. Ah, como éramos felizes!...

Naquela noite, porém, tudo ia ser diferente. Tara invadiu os corredores como um tanque iraquiano adentrando o Kuwait, implacável e inflexível diante de sua eterna cautela. Em vez disso se sentiu em um clima de "acesso liberado em todas as áreas". Com um gesto largo e teatral, recolheu com o braço a maioria dos sacos de batata frita de uma prateleira, despejando-os no carrinho. Sem um átomo de culpa, reservou dois sanduíches prontos, cheios de gordura, para a jornada de volta ao lar.

Era difícil resistir à tentação de sair atacando tudo o que colocava no carrinho. Por fim, torcendo para que ninguém começasse a olhar com ar assustado, abriu um saco de salgadinhos Monster Munch. Depois outro. Depois uma tortinha salgada. E foi então que chegou aos biscoitos.

Sem conseguir se segurar, pegou um pacote de dedinhos de chocolate Boasters e olhou para ele. *Talvez eu não devesse*, pensou. Mas uma vozinha diabólica e tentadora desafiou: "*Quem é que disse?*"

Tara vacilou, prestes a abri-lo, tremendo de desejo e pensando nas possibilidades. Então, com um turbilhão distante que vinha do fundo do cérebro e uma onda avassaladora de adrenalina que a inundou por dentro, carregando tudo pelo caminho, viu-se rasgando o pacote com dedos ávidos, embora trêmulos.

Foi como uma briga entre dois cães. Os movimentos da mão para a boca se transformaram em um borrão; migalhas, pedaços de chocolate, nozes velozes como balas perdidas e pedaços de embalagem voaram por toda parte. Ela se sentiu transportada, quase em êxtase, embora mal conseguisse sentir o sabor de nada do que jogava na boca, pois coisa alguma permanecia ali por tempo suficiente para as papilas gustativas registrarem o paladar. Era uma pista só para veículos de alta velocidade.

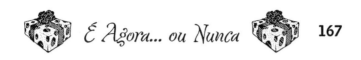

Então, tão depressa quanto começara, tudo acabou. A sanidade voltou, e com ela veio a vergonha. Apesar de sua ansiedade aguda e a fome terrível terem sido saciadas, Tara se sentiu esgotada. Moveu-se furtivamente em direção ao caixa, morrendo de vergonha do monte de pacotes vazios em seu carrinho, e se sentindo mortificada a cada vez que a menina passava um item já consumido pelo sensor, com um bipe acusador. O problema é que se ela tentasse se livrar das provas, escondendo as embalagens vazias ou jogando-as fora, poderia ser presa por roubo. Era o tipo de pessoa que seria apanhada com facilidade.

O que ela estava pensando ao fazer aquilo?, perguntou a si mesma, sentindo-se péssima. Será que enlouquecera? Um dia inteiro dedicado à inanição destruído por um frenesi de poucos minutos! Imagine a quantidade de gordura saturada que ela acabara de ingerir. E a sua dieta? E as suas boas intenções? E todo o seu esforço? Afinal, ela não esteve a ponto de ir a uma aula de step na academia naquele dia mesmo? Todo esse esforço tinha sido em vão?

De repente reparou o rapaz, que estava novamente olhando-a fixamente, mas não lhe pareceu mais que ele estivesse a fim dela. Então se lembrou de Thomas. E sentiu uma onda de terror.

Ela gritara com Thomas *e* acabara com a dieta. Não era apenas gorda, mas uma megera gorda! O que fizera? As coisas já estavam muito mal paradas entre eles para ela se arriscar a dizer a Thomas que ele estava com cara de peixe de aquário. Estremecendo de medo e excesso de açúcar no organismo, Tara foi dirigindo para casa. Tinha tantos aditivos na corrente sanguínea que, se pirasse de repente, atirando com uma metralhadora giratória em uma praça pública, nenhum júri do mundo a condenaria.

Thomas estava sentado à mesa da cozinha, fumando feito uma locomotiva, com Beryl enroscada ao seu lado, em sua cestinha. Olhou para Tara com ansiedade assim que ela entrou.

— Oi! — cumprimentou ele, com um sorriso doce e nervoso.

— Desculpe por eu ter gritado com você. — Ela se prostrou, tão condicionada a ver todo o poder sempre nas mãos de Thomas que, quando teve o comando por algum tempo, sentiu que aquilo era um erro e imediatamente o devolveu ao verdadeiro dono, como uma carteira que tivesse encontrado na rua. — Se estiver furioso comigo, não posso culpá-lo. Sinto muito, muito mesmo, e você tem a minha palavra de que vou começar uma dieta muito rigorosa, amanhã mesmo.

A cada palavra contrita que ouvia, o ar de submissão de Thomas se evaporava um pouco; sua arrogância e autoconfiança foram voltando aos poucos. Seu peito se expandiu visivelmente e sua cara mansa de cachorro surrado se tornou uma lembrança distante. No momento em que Tara lhe contou sobre o caroço do tamanho de um kiwi que aparecera no pescoço de Fintan, Thomas se sentiu seguro o bastante para comentar:

— Do jeito que ele leva a vida, tem sorte de ficar só com o pescoço inchado.

CAPÍTULO 22

Lorcan Larkin era um ator. Era isso que ele se propunha fazer como profissão, e era também o seu modo de conduzir a vida.

Entre os 20 e 30 anos fora extremamente bem-sucedido na Irlanda, com status equivalente ao de um superastro. Incendiara o palco com as peças *O Playboy do Ocidente* e *Juno e o Pavão*, eclipsando o resto do elenco. Já era pouco popular com outros atores, mas, depois disso, todos passaram a odiá-lo.

Durante alguns anos estrelara uma novela irlandesa, no papel de um pilantra galanteador. Isso lhe era extremamente conveniente, e servia como desculpa para o seu chocante comportamento fora da tela, pois ele se dizia um ator que *vestia* o papel. Apesar de o seu personagem da tevê ser imprevisível (apenas uma pálida imitação do que Lorcan era, na verdade), ele era um indiscutível símbolo sexual, festejado e bajulado por isso. Encontrou-se com o primeiro-ministro e com o presidente da Irlanda, e era raro o dia em que não recebia pelo menos um par de calcinhas pelo correio. Mesmo na época em que os tabloides sensacionalistas publicaram entrevistas amargas com a esposa que o sustentara durante o tempo das vacas magras, e à qual ele abandonara assim que começou a fazer sucesso, a adulação das fãs jamais diminuiu. Para Lorcan, porém, nada daquilo era o bastante... nunca era. Ele se sentia pouco à vontade com o seu sucesso entre os irlandeses. O povo sequer suspeitava disso. Tudo bem que aquele era um dos povos mais articulados e letrados de todo o planeta, mas Lorcan precisava do reconhecimento de pessoas que fossem realmente *importantes*.

Assim, há cerca de quatro anos, em meio a uma onda de agitação por parte da imprensa, ele saiu da Irlanda.

— Os anos estão passando... — brincou com os jornalistas, embora não acreditasse nisso em nenhum momento. Ele se achava imortal.

Por fim, foi para Hollywood, mostrar a todos como é ser um grande ator. Imaginava que fosse apenas uma questão de dias até estar estirado em uma cadeira ao lado de sua piscina azul, atolado em propostas de trabalho e enxotando os diretores como moscas.

No entanto, teve um desagradável choque ao descobrir que Hollywood já alcançara a sua cota de irlandeses sexy. Três já parecia ser o suficiente. Pierce Brosnan, Liam Neeson e Gabriel Byrne haviam chegado lá. Pelo visto, atores escoceses haviam de repente se transformado no grande lance, e Hollywood mal conseguiu absorver os que chegavam. Por algum tempo, Lorcan pensou em trocar o seu nome para Ewan.

Sem se deixar abater, aceitou o papel de um motociclista selvagem que também era vampiro, robô e gay, em um filme de arte cujos cenários despencavam sempre que alguém batia a porta com mais força. Jamais conseguiu ganhar o dinheiro do contrato, pois a grana acabou quando o filme ainda estava pela metade. No rastro desse filme, recebeu a oferta de um papel — o papel principal, na verdade — em um filme pornô, depois que um diretor reparou, no banheiro masculino, que Lorcan tinha as credenciais certas para o emprego.

Depois disso, ele já não se sentia tão destemido. Na verdade, estava até preocupado. As únicas piscinas azuis das quais ele chegara perto foram as que ele acabou tendo de limpar para ganhar uns trocados.

Chegou o dia em que, finalmente, depois de 14 meses de "descanso", viu-se forçado a admitir que as coisas não haviam corrido como planejara — ele jamais conseguia usar a palavra "fiasco". Estava morando em um quarto quente, abafado, que tinha três metros de comprimento por três de largura e onde havia uma "janela decorativa" — nenhuma janela, na verdade, apenas uma cortina plástica presa em uma moldura na parede de concreto — em Little Tijuana. Um pacote de marshmallows vinha sendo o seu café da manhã, almoço e jantar há mais de uma semana. Seu carro fora tomado de volta pela financeira, e ele era obrigado a enfrentar uma viagem de três horas de ônibus, através de toda a cidade, para ir aos testes. Não que houvesse muitos testes, pois Lorcan parecia ser tão indesejável em Hollywood que provavelmente não conseguiria nem mesmo ir *preso*.

Até então, o sucesso o seguira como se fosse um ímã. Perceber que esse mesmo sucesso o abandonara provocou-lhe terríveis agonias de terror e insegurança. Seu ego era tão grande e, no entanto, tão frágil, que ele sempre precisava de mais atenção do que todo mundo para se sentir bem. Precisava de mais sucesso, mais elogios, mais dinheiro, mais mulheres. Era imperativo que ele saísse daquele lugar, onde não era ninguém.

Conseguiu o dinheiro exato para a passagem de volta à Europa. No entanto, não havia por que voltar à Irlanda. Não depois da forma como todos haviam mentido para ele, dizendo-lhe que ele era um astro quando, obviamente, não era. Assim, foi para Londres, na esperança de esconder a própria humilhação na vastidão da metrópole. Alugou uma vaga pequena e suja em um prédio de Camden, e seu colega de quarto era um rapaz afável e meio gorducho chamado Benjy, que ganhava a vida registrando multas por estacionamento proibido.

A partir daí, Lorcan dedicou-se a recuperar o terreno perdido e o senso de valor fazendo gracejos a respeito do lixo que se produzia em Hollywood. "O palco sempre foi o meu grande amor", insistia ele nas páginas do jornal. Na verdade, esse jornal era apenas o jornal de bairro, o único periódico interessado no fato de ele estar se mudando para Londres. (E até isso, só pelo detalhe de o quarto que ocupava ficar ao lado da redação.) "Na verdade, o palco foi o meu primeiro amor", garantia ele. A autoconfiança de Lorcan ficara seriamente abalada em Hollywood, mas ele conseguiu um agente e começou a fazer testes em Londres. Entretanto, o mundo do palco é incrivelmente sensível e consegue farejar de longe um perdedor. Apesar de ser incrivelmente bonito e ameaçadoramente sexy, já não havia nele a mais leve aura do que fora no passado. Algumas línguas mais ferinas iam mais longe, e diziam que jamais houve.

Ninguém quer se associar a uma imagem como essa. Ela parece algo contagioso. Assim, embora as garotas que ajudavam a escolher o elenco estivessem perfeitamente dispostas a dormir com Lorcan, não demonstravam a mesma disposição na hora de dar a ele um papel nas produções das quais participavam. Foi o orgulho que o fez ir em frente. Isso e o fato de ele não possuir talento algum para mais nada. Não tinha escolha, a não ser levantar a cabeça depois de cada derrota e tentar novamente.

Até então, nos dois anos em que estava em Londres, ele tentara conseguir papéis em *Hamlet, Rei Lear, Macbeth* e *Otelo*. Depois de dez meses de rejeições contínuas, finalmente conseguiu um papel. Na peça *A Conta*. Designado para o imaginativo papel de um montador de bombas do IRA, a única fala que ele tinha na peça era: "Meu Deus, eles estão vindo. Corra, Mickey!"

Para seu desapontamento, este *tour de force* não abriu muitas portas e, por trás de sua estampa arrogante de quem sabe das coisas, ele vivia atormentado. Detestava o fato de não ser o mais admirado, o mais buscado, o mais assediado. No entanto, nem tudo estava perdido. Ele ficava sem os papéis, sem o dinheiro e sem os aplausos, mas não havia dúvidas de que ainda conseguia atrair as garotas. Era a única parte de sua vida que ainda funcionava bem, um microcosmo de como ele gostaria que todo o resto fosse.

Em relação às mulheres, Lorcan podia confiar no seu poder de sedução, e o fazia com um pé nas costas. Claro que não era um grande desafio fazer as garotas gritar, mas era melhor que nada. Era seguro e ele sabia que nesse campo seria sempre um vencedor. À medida que os meses começaram a passar sem pintar outro papel, começou a ficar difícil pagar as contas. Na verdade, elas se acumulavam em uma velocidade tão espantosa que ele mal conseguia vê-las. Amargurado e cheio de ressentimentos, arrumou emprego como garçom. Ele, o grande Lorcan Larkin, reduzido a servir espaguete à carbonara para gente do povo. Como os poderosos podem cair tanto? Para sua sorte, foi despedido em menos de uma semana, pois sua atitude no trabalho não agradava os clientes. (O gerente não conseguiu fazer Lorcan compreender que quando alguém pedia mais uma xícara de café a resposta correta é "Pois não, senhor, é pra já", e não "Seu último escravo morreu de quê? Vá pegar você mesmo!")

Assim, ele não teve outra escolha, a não ser procurar outra forma de ganhar dinheiro.

Poderia ter virado gigolô. Havia muitas mulheres ricas em Londres que o manteriam desfrutando um alto estilo de vida, ao qual ele certamente se acostumaria bem depressa. Por sua vez, ele retribuiria a boa vida com serviços sexuais. O problema é que ele não tinha estômago para isso.

Não fazia objeções a dormir com elas, mas tinha de ser sob suas condições. Entretanto, seis meses atrás, aconteceram três coisas boas para ele, todas na mesma semana. Primeiro, ele conseguiu um emprego como locutor no Departamento de Turismo da Irlanda, uma ocupação que não era exatamente do tipo "a torcida vai ao delírio com a atuação de Lorcan", mas daria para manter a geladeira abastecida com cerveja. No dia seguinte, conseguiu um apartamento em Chalk Farm, onde havia uma vizinhança mais à sua altura. (Benjy ficou arrasado.)

E então conheceu Amy.

Lorcan e Benjy estavam em uma festa quando a viram pela primeira vez.

Benjy deu uma boa olhada nas suas pernas longas e esbeltas, seu rosto puro e radiante, seus cachos de cabelo ruivo-alourado e achou que ela era a mulher mais bonita que ele já vira.

— Olhe! — falou, quase sem fôlego, cutucando Lorcan.

— Eu achei que você gostasse de mulheres peitudas — comentou Lorcan, sem parecer impressionado.

— Nem tanto. Sou mais do tipo "qualquer uma serve" — explicou Benjy, com ar tristonho. — Tipo "não tem tu, vai tu mesmo...".

— Então, vá em frente e que a força esteja com você! Lembre-se de tudo o que eu ensinei. Faça o gênero "tímido". Mostre-se acanhado.

— Não tenho coragem de ir até lá e falar com ela! — Benjy estava aterrorizado.

— Por quê? Você não está a fim dela?

— Exatamente por isso.

— Vá em *frente*, meu *rapaz* — animou-o Lorcan, com ar condescendente, empurrando-o de leve.

Assim, com as pernas tremendo, Benjy atravessou a sala e fez seu arremesso. Lorcan se encostou na parede e observou a garota, com os olhos quase fechados. O que dá certo para uns deve dar certo para todos os outros.

Logo depois, Benjy estava de volta, vermelho de vergonha. Parecer tímido era um truque que só funcionava quando o homem era extraordinariamente bonito. Do contrário, ele ficava parecendo um mané...

— Como foram as coisas? — perguntou Lorcan, como se fosse treinador de Benjy.

— Ela me deu um tapinha no alto da cabeça e disse que eu era uma gracinha.

— Acho que ambos concordamos que esta não foi a resposta esperada — disse Lorcan. — Muito bem, agora observe como a coisa *deve* ser feita. Veja e aprenda, porque eu sou um encantador de mulheres.

— Que diabo é isso? — quis saber Benjy, com cara de irritado, já receoso de que Lorcan pudesse se dar bem com Amy sem esforço algum e bem debaixo do seu nariz pontudo.

— É o mesmo que encantador de cavalos, só que em vez de tratar de cavalos problemáticos e fazê-los vir comer na minha mão, eu faço isso com mulheres problemáticas.

— Mas ela não é problemática! — reclamou Benjy.

— Ah, garanto que é sim. Aquele rostinho doce, toda cheia de sorrisos... Ela me parece preocupada demais em agradar os outros — analisou Lorcan, pensativo.

— Não pareceu preocupada em me agradar — retorquiu Benjy, com um tom amargo.

Calcular bem o tempo era essencial. Assim, Lorcan esperou até todos os homens da festa tentarem chegar nela. Sabia que ela já reparara nele. Lorcan era tão alto que não dava para passar despercebido, e já a pegara olhando para ele uma ou duas vezes.

Não foi direto até onde ela estava, exigindo atenção. Um cara boa-pinta e arrogante quase sempre afasta as garotas. Mas um cara boa-pinta e vulnerável as atrai. Assim, o contato que fez com ela foi aparentemente acidental, sob o pretexto de ajudar a dona da festa a recolher copos e latas vazios.

— Desculpe incomodá-la, mas sabe me dizer se esta lata está vazia? — perguntou Lorcan, seus olhos escuros, cor de violeta, transmitindo uma vulnerabilidade calculada.

Quando ela fez que sim com a cabeça, ele disse, gaguejando:

— Sabe... acho que você já deve ter ouvido alguém lhe dizer isto, mas... não, não, nada... desculpe. Esqueça o que eu disse — e fez menção de sair, mas ela já estava interessada.

— Não, por favor, complete o que ia dizer — pediu ela.

— Ah, não — e se atrapalhou todo, representando uma grande cena. — Não foi nada.

— Mas... não pode começar a dizer algo e simplesmente parar — argumentou ela.

Lorcan olhou para o outro lado, engoliu em seco e então disse, falando muito depressa:

— Certo. Você provavelmente já deve estar cansada de ouvir, mas eu lhe garanto que você tem o cabelo mais maravilhoso que eu já vi. — Lorcan tinha o dom especial de ficar vermelho quando queria.

— Ora, muito obrigada — disse Amy, igualmente enrubescida.

— É melhor... — ele fez um gesto desajeitado com os copos vazios, seguido por um sorriso tímido — ... você sabe, levar isso para a cozinha.

Dez minutos depois, quando Amy colocou um cigarro na boca, Lorcan veio correndo pelo meio de um monte de gente, em uma grande encenação de pressa canhestra. Apalpou os bolsos em busca do isqueiro e tentou acendê-lo embaixo do nariz dela. Quando, conforme planejado, ele não funcionou, deixou que um rápido espasmo de horror surgisse em sua face. Então, olhando fixamente para Amy, explodiu em uma gargalhada. Com uma cara triste, mentiu:

— Ele estava funcionando há dez minutos. — O isqueiro estava enguiçado há dois anos. — O que dizem deve ser verdade — suspirou ele. — Essas coisas sempre deixam a gente na mão quando queremos causar uma boa impressão... — e encolheu os ombros. — Desculpe! — e se afastou, deixando Amy olhando-o com interesse. Logo depois, como esperava, ela foi procurá-lo. Ele conseguira! Um sentimento de triunfo o inundou. Nossa, como ele adorava aquela sensação! Ninguém era páreo para ele. Ele era o mestre, o verdadeiro mestre!

No dia seguinte, Amy convocou uma reunião especial com todos os seus amigos.

— Fiquei morrendo de pena dele — exclamou. — Vocês precisavam ver o olhar tristinho dele! Ele *corou* de verdade. Significava tanto para ele acender o meu cigarro. E ele é tão bonito que chega a doer. Quando vocês o virem, não vão acreditar no gato que ele é. O que acham disso? Um homem lindo que também é atencioso e vulnerável. Sei que ainda é muito cedo, e talvez eu esteja colocando o carro na frente dos bois, mas honestamente eu acho que talvez ele seja... — fez uma pausa e soltou o ar, quase trêmula — ... o homem da minha vida.

Alguns dias depois, quando Benjy compreendeu que Amy seria a nova namorada de Lorcan, sentiu-se deprimido.

— Eu achei que era só uma experiência — disse Benjy, ainda tonto devido ao choque e ao ciúme. — Achei que você tinha dormido com ela apenas para me mostrar como se fazia.

— Ora, Benjy!... — Lorcan balançou a cabeça com um ar de desaprovação. — Como pode dizer uma coisa dessas? Isso não é jeito de tratar as pessoas!

CAPÍTULO 23

O primeiro verão que Fintan, Tara e Katherine passaram juntos, já como amigos, foi um período mágico — embora Frank Butler tivesse declarado que Fintan O'Grady era má influência para as meninas. E declarou isso em alto e bom som, para quem quisesse ouvir, no bar de O'Connell. Mas não conseguiu muito apoio para a sua causa.

— Ora, mas que mal ele está fazendo? — perguntou Tadhg Brennan, observando Fintan, que usava uma blusa em mangas de morcego e pantalonas. — Ele até que alegra o lugar. De qualquer modo, é só uma fase estranha pela qual ele está passando.

— E quando acabar essa fase, ele já vai ter corrompido a minha filha.

Os amigos de Frank permaneceram calados. Não era justo colocar a culpa em Fintan O'Grady, mas Tara Butler acabaria se corrompendo mais cedo ou mais tarde. Aos 14 anos, ela já tinha um jeito avançado demais para a idade.

Era muito popular entre os desocupados do local, que passavam o tempo de jeans desbotados, encostados em alguma parede na esquina de Main Street com Small Street — rapazes de esquina profissionais, tão dedicados que poderiam até colocar essa atividade em seus currículos.

— Eis meus peitos chegando, o resto vem logo atrás — diziam eles, de gozação, sempre que Tara vinha se aproximando.

— Você é um mulherão! — gritavam quando ela passava, sexy e cheia de curvas, com o nariz empinado. — Não me importaria de ter você no meu rebanho! Que tal a gente procurar um cantinho para se encontrar?

— Romantismo ao estilo Knockavoy — ria Katherine.

Ninguém dizia que Katherine, com seu corpo esguio e sem curvas, era um mulherão. Na verdade, às vezes os garotos da esquina gritavam, quando ela passava:

— Ei, tem pano sobrando aí... Você parece um graveto ambulante.

Tara ficava preocupada com ela.

— Você se importa, Katherine?

— Me importo com o quê?

— Com o fato de eles não dizerem... — Tara hesitou — que queriam você no rebanho deles?

O olhar que Katherine lançava para ela redefinia o conceito de desdém.

— Você não liga? Que ótimo! — murmurava Tara, nervosa.

Aos 14 anos, Tara já estava muito interessada em rapazes, embora não quisesse nada com os garotos do lugar. Vivia à espera dos meses de verão, quando a fome era substituída, não exatamente por um banquete, mas certamente por uma refeição completa, devido à remessa de garotos que chegavam na área do camping, que se enchia de trailers todas as semanas. Tara e Fintan tinham que cortar um dobrado para conseguir dar conta de todos, embora isso não fosse exatamente difícil para Fintan.

— Ninguém aqui vai para casa de mãos abanando! — Fintan vivia dizendo, cheio de orgulho.

Durante as noites intermináveis de verão, Tara, Katherine e Fintan ficavam sentados por horas na mureta da praia, sob a luz rosada do crepúsculo, até o sol finalmente mergulhar no mar.

— Lá naquela direção fica a América — diziam com satisfação. — A próxima parada é Nova York! — e apertavam os olhos como se tentassem ver, no horizonte que tremulava ao longe, a tocha da Estátua da Liberdade.

— Um dia... — diziam, entre suspiros. — Um dia a gente vai para Nova York.

— O que será que eles fazem lá? — perguntava Fred Butler, muito zangado, a Fidelma. — Ficam sentados na mureta, parados, por um tempão. Passei com o carro por ali às cinco e meia da tarde e os três estavam sentados. Quando voltei para casa, às dez horas, eles *continuavam* lá, sem nem trocar de lugar.

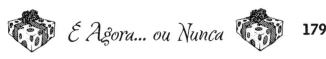

Fidelma suspirou. Sabia muito bem como era fácil passar quatro horas sentada em uma mureta úmida de praia, sem sentir o tempo passar, construindo castelos no ar para depois se mudar para eles. Lembrava-se muito bem do tempo em que era jovem e tinha certeza de que um grande futuro estava à espera dela, como uma flor pronta para abrir.

— Talvez estejam apenas apreciando a vista — sugeriu ao marido.

Frank fez cara de deboche, e com razão. Tara, Katherine e Fintan jamais apreciavam a vasta extensão de céu e mar, exceto para pensar em uma forma de escapar. A única vista na qual estavam interessados eram os meninos que ficavam rondando a mureta da praia, aos montes, quase todas as noites. Sempre havia um grande movimento por ali, um verdadeiro evento social, com mais de 20 rapazes circulando, depois que a tarde caía. Visitantes de Limerick, Cork, Dublin e até Belfast.

Para desconsolo de Tara, garotas também apareciam por ali, com suas roupas de cidade grande, sofisticadas e sempre na moda. E continuavam ali, mesmo depois de perceberem que era perda de tempo paquerar Fintan. Pelo menos, nenhuma das garotas locais tentava se misturar com os visitantes. Muito raramente, algumas colegas da escola passavam, mas como ninguém as chamava para bater papo naquele privilegiado círculo, saíam de mansinho, desapontadas.

Conforme a noite seguia, o ar ficava mais denso, cheio de hormônios adolescentes. Para facilitar as coisas, havia rituais predeterminados. Você sabia que alguém estava a fim quando ele ficava de zoação, ou tentava jogar alguma água-viva em cima de você. As pessoas ficavam subindo e descendo os degraus que iam até a areia, lá embaixo, para pegar águas-vivas com pedaços de madeira e atirá-las em cima do seu objeto de desejo.

Tara era quem mais recebia águas-vivas. Katherine conseguia poucas, geralmente atiradas por algum moleque de 12 anos, até que ele percebia que ela já tinha 14 e começava a se desculpar. Ninguém atirava águas-vivas em Fintan.

Até a noite cair, quando então havia surpresas.

Se a pessoa em quem você atirou a água-viva reagisse gritando "Ohh... seu palhaço! Eu te odeio!", isso queria dizer que ela estava a fim de você. Se, porém, ela saísse correndo e voltasse cinco minutos depois com o pai, apontando para você e dizendo "Foi ele, papai, o garoto que tentou me matar", você sacava que a sua percepção da situação fora totalmente equivocada.

Outro método seguro de anunciar suas intenções amorosas era segurar acima da cabeça um pedaço de alga, perguntando: "Adivinha o que é isto aqui?... É o seu cabelo." Do mesmo modo, se alguém achasse um par de calcinhas decrépito e imundo, lançado na praia pela maré e perguntasse "Isso é seu?", você já sabia que conseguira um admirador.

Tara passava o mês de junho inteiro e metade de julho com uma expectativa constante que agitava o seu estômago. Foi a época mais maravilhosa da sua vida. Ela vivia declarando:

— Estou apaixonada!

E Katherine perguntava, com ar indulgente:

— De novo? Quem é, desta vez?

Na maioria das noites, quando o sol finalmente afundava na linha do horizonte, Tara dirigia-se para as dunas, para uma seção de amasso com o interesse amoroso do dia. Katherine permanecia na mureta, conversando toda sem graça com os pretendentes de Tara que haviam sido dispensados. Ela não tinha interesse algum em ir para as dunas e ficar de esfrega-esfrega com os garotos.

Por sua vez, eles também não pareciam muito interessados nela. Ela era muito magra e reta, e não dava pinta nenhuma da mulher atraente e misteriosa na qual iria se tornar. Costumavam falar, a respeito de Katherine, que "ela tinha muita personalidade", o que era o jargão adolescente para "ela não tem peitos".

Tara passava a maioria das sextas-feiras à noite em despedidas chorosas e promessas de que iria escrever, enquanto as manhãs de sábado eram dedicadas à inspeção dos novos visitantes que vinham nos carros que chegavam devagar, sempre cheios de gente e tralhas no bagageiro, e seguiam em direção ao estacionamento de trailers. A vida não podia ser melhor.

Fintan, porém, desejava muito mais da vida do que apenas muretas na beira da praia e dunas. Ele tinha visão. Em meados de julho, deixou Tara e Katherine chocadas ao sugerir, como se fosse a coisa mais casual do mundo:

— Vamos à discoteca?

Já há três anos havia uma discoteca para os jovens com mais de 18 anos. O evento rolava aos sábados à noite, no salão comunitário da prefeitura, com uma sessão extra às quartas à noite durante o mês de agosto, quando o fluxo de turistas aumentava bem mais. O pároco local dera a sua relutante aprovação para a instalação da discoteca com a esperança de que aquilo pudesse atrair os turistas que iam para os antros de perdição representados por Kilkee e Lahinch, duas pequenas cidades um pouco além, seguindo pela costa. E mesmo assim, só depois de tentar, sem sucesso, levantar dinheiro, a fim de comprar carrinhos bate-bate para as crianças.

A discoteca era um chamado para o pecado. Apesar de o padre Neylon patrulhar as pistas com um bastão, o confessionário transbordava de gente aflita devido aos pensamentos impuros. Portanto, não era bom incentivar a depravação, a não ser que desse para conseguir algum dinheiro com isso.

— Discoteca? — Tara e Katherine engoliram em seco. — Mas nós somos muito novos!

— Quem é que disse?

— Todo mundo — afirmou Katherine. — Nossas certidões de nascimento, por exemplo.

— Regras foram feitas para serem quebradas — sorriu Fintan.

— Você já conseguiu entrar lá? — perguntou Tara.

— Eu, ahn... sim, é claro — garantiu Fintan, com ar distraído. — No ano passado, e no retrasado também.

— Será que a gente conseguiria? — perguntou Tara, já sentindo um friozinho delicioso de medo e empolgação. Ela jamais sequer *pensara* em ir à discoteca. Conformou-se com o fato de que tinha de ter pelo menos 16 anos. De repente, porém, a ideia parecia viável.

— Eu diria que podemos conseguir sim — garantiu Fintan, confiante. — É só usarmos as roupas certas e a maquiagem adequada. Deixem essa parte comigo.

— Meu pai tem razão, sabia? — disse Tara, com admiração. — Você *é* uma péssima influência sobre nós, Fintan — e olhou para Katherine, garantindo: — Isso é ótimo! Afinal, temos que reconhecer que se eu fosse aguardar pela Katherine para me levar para o mau caminho, ia ter que esperar até o Dia do Juízo Final.

* * *

Os preparativos para a ida à discoteca estavam correndo em um ritmo frenético. Katherine pegou dinheiro de sua caderneta de poupança e o emprestou a Tara, que conseguiu uma carona até a cidade de Ennis com Fintan, onde comprou uma calça de malha stretch cor-de-rosa, a mais linda peça de vestuário que jamais tivera. Uma encomenda de gel para cabelo foi feita na farmácia de Knockavoy. O farmacêutico prometeu mexer os pauzinhos para o produto chegar antes de sábado. Um batom cor-de-rosa com brilho, que viera grátis com a edição de verão da revista *Dezessete,* foi colocado imediatamente em ação, e Fintan garantiu que ele também poderia ser usado como blush e sombra.

— Eu não posso me aprontar em casa — avisou Tara, temerosa. — Se meu pai me pegar assim toda maquiada, é capaz de me matar.

— Pode se aprontar na minha casa — ofereceu Katherine.

— Mas Delia não vai se importar? Não vai contar para ninguém?

— Eu, hein, é ruim, viu? — suspirou Katherine. — Ela vem me perturbando o verão inteiro para eu ir à discoteca. Meu único receio é que ela resolva ir conosco.

— Cacilda! — exclamou Tara. — Você tem uma sorte danada!

— Não acho não...

— E quanto à *sua* mãe? O que ela acha disso? — perguntou Tara, olhando para Fintan. — Ela vai ficar chateada se nos vir assim?

— Se a minha mãe souber que eu fui à discoteca acompanhado de duas garotas é capaz de explodir de felicidade — lembrou Fintan.

No grande dia, Tara comprou quatro limões e, conforme as instruções que lera na revista *Dezessete*, espremeu-os sobre o cabelo; em seguida, se preparou para passar seis horas sentada ao sol, esperando o cabelo desgrenhado ficar louro. Infelizmente o céu se encheu de nuvens escuras, logo depois começou a chover, e isso foi o fim da sessão de clareamento. Fintan chegou na hora em que Tara estava pronta para lavar os cabelos com cerveja, para ele pegar brilho (outra dica da *Dezessete*).

— O que está fazendo? — Fintan pareceu apoplético. — Não me diga que pretende lavar os cabelos com *cerveja*!

— É ruim para o cabelo? — perguntou Tara, nervosa.

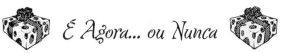

Fintan podia ser do interior, mas também não era assim tão caipira.

— Quem se importa se é ruim para o cabelo? É ruim para a sua sobriedade! — exclamou. — Um tremendo desperdício de uma boa Smithwick's!

— Mas eu quero que o meu cabelo fique legal para a discoteca — argumentou Tara.

— Pode acreditar em mim, o seu cabelo vai parecer muito melhor se você beber a cerveja — replicou Fintan. — Pelo menos, vai parecer muito melhor *para você.*

Tara chegou na casa de Katherine com uma sacola plástica cheia de roupas, maquiagem e duas garrafas de cerveja escura que roubara do estoque do pai. Delia estava fora, trabalhando no pub. Agnes, toda encurvada, pálida e solitária, olhou desconfiada por cima de um exemplar antigo de *Spare Rib** que pertencia à filha, enquanto Tara passava depressa pela sala.

Fintan entrou com Tara no quarto de Katherine e fechou a porta deliberadamente na cara da sua dona, alegando, com ar pomposo:

— Preciso ficar a sós com a minha cliente. Não interrompa! Gênio trabalhando.

Quando Tara reapareceu, algum tempo depois, Katherine ficou muito admirada e exclamou:

— Você parece tão... — por um instante, pela primeira vez, estava sem palavras — ... parece tão... velha. — E parou, sem conseguir se expressar melhor. — Parece até que você tem... *Dezessete*! Está igualzinha a uma das cantoras do *Bananarama.*

Tara vestia a calça cor-de-rosa, uma blusa branca toda amassada com uma camiseta azul por baixo que lhe apertava o busto generoso. Estava com sombra azul nos olhos, batom rosa cintilante nos lábios e em quase todo o rosto, e seus cabelos estavam eriçados e fixados com gel, devidamente arrepiados nos lugares certos.

— Muito bem! — disse Fintan, batendo palmas para apressar Katherine. — Agora é você!

— Mas eu já estou pronta.

---

* Revista inglesa muito popular entre as feministas na década de 1960. (N.T.)

Katherine usava uma calça bag preta, uma camiseta branca comum e não colocara maquiagem alguma. Só pretendia usar pintura se houvesse a mínima chance de alguém vê-la maquiada e mandar que ela lavasse o rosto. Adoraria ter um pai que berrasse: "Tire essa gosma da cara! Filha minha não vai sair circulando por Knockavoy com a cara assim toda pintada, parecendo uma prostituta!" — como Frank faria, se visse Tara.

— Mas nós temos que parecer mais velhos, senão não vamos conseguir entrar! — lembrou Fintan, nervoso. — Você nem ao menos colocou enchimento no sutiã!

— Coloquei sim — disse Katherine, baixinho.

Ao ver Tara entrar na cozinha, Agnes ficou horrorizada.

— Santa Mãe do doce e sofrido Jesus Cristo pregado na cruz com cravos de 15 centímetros que atravessaram Suas mãos e pés! — declarou ela. — Vá pentear esse cabelo, minha filha! Como é que você conseguiu ficar com tantos nós nele?

— Mas é assim mesmo que é para ficar. É a moda!

— Mas você está parecendo uma samambaia!

— Obrigada! — Fintan e Tara se olharam, com jeito tímido.

— Ah, estou entendendo... — Agnes começou a cair em si. — Quer dizer que esse troço está na crista da onda?

— Isso!

— Ora... será que eu ficaria bem com o cabelo assim?

Houve uma pausa de perplexidade, até que Fintan se recobrou da surpresa e garantiu:

— Agnes, esse cabelo vai ficar *di-vi-no* em você! — Nesse momento, os deuses da orientação vocacional sorriram lá no alto e comentaram: "Esse rapaz vai longe no mundo da moda..."

— Talvez eu tenha que fazer um corte nele — avisou Fintan.

— Corte do jeito que quiser!

Enquanto desfazia o coque grisalho, Agnes saiu em busca da garrafa de uísque, anunciando:

— Vocês podem beber a cerveja de Frank Butler, mas eu vou me servir de algo mais adequado.

Quando Delia chegou em casa, várias horas depois, encontrou a mãe sentada na mesma cadeira em que a deixara de tarde, bêbada como um gambá, com a cara toda manchada de batom rosa-shocking e exibindo uma massa disforme de cabelo grisalho, gosmento, espetado e despenteado.

— Olhe só para mim! — guinchou Agnes, ao vê-la. — Estou na crista da onda!

Os garotos da esquina externaram opiniões ambíguas a respeito da transformação de Tara.

— Não gostei dessa pintura de guerra, não — opinou Bobby Lyons, ao vê-la passar.

— Esse cabelo tá parecendo um fardo de feno mal-amarrado — reclamou Martin O'Driscoll.

— Uma pilha de forragem — disse Pauley Early.

— Mas a calça cor-de-rosa está legal — admitiu Michael Kenny.

— É mesmo... — concordaram todos em coro. — Gostamos da calça!

Apesar da cerveja, Tara, Katherine e Fintan estavam uma pilha de nervos ao chegarem na porta do salão.

— Não se esqueçam — cochichou Fintan. — Vocês nasceram em 1963!

Mas não havia razão para tanta preocupação. A única coisa que o padre Evans estava interessado em conferir era se eles tinham grana para pagar o ingresso.

Eles já haviam estado no salão da prefeitura centenas de vezes, mas naquela noite o piso de madeira fosca, o palco apertado, as cadeiras de plástico laranja, os diagramas das aulas da Ordem de Malta, os pôsteres das antigas aulas de ioga de Delia — a posição de lótus, a posição de Smirnoff —, tudo parecia diferente e mágico.

Embora fosse ainda sete e meia da noite e ainda estivesse claro lá fora, a atmosfera estava energizada. Uma máquina estranha lançava imagens de bolhas coloridas nas paredes. As bolhas se expandiam, em seguida se dividiam em duas, mudavam de azul para verde e vermelho. Aquilo fez Katherine se lembrar das aulas de biologia no colégio, onde as células vistas no microscópio pareciam se dividir e aumentar de tamanho. Eles eram os primeiros a chegar. Nervosos, sentaram na ponta das cadeiras de plástico, tensos com a expectativa, enquanto esperavam a chegada das outras pessoas. E esperaram. E esperaram.

— A gente não devia estar dançando? — foi a pergunta que Katherine fez, depois de algum tempo. Ela possuía um admirável senso de dever.

— Vamos esperar um pouco — aconselhou Fintan, olhando ansioso para a porta, torcendo para que alguém, qualquer pessoa, entrasse. Logo ficou claro para Tara e Katherine que, pelo visto, também era a primeira vez de Fintan.

Os três continuaram sentados em silêncio, observando as partículas de poeira girando na luz prateada da noite.

— Acho que vou ao toalete ver se o meu cabelo continua legal... — disse Tara, depois de mais algum tempo.

— Está legal sim — garantiu Katherine. Os três continuaram sentados sem dar uma palavra.

— Vou até lá mesmo assim.

Por volta das nove e meia, quando todas as músicas já haviam sido tocadas pelo menos três vezes, uma ou duas pessoas apareceram. Então, depois que o sol finalmente se pôs, mais gente chegou, e depois mais ainda.

Calados e nervosos, Tara, Katherine e Fintan continuavam sentados, surpresos ao ver o quanto todas as pessoas aparentavam calma e confiança, e como pareciam à vontade naquele lugar maravilhoso. Será que um dia algum deles conseguiria ser assim tão *blasé*?

Katherine mantinha um olho na pista e outro na porta. Sabia que a sua mãe deveria estar no trabalho àquela hora, mas podia esperar tudo dela...

CAPÍTULO 24

Joe Roth observou Katherine, que chegou e caminhava em direção à mesa onde trabalhava. Seu coração bateu mais forte. Havia pelo menos 20 outras mulheres no escritório, então o que havia de tão especial naquela ali, que deixava todos os seus sentidos em estado de alerta só de aparecer diante dele? Seria o rosto? O sotaque? A autoconfiança? O desafio...?

Depois do sucesso limitado do almoço na véspera, ele estava tomando coragem para convidá-la para jantar. E dessa vez ia ter que ser sem a ajuda de Fred Franklin, nem pretextos de discutir assuntos de trabalho. Subterfúgios e manipulação não eram os métodos usuais de Joe. Embora o almoço realmente tivesse alguma coisa a ver com trabalho, ele estava envergonhado de ter sido obrigado a forçar a barra para sair com ela. O problema é que ele não conseguira evitar.

Enquanto a observava pendurar com todo o cuidado o casaco nas costas da cadeira, tentava decidir aonde poderia levá-la. Algum lugar novo, recém-inaugurado? Ou um restaurante antigo, discreto, longe do centro? Qual ela poderia preferir?

Katherine se instalou em sua mesa, ligou o computador e abriu um arquivo. Então, fechou aquele e abriu outro. Tornou a fechá-lo. Não conseguia decidir por onde começar. Naquele instante, percebeu que *tanto fazia*. Depois, ao observar Joe, que vinha caminhando na direção da sua mesa, percebeu que estava à espera dele. Joe estava muito bonito naquele dia. Estava indo trabalhar assim bem-vestido há quatro dias seguidos. Usava um maravilhoso terno azul-marinho, com riscas discretas em turquesa, e o tom verde pálido da camisa que usava fazia seus olhos e cabelos escuros parecerem ainda mais escuros.

As roupas faziam o homem, disse a si mesma, com firmeza. Era apenas o corte do terno que fazia com que ele parecesse tão elegante e estiloso. Era a textura macia do paletó que a fazia ter vontade de tocar em seu braço.

Ele parou diante dela. Katherine olhou para o botão do meio da sua camisa e, para sua surpresa, sentiu vontade de abri-lo e deixar a mão escorregar lá para dentro. No microssegundo em que imaginou a sensação de sua pele — firme e sedosa por baixo dos pelos de seu peito —, sentiu uma onda de calor. Chegou para a ponta da cadeira e se imaginou olhando para o jeito com que a parte da frente das suas calças se amontoava e parecia pulsar. O que aconteceria se ela abrisse o zíper e enfiasse a sua mão dentro da...? Uma vez mais seus nervos se eriçaram com o calor que sentiu. Hipnotizada, forçou os olhos a subirem da braguilha de sua calça para o seu rosto. Sentiu-se assustada. Depois, zangada. Ele sorriu para ela, como fazia todas as manhãs, mas naquele dia foi diferente. Toda a intensidade da sua boca correra para os olhos. Menos doçura, mais tensão. Menos alegria, mais expectativa e respiração suspensa.

— Bom-dia, Katherine.

— Bom-dia — cumprimentou ela, sem mais palavras.

Ele fez uma pausa e certificou-se de fazer contato olho no olho antes de dizer:

— Obrigado por vir trabalhar hoje. Você fez um velho amigo muito feliz.

— É mesmo? — Katherine, com frieza, ergueu uma sobrancelha.

— Sim, é mesmo. Como um homem muito sábio declarou, certa vez... — e Joe fez uma pausa, esfregou o queixo, pensativo, e disse: — ... Como era mesmo a frase? Ah, lembrei... "Você é o sol da minha vida".

— Que interessante! — replicou Katherine, bem devagar. — Outro homem igualmente muito sábio, na verdade um juiz, também disse uma frase: assédio sexual no ambiente de trabalho é crime.

Houve um décimo de segundo de imobilidade, e então Joe estremeceu, como se ela o tivesse golpeado. Quando seu rosto começou a enrubescer, ele já estava se afastando de sua mesa, sentindo-se mal com o choque e a súbita sensação de aversão a si mesmo.

Assédio sexual! Ela disse que ele a estava assediando sexualmente. Ele! Joe Roth! Logo ele, que sempre achara que assédio sexual fosse perpetrado apenas por homens de idade que exerciam cargos de poder e se aproveitavam disso em troca de favores proibidos. Como Fred Franklin. Jamais lhe ocorrera que o seu interesse entusiasmado por Katherine pudesse ser encarado dessa forma. Achava que estava apenas *flertando* com ela. Sentiu-se sujo, nojento — e rejeitado.

— Desculpe — disse ele, com o rosto arrasado, enquanto se afastava. — Não pretendia... Não tive a intenção de... Sinto muitíssimo.

Saboreando o seu amargo triunfo, Katherine voltou sua atenção para os números sobre a sua mesa. Para ser justa, não foi exatamente um caso de *assédio*. Ele não tinha, acidental nem propositalmente, esbarrado com o braço em seus mamilos, sob a desculpa de entregar-lhe um pedido de reembolso. Nem se esgueirou por entre a xerox e a parede, no corredor estreito, esfregando-se por trás dela até se certificar que ela sentia a sua ereção, enquanto pedia: "Opa, me desculpe, estou só tentando passar. Esse corredor estreito é um problema...", do jeito que Fred Franklin já fizera com algumas colegas.

Mas ele a forçara a ir almoçar com ele. Mesmo sendo para um assunto relacionado ao trabalho. Sorrira muito para ela, demais até, e isso *não tinha* relação com trabalho. Sem falar nas histórias irritantes do "homem sábio dizendo coisas". Aquilo deu nos nervos!

Abafou dentro de si a desagradável sensação de que as verdadeiras vítimas de assédio sexual não ficariam nem um pouco impressionadas com as acusações dela. Pelo menos ela conseguira se livrar dele. Muito bem, então... vamos abrir os balanços!...

Joe voltou para a sua mesa e Myles, que estivera observando o papo — não só ele, como a maioria dos funcionários da Breen Helmford — perguntou baixinho, mostrando-se solidário:

— Ela chutou você para escanteio?

— Sim... — murmurou Joe, abalado.

Na mesma hora, ocorreu um êxodo em massa em volta dele. Todos os outros homens se mantiveram o mais longe possível de Joe. Em certos momentos, um homem precisava ficar sozinho, comentavam.

Se a pessoa rejeitada fosse uma mulher, ela se veria na mesma hora cercada por todas as outras mulheres, que a paparicariam com chocolates e outros mimos, e que a animariam dizendo:

— Aquele porco!

— Tem muitos outros disponíveis por aí.

— Aposto que ele tem um pau pequenininho.

Porém, como se tratava de um homem, a mesa de Joe se tornou uma balsa feita com destroços naufragados em um mar muito, muito grande. Durante aquela manhã, todos os homens do lado direito do escritório que precisavam falar com alguém do lado esquerdo escapavam pelo corredor de trás, desciam cinco lances de escada pela saída de emergência, saíam nos fundos, entre as latas de lixo, davam a volta ao quarteirão, tornavam a entrar no prédio pela porta da frente, subiam pelo elevador e saíam perto da mesa da pessoa com quem precisavam falar, tudo isso só para não ter de passar diante de Joe.

Fred Franklin era a única fonte de contato humano, e mesmo assim porque ele não ia descer cinco lances de escada nem sob a mira de um revólver. Ao passar por ele, Fred colocava a mão, meio sem graça, sobre o ombro de Joe e, assumindo o seu tom de "tio boa-praça dando conselhos para um jovem inexperiente", sugeria:

— Arrume outra mulher para trepar, meu rapaz.

Katherine ignorava tudo isso, pois tinha trabalho a fazer. Além do mais, pensou, era bem capaz de ele voltar. E se isso acontecesse, ela ia descobrir que ele era um idiota patologicamente arrogante. Se não voltasse, por outro lado, significaria que ele não conseguiria mesmo lidar com ela. De uma forma ou de outra, ela não ia sair perdendo.

Então, de repente, sentiu uma fisgada inesperada e indesejada... uma sensação de perda. Talvez ele não fosse tão mau assim, afinal. Mas não... não havia por que ela achar isso. Todos os homens eram maus. Mais cedo ou mais tarde.

Normalmente, logo depois de terem dormido com ela.

Joe passou toda a manhã com o ar de um homem não propriamente arrasado, mas definitivamente abatido. Analisou várias vezes o seu comportamento das últimas três semanas, e teve de reconhecer que fora muito persistente com Katherine. Logo ele, que sempre fora objetivo e prático. Se você quer algo — ou alguém — tem de dar o melhor de si para conseguir. Mas jamais quis forçar a barra.

Muito menos *assediá-la sexualmente.*

No fundo, estava quase certo de que não poderia ser considerado culpado de assédio sexual. Isso quase tornou as coisas ainda piores. Ela lançara essa acusação para cima dele não porque fosse verdade, mas porque o desprezava tanto que precisava de um modo de se livrar dele. A dor da rejeição era aguda. Especialmente por ele pensar ter sentido um pequeno degelo na atitude dela.

Na hora do almoço, Myles procurou algumas palavras que pudessem servir de conforto a Joe. Algo profundo, que ajudasse a curá-lo. Finalmente descobriu.

Foi até onde Joe estava, colocou a mão em seu ombro, olhou para ele com imensa compaixão e propôs:

— Está a fim de tomar um chope?

— Claro! — Uma luzinha surgiu no fundo dos olhos de Joe, confusos e sem vida.

Os dois curtiram um lauto almoço, mesmo para os padrões dos publicitários. Em outras palavras, não voltaram para o escritório antes das três da tarde. Do dia seguinte.

Depois do quinto chope, esgotados os temas usuais de conversa — o time do Arsenal, carros, o Arsenal, peitos, que babacas todos os clientes eram, o Arsenal, as chances de a Inglaterra sediar a próxima Copa do Mundo —, os dois já estavam mais à vontade para tocar em assuntos pessoais. No meio de um papo a respeito do sistema de transporte público de Manchester, Joe despejou a acusação de assédio sexual.

— Não devia tê-la forçado a almoçar comigo ontem — admitiu ele, envergonhado e arrependido.

— Pelo menos valeu a tentativa, meu caro — consolou Myles, sempre um amigão.

— Eu forcei a barra demais, ela é obviamente uma mulher muito frágil.

Myles resmungou algo a respeito de Katherine ser tão frágil quanto um tanque de guerra Sherman.

— É que você não consegue enxergar o mesmo que eu. Ela é tão... — Joe olhou para um ponto no espaço, a meia distância — ... doce, às vezes.

— Ela o acusou de assédio sexual e você diz que ela é doce? Só pode estar bêbado!

— Bem, já que você mencionou, eu estou mesmo...

— Quando ficar novamente sóbrio, vai descurti-la.

— Não vou não.

— Mas vai ter que fazer isso, porque ela não está a fim de você, meu chapa.

— Então vou lhe pedir desculpas. — Joe franziu os olhos.

— Você está piradossô... — Myles estava indignado.

Joe olhou para ele, sem entender a palavra.

— Pirado, sô... — explicou Myles. — Jeito caipira de falar...

— Eu sei — disse Joe. — Mas você não é do interior.

— Não, sou de Surrey, embora tenha nascido na parte pobre. Agora me escute, amigão. Você não pode pedir desculpas a ela. É o mesmo que reconhecer a culpa. Quer ser demitido? Você trabalha duro, é ambicioso. Deixe isso pra lá, meu chapa!

— É que eu não creio que ela estivesse falando sério. Acho que queria apenas que eu me afastasse dela...

— Então, faça isso! — disse Myles. — Simplesmente faça! Ouça o titio Myles. O que você precisa agora é de um encontro íntimo e pessoal com uma supergata. Isso vai curá-lo.

— Não. Está muito cedo para isso.

— Que tal no fim de semana?

— Não.

— Ah, é mesmo! Esqueci que você vai assistir ao jogo.

— Não. Mesmo no fim de semana, vai ser muito cedo.

— Tudo o que tem a fazer é fingir que é ela.

— Não posso. Eu saberia. Não seria Katherine.

— Quem olha para o consolo da lareira quando está com a cabeça abaixada, atiçando o fogo? — sorriu Myles, triunfante. Sempre tinha uma resposta para tudo.

— Myles, você está me deixando deprimido.

— Anime-se, meu chapa. Você já levou um pé na bunda antes, não levou?

— Bem, eu saí com Lindsay por três anos, e então ela se mudou para Nova York.

— E você se recuperou disso com outras garotas, certo? — interrompeu Myles.

— Acho que sim. Isto é, levou um tempo, a gente já tinha esfriado um pouco, de qualquer modo, mas não foi fácil, e apesar de ter sido um lance amigável, eu continuei...

— Comovente essa história — cortou Myles. — Muito interessante... Não. O que eu estou tentando dizer é que você ganha uma, perde outra. Você vai superar isso.

Uma esperança bêbada encheu o coração de Joe. Através da névoa causada pelo álcool, pareceu-lhe eminentemente possível parar de se importar com Katherine. Até mesmo conhecer outra garota. Começou a se sentir melhor.

— Você tem razão! — concordou. — A vida é curta demais!

— É isso aí! — concordou Myles. — Quem quer ir aonde não é desejado?

— Eu é que não. Daria um péssimo paciente obsessivo — admitiu Joe.

— Por que diz isso, amigão?

— Sei lá. Acho que minha obsessão não é obsessiva o bastante.

— É... izo é um plobrema, né? — perguntou Myles, com a fala arrastada e trocando as letras. — E essa tal de Kathy...

— O nome dela é Katherine — interrompeu Joe. — Ela não gosta que abreviem o seu nome.

— Oooooohh... *me* desculpa!... — uivou Myles, agarrando a bolsa da mulher da mesa ao lado e atirando-a na direção de Joe. — Pegue aí... foi-lhe conzedida uma *bolsa* de estudos, pra vozê aprendê — e olhou zangado para Joe. — Vozê num tá levano eza hiztória a sério, tá?

— Desculpe — pediu Joe, voltando à sua fossa. — É que eu achava que estava chegando a algum lugar com ela.

— Trepô com ela?

— Não — respondeu Joe, bufando com desagrado.

— Pois pode acreditar, amigão. Vozês nun tavam indo a lugar nium, se nem mesmo chegaro a trepá...

Joe suspirou. Com seu jeito grosseirão, Myles tinha razão.

— Devolva essa bolsa para a dona, Myles — pediu Joe, com ar cansado.

CAPÍTULO 25

Tara entrou toda desengonçada no escritório, carregada de sacolas que pousou sobre sua mesa.

— Não sei por que falam tanto de *fruto proibido* — reclamou. — Fruta é a única coisa que *não é* proibida.

Ravi, abrindo um sanduíche gigantesco que comprara no supermercado, e de onde transbordavam 36 gramas de gordura, observou com interesse enquanto Tara descarregava maçãs, tangerinas, peras, nectarinas, ameixas e uvas, espalhando-as como se fossem amuletos em volta de sua mesa.

— Está a fim de metade do meu sanduíche? — ofereceu ele, com sua voz de professor de escola pública.

Tara formou uma cruz com os dois dedos indicadores.

— Tem uma porção extra de maionese.

— Magia negra! Mantenha esse troço longe de mim!

— Você é completamente louca — e Ravi pulou, colocando as mãos sobre a cabeça de Tara enquanto entoava: — Fora, fora, demônios! Deixem esta pobre criança em paz!

— Ah, isso é uma *delícia*! — suspirou Tara, enquanto Ravi massageava a sua cabeça. — Adoro quando você me exorciza. Ah, não pare! — implorou ela quando Ravi a soltou para enfiar as 800 calorias do sanduíche na boca, de uma vez só.

— Não tenho escolha — murmurou ele, com a boca cheia. — Nada como uma boa sessão de exorcismo para abrir o meu apetite.

Vinnie entrou nesse momento, extremamente estressado. Uma noite em claro com sua filhinha de três meses chorando no seu ouvido o fez arrancar muitos cabelos, e assim que viu a mesa de Tara, seus cabelos pareceram rarear ainda mais. Que tipo de escritório era aquele que chefiava?

— O que está acontecendo por aqui? — berrou ele. — Essa sala está parecendo uma feira!

— Você está sublocando espaço do escritório? — perguntaram em coro Teddy e Evelyn, o casal "ele-ela", que acabara de chegar.

— Vai abrir uma barraquinha de frutas? — quis saber Teddy.

— Adorei a ideia! — sorriu Evelyn. — Tem banana aí para vender?

— Bananas não são bem-vindas por aqui — disse Tara, sem muito papo.

— Engordam muito?

— Engordam muito.

— Mas banana não engorda! — Vinnie sabia que deveria manter distância, em seu papel de chefe, mas não conseguia evitar.

— Isso mesmo! Nada engorda! — insistiu Tedd. — Olhem só para mim. Como tudo o que quero, na quantidade que quero e continuo magro como um palito.

— As mulheres ficam falando em quantas calorias as comidas têm, e é isso que as faz engordar — decretou Vinnie. — As mulheres estragam a comida para elas mesmas.

— Vocês viram o documentário que passou ontem à noite na tevê, sobre os caras no alto do Everest? — zurrou Ravi. — Um frio do cacete... o polegar de um deles ficou completamente congelado e acabou caindo. Nada para comer, a não ser neve...

— Talvez eu devesse tentar isso — comentou Tara, pensativa. — A dieta do Everest. Muito bem, Ravi, Evelyn, todo mundo chegue aqui na minha mesa, vamos realizar uma cerimônia para picotar o cartão de crédito.

— Outra vez? — exclamou Vinnie. — Não tem nem seis meses desde a última vez que fizemos isso.

— Eu sei, mas recebi o boleto do cartão Visa hoje de manhã. Impeçam-me antes que eu gaste mais grana — entoou ela, com ar sombrio. — Ravi, pegue a tesoura!

Ravi, de forma obediente, entregou-lhe a tesoura do escritório.

— Lata de lixo! — pediu Tara.

Ravi já estava com a cesta de papéis na mão: conhecia o script de cor e salteado. Tara pegou a bolsa e segurou o cartão Visa diante dela, com o braço estendido, circulando com ele para a direita e depois para a esquerda.

— Estão todos olhando? — Então, lutando contra o sentimento de perda que sentia, forçou a tesoura através do plástico rígido, de forma desajeitada. Quando todos, com exceção de Vinnie, irromperam em aplausos, Tara murmurou: — Estou limpa, estou purificada. Agora, vamos ao cartão Access.

Todos mantiveram um respeitoso silêncio, enquanto o cartão Access era cuidadosamente cortado ao meio, e depois dobrado mais uma vez, até quebrar.

— E o Amex? — perguntou Ravi. Depois de uma leve hesitação, Tara também o pegou e, com certa relutância, cortou-o em dois.

— Agora, o cartão da Sears? — disse Ravi, e Tara reagiu, irritada:

— Escute, vou precisar ficar com pelo menos um deles. E se houver uma emergência?

— Você ainda tem o seu cartão de débito e o cartão Switch.

— Tá... legal... — Com tristeza, Tara cortou o seu cartão Sears ao meio e deixou os pedaços caírem na cesta de papéis.

— Daqui a uma semana, sei que vou vê-la ao telefone, dizendo que sua bolsa foi roubada e você precisa de uma segunda via de todos esses cartões — suspirou Vinnie. Talvez estivesse na hora de ele fazer outro curso daqueles que ensinam a gerenciar funcionários. — E agora, podemos voltar ao trabalho? — ralhou ele, tentando, tardiamente, agir como o chefe que era.

A notícia da banca de frutas de Tara se espalhou, a um tal ponto que gente de outros departamentos ia até a sala dela espiar e saíam dando risadinhas. Ela ficava sem graça, mas permaneceu impassível. Algo precisava ser feito, especialmente depois do frenesi dentro do supermercado, na véspera. Se ela se cercasse de frutas, não haveria desculpas para comer qualquer outra coisa.

O problema é que fruta não servia para tapar o buraco da fome, por mais que ela as consumisse. Tara comeu uma maçã, uma ameixa, duas tangerinas, três nectarinas, mais uma tangerina, quatro outras ameixas, um cacho de uvas, outra tangerina, e continuava morrendo de fome. Atacou a pera, mas a fruta estava quase tão dura que quase lhe quebrou um dente. Suspirou.

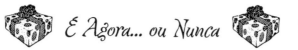

Já sabia a respeito das peras. Havia apenas um período de mais ou menos um minuto e meio durante o qual as peras podiam ser consumidas. Até esse momento, elas ficavam duras como concreto. Depois, ficavam murchas e podres. Se você as pegasse desprevenidas, na pequena janela de tempo útil, elas eram deliciosas, mas as chances de conseguir isso eram muito pequenas.

Naquela mesma manhã, o grupo fez uma reunião para discutir ideias e bolar uma estratégia para o projeto MenChel, cujo contrato haviam acabado de conseguir.

Vinnie andava de um lado para outro diante do quadro branco para apresentações, desenhando planilhas e cronogramas, coçando a cabeça cada vez mais calva o tempo todo.

— Coloquei o meu cu na reta para garantir esse prazo, pessoal! — murmurou Ravi para Tara, enquanto Vinnie continuava com a xaropada.

— Trata-se de um projeto que envolve 2.000 pessoas por dia, e não podemos pisar na bola, porque os auditores da empresa vão ficar no nosso pé — disse Vinnie, tentando motivá-los.

— O que acha que é aquela mancha esbranquiçada na manga de Vinnie? — sussurrou Ravi para Tara.

— Vômito de bebê.

— O prazo é muito apertado — reforçou Vinnie. — Não podemos mijar fora do penico; portanto, temos que nos juntar e formar uma equipe de verdade para... mas que diabo é esse barulho engraçado, de pés chapinhando na lama?

Dez pessoas olharam ao mesmo tempo na direção de Tara.

— É Tara — informou Teddy, com ar triunfante.

— Isso não é espírito de equipe — reclamou ela, magoada. — Dedurar uma colega assim... Desculpe, Vinnie, é o meu estômago. Os ácidos daquele monte de frutas que eu comi estão se misturando lá dentro, devem estar dando uma festa.

Ela estava louca para ingerir um pouco de carboidratos, a fim de acalmar as coisas. Algo que preenchesse aquele espaço imenso e cheio de líquidos. Parecia que seu estômago era um salão de banquete com pé-direito de 12 metros. Ou um enorme centro de conferências com espaço para 300 delegados. Imenso, cavernoso e vazio, vazio, vazio... Ela, porém, estava impregnada de uma força de vontade inquebrantável, e jamais se abalaria. Nem mesmo quando Steve Cochilo passasse a bandeja com rosquinhas para lubrificar a barriga dos bravos soldados da equipe.

Correu para o fumódromo no instante em que a reunião acabou.

— Deus abençoe estes pequeninos — e balançou o maço de cigarros para o pequeno grupo de fumantes inveterados que se aglomeravam na pequena sala enfumaçada. — Imagine o peso que eu estaria arrastando por aí se o nosso herói Nick O'Tina não estivesse aqui para manter a minha fome sob controle por todos esses anos. A brigada de incêndio ia ter que entrar na minha casa para me tirar lá de dentro, depois de cortar as paredes com serra elétrica.

Uma hora antes do almoço, porém, sempre que alguém passava diante da mesa de Tara, pegava algumas uvas e comia.

— O que houve? — perguntou Ravi, notando o rosto aflito de Tara.

— Minhas uvas — reclamou ela. — Todo mundo pensa que elas são para beliscar, e não são. Essas uvas são o meu almoço! Puxa, eu não me levanto e começo a me servir de um dos seus sanduíches, eu não faço isso.

— Faz sim — lembrou-lhe Ravi, com delicadeza.

— Bem, talvez faça — admitiu ela. — Só que eu sou diferente. Gente normal não sai por aí devorando o almoço dos outros sem que lhe ofereçam.

Quando deu uma hora, Ravi foi até a mesa de Tara e lhe propôs:

— Que tal você e eu darmos uma passadinha no Shopping Hammersmith? Podemos circular olhando as vitrines, talvez dividir uma raspadinha? — sugeriu ele, com a voz suave.

Eles muitas vezes faziam isso, quando Ravi não ia à academia na hora do almoço.

— Não, obrigada. — Tara pegou a lã e as agulhas. — Vou ficar aqui tricotando até a fome passar!

— O que é isso? — olhou Ravi, espantado.

— Um agasalho para Thomas.

— Será que ele sabe a sorte que tem?

— Não se preocupe, ele saberá.

Ravi ficou por ali, circulando pela sala, relutante em sair sem ela.

— Tara, quer que eu lhe traga algumas frutas do shopping?

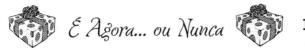

— Não se preocupe, Ravi. As frutas só estão servindo para me dar mais fome. Acho que a inanição total é a única saída, porque quando eu como qualquer coisa é como se as comportas da fome se abrissem um pouco, e aí fico querendo mais e mais...

— Não sei por que você se tortura desse jeito.

— Qual é, Ravi, você é cego? — e olhou para ele com cara de deboche.

— Acho que você é legal do jeito que é.

— Não, não acha não... agora, caia fora que eu preciso tricotar um relacionamento feliz.

— Ah, qual é, Tara!? — choramingou ele. — Não tem graça ficar circulando pelo shopping sem você.

Ela apontou para o tricô.

— Podemos dar uma paradinha na banca para ler as revistas — lançou ele, para tentá-la.

Tara balançou a cabeça.

— Talvez eles tenham um batom novo na Boots que realmente não saia — apelou ele, de forma cruel. — Talvez tenha acabado de chegar na loja.

— Faça a sua imitação de Elvis — concedeu ela — e talvez eu pense no assunto.

— Que música você quer?

— "Hound Dog."*

Ravi balançou os cabelos até que um pega-rapaz caiu-lhe na testa. Em seguida, retorceu o lábio, levantou os braços e começou a fazer movimentos violentos com os quadris, cantando:

— Você quer só me caçar por aí, apenas isso! — entoou ele.

— Viu só? — berrou Tara. — Eu sabia que você não gostava de mim!

Tara sobreviveu à ida ao Shopping Hammersmith, com todas as suas tentações, resistindo bravamente e sem quebrar o jejum. Primeiro, foram à Marks and Spencer e, meio esperançosos, olharam em volta. Ravi queria ver se alguma nova remessa de tortas e sonhos fora colo-

* Cão de caça. (N.T.)

cada em exposição na hora do almoço. Tara comprou três pares de meias-calças especiais para disfarçar a barriga, porque não queria ir embora sem levar *nada*. Em seguida, foram até a Boots, onde Ravi conferiu alguns sanduíches, enquanto Tara olhava para todos os batons que garantiam ser irremovíveis e que ela sabia muito bem, por experiência própria, que eram exatamente o inverso. Sem muita empolgação, comprou algumas cápsulas para o rosto.

— Isso é talidomida? — perguntou Ravi, alarmado.

— Biomida — corrigiu ela.

Em seguida foram à banca de revistas, onde Ravi folheou uma publicação sobre carros sofisticados e Tara leu uma edição especial sobre dietas. Ravi lhe entregou uma moeda de 2 pence, e eles dedicaram alguns minutos a raspar a tinta de alumínio de várias raspadinhas, em um silêncio amigável. Nenhum dos dois ganhou prêmio algum.

— Quanto tempo faz que nós saímos do escritório? — quis saber Tara.

— Quarenta e cinco minutos.

— Então, é melhor voltarmos — sugeriu Tara.

— Acho que sim.

Depois do horário de almoço, já de volta ao trabalho, as conversas a envolviam e todos pareciam só falar de comida.

Vinnie comentou com Evelyn que o novo projeto ia ser "uma maratona", e Tara na mesma hora imaginou o "Sundae Maratona", cheio de amendoins, caramelo e chocolate ao leite.

— Não podemos amarelar — brincou Evelyn, e Tara quase desmaiou diante da ideia de um purê de batatas amarelo de tanta manteiga.

Ravi estava ao telefone com Danielle, sua namorada, e dizia:

— Não dá para ficar com o bolo e comê-lo ao mesmo tempo — lembrou ele. *Que tipo de bolo seria?*, imaginou Tara, com ar sonhador. Um bolo de banana bem molhadinho? Um bolo de chocolate com recheio de calda de trufa? Um doce e delicioso bolo de cenoura? Um bolo escocês denso, recheado com amêndoas?

— Bem-vinda ao clube — riu Ravi, de forma afetuosa, falando com a boca muito perto do fone. Clube?... Tara se viu abrindo com

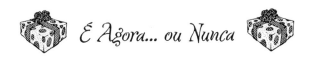

sofreguidão a embalagem laranja e dourada e pegando um punhado de biscoitos crocantes Club Social. Nossa, que tortura!

— Nem só de pão vive o homem! — Essa observação veio pelo ar, no meio da conversa de alguém, e alcançou os ouvidos de Tara. Que tipo de pão seria? Ciabata? Focaccia? Baguete? Pão de forma? Mas quem mais falaria “nem só de pão vive o homem”, a não ser os fanáticos pela Bíblia? Será que ela já estava ouvindo coisas? Seria alucinação provocada pela fome?

Nesse instante uma mulher morena, muito elegante, apareceu na porta do escritório, apresentando-se em voz alta:

— Oi. Meu nome é Pearl e trabalho no Suporte Técnico. Alguém me informou que vocês vendem laranjas aqui.

Todos se viraram ao mesmo tempo e olharam para Tara.

— Informaram errado! — replicou ela, com aspereza.

— Desculpe, então — disse Pearl, do Suporte Técnico, recuando meio sem graça. Suspeitava que tinha acabado de dar um fora...

— Laranjas são muito difíceis de comer, o suco se espalha por todo lado — explicou Tara. — Posso conseguir uma tangerina para você, se quiser. Muito mais prática para comer.

Depois do expediente, Tara fez uma aula de step e ficou toda feliz ao sentir que quase desmaiou de fraqueza. Teve que se sentar no banco por quase 15 minutos, antes de conseguir tornar a andar sem os joelhos dobrarem. Ao chegar em casa. Thomas deu uma palmada em seu traseiro, dizendo, de forma afetuosa:

— Até que você não está mal para uma gorducha.

Naquela noite ela foi para a cama com o corpo todo tremendo de fome e fadiga muscular. Com tudo e por tudo, o dia fora ótimo!

CAPÍTULO 26

Katherine gostou de saber que, no dia em que insinuou que Joe a estava assediando sexualmente, ele nem voltou para o trabalho depois do almoço. Obviamente fora ao pub para beber, e ela não conseguia evitar a leve euforia de descobrir o poder que tinha para magoá-lo.

Ao chegar ao trabalho na manhã seguinte, estava ligeiramente curiosa. Será que Joe já conseguira superar a acusação, e pretendia voltar ao velho estilo charmoso e tão familiar? Será que os bate-papos matinais iam voltar à sua rotina? Será que ele ia continuar se sentando na ponta de sua mesa? Será que o flerte e o clima de sedução iam rolar?

E sua crueldade ia continuar?

Para sua surpresa, Katherine se viu inclinada a dar um tempo a Joe. Ele fora tão persistente, lhe parecia justo. Talvez ela saísse com ele para tomar um drinque, sempre agindo como se tivesse sido obrigada, é claro.

Ficou vigiando a porta de entrada, não exatamente ansiosa, mas também não exatamente calma. Ele, porém, não apareceu. Ela desviou a atenção para um balancete que analisava e, na hora do almoço, percebeu que parte de sua mente estivera ligada a manhã toda, à espera dele.

Finalmente, às três da tarde, ele apareceu, com Myles a tiracolo, carregando uma garrafa de Lucozade. Os dois pareciam pálidos e meio sem graça.

— Cavalheiros! Fico feliz de terem conseguido um tempinho para se juntarem a nós hoje — disse Fred Franklin, sarcástico.

Joe resmungou algo a respeito de ter estado em uma sessão de fotos para um anúncio.

— Quer dizer que a sessão aconteceu no seu quarto? — debochou Fred.

— Não — garantiu Joe, na defensiva. — Na verdade, foi no banheiro — acrescentou, com um sorriso envergonhado, meio de lástima, e foi andando pelo escritório.

Na mesma hora, Katherine assumiu a sua postura dura, com expressão enigmática. *Lá vamos nós!*

Joe veio vindo na direção dela, pelo lado direito da mesa, mas continuou em frente. Em direção à máquina de café. Segundos depois, ao vê-lo voltando, Katherine, mais uma vez, montou sua pose. Mas ele passou direto por ela, ignorando-a por completo. Na verdade, nem mesmo olhou em sua direção ao seguir para a sua mesa.

Katherine lhe deu alguns minutos para verificar os telefonemas e e-mails, e esperava que ele viesse falar com ela logo depois, mas ele não fez isso. Esperou um pouco mais, pois talvez ele estivesse resolvendo algum assunto urgente, mas a sua mesa continuou sem ninguém sentado na ponta. Talvez ele estivesse com algo pendente, depois de um horário de almoço de 26 horas. Ficou vigiando-o, veladamente. Ele *não parecia* alguém atolado em trabalho.

Depois de uma hora, Katherine teve de reconhecer que Joe não a visitaria naquele dia. Pelo visto, desistira dela. Uma onda de alívio chocou-se com outra, de desapontamento. Esse cara é um fracote, pensou. O que significa uma acusação de assédio sexual para um homem de verdade?

Com um certo esforço, tentou focar a atenção de volta no trabalho, mas sua concentração mostrou-se irregular. Para o mundo externo, ela parecia uma mulher imersa em cálculos para amortização de dívidas, mas sua cabeça estava cheia de pontos de exclamação. Não acredito que ele já tenha desistido de mim! Assim, desse jeito! Ele era louco por mim ontem! Eu era o sol de sua vida, ele mesmo disse!

Continuou lançando olhares furtivos, conferindo tudo, para descobrir se ele mudara de ideia. Estava olhando na direção dele por acaso quando, do outro lado da sala, ele tirou o paletó, afrouxou a gravata e arregaçou as mangas da camisa. Mesmo sem querer, Katherine manteve os olhos fixos nele. Nos pelos dos seus braços, na pele lisinha por baixo deles, nos músculos que se enrijeciam e se flexionavam toda vez que ele pegava o telefone ou clicava no mouse. No relógio cromado que se mantinha firme em seu pulso. Fracote era um termo que não se aplicava aos seus braços.

Isso a deixou realmente irritada. Ele costumava se referir a si mesmo como Senhor Não-há-perigo, Senhor Sou-magro-demais-pra-ser-machão. No entanto, embora fosse magro e esbelto, tinha músculos. Aqueles eram os braços de um homem sexy... Ah, não! De volta para a jaula, ralhou ela, enxotando seus sentimentos rebeldes. Vamos, voltem já para trás das grades!

No momento em que ela dava por encerrados os trabalhos do dia, Joe e sua equipe já estavam fazendo planos para ir ao pub. Falavam em "beber mais um pouco para curar a ressaca" e coisas desse tipo.

Joe chamou:

— Ei! — e Katherine olhou para ele. *Até que enfim*, pensou. E se preparou para jogar duro. Não havia motivos para ceder assim tão fácil. Mas os olhos de Joe estavam em algum ponto além dela, na direção dos fundos da sala. — Ei, Angie! — tornou a chamar. — Você vai conosco tomar um drinque?

O estômago de Katherine se contraiu. Angie era uma das redatoras da firma. Era uma garota delicada, com cabelos pretos, muito bonita e tão nova na empresa que ainda não recebera nenhum apelido relacionado com as suas propensões sexuais.

— Por que não? — sorriu Angie.

Katherine esperou que Joe sugerisse que ela fosse também, mas o ar reverberou com o seu silêncio.

Colocando um disquete no computador, para salvar o seu trabalho do dia, Katherine, deliberadamente e com um prazer frio, endureceu o coração. Joe Roth era um babaca! E pensar que ela lamentava tê-lo rejeitado! Em pouco tempo ele já superara aquilo. Pelo visto, baixa e magra era o seu tipo, e ele já fora em frente, atacando a *mais nova* baixa e magra do escritório.

Ficara o tempo todo de onda com Katherine e, no instante em que ela se mostrou interessada, fugira correndo, deixando-a com feridas reabertas. Só queria saber dela porque sabia que não estava disponível. Os homens eram bem infantis mesmo, e a grama do vizinho era sempre mais verde.

Ainda bem que ela caíra fora.

Depois de copiar seus arquivos, jogou o disquete na gaveta e fechou-a com força. Quando chegou no elevador, estavam todos lá e Joe ria de algo que Angie dissera, com a cabeça junto da dela. Katherine ficou com vontade de virar-lhes as costas, mas isso teria sido muito pior. Com uma expressão impassível, desceu com os alegrinhos, todos comentando que estavam dispostos a secar um barril de chope.

— Por que não vai até lá conosco? — sugeriu Myles, olhando para Katherine, com a esperança de animar Joe. Então, na mesma hora, se arrependeu. E se ela resolvesse acusar *a ele* de assédio sexual?

— Não, acho que não... — murmurou, e esperou que Joe forçasse a barra, tentando convencê-la. Ele, porém, não disse nada, e ela se sentiu espumando de raiva. Porco sem-vergonha! Ao sair do elevador disse a todos: — Divirtam-se! — falando por cima dos ombros, perguntando-se como conseguira dizer aquilo sem engasgar.

Nas quartas-feiras à noite, Katherine tinha aula de sapateado. Esquecia-se da vida, fazendo clact-clact ao som da canção "Pés Felizes", acompanhada de seis outras mulheres que vestiam shorts de cores berrantes e fantasiavam lembranças de uma infância feliz, enquanto todo mundo a caminho da aula normal de aeróbica olhava para dentro do estúdio e prendia o riso.

Depois da aula, muitas vezes saía com Tara, Liv e, às vezes, Fintan e Sandro. Naquela noite, porém, ela só queria ir para casa, direto. Chateada demais para se sentir culpada, lançou-se na maré dos escriturários que corriam em direção à estação do metrô em Oxford Circus. Não, ela não podia aguentar aquilo não. Fez sinal para um táxi e ficou rezando para o motorista não ser um daqueles que gostam de puxar assunto. Os céus, porém, estavam contra ela. Como era de imaginar, teve de aguentar um papo descacetado por mais de 40 minutos. O taxista, um xenófobo fascista chamado Wayne, pregara no painel uma foto de seus três filhos feios e balofos, e pichava todos os povos do planeta, dizendo:

— O problema, meu anjo, é que esse pessoal é muito sujo, não é?

Os franceses, bósnios, jamaicanos, algerianos, gregos, paquistaneses e, é claro, irlandeses eram todos, de acordo com Wayne, uns porcalhões. Enquanto ligava para os amigos do celular e deixava mensagens em sua caixa postal, avisando que não ia sair com eles, Katherine mal conseguia ouvir os próprios pensamentos.

Finalmente chegou em casa, mas a sua alegria durou pouco. Seu apartamento cintilante de tão limpo lhe pareceu triste e estéril. Limpo demais! *Neuroticamente* limpo. Pensou vagamente em comer alguma coisa. Só que não queria se dar o trabalho de preparar nada. Zapeou o controle remoto, mas não achou nada na telinha que lhe interessasse. Sua vida, que ela normalmente achava satisfatória, estava supercarente de algo. Tudo nela, do emprego ao apartamento, lhe pareceu sem graça, inadequado ou vivo apenas pela metade. Estourou algumas bolinhas em um pedaço de plástico-bolha que encontrou, mas até isso perdera o charme.

Apesar da imensa preocupação que pendia sobre sua cabeça, uma carga tão pesada que não dava nem para descrever, Katherine se sentia muito satisfeita com a sua vida, até uns dois dias atrás.

Odiava Joe por ter feito aquilo com ela. Ela cometera o erro de começar a se ver através dos olhos dele, e gostou do que viu. Agora que ele recolhera a admiração que sentia, ia ter que voltar a se enxergar usando as lentes rosadas dela mesma, e esse ajuste era sempre doloroso.

Não podia telefonar para Tara, Fintan ou Liv a fim de desabafar, pois não tinha o hábito de fazer isso. Sempre aguentara a própria fossa. E sabia que ia incomodar os outros se começasse a se dissolver em uma história sentimentaloide. Afinal, todos a julgavam capaz e sem emoções.

Por fim, decidiu que era melhor comer alguma coisa, mas, como sempre, não tinha nada em casa. Com ar apático, deu um pulinho até a loja da esquina e foi pegando algumas coisas, sem o mínimo interesse. Ao se dirigir para o caixa, forçou-se a olhar para os itens inúteis largados no fundo da cesta. Uma lasanha congelada, para uma pessoa. Uma maçã solitária. A menor caixinha de leite jamais fabricada. Patético! Um anúncio ambulante de que ela estava sozinha. O homem do caixa ia morrer de pena dela.

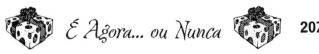

Zangada, pegou um saco de dois quilos cheio de batatas imundas e jogou na cesta, quase deslocando o ombro e fazendo o braço dobrar de comprimento, devido ao peso. Pronto! Isso ia mostrar às pessoas quem ela era. Ninguém mais ia achar que ela não tinha um homem ao seu lado. Nenhuma pessoa sozinha iria comprar um saco de dois quilos de batata. *Especialmente* aquelas, ainda cobertas de terra. Aquilo era o símbolo das mães — em pé com a barriga colada na pia, os nós dos dedos ralados, limpando a sujeira das batatas com uma escovinha antes de jogá-las dentro de uma panelona de água fervendo, para alimentar a família exigente.

Com o rosto avermelhado, Katherine sorriu, com ar de desafio, para o empacotador. Veja, eu sou uma pessoa de verdade. Só que ele nem mesmo fez contato visual com ela. Ao chegar em casa, guardou o monte de batatas na cozinha, perguntando-se o que fazer com elas.

Comeu a lasanha, a maçã e tomou uma xícara de chá, mas a noite estava apenas começando e ela já estava agitada com o vazio à sua volta.

Preparou um banho com produtos da Philosophy, escolhendo a fragrância Sabedoria, pois o rótulo prometia "melhorar a autoconfiança, aumentar o senso de valor próprio, o poder e o sentimento de realização". Por fim, foi para a cama e, pela primeira vez em muito tempo, reparou que estava só.

Deixa pra lá, pensou. Ainda tenho a televisão. Pegou o adorado controle remoto, determinada a achar algo que a ajudasse a pegar no sono. Quem precisa de um homem ao lado quando pode assistir ao *Corujão*?

Mas se pegou imaginando como Joe deveria ser na cama. Como será que ele era pelado? Qual seria a sensação de passar as mãos por sua pele perolada e linda, e sentir os músculos de suas costas? Apesar de sua cordialidade de menino, ele era muito sexy, reconheceu Katherine, sentindo-se péssima. No tempo em que ele vivia atrás dela, interessado em conquistá-la, ela não se permitia pensar no quanto ele era atraente. Só agora, que ele provavelmente já não estava mais disponível, é que se sentia segura para imaginar essas coisas.

Às quatro da manhã, acordou de repente e se viu abraçada ao controle remoto. Sentiu um mau presságio e levou apenas alguns minutos até descobrir o motivo. Então se lembrou. Joe saindo para beber. Angie saindo, também. De repente, compreendeu que ele poderia estar na cama com Angie naquele exato momento. *Naquele exato momento*. Em algum lugar da cidade, Joe Roth poderia estar na cama, com os braços em volta de uma mulher nua. Katherine caiu na armadilha de achar que poderia ser essa mulher. Caiu no engano de imaginar que o tesão dele pertencia unicamente a ela.

De costas no colchão, olhou ansiosa para o teto. Há muito tempo não perdia o sono no meio da noite, e não gostou do que isso significava. Sentimentos antigos, muito antigos, começaram a se infiltrar nela lentamente, atormentando-a.

De repente se viu novamente com 19 anos, e a dor de ter o coração estraçalhado pela primeira vez voltou com a mesma força de antes. Ela trabalhava como estagiária de contabilidade em Limerick nessa época, mas não aguentava ficar mais tempo na cidade, porque o lugar estava associado ao amor que perdera. Sentiu que ia enlouquecer se não saísse dali. Assim, encaminhou o seu pedido de demissão à firma Good & Elder, o que causou consternação, pois ela estava se saindo muito bem. Embora *ultimamente* não andasse tão bem, analisou o supervisor.

Voltou para casa, para Knockavoy, com a esperança de superar a dor. Sem avisar, chegou de ônibus, em uma tarde de setembro. Todos se mostraram surpresos ao vê-la, pois ela não aparecera na cidade durante todo o verão. Depois, ficaram ainda mais surpresos quando se espalhou a notícia de que ela voltara para sempre. Katherine fora a aluna mais bem-sucedida da turma de 1985, aquela que conseguira ir embora e se estabelecer. Agora, voltara para casa e não contava o porquê disso.

A alegria inicial de Tara e Fintan pela volta de Katherine logo se transformou em preocupação. Obviamente ela tinha sido muito magoada pelo namorado que tinha em Limerick. Havia algo no jeito depreciativo com que olhava para os amigos sempre que um dos dois dizia que estava a fim de um rapaz. Isso a entregou.

— De que adianta? — argumentava ela, com irritação. — Eles fingem que estão loucos por você, e assim que você cai na rede, eles se mandam!

— Eu não me incomodaria de cair nessa rede — ria Fintan, e Katherine o fuzilava com os olhos.

— É muito melhor ficar sozinha — insistia ela, com o rosto contorcido em uma máscara de dor.

Logo ela, que sempre fora tão alegre e doce. Mesmo sem curtir os rapazes, jamais fizera objeções às conquistas de Tara e Fintan. O que acontecera?

— Por favor, conte para nós... — pediam eles, constantemente, cada vez mais desesperados. — Ajuda colocar os problemas para fora. A gente garante a você que sabe como são essas coisas.

Mas ela não se deixava desabafar. Não *conseguia* se abrir. Ao mesmo tempo, trancada no próprio silêncio, a tristeza acabou por tomar conta dela. E não ia embora...

Katherine fora criada em uma casa só de mulheres, sem ter nem mesmo um tio por perto; jamais curtira um namorado de verdade e sempre fora feliz. Agora, porém, depois de ter experimentado uma presença de intensa masculinidade em sua vida, tudo ficara diferente, e ela se viu atirada em um grande poço de carências. Precisava do amor e do bálsamo de um homem. Embora não fizesse muito sentido para ela, sentia que só um homem curaria a ferida aberta por outro.

Porém, o que poderia fazer? A ideia de tornar a se apaixonar a enchia de terror. Aliás, ela jamais superaria o coração partido. Então, em uma noite em claro, duas semanas depois de ter voltado de Limerick, lembrou de Geoff Melody, seu pai. E tudo começou a fazer sentido.

Imediatamente, o desejo de conhecê-lo foi poderoso e inadiável. Queria pular da cama na mesma hora e ir para a Inglaterra, procurá-lo. O que a deixava pasma era o fato de ter deixado essa página de sua vida em aberto, até agora. Como era possível que ela jamais tivesse sentido essa ausência, esse imenso vazio, antes? Por que perdera tanto tempo?

Uma onda de esperança nova e refrescante anulou a dor e a amargura, e de repente Katherine encontrara uma razão para viver. Achava que a sua vida acabara, que nunca mais alguém a amaria, mas ganhara uma nova oportunidade. De uma hora para outra, seu pai se tornou o repositório de todos os seus sonhos e aspirações. Ele a compreenderia, pois era, provavelmente, igual a ela. Ele seria a sua salvação, tinha certeza. Obviamente, tudo ia ficar bem novamente.

Como será que ele era? Não adiantava perguntar nada à sua mãe, pois ela ia fazer a caveira dele. A parte boa era que se a mãe não gostava dele, isso só podia significar que ela, Katherine, ia adorá-lo.

Os pensamentos de Katherine se soltavam das rédeas quando ela imaginava o futuro lindo e brilhante que se desdobrava diante de seus olhos. Ela ia morar na Inglaterra, junto com o pai. Quem precisava de um namorado, ou marido, quando tinha um pai? Ele colocaria uma nova energia no seu passado e no seu futuro, e ela nunca mais ia meter os pés pelas mãos, pois teria um homem para guiá-la.

Ficou deitada, fantasiando o jeito como ele seria. Certamente ele possuía terras. Ingleses de uma certa idade sempre possuíam terras. Ele plantaria rabanetes só para a filha. Ela se sentaria com ele, só os dois, e ele ia ficar remexendo na terra; ela lhe contaria tudo a respeito de sua vida, e ele não falaria muito, mas suas poucas palavras seriam cheias de sabedoria. Sabedoria *masculina*.

Ou talvez ele fosse cheio de vida e ousadia, com um sotaque *cockney*, falando ditados engraçados. "Pode se chegar, Katherine, minha bonequinha de porcelana", diria ele, enquanto ganhava a vida, sempre no desvio, aqui e ali... sempre no desvio, mas dentro da lei, entenda-se bem. Nada de gracinhas com a polícia. Ter um dos pais pouco respeitado pela comunidade já era o bastante para qualquer criança.

Ou talvez ele fosse rico e esnobe. Chamaria a filha de "minha querida", e o curto apelido não esconderia o amor que sentia por ela. Pode ser que ele tivesse outros filhos, mas não se desse bem com nenhum deles, e talvez precisasse de alguém para assumir a firma de contabilidade da família. Katherine entraria em cena no momento exato.

Em sua cabeça, seu pai se tornou uma combinação de Arthur Fowler, Dick Van Dyke e Horace Rumpole*.

---

* Arthur Fowler é personagem de *EastEnders*, uma novela da tevê inglesa; Dick Van Dyke é um ator americano famoso por sua simpatia; Horace Rumpole é o advogado idealista que defende qualquer cliente em uma série de tevê ainda inédita no Brasil. (N.T.)

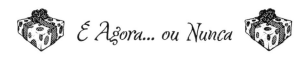

Katherine nem mesmo considerava a hipótese de que Geoff Melody talvez não estivesse interessado nela. Sua carência era tão grande que não conseguia imaginar que ela não fosse correspondida.

Levou muito tempo para tomar coragem e escrever a carta. Já aprendera que os homens não gostam de se ver cara a cara com carências puras, então domou o seu desejo de encontrar Geoff Melody, transformando-o em uma vontade casual, sem compromissos. Sabia que seu pai ia consertar a sua vida, mas não havia necessidade de assustá-lo dizendo-lhe *isso* de forma direta.

Não estou lhe pedindo coisa alguma, era a mensagem implícita.

Dez dias depois de enviar-lhe a carta, Katherine recebeu um envelope com o carimbo do Serviço Postal Britânico. Seu pai lhe respondera! Pela espessura do envelope bege em papel caro e elegante, Geoff Melody estava mais para Horace Rumpole do que Arthur Fowler.

Mas a carta não era de seu pai, e sim de um advogado que executava testamentos; ele a informava simplesmente que seu pai morrera de câncer no pulmão, seis meses antes.

O fim de sua história de amor lhe parecera o luto pela morte de alguém, e agora a morte de alguém lhe parecia o fim de uma história de amor.

CAPÍTULO 27

Na manhã seguinte, Katherine se viu louca para chegar ao trabalho. Estava interessada em inspecionar Joe, discretamente, para ver se descobria sinais de ele ter ficado acordado a noite toda, transando com Angie. Porém, no momento em que chegou à Breen Helmsford, ela se acalmou. Joe realmente parecera estar com a cabeça virada por ela, e Katherine não estava convencida de esse sentimento ter se evaporado de todo. Além do mais, ela possuía integridade e decência — não era o tipo de mulher que sai por aí se esfregando com um tipo que mal conhece.

E já que tinha toda essa integridade e decência, não via necessidade de explicar o porquê de não sair com ele.

Toda a ansiedade já se fora no instante em que ela entrou com elegância no escritório. Ao ver Joe encostado na parede, junto da máquina de fazer café, resolveu lançar-lhe um sorriso, pois não conseguiria evitar isso. Até que uma inspeção mais cuidadosa mostrou que ele estava com a barba por fazer, descabelado e com cara de cansado. Parecia ter envelhecido muito mais do que apenas um dia.

Revistando-o com os olhos ela reparou, com uma sensação de pesadelo em câmera lenta, que as suas roupas eram as mesmas da véspera. Será que era apenas sua imaginação? Forçou-se a observar mais uma vez, com atenção. Meu Deus! Exatamente o mesmo terno! O mesmo paletó que ele tirara na véspera. A mesma camisa cujas mangas ele arregaçara. A mesma gravata que ele afrouxara. Sinal seguro de que ele não fora para casa.

Uma imobilidade estranha se abateu sobre ela. Seu sangue parecia ter parado de circular, como se o choque o fizesse parar por completo.

Ele não devolveu o sorriso que recebeu dela, e que rapidamente desaparecia de seu rosto. Seus olhos castanhos, que normalmente brilhavam, calorosos, e exibiam um bom humor quase infantil ao vê-la, permaneceram frios. Com ar sóbrio, ele a cumprimentou, jogou o copinho plástico na lata de lixo e se virou para o outro lado.

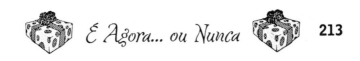

Como uma sonâmbula, Katherine despiu lentamente o casaco. Talvez ele tivesse dormido na casa de um dos rapazes, disse a si mesma. Não precisava ser Angie, baixa e magra daquele jeito.

Ao ligar o computador, sentiu uma sensação forte e inesperada de antipatia por sua mesa. O que estava errado com o móvel? Irritada, olhou para o lugar junto do qual estava sentada, tentando identificar o que estava faltando. Então percebeu: Joe não estava sentado sobre ela.

Durante toda a manhã, enquanto fingia se manter muito ocupada com as planilhas, Katherine foi aperfeiçoando a arte de olhar sem parecer estar olhando, verificando, com toda a discrição, algum sinal de camaradagem entre Joe e Angie. Nenhum dos dois chegou perto do outro, porém, como Katherine sabia muito bem, isso por si só não significava nada. Muitas vezes, quando duas pessoas dormiam uma com a outra, ignoravam-se mutuamente ao se reencontrar. Pensando bem, quanto mais se ignoravam, *mais provável* era terem feito sexo.

Joe e Angie estavam em suas mesas, muito ocupados, digitando em seus computadores, mas Katherine não sentiu conforto nisso — provavelmente estavam trocando e-mails eróticos.

Katherine reparou mais um dado inquietante. Tirando o olhar de menino de Joe Roth e o seu jeito amigável, o que sobrava? Um homem sério e muito sexy. Com aquele ar rústico, a barba por fazer e as roupas de ontem, Katherine percebeu que ele jamais lhe parecera tão bonito.

Ficou com as antenas ligadas no bate-papo que rolava pelo escritório, basicamente para ouvir se alguém se referia a Angie por algum outro nome que não esse. Algo vulgar que entregasse o fato de que alguém dormira com ela. Não pintou nada, porém. Apenas comentários generalizados que davam conta de o quanto todos estavam de ressaca e enjoados. Da decisão coletiva de nunca mais beberem daquela forma. Do fato de ninguém se lembrar de nada do que acontecera depois das dez da noite. Ou de como Darren vomitara no corredor. Ou da confusão que fizeram, tão grande que provocara a sua expulsão do Burger King.

Katherine voltou a sentir a impressão de estar deslocada e ser esquisita, jamais no centro da curtição e sempre circulando pelas beiradas da vida.

— Desculpe, Miss Gelo... — a cabeça de Katherine se levantou depressa e ela viu Angie parada na frente dela. Por um curto e louco segundo, achou que Angie fora até ali só para lhe dizer que não dormira com Joe Roth. Mas espere um instante...

— Do que foi que você me chamou?! — perguntou.

— Miss Gelo — respondeu Angie, toda gentil.

Ao ver a expressão no rosto de Katherine, hesitou, antes de perguntar:

— Esse não é o seu nome? — e pareceu confusa. — É assim que todos a chamam por aqui. Achei que fosse típico da Irlanda nomes terminados em "elo". Tenho um primo irlandês que se chama Novelo...

— Meu nome é Katherine, e os nossos colegas me chamam de Miss Gelo porque eu me dou ao respeito o bastante para não dormir com os homens com quem trabalho — repreendeu-a Katherine.

— Ai, putz... — Angie pareceu mortalmente sem graça e ligeiramente envergonhada. Será que estava envergonhada por *não se dar* ao respeito o bastante e dormir com homens com os quais trabalhava?

— Agora é que eu entendi a história... Miss Gelo... — pensou, distraída. — Desculpe, sim? Eu só vim aqui para lhe trazer o valor da pensão que recebo, para abatimento de imposto na folha de pagamento — e jogou um papel com o código do imposto que recolhia na fonte sobre a mesa de Katherine. — É que assim eu não serei taxada duas vezes. — E saiu.

Katherine ficou olhando para o pedaço de papel. Seria muito fácil cometer um "engano" e colocar Angie dentro da alíquota de imposto mais terrível que existisse, para que o seu salário líquido fosse um valor negativo com muitos dígitos. É claro que tudo teria que ser consertado para o mês seguinte, mas não valia a pena armar tudo, só para ver a cara dela? Não, eu sou uma profissional, lembrou Katherine, e o acesso de loucura passou. Fora uma linda fantasia, mas já passara. Com um suspiro quase inaudível, voltou ao trabalho. Ficaria bem. Talvez levasse alguns dias para se acalmar de todo, mas ficaria bem.

CAPÍTULO 28

Tara teve uma boa semana. Bem, pelo menos fora uma semana abstêmia. Só escorregara duas vezes. Comera tirinhas de peixe à milanesa com batatas fritas no almoço de quarta-feira, e uma broa na sexta (afinal, quem era ela para não seguir a tradição?). A grande notícia era que a sua corrida desesperada rumo à comida fora contida. Ela não escapara das rédeas em uma frenética onda de gula. Não apenas isso, como também conseguira tricotar 28 carreiras do agasalho de Thomas, além de ir à academia quatro vezes.

Embora não houvesse nenhuma redução perceptível no tamanho de Tara, Thomas parecia satisfeito com o seu empenho, e mostrava-se excepcionalmente afetuoso.

Na quarta-feira à noite, ele dissera para ela:

— Chegue aqui perto de mim, minha mochila velha! — e segurou a mão de Tara enquanto assistiam, juntos, ao jogo do Real Madrid contra o Barcelona. Na quinta feira, ele jogara o braço por cima dela, durante o sono. Ela adorara a sensação de ficar ali, debaixo daquele peso pesado, absolutamente imóvel, temerosa de fazer algo que pudesse perturbá-lo e o fizesse tirar o braço de cima dela.

Então, na sexta de manhã, ele comentou, de repente:

— Você precisa dar um jeito em seu cabelo. Pinte algumas mechas de louro.

Isso deixou Tara toda empolgada; ela achava o seu jeito inflexível de machão nortista muito sexy, e ficou comovida por ele ter demonstrado interesse na sua aparência. Um interesse que, pelo menos daquela vez, não tinha nada a ver com o seu tamanho.

Agradeceu a Deus ao sentir que aquela expectativa sinistra que surgira na semana anterior havia desaparecido. Por um instante, perguntou a si mesma se já não se acostumara com o clima estranho, sem sentir.

Passou quase o sábado todo clareando o cabelo, imaginando, erroneamente, que se alguém melhora o cabelo está automaticamente melhorando a vida. Para confirmar isso, notou, assim que chegou em casa, que Thomas estava de mau humor, porque o time do Huddersfield tinha perdido em casa para o Bradford.

— Três a zero! — rugiu ele, assim que Tara colocou os pés em casa. — É mole?!... Três a zero!

— Gostou do meu cabelo? — perguntou ela, tolamente.

— Parece um monte de palha — trovejou ele. — Quanto pagou por esse troço?

Tara ficou tão revoltada que só faltou chorar de raiva. Ele insistiu para que ela fizesse aquilo no cabelo, praticamente ordenara. Largando as sacolas no chão, saiu da sala — jamais seria pega chorando na frente dele. Ainda mais depois que ele reclamara de Bella, sua última namorada. "Ela vivia chorando pelos cantos." Pelo que ele contara, Bella era do tipo grudenta, sensível demais e muito exigente. Quanto a Claire, a namorada que veio antes de Bella, também não era muito melhor nesse campo. Ao ouvir Thomas reclamar delas, Tara jurou para si mesma que seria totalmente diferente. Agradaria a Thomas sem jamais se tornar lamurienta ou emburrada, e seria uma namorada muito melhor e bem menos irritante.

Sentindo-se com a respiração quase ofegante de tanta humilhação, no quarto, garantiu a si mesma que Thomas não pretendia ser assim tão babaca. Simplesmente estava revoltado com a vida e precisava descontar em alguém. Ela não devia levar isso para o lado pessoal.

Naquela noite, Tara estava à disposição de Thomas, pois combinara de ir ao aniversário de seu amigo Eddie. Como ela não sentia muita empolgação por Eddie, ligou para Fintan, pensando em implorar para que ele fosse com ela à festa, a fim de lhe dar apoio moral, mas a ligação caiu na secretária. Ligou para o celular e ouviu a mensagem da caixa postal. Não falava com Fintan desde segunda à noite. Embora normalmente eles se falassem todos os dias, Fintan estivera em Brighton a semana toda, e ela andava tão abalada e trêmula devido à falta de comida, e também atormentada com o papo que haviam tido a respeito de exames de HIV, que acabara não ligando mais para ele.

Em seguida, ligou para Katherine. Não a vira a semana toda também.

— Venha comigo à festa de Eddie, *por favor* — implorou Tara.

— Não — disse Katherine, com a voz suave. — Desculpe, Tara, mas eu detesto Eddie. Era capaz de me engasgar ao lhe desejar feliz aniversário.

Katherine considerava Eddie uma versão pouco melhorada de Thomas.

— Mas a gente não se vê desde segunda-feira — disse Tara, com ar pesaroso. — Sei que foi basicamente por culpa minha, pois passei todas as noites da semana indo à academia, mas mesmo assim... E então, o que vai fazer hoje à noite? Curtir uma noite sossegada em companhia do seu controle remoto?

— Eu ia sair com Emma, mas Leo está com laringite.

— Nossa, eu preciso visitar Emma...

— Depois eu tinha combinado de ir a uma festa com Dolly, mas ela caiu do alto de seus sapatos de salto *stiletto* de 15 centímetros de altura e torceu o tornozelo.

— Droga! Se a assistente de Fintan está usando *stilettos*, é sinal de que eles vão entrar novamente na moda. Preciso começar a treinar.

— Resumindo tudo, resolvi ir ao cinema.

— Em um sábado à noite? Isso é meio deprimente.

— Muito menos deprimente do que ir à festa de Eddie.

— Com quem você vai...?

— Sozinha.

— Nossa! — exclamou Tara, com inveja. — Você é tão tranquila com essas coisas...

— O que há com Fintan? Não consegui falar com ele.

— Não me pergunte. Também não consegui, e não sei dele.

Em seguida, Tara ligou para Liv.

— Desculpe — pediu Liv —, mas Lars está chegando hoje à noite da Suécia, de modo que eu preciso me plantar no terminal 2 e pagar o maior mico para ambos, chorando em público e implorando que ele largue a mulher dele e venha morar comigo.

Apesar de ter passado fome a semana inteira, vestir-se para sair continuava a ser, para Tara, um tormento extremo. Estar gorda a fazia se sentir muito menos humana, relegada às margens da vida, sem nenhuma válvula de escape para servir de indulgência à sua feminilidade. Adoraria poder sair rebolando por aí, com toda a confiança, dentro de um vestidinho curto, colante e sensual, mas o máximo que esperava era ficar encostada em uma parede, usando um top largo que cobrisse todos os seus pecados e fizesse Thomas lançar-lhe olhares voluptuosos.

Sem companhia, Tara ia ser obrigada a aguentar três horas dentro de um pub, bebendo Coca light, olhando com lascívia para os amendoins e torcendo para que um dia alguém inventasse cerveja sem calorias. Depois do pub, todos seguiram em direção ao apartamento de Eddie em Clapham, para a tal festa. Havia só umas 20 pessoas, e cada uma delas *havia sido convidada*. Era para ter mais gente, mas, à saída do pub, multidões foram obrigadas a ir embora mais cedo, a fim de liberar as babás.

A música estava baixa demais para alguém se aventurar a dançar. As pessoas ficavam em pé ou sentadas em grupinhos, conversando a respeito das maravilhas de um compensado de densidade média, as lindas maçanetas que havia na Conran Shop e as boas lojas de estofados da cidade — e muitas daquelas pessoas eram homens heterossexuais!

Tara ouviu de passagem uma conversa que rolava entre Stephanie e Marcy, as quais, pelo que percebeu, estavam tentando engravidar. Batiam papo a respeito de ácido fólico e de como era perfeitamente aceitável ter o primeiro filho aos 37 anos.

— Seu namorado apoia você nessa ideia? — Stephanie perguntou a Marcy.

— Que namorado?

— Ahn... o homem, o pai da criança...?

— Ah... — e Marcy riu, meio nervosa. — Sei lá. Ainda não o conheci.

— Ué... mas eu entendi você dizer que estava tentando... engravidar.

— Banco de esperma.

Tara saiu da rodinha o mais rápido que conseguiu, dando uma desculpa qualquer, e foi até onde Mira estava. Mira era a namorada de Paul, e usava uma saia curtinha preta, em tecido emborrachado. Não havia perigo de estar falando de estofados ou ácido fólico.

— É de um tamanho mínimo! — suspirou ela, com ar sonhador —, mas eu adoro.

Sobre o que ela estaria falando?, perguntou-se Tara. Uma tatuagem? Um piercing? O pênis de Paul?

— É um jardim muito pequeno, só bate um solzinho lá — entusiasmou-se ela. — Mas, no verão, o rododendro na parede dos fundos fica *glorioso* e se espalha com a maior rapidez...

Minha nossa! Jardinagem! Tara fez cara de nojo. *Fala sério... Jardinagem?*

Circulando sem rumo pela sala, acabou entrando na cozinha, onde Thomas e seu círculo de amigos conversavam em pé, bebendo cerveja e trocando insultos. Viravam a cabeça para cima, a fim de mostrar o quanto estavam "descontraídos". Eddie ria sem parar e debochava do emprego ridiculamente malpago de Thomas, enquanto Thomas retaliava, chamando Eddie de "tremendo canalha". Em seguida, Thomas debochou de Paul pelo fato de ele torcer para um time que fora rebaixado para a terceira divisão, enquanto Paul argumentava que pelo menos era um cara leal. Paul quase se dobrou de tanto rir ao saber que a namorada de Michael lhe dera um pé na bunda. Michael, por sua vez, quase teve de ser hospitalizado com falta de ar, provocada pelo riso quando soube que Eddie batera com o carro no início da semana, em um acidente que acabara com o veículo, resultando em perda total.

Enquanto eles seguravam com força as suas latas de cerveja, uivando em explosões de gargalhadas, Tara manteve um sorriso educado no rosto. Atenta para não deixar Thomas perceber, deu uma olhada rápida no relógio. Uma e meia. Felizmente, já estava na hora de eles irem embora. Que desperdício de uma noite de sábado! Mais um pouco e ela ia achar que era melhor ter ido ao cinema com Katherine.

A hilaridade continuava. Rugindo de tanto rir, Eddie afirmou que o apartamento de Thomas fora um investimento ridículo e que ele estava fadado a ficar com saldo negativo no banco pelo resto da vida. Muito animado, Thomas comunicou a todos que a última namorada de Paul comentara que ele precisava de umas doses de Viagra. Parecendo estar se divertindo muito com aquilo, Paul riu para Thomas, dizendo:

— Pelo menos a minha mãe não fugiu e me abandonou quando eu era pequeno.

Tara pressentiu, com certa ansiedade, que as coisas estavam a ponto de fugir ao controle, ultrapassando o nível de hostilidade média quando, por sorte, alguém colocou "One Step Beyond" para tocar no som. Subitamente, o piso da sala ficou lotado, com um monte de homens de trinta e poucos anos dançando, pela primeira e última vez, em toda a noite.

CAPÍTULO 29

Durante a semana, Tara curtiu com um certo prazer a emoção de se sentir leve e vazia, e adorou a sensação de controle e superioridade moral. O barato, porém, estava passando. Quando o domingo pintou, Tara se viu com a síndrome da sexta-feira, e estava pronta para estragar tudo. Tinha consciência do perigo de o seu metabolismo cair demais devido à falta de comida. Afinal, ela aguentara cinco dias de frutas e inanição. Merecia um prêmio. Tinha uma vaga ideia de que esse era exatamente o seu padrão, mas não a ponto de ser capaz de quebrá-lo. Circulando lentamente pelos confins do seu cérebro, veio se insinuando a ideia de ela ir ao encontro de uma lauta refeição composta de seis pratos e regada a álcool.

E ela estava com sorte, pois Thomas ia ficar fora o domingo todo, jogando bola com os amigos.

Tara telefonou para Katherine, porém, infelizmente, ela estava trabalhando, preparando a abertura do ano fiscal.

— Mas você acabou de fazer o fechamento do ano fiscal — lembrou ela, desapontada.

— Sim, e depois de todo fim tem um início — explicou Katherine.

— Muito profundo — refletiu Tara. — Isso é uma coisa da qual seria muito bom você se lembrar.

Mais uma vez, sem sucesso, Tara tentou encontrar Fintan. Talvez ele e Sandro tivessem viajado para passar o fim de semana fora. Por outro lado, eles sempre comentavam a ideia com ela ou com Katherine quando planejavam ir a algum lugar. Não importa se era Marrakech ou Margate, qualquer passeio se tornava uma superprodução. Onde é que eles haviam se enfiado, afinal?

Acendendo um cigarro, ligou para Liv que, devido à partida de Lars, estava a fim de dar uma saída. O único detalhe ruim é que Liv estava se sentindo péssima. Embora, pensando bem, mesmo quando sua vida estava indo fantasticamente bem, Liv se sentia péssima.

Na frente de Thomas, Tara afirmou que topava ir fazer compras. Só que planejava fazer com que essa sessão de compras fosse bem curta e, logo que possível, pretendia dirigir-se a um estabelecimento onde servissem batatas fritas bem crocantes. Já estava decidida a fazer isso, e pouco se importava de colocar a perder cinco dias de dieta de uma vez só.

— Estou indo para aí — prometeu Liv.

Liv tentou calcular a sua chegada para depois que Thomas já tivesse saído; porém, para sua decepção, ele ainda estava em casa. Ele acenou com a cabeça rapidamente quando a viu passar direto para a cozinha, com Tara. Embora aprovasse os cabelos compridos e louros de Liv, bem como a sua pele firme e muito dourada, sentia-se irritado com ela, que estragara tudo sendo mais alta que ele.

Liv detestara Thomas logo de cara: ele era um sujeito pra baixo, muito depressivo, e fedia a gato. Ficava louca de vontade de rasgar em mil pedaços o papel de parede marrom da sala e pintar tudo de verde-nilo, arrancar o carpete em placas e substituí-lo por tábua corrida, e por fim desmontar as persianas de enrolar e substituí-las por cortinas leves em organza lilás. A cozinha, porém, era o pior de tudo, pensou Liv, olhando em volta para os armários revestidos de fórmica mostarda. Tinha vontade de... de... tacar fogo e deixar tudo lamber até virar carvão.

Tara devia assumir o controle daquilo. Será que ela não sabia que redecorar a casa era o lance do momento?

Fechando a porta da cozinha, Tara perguntou, com jeitinho:

— E então, Lars já voltou para a Suécia?

— Sim — concordou Liv, com o rosto rígido de tristeza. — Dessa vez eu fiquei muito mal. Muito mal mesmo.

— Você sempre fica muito mal — comentou Tara, tentando animá-la. — Mesmo que ele abandonasse a mulher e se casasse com você, acho que iria continuar a se sentir péssima.

— Acho que estou mal demais para ir ao shopping — desculpou-se Liv. — E se eu não encontrar nada de legal, lá? Acho que não aguentaria uma decepção desse tipo, nas minhas atuais condições de fragilidade.

— Mas pense só na alegria que vai sentir se encontrar um par de sapatos fantástico! — encorajou-a Tara. Não queria que Liv a deixasse na mão, senão ela teria que ir ver Thomas jogar bola.

— Mas se eu gostar de algum sapato e a loja não tiver o meu tamanho? — argumentou Liv. — Seria perigoso. Jung diz que...

— Jung não manja nada de sapatos — garantiu Tara, com firmeza. Recusava-se a ser intimidada pelo conhecimento enciclopédico que Liv tinha a respeito de psicoterapia. — Afinal, se Jung vai impedir você de ir ao shopping, o que gostaria de fazer?

— Quero encher a cara. — Liv olhou para ela com os olhos azuis muito claros e cândidos.

— Mas por que não disse logo? — exclamou Tara, cheia de sorrisos. — Estava achando que você ia me deixar na mão e voltar para casa. Vamos nessa, então! Podemos ir a um pub aqui perto para beber até cair e depois... — Abaixou a voz, para Thomas não ouvir — ... vamos comer um assado, no almoço.

— Com uma porção extra de batatas coradas — sussurrou Liv, empolgada. — Tudo regado com muito molho...

— E depois uma torta de maçã...

— E um balde de creme de ovos...

— Vamos só esperar Thomas sair — disse Tara.

Dez minutos depois, a carona de Thomas chegou. Tara e Liv esperaram apenas mais alguns minutos, para se certificarem de que ele tinha ido de vez, e então cutucaram uma à outra, dizendo:

— Vamos nessa!

— É melhor pegarmos um táxi? — perguntou Liv, quando as duas chegaram na calçada.

— Não, eu tenho uma ideia — afirmou Tara, olhando à meia distância de forma teatral. — É uma longa distância, mas talvez seja legal. Podemos ir a pé.

— A pé? A que distância fica?

— Uns 50 metros daqui.

— Legal. É melhor pegarmos um táxi? — perguntou Liv novamente, com o rosto sem expressão. — Olhe, eu fiz uma piada! Viu só, Tara? Eu fiz uma piada!

— Boa menina, muito bem!

— Puxa, eu só faço piadas uma vez na vida, outra na sorte.

— Outra na *morte* — corrigiu Tara.

Enquanto caminhavam em direção à Raposa Feliz, Liv comentou:

— Não faço isso com muita frequência.

— O quê? Ficar de porre em um domingo?

— Não... andar a pé.

Três portas adiante do pub ficava a clínica de estética Beauty Spot. O cartaz anunciando "APARELHOS DE GINÁSTICA PASSIVA! FAÇA UM TESTE GRÁTIS!" continuava pregado na janela. Sentindo uma ponta de esperança, Tara viu se cristalizar em sua mente a possibilidade de haver outras formas de emagrecer sem ser através de exercícios nem de inanição. Talvez ela devesse passar ali no sábado para perguntar quanto custava.

O pub, lotado, estava muito barulhento, com gente comendo, bebendo e jogando dardos. O clima de bom humor era transbordante.

— O que vai beber? — perguntou Tara. — Vinho? Gim-tônica?

— Não — anunciou Liv, com firmeza. — Quero um chope.

— Isso!... Essa é a minha garota! — Tara apertou os ombros de Liv e balançou-os afetuosamente. — Esperava que pedisse isso.

— Vamos comer agora ou mais tarde? — quis saber Liv.

Tara sentiu-se dividida. Obviamente, comida sempre era bem-vinda, mas o álcool fazia efeito muito mais rápido com o estômago vazio, e ela realmente queria ficar torta de tanto beber, conforme explicou.

— *Exato!* — concordou Liv. — Depois, quando estivermos confirmada e exageradamente bêbadas, podemos comer.

Tara abriu caminho entre a multidão até chegar ao bar, e voltou com duas tulipas de chope. Então, voltou ao bar na mesma hora e retornou momentos depois com mais duas tulipas.

— É pra garantir o sucesso de nossa missão.

Pousou as tulipas sobre a mesa e produziu uma variedade de biscoitinhos e aperitivos, espalhando-os em volta e explicando:

— Não consigo beber chope sem uns salgadinhos para acompanhar.

As duas brindaram e Tara disse:

— Vamos encher a caveira!

— Que caveira? — perguntou Liv, com cara espantada.

Liv falava inglês melhor que Tara, mas o seu conhecimento de expressões coloquiais deixava muito a desejar.

Enquanto trocavam informações sobre como fora a semana de cada uma, a conversa foi aos poucos entrando no campo do "Minha vida é uma catástrofe maior que a sua" — um jogo para dois ou mais participantes.

— Aqui estamos, largadas na calçada do autodesprezo, mas eu sou mais gorda do que você — começou Tara.

— Não, eu sou mais gorda do que *você* — retorquiu Liv.

— Bem, eu sou mais pobre do que você — insistiu Tara.

— Não, eu sou muito mais pobre do que você — replicou Liv.

— Talvez, mas eu devo mais dinheiro do que você — afirmou Tara.

— Não, eu devo muito mais dinheiro por aí do que você — contrapôs Liv.

— Eu fumo mais que você.

— Não, eu fumo muito mais!

— Mas, Liv... você não fuma.

— Eu sei, mas se fumasse, iria fumar muito mais do que você. Sou muito autodestrutiva — acrescentou, orgulhosa.

— Tem razão. Muito bem... onde é mesmo que nós estávamos? Ah, sim!... Meu apartamento é mais zoneado do que o seu — garantiu Tara, inflexível.

— Não... o *meu* apartamento é mais bagunçado do que o seu — defendeu-se Liv, valentemente.

— Pois bem... o meu namorado é muito mais filho da puta do que o seu — insistiu Tara.

— Não, o meu namorado... espere um instante... Você está certa, o seu namorado é um filho da puta muito maior do que o meu — concordou Liv. — Você ganhou essa rodada.

— Ah... — Tara ficou chateada. Dissera aquilo só para Liv contradizê-la.

— Dei alguma mancada? — perguntou Liv, baixinho.

— Puxa, Liv — suspirou Tara, tomando um gole imenso do chope e depois acendendo um cigarro. — Tem alguma coisa errada entre mim e Thomas.

E qual é a grande novidade?, pensou Liv, mas conseguiu se segurar.

Embora estivesse receosa de falar sobre isso, porque tornaria o problema mais real, Tara se pegou colocando tudo para fora, antes que mudasse de ideia:

— Nós tivemos, ahn... uma... conversa, no sábado passado.

Parou de falar, e notou que Liv se mantinha calada e com um olhar de pena.

— Thomas me disse que se eu, por acaso, ficasse grávida, ele não ia me apoiar. Não que eu planeje engravidar, nada disso, mas ele acabou me deixando apavorada. Tentei o mais que pude tirar isso da cabeça, e sei que ele me ama. Só que a semana inteira fiquei com as barbas de molho, esperando que algo terrível acontecesse — e deu uma tragada trêmula no cigarro. — Não que tenhamos passado por uma semana particularmente ruim. Para falar a verdade, umas duas vezes ele foi até carinhoso comigo, mas continuo com uma sensação horrível, como se estivesse com uma guilhotina sobre a cabeça, e estou superangustiada! Perdi a paciência com ele na segunda-feira à noite, e quase dei outro chilique ontem, quando cheguei do cabeleireiro. Não consigo entender...

Liv poderia pensar em um milhão de razões para ficar furiosa com Thomas.

— O que devo fazer? — perguntou Tara, desesperada. — E, por favor, deixe os sentimentos pessoais de fora do que vai me responder.

Liv respirou fundo e decidiu arriscar:

— Acho que você devia terminar com ele.

— Rá-rá-rá-rá-ráaaa!... — rugiu Tara, e acendeu outro cigarro correndo.

— Estou falando sério — disse Liv. — Que tipo de futuro vocês têm? Se ele já avisou que não vai ficar ao seu lado caso você engravide, não me parece exatamente que ele esteja investindo em um relacionamento de longo prazo.

— Então, é só eu tomar cuidado para não engravidar — disse Tara, com ar sombrio.

— Mas você não quer filhos?... Algum dia?

— Consigo sobreviver a isso.

— De qualquer modo, o caso não é esse. Você claramente espera mais compromisso do que ele está disposto a oferecer. Caia fora enquanto é tempo!

Onde foi mesmo que Tara ouvira isso?

— Mas como é que eu posso simplesmente abandoná-lo? — perguntou ela, sentindo-se com os olhos rasos d'água, de repente.

— Muito fácil! Faça uma mala, venha ficar um tempo comigo, com Katherine ou com Fin...

— Estou com 31 anos! — cortou Tara, com a voz aguda e quase histérica. — Não posso largá-lo, porque nunca mais vou encontrar ninguém. Não me sobrou tempo algum...

— Isso é tolice!

— Estou perdendo meu visual, minhas pelancas estão arrastando pelo chão, minha época de ser mãe está escorrendo por entre meus dedos como água...

— Mas você acabou de dizer que não se importa se não tiver um filho!...

— Não há lugar algum onde eu possa encontrar um homem — continuou Tara, ignorando-a. — Aquela festa horrorosa à qual eu fui ontem à noite foi deprimente. E o que é pior: estou tipo assim de saco cheio de ir a boates — e fez uma pausa, com um ar de quem acaba de compreender a extensão da tragédia. — É um desastre completo, Liv. Cá estou eu, no sufoco do "agora ou nunca", sem forças para ficar e nem para ir em frente.

Liv ficou desesperada. Tara era tão difícil de ajudar.

— E daí? — disparou ela. — Só por achar que não consegue achar mais ninguém, vai ficar aturando um homem difícil e egoísta?

— Não é culpa de Thomas o fato de ele ser assim... — insistiu Tara. — Se você não se importa, prefiro me referir a ele como traumatizado e sensível.

Liv sabia que não conseguiria aguentar outra palestra completa sobre a infância complicada de Thomas, então disse, bem depressa:

— Então você vai ficar aturando um homem traumatizado e sensível? — e acrescentou, entre dentes: — Que se comporta de forma difícil e é egoísta?

— Certamente que vou, se a opção for a de ficar sem homem nenhum.

— Mas nós somos mulheres modernas, mulheres *do século 21*, e...

— Não complete!... — silvou Tara, pegando outro cigarro.

— O quê?...

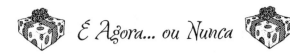

— Não diga que nós não precisamos de um homem. Necessidade não entra nessa história.

— E que tal respeito próprio? — Liv se viu impelida a perguntar.

— Respeito próprio não mantém ninguém aquecida à noite nem leva o lixo pra fora.

— Mas Thomas não leva o lixo pra fora...

— Na verdade, nem Lars.

Seguiu-se um silêncio.

— Acho que estou no mesmo sufoco que você, esse tal de "agora ou nunca" — Liv teve a decência de reconhecer.

— Não, não está — animou-a Tara. — Lars já disse que vai largar a mulher para ficar com você.

— Ele está mentindo — admitiu Liv.

— Tudo bem, mas pelo menos ele tem a decência de *dizer* isso. E talvez acabe fazendo tal coisa, um dia.

— Não adianta... É como diz o ditado: "Pau que nasce torto mija fora da bacia" — lamentou-se Liv, trocando novamente as bolas.

— Por que os relacionamentos são tão difíceis? — quis saber Tara.

Aquela, na verdade, era uma pergunta que não exigia resposta. No entanto, segundo Liv, sempre havia uma explicação para tudo.

— Devemos analisar a nossa infância — afirmou, de forma pomposa. — É como eu já lhe disse um monte de vezes... Veja Katherine, por exemplo. Ela não tem um homem em sua vida devido à ausência de uma figura paterna quando estava crescendo.

— Se Katherine estivesse aqui, ia fazer você se arrepender de dizer uma coisa dessas — avisou Tara, achando que devia ser franca.

Liv a ignorou e continuou:

— Nós, seres humanos, temos um defeito de fabricação. Somos sempre atraídos para o que nos é familiar, mesmo quando é desagradável. Você está com um homem mal-humorado como Thomas porque o seu pai era... Como é mesmo a palavra? Estressado?

— Um porco estressado — completou Tara, tentando ajudar. — É essa expressão que você sempre usa para se referir ao meu pai. — Ela já havia quase acabado a segunda tulipa de chope e, por milagre, sentia-se menos desesperada. — O problema é que o fato de, segundo você, eu saber a razão de agir assim não me impede de continuar agindo do mesmo jeito — explicou Tara, com ar irônico. — Se quer a minha opinião, psicoterapia é a maior enganação.

Antes de Liv começar com a xaropada de que a descoberta do problema não serve de nada sem uma mudança de atitude, Tara perguntou, depressa:

— E quanto a você? Me explique como é que você está tendo um caso com um homem casado?

— Minha mãe teve um longo caso com um homem casado — explicou Liv.

— É mesmo?! — Tara ficou espantadíssima, muito admirada de saber aquilo. — Vocês, suecos, hein? São tão liberais!... Não consigo imaginar a minha mãe fazendo uma coisa dessas. Para falar a verdade, eu ainda não acredito que ela tenha feito sexo algum dia...

Tara parou de falar de repente.

— Ei, *espere um instantinho*! — voltou ela, com a voz mais aguda. — Você sempre me disse que seus pais eram o casal mais feliz da Suécia, Liv! Como é que a sua mãe pode ter tido um caso com um homem casado?

— Pois ela teve — insistiu Liv.

— Mas... casais felizes não ficam tendo casos por aí. Se fizerem isso, perdem a condecoração de casal feliz.

— Pois ela teve — garantiu Liv, inflexível.

— Beeem... talvez tenha sido um caso assim, sem importância, um flerte rápido no início do casamento — comentou Tara, começando a aceitar a ideia. — Quanto tempo durou esse relacionamento?

— Deixe ver... — Liv começou a fazer cálculos aritméticos com os dedos, enquanto murmurava consigo mesma. — Se eles se casaram em 1961 e nós estamos em 1999, já estão juntos há 28 anos.

Subitamente, Tara compreendeu tudo.

— Liv, essa expressão "ter um caso com um homem casado" não conta como um caso de verdade — explicou Tara, com toda a calma — se o homem casado é o seu próprio marido.

— Ahhh!... — entendeu Liv, com ar sombrio. — Gosto quando as coisas finalmente fazem sentido.

— Mais drinques! — ordenou Tara.

Quanto terminaram a terceira tulipa de chope, um pouco mais de ansiedade havia sido retirado dos ombros de Tara.

— Ninguém tem um relacionamento perfeito — consolou a si mesma, enroscada em uma névoa calorosa de autodefesa, calibrada pelo excesso de álcool no estômago vazio. — Cada um dos dois sempre tem que ceder um pouco. Eu e Thomas estamos ótimos, e eu me sinto perfeitamente normal. Sabe aquela história de beijar um sapo e ficar reclamando, depois, porque ele não virou um príncipe? Isso é falta de maturidade, pode crer! Se você é uma mulher adulta, beija o sapo e se convence a *gostar* disso.

— Você já ficou bêbada? — quis saber Liv.

— Voprabelmente já — garantiu Tara, engrolando as palavras. — Se não fiquei, mais um chopinho vai resolver o problema.

— Como é que você disse?

— Eu *disse* que, com toda a probabilidade, mais um chopinho resolve. Ficou surda?

Quando deu três da tarde e as duas finalmente decidiram que estavam completamente bêbadas, toda a comida do pub já acabara.

— Ah, não! — Tara tapou a boca com a mão e começou a rir baixinho. — E agora, o que a gente faz?

— Eu só sei que estou com muita, muita fome mesmo — avisou Liv.

— Tá legal. Podíamos pegar alguma comida pra viagem; tem um monte de lugares legais por aqui.

— Batatas fritas! — declarou Liv. — Se não podemos comer batatas coradas, podemos comer batatas fritas. *Temos* que comer batatas fritas. — E começou a bater com o copo vazio na mesa, gritando: — Batatas fritas! Batatas fritas! Batatas fritas! Batatas fritas!

A uns três metros dela, um homem estava a segundos de vencer a partida de arremesso de dardos. Atirou o dardo final no exato instante em que Liv começou a sua cantoria exigindo batatas fritas e, por questão de milímetros, deixou de espetar a orelha de alguém no alvo da parede.

Em uma cruzada em busca das batatas fritas, Tara e Liv saíram pela Holloway Road, profundamente surpresas ao ver que ainda estava de dia. Foram até a rede de fast food mais próxima, que transbordava de pais divorciados curtindo o fim de semana com os filhos. O barulho era ensurdecedor.

— Comemos aqui ou pedimos para viagem? — perguntou Tara.

Liv olhou para o mar de crianças à sua volta, todas agitadas, usando chapéus de papel colorido.

— Para viagem — replicou Liv. — Uma viagem para muito, muito longe daqui, de preferência. — Viu só, Tara? Fiz outra piada! Não estou me saindo bem?

Com dois sacos de papel pardo lotados de comida, voltaram para a rua.

— Estou tão esfomeda que seria capaz de comer um sanduíche de elefante — avisou Tara. — Vamos voltar depressa para o apartamento. Está tudo bem — explicou, ao ver o espanto de Liv. — Thomas ainda vai ficar fora por várias horas.

Ao passarem diante da clínica de estética Beauty Spot, viram que ela estava aberta. De repente, Tara pensou em como seria fantástico entrar e testar os aparelhos de ginástica passiva ali mesmo, naquela hora. Quando sugeriu isso, Liv apertou-lhe o braço, empolgada, e gritou:

— Grande ideia! Sempre quis experimentar um aparelho desses.

Ao abrirem as portas, Deedee, a esteticista de plantão, deu uma olhada cuidadosa nos rostos vermelhos e olhos esbugalhados das duas amigas, e sentiu uma vontade imensa de se esconder atrás do balcão, fingindo que não tinha ninguém para atendê-las.

— Estamos fechados — tentou ela.

— Não estão não. — Tara lançou-lhe um olhar selvagem e quase a fez cair dura com o bafo que exalou ao exigir: — Queremos experimentar os aparelhos de ginástica passiva.

— Olhe, não creio que esta seja uma boa hora.

— Tem alguém usando os aparelhos? — quis saber Tara.

— Não, mas...

— Está insinuando que estamos bêbadas? — desafiou-a Liv, com os olhos muito azuis no rosto purpúreo.

— Ahn... não, é que...

— Nós somos clientes daqui — insistiu Tara. — Já vim aqui zepilar as vernas com zêra — falou, com a voz arrastada.

— Como disse?

— Já vim aqui fazer depilação nas pernas. Quantas vezes quer que eu repita?

A pobre Deedee não teve opção. Com certa relutância, conduziu-as a uma salinha onde havia seis mesas revestidas de plástico cor-de-rosa, lado a lado. Tara e Liv ficaram absolutamente encantadas, de uma forma que uma pessoa sóbria jamais ficaria. Entre "ohhhs" e "ahhhs", comentaram:

— Então *é assim* que elas são! — e pularam cada uma em uma cama, sem largar os sacos de papel pardo. Assim que prendeu as correias nos tornozelos, porém, Liv declarou:

— Estou morrendo de fome. Será que isso vai levar muito tempo?

Tara olhou para ela, sem compreender.

— Tá com fome? Ué... coma o seu lanche — disse ela. — Não foi isso o que a gente veio fazer aqui? Pelo menos, é o que eu vou fazer.

— Boa ideia! — concordou Liv, enfiando a mão no saco de papel que segurava. — Tô morrendo de fome!

— Creio que vocês não deviam... — tentou protestar Deedee, sem ação.

— Aceita uma batatinha? — ofereceu Liv.

— Vou ligar os aparelhos — avisou Deedee, apertando os lábios.

— Lá vamos nós! — empolgou-se Tara, quando viu a ponta da mesa se levantar, carregando suas pernas junto. — Ueeeba!... Que barato!

As pernas de Tara subiram e desceram, subiram e desceram. As de Liv se abriam e fechavam, sem parar, em um contínuo movimento de tesoura. As duas permaneceram deitadas durante todo o processo, comendo avidamente as batatas fritas e os cheesebúrgueres.

— Isso é maravilhoso! — suspirou Liv. — Sinto-me tão saudável!

— É muito importante cuidar do corpo e manter a forma — afirmou Tara, enfiando outro punhado de batatas na boca. Disse mais alguma coisa, mas as palavras foram abafadas pela comida.

— O que foi que você falou?

— Eu *disse* que nós merecemos ser bem-tratadas. Ahhh!, já está parando...

Com a cara amarrada, Deedee enxotou-as da sala e as encaminhou para outro aparelho. E lá foram elas!

— Ei! Agora é a vez dos braços — declarou Tara. — Veja, estou acenando para você!

— E eu estou sentada... Não, levantei... Espere um momento. Agora tornei a sentar. Levantei de novo!...

Ao saírem, limpando restos de batata frita e gotas imensas de ketchup que haviam caído na roupa, examinaram uma à outra e chegaram à conclusão de que dava para ver uma melhora expressiva em suas silhuetas.

Cheias de sorrisos elas se despediram, garantindo à emburrada Deedee que voltariam em um ou dois dias, para marcar uma série de consultas. Seguiram pela rua, caminhando em estilo "una os pontinhos" até chegar em casa. Uma vez lá, acabaram com todo o estoque da cerveja Newcastle de Thomas.

CAPÍTULO 30

Na segunda de manhã, quando o telefone de Tara tocou no trabalho, ela se preparou para ouvir a voz de Thomas, provavelmente ligando para exigir que ela fizesse as malas e caísse fora do seu apartamento. Ele pareceu absolutamente indignado e furioso na noite anterior, mas Tara estava tão bêbada que não lembrava exatamente o porquê de seu mau humor. Será que a causa fora o desaparecimento de todas as suas latas de cerveja Newcastle e a garrafa de conhaque? Ou o fato de ele chegar em casa e encontrar Tara e Liv cercadas de embalagens de pizza vazias? Ou as embalagens de hambúrgueres vazias que ele descobrira na lata de lixo? Ou a forma com que Tara e Liv haviam caído em uma crise de riso incontrolável ao vê-lo com o short de nylon que ia até os joelhos, todo sujo de lama? Ou o fato de elas terem esquecido de colocar comida para Beryl?

Tara morria de arrependimento. Ao acordar de manhã, Thomas já saíra para o trabalho. Com a boca seca e a língua grossa, ficou sentada por dez minutos com a cabeça entre as mãos, gemendo. Então ligou para Liv e sussurrou:

— Não acredito que a gente tenha feito uma coisa dessas. Diga que não fizemos, garanta-me que não fizemos nada daquilo, que nós não comemos todos aqueles cheeseburgueres. Dá para acreditar que nós comemos os cheeseburgueres em cima do aparelho de ginástica? Que vergonha, meu Deus, que vergonha!...

— Fizemos coisas horríveis — disse Liv, com a voz entrecortada.

— Vou ter que procurar outro lugar para fazer depilação — Tara se viu forçada a admitir. — Nunca mais vou poder entrar naquela clínica de estética. Vou ter que atravessar para o outro lado da rua, para não ter que passar nem pela porta.

— Adivinhe o que eu fiz, assim que cheguei em casa? — perguntou Liv, engasgada.

— Não, não me diga uma coisa dessas! Você não...

— Liguei para Lars. Claro que liguei, estava bêbada...

— E o que disse para ele?

— O de sempre, imagino. Não consigo me lembrar de tudo exatamente, mas acho que o chamei de canalha e ameacei contar à sua esposa tudo a respeito de nós dois.

— Ah, tudo bem, contanto que não tenha dito que o amava.

— Meu Deus!... — exclamou Liv, ao sentir que uma lembrança terrível e bêbada acabara de ser desenterrada pelas palavras de Tara. — Eu fiz exatamente isso! Disse que o amava! Nossa, agora eu realmente vou ter que tornar a telefonar, pedindo desculpas. Se ele achar que eu estava falando sério, vai me largar na mesma hora.

Sobre a mesa, o telefone de Tara continuava a tocar, sem parar. Ela estava receosa de atendê-lo, mas ao ver que as pessoas à sua volta começavam a franzir a testa, lançando olhares de curiosidade, se viu forçada a atender.

— Alô...? — conseguiu dizer baixinho, com a voz trêmula, torcendo para que fosse apenas um cliente revoltado.

— Tara? — Não era Thomas. Era Sandro.

— Oi! — cumprimentou-o Tara, alegrando-se ao ouvir sua voz. — Onde foi que você e o seu amigo se enfiaram o fim de semana todo? Já estava achando que vocês tinham sido abduzidos por ETs.

Nesse exato momento Tara percebeu que, embora Sandro e ela se considerassem muito amigos, jamais haviam telefonado diretamente um para o outro.

— Tenho más notícias — disse Sandro.

Na mesma hora a cabeça de Tara clareou de todo. Embora estivesse sentada, sentiu o chão fugir-lhe sob os pés.

— O que aconteceu?

— É a respeito de Fintan.

— O que tem ele?

— Está doente.

— *Doente*? Como assim? Gripe ou algo desse tipo? — mas ela sabia que não era nada disso.

— Não temos certeza do que há com ele. — A palavra *ainda* permaneceu no ar, sem ser pronunciada.

— Mas como é que ele está? Quais são os sintomas? Vômitos? Febre? Dor de estômago? — Vinnie, Teddy, Evelyn e Steve Cochilo levantaram a cabeça do teclado ao mesmo tempo. Ravi não. Já estava com a atenção grudada em cada palavra de Tara, desde o início da conversa.

— Ele sente fraqueza, está com um pouco de febre e tem suado muito à noite — admitiu Sandro.

— Fraqueza, febre e suores noturnos — balbuciou ela, e levou apenas um segundo para as palavras a atingirem.

Imediatamente, foi como se ela já soubesse o tempo todo. Desde que o primeiro dos amigos de Fintan se tornara HIV positivo, este fora o pior pesadelo de Tara. Agora que tudo se confirmara, ela sentiu a terrível inevitabilidade do destino. Como podia ter achado que seria diferente?

Lembrou-se da brincadeira que fizera quando Fintan lhe contara a respeito do caroço no pescoço, e se sentiu sem ar, quase em pânico.

— Ele também perdeu muito peso — acrescentou Sandro.

— Mas faz só uma semana desde a última vez que o vi! — exclamou Tara, sentindo-se inexplicavelmente irritada. — Ele não pode ter perdido tanto peso assim!

— Sinto muito, Tara — disse Sandro.

— E por que não me ligou antes? Deixei um monte de recados na secretária, desde sexta à noite. Liguei para vocês sem parar. — Tinha a sensação maluca de que se tivesse sabido mais cedo conseguiria ter evitado o problema.

— Eu nem sabia que ele estava assim tão mal — protestou Sandro. — Estive fora da cidade, trabalhando a semana toda em uma casa em Norwich, e só voltei ontem.

— Mas, então, por que *ele* não me ligou?

— Tara, ele ficou no hospital quase toda a semana.

— No... HOSPITAL?!

Vinnie entornou uma xícara de café em Cheryl Magriça; Sandra e Dave colocaram a cabeça acima das divisórias para ver que agitação era aquela. Tara não reparou nada disso. Ficou chocada demais ao saber que Fintan já estava em um estado que exigia hospitalização. Começou a chorar, mas não sabia se eram lágrimas de ódio, pesar, medo ou pena.

— Eu pensei que ele estivesse em Brighton.

— Ele também mentiu para mim. Disse que estava gripado.

— Mas como é que você pôde deixar que ele fosse para o hospital sozinho? — As lágrimas começam a escorrer pelo seu rosto, e ela nem reparou o guardanapo de lanchonete que Ravi colocara na sua mão.

— Tara, eu não sabia, eu não sabia! — Sandro parecia atormentado. — Ele ligou para mim em Norwich, disse que estava muito gripado e pediu para eu não me preocupar se ele não atendesse o telefone, pois estaria dormindo.

— E você não se preocupou? — perguntou Tara, com um ar de ironia, quase de sarcasmo.

— É claro que me preocupei — replicou Sandro. — Ando preocupado com ele há um tempão.

Isso foi um choque. A raiva de Tara desapareceu. Sandro não negligenciara Fintan. Já andava preocupado com ele. A coisa era ainda pior do que imaginara.

— Talvez ele *esteja* gripado, afinal — disse ela, sentindo uma onda de esperança quase irracional. — As pessoas têm febre quando ficam gripadas, sentem-se fracas e perdem peso. Exceto no meu caso, é claro. Eu devo ser a única pessoa no planeta que *ganha* peso quando fica doente.

— Ele esteve no hospital — lembrou Sandro. — Não é gripe.

A vontade de ver Fintan foi desesperadora. Tara queria saber a extensão da doença e fazê-lo melhorar com a sua presença.

— Estamos aqui no hospital, e ele está com o médico agora — disse Sandro. — Daqui nós vamos para casa. Você poderá ir vê-lo lá.

— Imagino que... — a mão suada de Tara agarrou o fone com mais força — ... você ainda não tenha contado nada a Katherine, contou?

Ele não falara com ela.

Tara teclou bem devagar o número de Katherine. Muitas vezes as más notícias eram transmitidas com um júbilo estranho. Mesmo quando se tinha muita pena, sempre havia uma satisfação horrenda, meio oculta, diante do drama. Bem como a glória macabra que sempre acompanha o portador de uma notícia chocante.

Tara não sentia nada disso.

Dar essa notícia a Katherine foi uma das coisas mais pavorosas que ela já fizera na vida. Pelo menos ela, Tara, tivera um aviso, uma insinuação de que as coisas já não andavam bem quando Fintan lhe contou do caroço no pescoço, do tamanho de um kiwi. Para Katherine a notícia vinha a seco.

— Katherine?

— Oi!

— Tenho uma notícia ruim — soltou Tara, louca para mostrar que aquele não era um telefonema típico das manhãs de segunda. Nada de papos do tipo "o que você fez no sábado à noite" nem "como eu queria que já fosse sexta".

Katherine esperou Tara contar tudo com o costumeiro sangue-frio. Não entrou em pânico, despejando perguntas.

— É Fintan — disse Tara. — Ele está doente.

— Como assim, doente? — A voz de Katherine parecia fria, contida, pensativa.

— Eles ainda não sabem ao certo, mas ele anda com suores noturnos, perdeu muito peso, sente-se terrivelmente fraco...

Um silêncio total se seguiu, e então um ruído estranho veio pelo fone. Em parte uma lamúria, em parte um gemido. Katherine estava chorando.

Katherine jamais chorava.

De tarde, Sandro tornou a ligar, com um pedido de Fintan. Será que Tara e Katherine poderiam ir vê-lo em casa, depois do trabalho?

— É... é claro! — gaguejou Tara. — Posso ir agora mesmo, se ele quiser. Nesse instante.

— Mais tarde é melhor — acalmou-a Sandro. — Até lá, já saberemos com mais detalhes o que ele tem.

— Quer dizer...? — Tara quase engasgou. — Quer dizer que há algo para saber?

— Sim.

— Bom ou ruim? — implorou ela.

— Oh, Tara — suspirou ele, sem dizer mais nada.

— Mas... — começou ela.

— Nos vemos mais tarde — disse com firmeza.

Embora Tara tivesse que se desviar muito do seu caminho, insistiu em passar para pegar Katherine na saída do escritório, para que as duas pudessem chegar juntas ao apartamento de Fintan e Sandro, em Notting Hill.

Às seis e meia em ponto, quando Katherine saiu pela porta do prédio onde ficava a Breen Helmsford, Tara acenou para atrair sua atenção, mas parou abruptamente. Acenar não era correto. Não naquele dia.

Katherine entrou no fusquinha detonado e sujo, sentando-se sobre a calcinha de limpar o para-brisa sem nem mesmo notar. As duas permaneceram em silêncio por vários quarteirões. Era uma noite fria de outubro, mas apesar de o aquecedor do carro estar enguiçado, as duas suavam.

— Ele estava com um caroço no pescoço, na semana passada — informou Tara, baixinho. Morria de vergonha por não ter levado aquela história a sério. — Acho que isso já vinha rolando há algum tempo, Katherine. Desculpe estar chocando você.

— Quem está chocada? — lançou Katherine.

— Por que diz isso? — perguntou Tara, muito admirada. — Você já sabia?

— Claro que já... — reagiu Katherine, zangada. — Ele não tinha apetite para nada, andava perdendo peso e vivia com dores no pescoço, no estômago e em vários outros lugares. Todo aquele papo de raiva, de beribéri, de antraz...

— Quer dizer que eu era a única que não sabia? — espantou-se Tara. — Eu era a única, então?

Ao chegarem na rua de Fintan, Tara estacionou toda torta, pior do que de hábito, e saltou. Estava louca para vê-lo.

— Anda logo! — disse para Katherine, correndo na frente para alcançar a escada. Na hora de tocar a campainha, porém, uma certa relutância a invadiu. Já não queria mais vê-lo. Queria fugir dali.

— Ai, Tara!... — disse-lhe Katherine, agarrando-lhe a mão e apertando-a com força por um segundo. Dava para sentir a pulsação das palmas de suas mãos, uma de encontro à outra.

Como é que alguém podia emagrecer tão depressa?

Em uma semana, o rosto de Fintan pareceu encolher. Algo estava errado, avaliou Katherine, e então descobriu o motivo. Eram os seus dentes. Pareciam grandes demais para o seu rosto. Como um velho cuja boca encolhera muito em relação à dentadura.

Atrás da orelha, protuberante como um ovo e pulsando sem parar, estava um caroço imenso e grotesco. Cobrindo parte dele, um curativo branco fora colocado e pontas de algodão escapavam pelos dois lados do esparadrapo.

Tara olhou para aquilo, horrorizada.

— Mas você me disse que o caroço havia sumido! — exclamou ela, sem conseguir se conter.

— Eu menti! — cantarolou Fintan, com inesperada leveza.

Sandro estava entregue aos próprios pensamentos e parecia sugar todo o oxigênio da sala. Agia como se estivesse zangado. Fintan, no entanto, parecia curiosamente eufórico.

— Sentem-se, sentem-se! — ofereceu ele, com os olhos brilhando na cabeça que parecia ter só pele e osso. — Sandro vai pegar as bebidas. Muito bem... Tenho uma boa notícia e uma má notícia. Qual preferem ouvir primeiro?

— A boa — gritou Tara, na mesma hora, porque elas já sabiam qual era a má.

— Muito bem, então. A boa notícia — declarou Fintan, muito alegre — é que eu fiz vários exames e descobri que sou, sem sombra de dúvida, com 100 por cento de certeza, HIV negativo.

Suas palavras pareceram cair em um poço de silêncio profundo.

— Deu negativo? — conseguiu perguntar Tara, depois de algum tempo. — Negativo... Isso quer dizer que... você não está com aids.

— Não, eu não estou com aids.

— E você também não vai *desenvolver* aids?

— Não se depender de mim...

— Oh, meu Deus! — uma bolha de alegria pareceu ir crescendo dentro de Tara. — Não posso acreditar! Tinha tanta certeza de que você estava condenado! Isso é ótimo, uma grande notícia! — Pulando para a frente, lançou os braços em volta de Fintan. — Você não vai morrer, então!

— Esta é a boa notícia — a voz de Katherine estava entrecortada. — Qual é a má?

Todos se voltaram e fixaram o olhar em Fintan.

— A má... — disse ele — é que eu estou com um pequeno problema de saúde conhecido como doença de Hodgkin.

Katherine ficou branca como cera.

— Que diabo é isso? — quis saber Tara.

— Eu sei o que é... — informou Katherine.

— É um problema no sistema linfático — interrompeu Fintan.

— É câncer — disse Katherine, com a voz muito fraca.

CAPÍTULO 31

Depois que a sentença de Katherine pareceu reverberar no ar, fez-se um horrível silêncio.

— É verdade? — perguntou Tara, olhando para Katherine, para Fintan e depois para Sandro. — É isso mesmo?...

— Katherine está certa — confirmou Fintan.

Por um momento, Tara odiou Katherine. Por que ela não podia estar errada, pelo menos dessa vez?

— Como é que eles podem saber ao certo sem fazer uma biópsia? — perguntou, forçando um sorriso de deboche. Não sabia muito bem o que era uma biópsia, mas queria se agarrar a qualquer coisa que pudesse reverter a situação.

Fintan mal conteve uma gargalhada e informou:

— Tara, *eu fiz* uma biópsia. O que acha que fui fazer no hospital, na semana passada? O que acha que esse curativo está fazendo no meu pescoço?

— Eu achei que você tivesse tentado cortar a garganta novamente — e sorriu, meio sem graça. — Quer dizer que na semana passada você estava no hospital, fazendo essa biópsia horrível, e passou por tudo isso sozinho? Essa é a coisa mais triste que eu já ouvi em toda a minha vida.

— É que tudo aconteceu muito depressa — explicou Fintan, encolhendo os ombros. — Em um momento, eu estava conversando com o especialista a respeito do kiwi que surgira no meu pescoço e, no momento seguinte, já estava a caminho de um anfiteatro para ser submetido à biópsia. Antes de perceber, já estava ali, deitado em cima de uma mesa de operações, totalmente consciente, enquanto eles tiravam um gânglio linfático. Depois, me mandaram levantar e enviaram o gânglio para o laboratório. Tudo ocorreu com a velocidade de um furacão, minhas caras!

"Acho que eu fiquei assim, meio em estado de choque", acrescentou ele, com o olhar fixo. "Depois, fiz dez mil exames de sangue, fui cutucado e furado por todo tipo de coisas. Até que hoje eles me procuraram para dizer que eu estava com câncer!"

Katherine falou pela primeira vez desde o diagnóstico que dera, minutos antes:

— Então, a coisa está muito mal? — Sua voz era deliberadamente direta e objetiva. — A doença está muito avançada?

— Não sei — reagiu Fintan, levantando as mãos e deixando-as cair novamente. — Existem tipos diferentes de DH...

— DH?... — quis saber Tara.

— Doença de Hodgkin.

Ah, meu Deus, pensou Tara. *Ele já estava usando uma linguagem diferente, típica de pessoas doentes.*

— Eles já sabem que tenho linfonodos no pescoço e precisam de mais exames para saber se a doença já se espalhou para outros lugares.

— Que outros lugares? — quis saber Tara.

— Tórax. Medula óssea. Órgãos internos. Se eu tiver problemas apenas nas glândulas linfáticas, estou bem, na verdade. Um pouco de quimioterapia e vou ficar novo em folha.

— E se você estiver com a doença nesses outros lugares? — perguntou Tara, sem querer saber a resposta.

— Tem tratamento! — Sandro entrou na conversa. — Onde quer que seja, certamente tem tratamento.

— Então você não vai morrer? — perguntou Tara, indo direto ao ponto.

— *Todos nós* vamos morrer! — reagiu Fintan, rindo de repente e fazendo Katherine e Tara recuarem de leve, diante do seu olhar selvagem.

— O médico pareceu muito esperançoso — disse Sandro, com a voz quase inaudível.

Tara morreu de pena dele. Ninguém ali esquecera que o último namorado de Sandro morreu de uma doença fatal. Aquilo devia estar sendo uma tortura para ele.

Depois que a primeira onda de choque passou e uma sensação de normalidade baixou, embora um pouco estranha e tóxica, as perguntas começaram a aparecer.

— O que, exatamente, é um sistema linfático? — Tara levantou o assunto, de forma incerta. — A única coisa que eu sei a respeito disso é que drenagem linfática ajuda a diminuir a celulite.

— É uma espécie de sistema circulatório, não é? — Katherine olhou para Fintan em busca de confirmação. — Faz parte do sistema imunológico.

— Então, deixe eu ver se entendi direito — e Tara se virou para Fintan. — Se você tiver o... apenas nas glândulas linfáticas, a coisa não é assim tão má?

Fintan concordou com a cabeça.

— E se aparecer também no tórax, na medula óssea e...? Onde era mesmo o outro lugar?

— Órgãos internos — completou Katherine, com a postura rígida.

— Não vai ser nada bom se for no tórax, e pior ainda se tiver atingido a medula óssea — informou Fintan. — Agora... se aparecer em algum outro lugar, tipo no rim ou no fígado, vocês já podem começar a rezar.

— E esse caroço dói?

Fintan balançou a cabeça, negativamente.

— E agora, o que acontece? — perguntou Katherine.

— Amanhã de manhã eu vou me internar por dois dias no hospital e eles vão fazer umas coisas comigo.

— Que tipo de coisas?

— Ah, você sabe... — Fintan estava agitado. — Uma biópsia de medula óssea para viagem; uma tomografia computadorizada *à la carte*; raios X para todos. Nós, pessoas ligadas à moda, não podemos dispensar o *glamour*.

— Você está com medo? — perguntou Katherine, com jeitinho.

— Não — garantiu Fintan. — *Absolutamente apavorado* seria o termo exato — acrescentou, e caiu na gargalhada. De repente, porém, parou com o faniquito e avisou: — Tenho que ir ao banheiro.

Quando a porta se fechou, Sandro perguntou:

— Vocês sabem como é que eles fazem biópsia de medula óssea? — Tara e Katherine balançaram a cabeça, em silêncio.

— Eles pegam um dos ossos da base da espinha. Dão anestesia local para a pessoa não sentir dor na pele nem nos músculos, mas é impossível anestesiar o osso — explicou ele, com uma voz monocórdica. — Quando a agulha entra, é como se estivessem quebrando o seu osso. A agonia é indescritível.

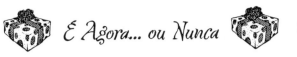

Katherine ficou com a boca seca e Tara sentiu-se ligeiramente tonta. Não esperavam nada desse tipo. Exames, sim. Mas não faziam ideia de que eles pudessem *doer*.

— Eu achei que fossem deixá-lo fora do ar para fazer isso — sussurrou Tara.

— Não... — Sandro balançou a cabeça. — Eles são muito mesquinhos com essa história de anestesia geral.

— Isso é pavoroso. — O rosto de Katherine estava tenso. A ideia de Fintan ter de passar por dores insuportáveis parecia pior do que o fato básico de ele ter uma doença que poderia matá-lo. — Nós não podemos criar um caso? Insistir em uma anestesia geral?

— Já fizemos de tudo — informou Fintan, voltando à sala. — Berramos, até *choramos*. Nosso plano era deixar o médico embaraçado e fazê-lo desistir. Só que não adiantou nada e ele ainda ficou com a impressão de que eu era um maricas. O que, como sabemos, eu sou mesmo.

— Embora seja um maricas de alta classe, estilo Chanel, é claro — comentou Katherine.

— Schiaparelli, se não se importa...? — contrapôs ele, com ar esnobe.

— E quando saem os resultados? — perguntou Tara.

— Até o fim da semana, espero.

De repente, algo passou pela cabeça de Katherine.

— Você já contou à sua mãe alguma coisa a respeito de tudo isso? — perguntou.

— Não.

— E quando pretende fazê-lo?

— Não tenho planos imediatos de fazer isso, no momento.

— Fintan! — ralhou Katherine, correndo para ficar do lado dele. — Você tem que contar a ela. Sua mãe precisa saber!

— Sim, Fintan — insistiu Tara. — Você tem que contar.

— Já falei isso a ele — comentou Sandro, fechando a cara.

— Não posso! — exclamou Fintan. — Não posso contar. Isso vai matá-la.

— Vai ser muito pior se ela souber quando já for muito... — Tara calou a boca ao perceber a falta de tato.

— Sua mãe é mais forte do que você pensa — atalhou Katherine, depressa, para salvar Tara. — Você precisa lhe contar.

— Não consigo. — Fintan colocou o rosto entre as mãos.

— E que tal se nós duas, isto é, Tara e eu, contássemos tudo a ela? — propôs Katherine, com cuidado. Achava que ele ia recusar a sugestão. Certamente não esperava que ele levantasse o rosto, olhasse para ela com esperança e perguntasse:

— Vocês fariam isso por mim?

— Claro. Vamos ligar nesse minuto — disse Katherine. O rosto de Tara vincou-se em um esgar horrorizado.

— Vocês se importam se eu não ficar ouvindo? — perguntou Fintan.

— Podemos ligar do quarto. Assim, você não precisa ouvir nada. Vamos, Tara.

As duas entraram no quarto e, assim que fecharam a porta, Katherine disse:

— Tudo bem, sua molenga covarde, eu falo.

— Eu posso falar, se você quiser.

— Não, fique aqui ao lado e segure a minha mão. E diga o número, que eu não me lembro de cor. Nossa, o que há comigo? Não consigo me lembrar nem mesmo do código de área da Irlanda.

Ao ouvir o "Alô" desconfiado de JaneAnn do outro lado da linha, Katherine começou a tremer.

— Alô, sra. O'Grady. Aqui quem fala é Katherine Casey. — Tara apertou a outra mão de Katherine com tanta força que os ossos estalaram.

— Katherine Casey? — disse JaneAnn, com o sotaque lento do interior. — É mesmo você? Como vai, menina?

— Vou ótima, obrigada. É que eu tenho algo...

— E sua mãe, como vai? E o resto de sua família?

— Estão todos ótimos. JaneAnn, eu preciso...

— Vi a sua avó um dia desses, no baile beneficente para as vítimas de Ruanda. Pode crer, ela me pareceu ótima!

— Sra. O'Grady, eu sinto muito, mas tenho uma notícia ruim para dar à senhora. Fintan está doente — despejou Katherine, de uma vez só. Preferia dar as más notícias sem rodeios. Não aguentava deixar as pessoas sofrendo, na esperança de amenizar as coisas.

— Fintan está doente? Doente? É alguma coisa séria?

— Sim, muito séria. Ele está com...

— Aids — interrompeu JaneAnn. — Já esperava por isso. Li algo a respeito dessa doença no jornal, outro dia.

— Não, sra. O'Grady — tranquilizou-a Katherine, forçando-se a manter a voz calma. — Ele não está com aids.

— Já sei de tudo a respeito. — Tentava exibir dignidade na voz. — Só porque eu moro onde Judas perdeu as botas, não pense que não sei das coisas.

— Sra. O'Grady, Fintan está com uma espécie de câncer.

— Sou a mãe dele. A verdade pode ser dura, mas eu quero saber, assim mesmo. Não tente me enrolar com essa história de câncer.

— Mas, sra O'Grady, eu lhe juro, Fintan realmente está com câncer.

— Você não está falando isso só para me agradar, está? — JaneAnn parecia desconfiada. — Não está tentando proteger meus sentimentos, está?

— Não — garantiu Katherine, à beira das lágrimas.

Fintan ficou muito bêbado naquela noite.

— É bom aproveitar — brincou ele. — Pode ser a minha última chance de fazer isso por um bom tempo. — Seus olhos brilhavam com um humor amargo e louco.

Tara, Katherine e Sandro também beberam muito, tentando escapar do horror de tudo aquilo, mas não conseguiram ficar de porre.

— Nossa, animem-se, por favor! — reclamou Fintan, ao olhar para os três rostos estressados, pálidos e infelizes que o encaravam. — Puxa, afinal de contas, quem vai morrer aqui *sou eu*.

De vez em quando, a noite parecia quase normal. Quase, mas não de todo, pois tudo parecia meio fora do lugar, manchado pelo pesadelo. Todos só conseguiam pensar no assunto durante um certo tempo, antes de seus cérebros pararem de processar as informações.

Como as lâmpadas dos corredores dos prédios que funcionavam apenas por alguns minutos, até o mecanismo desligar.

Por volta de meia-noite, Fintan anunciou que estava indo para a cama.

— Tenho um dia cheio pela frente amanhã!

— Nos vemos de manhã — prometeu Tara.

— Traga um pijama legal para mim — lembrou Fintan. — Um Calvin Klein.

— Tá legal, eu trago sim.

— Se não achar um da Calvin Klein, pode ser da Joseph. De qualquer modo, tem que ser algo apresentável, pois preciso cuidar da carreira. Se alguém me vir em uma daquelas roupas horríveis de hospital, posso até ser despedido.

— Já está na mão! — tranquilizou Katherine.

— Vocês se incomodariam? — Fintan pareceu subitamente ansioso. — Vocês se dariam ao trabalho de tirar algum tempo de folga no trabalho? — As duas olharam para ele, mudas de irritação por tudo aquilo, e Katherine resumiu esse sentimento declarando, simplesmente:

— Dane-se o trabalho!

— Minha nossa! — murmurou Fintan. — A coisa deve *realmente* ser muito séria.

Tara e Katherine não falaram nada uma com a outra ao sair, até entrarem no fusca imundo.

— Você está bem para dirigir? — perguntou Katherine, ansiosa, ao ver Tara sair dali cantando pneu.

— Sempre dirijo melhor quando estou com uns drinques nas ideias — garantiu Tara.

— Não dirige melhor não, simplesmente *acha* que sim. — As duas começaram a rir muito, mas de repente pararam, ao mesmo tempo. — É estranho — disse Katherine, tentando transmitir o que sentia — que possamos achar algo engraçado em um momento desses.

— É mesmo... — suspirou Tara. — Agora à noite, em certos momentos, quando a gente ria... bem, às vezes eu me sentia superenvergonhada por fazer isso, mas outras horas eu me sentia quase normal. De um jeito diferente, porém, como se estivesse em um universo paralelo.

— Talvez estejamos em estado de choque.

— Pode ser. Certamente é muita coisa para o cérebro processar de uma vez só. É uma pena que Liv não esteja conosco agora. Ela conseguiria explicar muita coisa do que está nos acontecendo.

— Meu Deus! — as duas se sentiram péssimas ao lembrar de Liv.

— Quem vai contar a ela? — Tara quase perdeu o fôlego. — Ela vai ficar arrasada, ela adora Fintan! Você não poderia fazer isso, Katherine? Você é melhor do que eu para essas coisas. Menos emocional.

Embora Katherine não concordasse com isso, fez que sim com a cabeça, afirmando:

— Pode deixar que eu telefono para ela quando chegar em casa. Ela deve estar acordada, com aquela insônia dela.

As duas seguiram em silêncio.

— Não consigo parar de pensar na biópsia de medula óssea — comentou Katherine, baixinho. — É uma coisa bárbara demais. Amanhã de manhã vai ser duro de suportar. Principalmente para Fintan — acrescentou depressa.

— Eu gostaria que já estivéssemos na hora do almoço de amanhã — afirmou Tara —, porque então tudo já teria acabado.

— Pior é que não vai ter acabado — replicou Katherine. — O sufoco vai estar apenas começando.

— Não! — Tara agarrou com mais força o volante e seu rosto se iluminou de repente. — Não devemos pensar assim. Talvez ele fique bem no final.

— Bem, talvez isso aconteça — admitiu Katherine, depois de pensar no assunto.

— É isso aí, garota!

CAPÍTULO 32

Na tarde do dia seguinte, JaneAnn, do alto de seu um metro e meio de altura, voou para Londres, com dois dos seus filhos altos e caladões.

Nenhum deles jamais colocara os pés dentro de um avião antes. Na verdade, raramente saíam das fronteiras do município. Em suas roupas pesadonas e antigas, em meio ao burburinho do aeroporto, pareciam ter acabado de aterrissar, vindos de outro planeta.

Embora Tara e Katherine tivessem chegado ao trabalho só na hora do almoço, tornaram a sair às quatro da tarde, para esperar o voo da Irlanda.

— Lá estão eles! — apontou Tara, avistando JaneAnn, Milo e Timothy, que estavam em pé no saguão, aglomerados em volta das malas como refugiados de guerra.

JaneAnn desembarcara usando um casacão preto vetusto com gola de astracã. Milo, o irmão mais velho, vestia um blazer marrom emprestado e calça jeans larga, enquanto Timothy tirara do guarda-roupa o paletó do único terno, do tipo casaca, em marcante azul-marinho com riscas de giz e lapela larga, com o qual ele se casara há mais de 20 anos. O paletó de Timothy era tão velho que estava quase entrando na moda novamente, e seu dono engordara um pouco desde a última vez que o vestira. Ou talvez fosse o suéter de lã muito grossa que ele usava por baixo que fizesse o paletó parecer tão inchado.

Apesar da aparência pouco sofisticada, os O'Grady não se mostraram abalados pela confusão reinante no aeroporto de Heathrow. Quando começaram a caminhar pelo saguão com o mesmo ritmo lento que usavam em Knockavoy, acharam graça quando um jovem executivo tentou ultrapassá-los por um lado, depois pelo outro, empurrando-os e resmungando: "Que gente mole!"

— Deve ser algum caso de vida ou morte — comentou JaneAnn.

— Acho que não — sorriu Milo. — Pelo jeito dele, é algo muito mais importante que isso.

Os cinco foram direto para o hospital, espremidos no fusca de Tara. Milo e Timothy tiveram que se apertar no banco de trás com Katherine, porque apesar de os dois serem enormes e JaneAnn minúscula, o protocolo determinava que a *mammy* irlandesa sentasse na frente.

Todos estavam animados e batendo papo. Trocaram fofocas sobre o pessoal de casa, e chegaram mesmo a dar algumas risadas. Foi então que Katherine se lembrou do motivo de estar ali esmagada dentro de um carrinho com os parentes de Fintan e ficou chocada, lembrando de como era inadequado rir de alguma coisa.

Tara também não parecia se ligar na gravidade da situação. Continuava se comportando como se os O'Grady estivessem em Londres para passar férias.

— Aquele ali é o Palácio de Kensington — explicou, enquanto seguiam meio engarrafados na Kensington High Street.

— O que acontece lá? — perguntou Milo, de forma educada.

— É onde a Princesa Diana morava — explicou Tara, hesitante.

— Minha nossa, ela devia gastar uma nota de conta de luz para manter esse lugar aquecido — e Milo fez uma careta, inclinando-se um pouco para a frente, a fim de dar uma boa olhada na residência.

Embora o hospital parecesse mais um hotel do que um lugar feito para abrigar enfermos e moribundos, nenhum dos O'Grady comentou nada. Nem perderam tempo comprando bombons ou revistas para Fintan. O astral já não estava tão alto e todos pareciam assustados.

A tensão foi aumentando enquanto subiam pelo elevador e seguiam pelo corredor largo e com piso em linóleo, em direção à enfermaria que Fintan dividia com outros cinco pacientes. Ao chegar à porta, JaneAnn agarrou o braço de Katherine, perguntando:

— Como está a aparência dele?

— Fintan está bem — garantiu ela, com o estômago se retorcendo. — Perdeu um pouco de peso e o seu pescoço está inchado, mas, fora isso, ele está ótimo.

Nem precisa dizer que ele não parecera assim tão bem-disposto naquele mesmo dia, mais cedo, quando o trouxeram da biópsia. Todos os músculos das pernas e dos pés de Katherine se flexionaram com força ao lembrar de Fintan chegando, com o rosto acinzentado e os olhos fechados, enquanto sussurrava:

— A dor foi horrível, eu vi estrelas de verdade!

Tara e Katherine se mantiveram atrás dos O'Grady, que irromperam pela enfermaria em direção aos biombos que haviam sido colocados em volta da cama de Fintan, toda feita de metal e pintada de branco. Sandro estava sentado ao seu lado, com um ar tímido e dócil.

— Que Deus abençoe a todos aqui — cumprimentou Milo, liderando o clã.

— Adorei o blazer, Milo — disse Fintan, com a voz fraca, deitado de barriga para cima e vestindo seu novo pijama de seda azul-pavão.

— Não estou bonito? — riu Milo, com ironia.

— Oi, mamãe — sorriu Fintan ao ver JaneAnn.

— Você quer nos deixar loucos, menino? — reclamou ela, afetuosamente. — ... Dando um susto desse tamanho na gente?...

— Se bem que, verdade seja dita, você escolheu o momento certo para ficar doente — animou-o Timothy.

— É verdade... o feno já está todo estocado e as ovelhas ainda não deram cria. Calculou bem, mano — completou Milo. — Foi muito decente de sua parte esperar essa época mais tranquila para adoecer.

Sandro se levantou e ficou circulando, exibindo uma timidez excessiva ao ver a reunião familiar que se desenrolava. Estava muito nervoso. Naquela manhã, esperara ao lado da cama até Fintan voltar da biópsia e, assim que se convenceu de que ele estava confortável e não precisava de nada no momento, colocou tudo para fora, cheio de ansiedade:

— E se eles não gostarem de mim?

— Quem?... — gemera Fintan, cheio de dor.

— Sua família. Como é que eu devo me comportar diante deles? — e colocou a mão suplicante sobre o quadril de Fintan, perto de onde eles haviam enfiado a agulha.

— Ai!... Ai!... Minha nossa, cuidado aí!... — Fintan serpenteou na cama. — Quer tirar a mão daí? O quadril está me matando de dor!...

— Desculpe, desculpe, desculpe! Nossa, eu sinto muito... Mas e então...? Devo ficar com este paletó ou vestir algo mais casual?

A imagem de Sandro abotoando uma sobrecasaca elegante, com gestos educados, surgiu diante dos olhos exaustos de Fintan.

— Quem vai se importar com a sua roupa? — disse, com a voz fraca. — Não temos coisas mais importantes nas quais pensar?

— Eu me sinto como se estivesse aqui polindo os cinzeiros do *Titanic* — replicou Sandro.

Agora, diante da família e lembrando daquilo, Fintan resgatou Sandro das sombras, chamando-o pelo nome:

— Sandro! — disse da cama, com a voz muito formal. — Essa aqui é a minha mãe, JaneAnn, meu irmão Milo e meu outro irmão, Timothy.

Sandro esticou a mão, muito nervoso, e cumprimentou:

— *Ciao*... Alô... ahn, muito prazer!

— Sandro é meu... — Fintan fez uma ligeira pausa, muito significativa — ... amigo.

— É você que anda curtindo uma linha com Fintan? — perguntou JaneAnn.

— Não! Não nos envolvemos com drogas! — reagiu Sandro, mentindo com o ar arrogante de quem ficara horrorizado.

— Não, não, não! — explicou Fintan. — Ela está querendo saber se você é o meu namorado.

— Ah, é?!... Puxa, agora é que entendi! Sim, sra. O'Grady, ando curtindo uma linha com Fintan.

— E de onde você é? — pressionou ela, embora com gentileza.

— Itália. Roma.

— Roma! E você já se encontrou com o Papa?

— *Mamãe!* — Fintan balançou o braço na direção de JaneAnn.

— Mas eu já estive com *Il Papa* sim — respondeu Sandro, para surpresa de Fintan.

— Bem, na verdade, havia muitas outras pessoas lá, mas assisti à missa na Praça de São Pedro, com minha mãe.

— Você é uma pessoa abençoada! — JaneAnn ficou olhando para ele. — E foi maravilhoso?

— Maravilhoso é a palavra certa — confirmou Sandro. Perguntou a si mesmo se devia descrever em detalhes o verdadeiramente divino e elegantérrimo hábito púrpura que Sua Santidade usara na ocasião, mas achou aconselhável não fazer isso. As coisas já estavam correndo muito, muito melhor do que ele esperava, então era melhor não se arriscar a estragar tudo.

Milo encurralou o médico de plantão em sua sala. Falou tão baixinho que o Dr. Singh mal conseguia ouvi-lo.

— Sou o irmão mais velho de Fintan — explicou Milo, olhando para a lapela do médico. — Sempre fui praticamente um pai para ele e conheço tudo a respeito da aids. Só porque somos um bando de caipiras do interior, não pense que não conhecemos as coisas. E entenda também que sabemos lidar com essas coisas.

O Dr. Singh era um homem muito atarefado, que já estava de plantão há 32 horas e sem muita paciência. Quando Milo voltou à enfermaria, estava convencido de que Fintan não tinha aids.

Mais ou menos às sete e meia, quando os seis já se preparavam para ir embora, a fim de deixar Fintan descansar, ouviu-se o som de pés que corriam pelo corredor. Era Liv, com os cabelos voando, a pele rosada e os olhos intensamente azuis. Parecia uma rainha guerreira. Ao ver a muvuca em volta da cama de Fintan, soltou uma exclamação de espanto e parou de repente.

— Liv! — berrou Fintan da cama, com um jeito leve. — Entre, pode entrar! Essa é minha mãe, aquele é Timothy, meu irmão, e esse aqui é Milo, meu outro irmão.

— Olá! — Liv se expressou com cortesia e precisão, de um jeito sueco. — Muito prazer! — Cumprimentou os três, mas, quando chegou em Milo, ficou olhando fixamente para ele.

— Sinto muito — desculpou-se ela. — É que estou espantada... Você se parece *demais* com Fintan!

— Ora, que nada, Fintan é o bonitão da família. — Milo encolheu os ombros com um sorriso lento. — Sou apenas uma imitação de qualidade inferior. Sou um... como é que vocês chamam? Um produto pirata.

— Que nada! — grasnou Fintan, com ar galante. — Eu tenho você como meu modelo, Milo. — Havia realmente uma semelhança familiar, pois os dois tinham olhos azuis escuros e cabelos pretos, embora o de Milo parecesse ter sido aparado por um cortador de grama.

— Teve sorte? — Fintan perguntou a Liv.

— Sim, consegui uma coisa legal — e entregou uma sacola de compras para Fintan, que tirou lá de dentro dois cálices elegantes em verde-limão e copos turquesa, para água.

— Para que é isso? — perguntou Tara.

— É que eu passei aqui mais cedo, faz umas duas horas, e Fintan estava muito chateado por causa dos copos de água do hospital, que são horríveis — explicou Liv.

— E eu tinha visto este conjunto na revista *Elle Decoration* — emendou Fintan, para completar a história —, e assim Liv, sempre maravilhosa, foi comprá-los para mim, na Conran Shop.

— E você teve que ir muito longe para achá-los? — quis saber Milo.

Liv ficou toda vermelha e respondeu:

— Eles não tinham esse modelo na loja do Edifício Michelin, então eu peguei um táxi e fui até a filial da Marylebone High Street, mas lá também estava em falta. Mas então, adivinhe só... Isso mesmo! Encontrei na Heal's.

Milo, o homem que jamais fora para lugar algum a leste de Shannon em toda a sua vida, balançou a cabeça com ar de quem entendera tudo. *Sim*, seu aceno de cabeça parecia dizer *mas claro que o lugar mais provável de se encontrar isso era a Heal's, você fez a coisa certa em ir direto lá.*

— Vamos, gente, é melhor irmos embora. — Tara se levantou e olhou em volta, para todos.

— Ué, mas pra que tanta pressa? — brincou Milo, com ar gentil, e permaneceu sentado.

— Mas nós já estávamos mesmo de saí... — então Tara compreendeu tudo. Os O'Grady sentiram que seria falta de educação sair naquele momento, quando uma pessoa acabara de chegar.

Assim, tornou a se sentar e virou-se para Fintan, perguntando:

— A que horas você vai receber alta, amanhã?

— Não vou receber alta — disse Fintan, despejando as palavras de uma vez só.

— O quê?!!... Mas que diabos aconteceu agora?

— Nada de mais — disse Fintan. — É que pintou uma inflamação no pescoço, no lugar onde eles retiraram o linfonodo. Querem me manter aqui sob observação, até eu melhorar. Vou ficar muito chateado se não melhorar logo — reclamou ele —, porque aí vão ter que amputar meu pescoço. Vou ficar sem pescoço algum, e todos vão achar que eu sou jogador de rúgbi!

— Mas quanto tempo mais você vai ficar, então? — grasnou Katherine. Aquela história não estava cheirando muito bem. Leitos em hospitais públicos eram criaturas raras e esquivas. Só quando os médicos estavam muito preocupados é que deixavam alguém internado por vários dias.

— Vou ficar uns cinco ou seis dias. — Fintan deu de ombros, parecendo não se importar muito. — Vamos ver...

Meia hora depois, todos desejaram boa noite a Fintan e saíram em bando em direção à porta.

— Katherine, Tara! — sibilou Fintan, chamando-as de volta. — Fiquem de olho em Sandro, ouviram? — murmurou. — Sei que é um caso diferente, mas depois do que aconteceu com o último namorado dele... estou morrendo de preocupação, mas, preso aqui, não há muito que eu possa fazer.

No estacionamento, Sandro chamou Tara e Katherine de lado e pediu:

— Temos que manter o astral de Fintan elevado — insistiu. — Precisamos distraí-lo e mantê-lo longe das preocupações.

Os O'Grady iam ficar no apartamento de Katherine. Era a escolha óbvia: afinal, ela possuía um quarto extra, onde os rapazes podiam se ajeitar, além de uma suíte impecável, apropriada para uma *mammy* irlandesa, e um sofá-cama decente na sala, para as suas humildes necessidades. Além do mais, Tara avisou:

— Eles não se sentiriam à vontade na minha casa. Estou vivendo em pecado. — Sem mencionar o fato de que Thomas se recusara a recebê-los.

JaneAnn lançou-se em um festival de elogios derramados, enaltecendo o apartamento de Katherine:

— É adorável! Parece até que pertence a uma estrela de cinema.

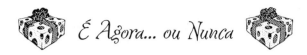

— Não, que nada!... — Katherine encolheu os ombros. — Vocês precisam ver o apartamento de Liv. *Aquele*, sim, parece a casa de uma estrela de cinema.

— Ela é uma menina tão boazinha, e muito bonita — elogiou JaneAnn. — Tem cara mesmo de quem veio direto da Suíça.

— Suécia — corrigiu Milo.

— Suécia, então, já que você faz questão — concedeu JaneAnn. — Ela não parece ótima, Milo?

— Sim. Tem uns dentes muito bonitos e é muito educada. Onde é que eu coloco estas coisas?

Katherine olhou e, para surpresa sua, havia um monte de comida em cima da mesa da cozinha. Um presunto cozido, pão preto embrulhado em papel-toalha, fatias finas de carne, pudim, manteiga, chá, broinhas e algo que lhe pareceu frango embrulhado em papel de alumínio.

— Ora, mas vocês não precisavam ter trazido comida — choramingou Katherine. Naquela manhã ela fora ao supermercado e comprara toneladas de comida para receber os hóspedes. Jamais dariam conta de tudo. Sua geladeira não via tanto movimento há muito tempo.

— Não podemos aterrissar aqui na sua casa e ainda por cima esperar que você nos alimente — explicou Milo.

— Milo tem razão, nós não podemos — Timothy falou. Um evento raro.

— Vocês querem um sanduíche? — perguntou JaneAnn, pronta para trabalhar.

— Não, não, estou sem fome — disse Katherine.

— Mas você precisa comer alguma coisa, minha filha. Saco vazio não fica em pé, não é verdade, Timothy?

— É verdade, mãe.

— Não é verdade, Milo?

— Deixem a pobre Katherine em paz.

A alguns quilômetros dali, Tara acabara de chegar em casa.

— Pobrezinha!... — ouviu Thomas falar para ela, da cozinha. — Venha até aqui receber um carinho.

Tara se animou toda e uma onda de alívio a fez se sentir mais leve. Thomas estava sendo gentil com ela. *Graças a Deus.* Só agora que sentia que as coisas pareciam ter se acertado entre eles é que admitia a tensão e a sensação estranha que tinha desde que... bem, desde que tinham tido aquela conversa horrorosa sobre gravidez. Que pena que fora necessária uma crise para acertar as coisas. Correu para a cozinha bem a tempo de ver Beryl se aninhar no colo de Thomas.

— Onde é que você estava? — perguntou ele, de forma brusca.

— No hospital — Tara pareceu confusa. E o carinho que ele lhe prometera?

— Pedi para você colocar comida para Beryl hoje de manhã e você se esqueceu — acusou ele. — Pobrezinha! — E esfregou o rosto no focinho da gata. — Pobre gatinha esfomeada!

Com uma fisgada súbita e fria no coração, Tara compreendeu que ele estava falando com a porcaria da gata o tempo todo.

— Sinto muito — disse ela, com ar cansado. — É que eu estava com outras coisas na cabeça.

— O que nós achamos disso, benzinho? — suspirou Thomas. — O que achamos de garotas que cuidam mais dos seus amigos do que da pobre Beryl? — perguntou à gata. — Não ficamos com uma boa impressão dessas pessoas, não é mesmo? Não... — Balançou a cabeça para os lados e Beryl fez o mesmo, ou, pelo menos, foi o que pareceu a Tara.

— Ah, pelo amor de Deus! — explodiu ela. A insegurança de Thomas sempre fora o motivo de ele ser tão desagradável com os seus amigos, mas assim já era ir longe demais. — Fintan está com câncer!

— É verdade? — perguntou Thomas, sem conseguir acreditar.

— Sim, é verdade. Está com linfoma, câncer no sistema linfático.

— Por outro lado, veja bem, Tara. O sistema linfático faz parte do sistema imunológico. E ele tem o sistema imunológico *deficiente*. Talvez seja uma deficiência *adquirida*...

— Thomas, Fintan não está com aids. Ele é HIV negativo.

Thomas soprou as bochechas com força, com ar de crítica.

— Ele está com câncer — reiterou Tara.

— Pois então, o que ele poderia esperar? — perguntou Thomas. — É um troço totalmente antinatural isso que esses caras fazem.

— Thomas, as pessoas não pegam câncer por praticarem sexo anal.

Thomas franziu o cenho e tapou as orelhas de Beryl com a mão, perguntando:

— E você precisa ser tão grosseira?

Tara ficou olhando para Thomas em silêncio, por muito tempo, pensando.

— E *você*?!... Precisa ser assim tão grosseiro? — ouviu-se perguntando a ele, por fim.

CAPÍTULO 33

Enquanto todos esperavam o resultado da biópsia de medula óssea, e Fintan quase se afogou em um mar de visitas e cartões que lhe desejavam uma rápida recuperação, a vida tomou a liberdade de seguir em frente.

A chamada "carreira" de Lorcan andava lhe provocando grande ansiedade. Na manhã seguinte àquela noite em que Amy colocara os tiras atrás dele, Lorcan foi fazer um teste para substituto em uma montagem de *Hamlet*. E não se tratava de uma produção amadora não, mas uma peça de verdade, com atores de verdade e uma plateia que pagava — e isso era o mais importante — dinheiro de verdade para assistir à apresentação.

Enquanto esperava há mais de uma semana para saber se conseguira o papel, Lorcan repetia o tempo todo para si mesmo: "Se eu não conseguir esse papel, vou *morrer*, simplesmente *morrer*!"

Porém, parece que ele ia escapar da morte, por mais algum tempo. Na segunda-feira de manhã o seu agente lhe telefonou, dizendo-lhe que ele havia sido escolhido para fazer outro teste, e dessa vez eram apenas ele e mais três candidatos.

Lorcan ainda não havia falado com Amy, embora, a essa altura, ela já tivesse deixado mais de 100 mensagens em sua secretária, com recados de teor variado. Em algumas gravações, ela parecia feliz e animada, gorjeando:

— Oi, tudo bem? Aqui é Amy falando. Esperava que estivesse em casa. Tudo bem, deixe pra lá! Espero que esteja tudo bem com você. Qualquer dia desses a gente podia sair para tomar um drinque. Té mais!...

As mensagens desse tipo chegavam geralmente de noitinha. Mais tarde, por volta de nove da noite, seu estado de espírito ficava mais sombrio:

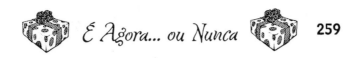

— Aqui é a Amy. Preciso falar com você. Há certas coisas que precisamos discutir. Não podemos deixar as coisas assim como estão, é uma coisa irresponsável de se fazer. Sua obrigação é ligar para mim. Me ligue!

Depois da meia-noite ela ficava mais desagradável. Seu tom parecia mais bêbado e choroso:

— Oi, shô eu... — dizia, com a voz pastosa. — Tô ligano shó padizê que num vô maish ligá. Tô cheia de convites de ôtros carash, e qué sabê de uma coisa? Tô *contente*, muito *contente* de não tá mais saíno com vozê... vozê me fez muito infeliz, o tempo todo, é um sádico, e agora eu conhechi um cara lá no trabalho, e ele me acha legal, muito fantáshtica... e queria que vozê soubesse que num precisa mais she incomodá comigo que eu tô legal! Muito legal! Sacô?... Legal! L-E-G-A-U... Nunca eshtive mais felish em toda a minha... — BIIIP!!! — e a ligação caía.

Algum tempo depois, ela sempre tornava a ligar:

— Oi! Sô eu... — tornava a dizer. — Escute, eu sinto muito, muito mesmo. Você não é sádico e não tem nenhum cara legal no trabalho. Me dê só uma ligadinha, uma hora dessas, porque isso é horrível... — e gastava o resto do tempo da mensagem soluçando no bocal. Lorcan jamais retornou nenhuma das suas ligações.

Na terça-feira de manhã, quando Lorcan entrou no metrô para a estação Angel, sentiu que todos no trem sabiam o quanto era importante aquela viagem. Percebeu que o ar em torno dele estava subitamente agitado de expectativa e importância. *Olhe só para esse povo*, pensou, com pena das pessoas. Indo para casa, depois de largar seus empregos patéticos. De certo modo eu quase os invejo, pois seria ótimo não precisar me preocupar com nada. O peso de ser um gênio ainda não descoberto é imenso, mas o que se pode fazer?

Ao sair da estação, fez um acordo consigo mesmo. Se conseguisse caminhar até a estação de King's Head sem pisar em linha alguma da calçada, era sinal de que conseguiria o papel. E se não conseguisse o papel? "Bem, nesse caso, vou morrer", sussurrou, apavorado. "Não vou ter outra escolha, a não ser morrer!"

Lorcan foi o último de uma lista curta de quatro candidatos, e no instante em que começou a assistir à apresentação dos concorrentes, quase morreu de tanta insegurança, arrasado de ciúme e terror, porque todos pareciam mais jovens, mais altos, em melhor forma física, mais ricos, mais bem treinados, mais experientes e com melhores contatos que ele. Detestava se sentir daquele jeito. Porém, como sempre, escondeu a sua sensação de inadequação sob um verniz de arrogância.

De repente, era a sua vez. Ele apresentou o monólogo de Hamlet, sozinho no palco, sob um refletor, com o corpo grande e esbelto contorcido de indecisão e um ar confuso que parecia distorcer o seu belo rosto.

— Ele faz muito bem o gênero "inseguro atormentado" — murmurou Heidi, a assistente de palco.

— Faz mesmo — concordou o diretor.

Quando acabou, Lorcan teve que se forçar a manter a boca fechada para não sair dizendo: "Por favor, digam-me que eu fui bem. Por favor, deixem-me participar desta peça."

Não poderia saber que o ator que eles realmente queriam para ficar como substituto de Hamlet aceitara o papel principal em *The Iceman Cometh*, no Teatro Almeida. Assim, quando Heidi lhe contou que ele conseguira o papel, Lorcan teve um momento de júbilo incrédulo, antes que o pêndulo de sua autoestima fosse lançado violentamente na direção oposta à que estava. Na mesma hora começou a achar que conseguir aquele papel era apenas o tributo que lhe era devido. *É claro que eles me escolheram. Por que não fariam isso?* Seu recente terror se derreteu como neve ao sol.

— Meus parabéns — sorriu Heidi. Lorcan lançou-lhe um sorriso tipo "Ora, imagine, isso não foi nada".

— Sei que é apenas o papel substituto de Frasier Tippett — continuou ela —, mas, mesmo assim, seu desempenho foi muito bom.

— Sim... bem, quem sabe Frasier Tippett não sofre um terrível acidente, não é? Nunca se sabe, mas vamos ficar torcendo... — de forma elaborada, Lorcan cruzou os dedos diante dela, lançou-lhe outro de seus sorrisos devastadores e saiu andando devagar.

O sorriso de Heidi estremeceu de leve, balançou com mais força e acabou despencando. Frasier Tippett era seu namorado.

No dia seguinte, Lorcan estava escalado para a gravação de um comercial de manteiga para a tevê. Fizera um teste seis semanas antes e, ao conseguir o trabalho, sentira-se indescritivelmente grato. Comerciais para a televisão pagavam muito bem. Às vezes, era possível passar um ano inteiro vivendo só de cachês de anúncios. Agora, no entanto, que ele estava prestes a ser colocado de volta em seu lugar de direito, sob os refletores do teatro profissional, seu ego gigantesco reassumira o volante de sua vida. Por que se sentia grato por um comercial de manteiga? E daí se aquilo podia render uma boa grana? Eles estavam é com muita sorte por poderem contar com ele, e Lorcan pretendia fazer com que todos soubessem disso.

À hora marcada... bem, na verdade, 40 minutos depois, ele apareceu em um galpão sem janelas em Chalk Farm, onde a temperatura estava incrivelmente baixa; o lugar fora adaptado para gravações. Foi imediatamente recebido por uma turba histérica — produtores, diretores, agentes de elenco, assistentes de cena, executivos de propaganda, representantes do conselho administrativo da Manteiga Sabor, maquiadoras, estilistas, cabeleireiros e as inúmeras pessoas que apareciam em todas as gravações para ficar circulando por ali, bebendo chá, com chaves e comunicadores pendurados nos cintos.

Eu controlo tudo isso, pensou Lorcan, saboreando a sensação de invencibilidade. *Estou de volta!* Isso é maravilhoso.

— Onde você estava? Tentamos localizá-lo pelo celular, mas o seu agente disse que você *não tem* celular! — arfou Ffyon, o produtor. — Claro que isso deve ser algum engano.

— Não, não há engano — Lorcan sorriu, sua voz suave tranquilizando Ffyon. — Eu não tenho celular.

— Mas que diabos, e por que não tem?

— Com celular, ninguém me deixa em paz — mentiu Lorcan. Não havia dinheiro para comprar um celular, na verdade.

Depois de atravessar um mar de cabos laranja para ir cumprimentar os chefões da agência de propaganda e do conselho administrativo da Manteiga Sabor, Lorcan foi encaminhado à sala de maquiagem. Em seguida, uma jovem se aproximou dele com um pente e uma lata de spray para cabelo, mas Lorcan agarrou-lhe o braço com força, impedindo seu ataque.

— Não toque no meu cabelo! — ordenou, curto e grosso.

— Mas...

— Ninguém toca em meu cabelo, a não ser que eu permita.

Lorcan tratava o cabelo como um cão de raça premiado. Ele o mimava, paparicava, dava palmadinhas de apreço quando ele se comportava bem e hesitava muito em largá-lo aos cuidados de estranhos.

Em seguida, foi o momento de experimentar a indumentária. Depois de incontáveis trocas de roupas, os dois estilistas foram obrigados a reconhecer que, apesar das toneladas de vestimentas que haviam levado, Lorcan parecia mais devastador do que nunca ao usar suas próprias roupas — jeans desbotado e uma camisa de seda turquesa que fazia seus olhos ficarem cor de violeta.

— Tudo bem, pode usar suas roupas mesmo — concedeu Mandii.

— Mas vamos ter que passá-las a ferro — avisou Vanessa, depressa. Queria vê-lo mais uma vez só de meias e cuecas. Jamais vira um homem tão incrivelmente lindo. Pernas longas e musculosas, cintura fina, ombros largos, peito forte como uma rocha e a pele lisa, com um tom dourado, que parecia implorar para ser acariciada.

Finalmente, duas horas depois de ter chegado, Lorcan estava quase pronto. Para o toque final, balançou os cabelos para trás, tirando-os da frente de sua testa maravilhosa. A mão que segurava o pente do cabeleireiro teve um espasmo involuntário.

— Gravação da Manteiga Sabor, tomada 1 — gritou o diretor. A claquete bateu e o câmera entrou em ação. Uma sala de estar fora montada e parecia uma ilha acarpetada e bem iluminada em meio à vastidão do piso de concreto. O comercial começava com Lorcan sentado, com seu corpo esbelto e poderoso sobre um sofá de veludo roxo, as pernas cruzadas com classe, segurando um prato de torradas no colo.

A câmera se moveria em sua direção e a ideia era ele levantar os olhos, arquear uma das sobrancelhas, sorrir e dizer:

— Manteiga de verdade?

Em seguida, daria uma mordida na torrada crocante, acompanhada de uma pausa sexy de apreciação, antes de continuar, com um sorriso de tocar a intimidade da alma, completando:

— Porque *eu mereço* esse sabor.

Ele fora fantástico no teste. Absolutamente magnético. Se houvesse um Oscar para cena de experimentar manteiga, Lorcan o teria conquistado. As pessoas do estúdio não tinham como saber que ele estava sem comer há quase 24 horas e sua fome genuína emprestara uma forte convicção ao seu desempenho.

Só que agora as coisas eram diferentes. Ele conseguira um papel em uma peça de verdade, era um ator sério e não queria que ninguém duvidasse disso. Assim, superatuou de forma exagerada, mantendo o clima selvagem, pomposo e arrebatador do monólogo shakespeariano da véspera.

— Ação!... e, Lorcan...

Projetando a voz com força a partir do diafragma, para poder alcançar as últimas fileiras do teatro, Lorcan bramiu "MANTEIGA DE VERDADE?" como se estivesse declamado a primeira frase do monólogo de Hamlet. Pessoas nos locais mais recônditos do galpão franziram a testa e o câmera quase ficou surdo. Ninguém ficaria surpreso se Lorcan tivesse ido em frente: "Manteiga de verdade? Eis a questão. Será mais digno para a alma suportar os golpes e feridas de um adverso destino ou..."

— Corta, corta! — gritou Mikhail, o diretor. — Muito bem, tomada 2. Vamos dizer o texto dessa vez com um pouco mais de calma, certo?

Assim que as câmeras começaram a rodar para a segunda tomada, Lorcan gritou:

— Ei, espere um instante. Isso aqui em cima da torrada é *manteiga*?

— É — confirmou Melissa, que cuidava da parte das torradas.

— Argh!... — declarou Lorcan, dramaticamente, largando o prato em cima do sofá. — Argh, argh, argh!... Você quer me matar? Esse troço entope as artérias.

O sr. Jackson, representante do conselho administrativo da Manteiga Sabor, pareceu chocado.

— Arrume uma margarina dessas sem gordura para eu passar na torrada! — ordenou Lorcan.

Enquanto Melissa corria para a loja de conveniência mais próxima, Jeremy, o agente de elenco, conversou em um tom de voz discreto com o sr. Jackson, tentando acalmá-lo e garantindo, com determinação, que ninguém ia desconfiar que o produto sobre a torrada não era Manteiga Sabor, e que Lorcan ia passar a mensagem de forma perfeita, mesmo sem acreditar no produto.

Só que, mesmo com o auxílio da margarina poli-insaturada, Shakespeare se manteve com força total.

— Tomada 10! Lorcan...

— MANTEIGA DE VERDADE? — declamou ele, mais uma vez, desta vez parecendo que estava pronto para continuar seguindo o texto de Lady Macbeth: "Será MANTEIGA DE VERDADE o que vejo diante de mim? Uma manteiga-punhal com o cabo voltado para as minhas mãos? Vem, deixa-me empunhar-te! Não te tenho ainda e contudo ainda te vejo."

— Corta, corta, corta! — berrou Mikhail. — Por favor, Lorcan...

— Quem é este palhaço? — perguntou o sr. Jackson, olhando em volta, à procura do rapaz da agência de propaganda, para que ele ajeitasse as coisas. — Converse com ele — pediu-lhe. — Mikhail e Jeremy não estão chegando a lugar algum.

Lorcan estava se divertindo à beça e adorou quando o Sr. Terno Caro, da agência de propaganda, veio pessoalmente falar com ele. Mais uma oportunidade para exercitar o estrelismo.

— Escute, que tal manter o tom do discurso mais descontraído? — sugeriu a Lorcan. — Um clima de bate-papo?

— Qual é mesmo o seu nome? — quis saber Lorcan, com ar dominador, embora já tivesse sido apresentado a ele assim que chegou.

— Joe. Joe Roth.

— Então deixe-me lhe dizer uma coisa, Joe Joe Roth. Eu já fiz mais comerciais na vida do que você comeu mulheres gostosas. Vir aqui me dizer o que fazer é o mesmo que ensinar o padre a rezar missa.

Joe suspirou. Não precisava aguentar essas coisas. Estava cheio de problemas na cabeça, inclusive a apresentação de uma campanha importante para um fabricante de cereais matinais no dia seguinte. Bancar a babá de atores mimados não fazia o seu gênero. Especialmente considerando que não fora ele quem escolhera a equipe daquele comercial; isso foi algo que herdara do seu predecessor, quando ele fora despedido da Breen Helmsford. O pior é que a responsabilidade, agora, estava nas costas dele.

Lorcan assumiu um ar de desafio e provocação, como se estivesse doido para um confronto. Sorrindo por dentro, imaginou se seria capaz de fazer aquele tal de Joe Joe Roth gritar com ele... Já fazia algum tempo desde a última vez que conseguira isso. Para seu desânimo, porém, Joe simplesmente tornou a fazer a mesma sugestão, aconselhando que Lorcan dissesse o texto de uma forma amigável, sem muito exagero. Isso deixou Lorcan chocado. Quem era aquele babaca com salário gordo, cara bonitinha e inesperada autoconfiança?

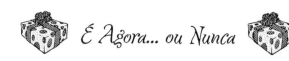

Joe Roth era duro na queda, bem mais do que Lorcan imaginara. Seriam necessárias medidas drásticas. Para equilibrar as coisas entre eles, Lorcan foi se tornando cada vez mais careteiro e exagerado a cada tomada subsequente. Por fim, na tomada 22, por pura maldade, só por saber que podia, ele reclamou:

— Isso é manteiga! Qual é a motivação para eu transmitir empolgação aqui?

— Um cheque de pagamento, talvez...? — disse Joe, com a maior cara de pau e o rosto impassível. Cansara de ser o Sr. Bonzinho.

— Mas eu sou um artista! — declarou Lorcan, com arrogância.

— Talvez esse seja o problema, então — disse Joe, secamente. — Nós queríamos um ator.

Lorcan estreitou os olhos de raiva.

Mandii e Vanessa cutucaram uma à outra, olhando para Joe. Cara sexy...

— Muito bem, vamos tentar mais uma vez — gritou o diretor. — Mais torrada, Melissa! Tomada 23 e, Lorcan...

— Manteiga de verdade? — declamou Lorcan, com a entonação exata.

Até que enfim, pensaram todos, respirando de alívio de forma quase audível.

Lorcan deu uma mordida na torrada, sorriu com cara de lobo para a câmera, e então, com a mesma voz suave e sensual, completou:

— Isso vai lhe provocar um infarto.

CAPÍTULO 34

— Muito bem, Lorcan — disse Joe, dando um passo à frente, com um sorriso agradável no rosto. — Já ficou bem claro que você não está a fim de fazer este comercial. Vamos então evitar todo esse transtorno na sua vida. Você está, oficialmente, dispensado.

Lorcan abriu a boca para dizer algo insultante, mas Joe continuou, falando bem depressa:

— Evidentemente não receberá nem um centavo do seu cachê, e talvez seja obrigado a nos compensar pelos custos de toda uma manhã de trabalho.

Enquanto Lorcan abria a boca, Joe se virou para o resto da equipe, abrindo os braços:

— A todos vocês eu peço desculpas pelo desperdício de tempo e trabalho. Por favor, permaneçam conosco enquanto tentamos encontrar outro ator. Jeremy, o que acha de Frasier Tippett? — Joe se virou para trás e olhou para Lorcan, que continuava exatamente na mesma pose lânguida sobre o sofá, congelado e com o rosto em total perplexidade. — Ainda está aí? — perguntou-lhe. — Poderia deixar o set de gravação, por favor? Nosso seguro não cobre pessoas que ficam por aqui sem estar trabalhando.

Lorcan estava chocado. Aparentemente, subestimara Joe Joe Roth de forma alarmante, e não quis pagar pra ver.

— Ei! — disse ele, acenando com a mão, meio sem graça. Sua voz parecia um coaxar rouco. — Esfria a cabeça, cara!...

Joe o ignorou e pegou o celular que Jeremy trazia, enquanto dizia:

— O nome dela é Alicia, a agente de Frasier Tippett.

Joe conversou baixinho ao telefone, antes de anunciar a todos com um sorriso largo:

— Uma boa notícia, pessoal! Frasier Tippett vai estar aqui em menos de uma hora. Podem descansar um pouco até lá. Vão comer alguma coisa ou pegar um pouco de ar.

Joe se virou e caminhou para fora do estúdio. Lorcan estava mudo de estupefação. Ninguém jamais fizera uma coisa dessas com ele. É claro que Joe estava brincando sobre aquela história de Frasier Tippett estar a caminho dali, mas tinha que reconhecer que era um truque bem elaborado.

Continuou sentado no sofá roxo, enquanto esperava Joe voltar e a gravação recomeçar. Para seu alarme, porém, viu que todos pareciam estar saindo. Já pegavam bolsas e casacos, reunindo-se em grupos de dois ou três, combinando de ir até o pub para tomar um chope e comer um sanduíche. Lá estava o câmera com Mandii e Vanessa a tiracolo, e ali ia saindo o assistente, acompanhado pelo cabeleireiro, e, mais adiante, Melissa e Ffyon.

— Vamos tomar um chá com torradas — sugeriu Ffyon.

— Não! — Melissa empalideceu. — Sem torradas! — disse, baixinho. Logo, não sobrara quase ninguém.

É claro que eles não tinham ido embora *de verdade*, garantiu Lorcan a si mesmo. Em poucos instantes, todos iam voltar correndo pela porta, gritando:

— Pegamos você!...

Só que ninguém fez isso.

Ele continuou sentado no sofá, sentindo-se tolo e ignorado. Com horror, foi forçado a contemplar o impensável: que talvez aquilo tudo fosse real. Então, com imenso alívio, viu Joe surgir de uma pequena sala com o sr. Jackson. Finalmente todo aquele problema seria solucionado! Mas eles passaram direto, sem nem sequer olhar para ele, batendo papo a respeito dos filhos do sr. Jackson.

Lorcan pulou do sofá, escorregou, ficou com o pé preso nos cabos, mas, depois de se soltar, correu atrás deles.

— O que está acontecendo aqui? — exigiu saber.

Joe se virou para Lorcan com um genuíno ar de surpresa no rosto.

— Você ainda está aqui? Para quê?

— Você conseguiu me convencer, cara — disse Lorcan, com o rosto sério.

Sorrindo de leve, continuou:

— Estou pronto para começar novamente, que tal? Vamos, temos um comercial para gravar!

— Você foi dispensado — disse Joe.

— Tudo bem, tudo bem... reconheço que fui um menino levado — sorriu Lorcan, com ar de escárnio, estendendo a mão e dando um tapa nela com a outra mão. — Viu só? Fui punido... agora, que tal voltarmos ao trabalho e acabar com essa perda de tempo?

— Já chamamos outro ator.

— Mas para que vocês precisam de outro ator? — e deu uma risada forçada.

— Lorcan, eu entendo que as pessoas, às vezes, especialmente os atores, precisam ser bajuladas para conseguir dar o melhor de si, mas o seu comportamento foi tão desdenhoso que ficou claro para todos que você não deseja fazer parte disso — explicou Joe. — Não costumo forçar as pessoas a fazer coisas que não desejam. Será muito mais produtivo para mim, e para você também, se lidarmos com alguém que tenha um entusiasmo verdadeiro por esse trabalho.

Lorcan subitamente notou que não havia ironia nas palavras de Joe. O grande buraco negro no meio da psique de Lorcan estremeceu ao encontrar seu oposto em Joe Roth: alguém com um forte eixo moral. Chocado, percebeu que o filho da mãe não o estava dispensando por capricho, mas fazia isso por achar que era o melhor para ambos. Que esquisito!

— Agora é melhor você ir embora — aconselhou Joe.

Lorcan olhou para ele fixamente. Finalmente não havia dúvida alguma sobre o que estava realmente acontecendo ali.

— Você está cometendo o pior erro de sua pequena e patética carreira — debochou Lorcan. — Jamais aceitaria trabalhar com um amador como você, nem que me pagassem muito bem. Vou embora!

Conseguiu desviar dos inúmeros cabos espalhados pelo piso e foi direto em direção à porta, ainda alimentando uma leve esperança de que Joe iria chamá-lo e dizer: "Tudo bem, volte aqui, você aprendeu sua lição." Mas nada disso aconteceu. Fez uma pausa rápida e berrou por cima dos ombros, para Joe:

— Você nunca mais vai conseguir trabalho nesta cidade!

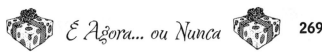

De repente, Lorcan se viu vagando pelas ruas. Uma coisa daquele tipo jamais lhe havia acontecido antes. Estava tão chocado que não conseguia nem mesmo se sentir devidamente zangado.

O comercial da manteiga teria rendido milhares de libras. *Milhares!* Além do cachê inicial, haveria valores residuais para cada vez que o anúncio fosse ao ar. E Joe Roth negara esses milhares de libras a ele. Foi como se ele as tivesse roubado dele. Lorcan jurou vingança. Joe Roth era uma frágil casinha de sapê, e ele, Lorcan, era um trator, ainda que se sentisse um trator meio sem moral no momento.

Como isso podia ter acontecido com ele? Como é que ele pôde avaliar a situação de forma tão equivocada? É claro que ele se comportara de forma atroz, mas as pessoas sempre haviam relevado essas coisas antes quando se tratava dele. Em 1992, na Irlanda, ao estrelar um comercial de sabão em pó, Lorcan os obrigou a gravar 69 tomadas antes de resolver fazer certo. Nem uma vez eles sequer insinuaram que poderiam trocá-lo por outro ator. Afinal, esse era o comportamento volúvel que *se esperava* de um astro. Puxa, era por causa disso que todos o adoravam!

Ele achava que a máquina de fabricar astros ia voltar a orbitar à sua volta e que tudo isto seria apenas o início de uma nova fase em sua carreira. Tinha *tanta* certeza de que seus dias de sufoco estavam encerrados que começara a se comportar como um astro antes do tempo. O problema é que ali não era Dublin no início dos anos 90, e sim Londres no início do novo milênio. Outro mundo, com regras diferentes, só que ninguém lhe avisara disso, e agora era tarde demais.

Pensar que todos os elogios e aplausos lhe haviam sido arrancados bem debaixo do nariz, antes mesmo de ele ter o gostinho de curti-los, era inaceitável. E descobrir que *ele mesmo* fora o responsável por isso era insuportável. Não tinha escolha, a não ser voltar para casa e tentar escapar das ligações furiosas de seu agente. Ao entrar em seu apartamento, não conseguiu fazer mais nada, a não ser tirar a maquiagem que haviam passado em seu rosto e se sentar no *futon,* em meio à névoa de depressão. O longo e sombrio entardecer da alma.

Estava com 38 anos. É claro que parecia muito mais novo, e seu currículo informava apenas 33, mas ele sabia a verdade. Estou com quase 40, compreendeu, e não construí nada em minha vida. Um casamento fracassado, nada de grana, nem amigos, nem fama fora da Irlanda. Nenhuma glória em terras americanas ou britânicas. Nem mesmo uma cama decente em meu nome. Seria de imaginar que, na minha idade, não era para eu estar dormindo em um desconfortável *futon*.

O pior de tudo é que ele não tinha dinheiro nenhum. Não podia nem lembrar sobre a grana que deixara escapar pelos dedos naquela tarde. À deriva e assustado, buscou no fundo do cérebro uma afirmação de qualquer tipo, uma lembrança de que ele ainda era importante.

Não conseguiu achar nada. O tempo parecia pesar em suas mãos. Não tinha nada nem ninguém com quem tocar a vida para a frente. Então, de repente, pensou em Amy. Alarmado, percebeu que ela não ligava para ele há — e contou com os dedos — quatro dias. Quatro dias sem um recado animadinho, sombrio ou bêbado na secretária eletrônica. E ele nem reparara nisso, pois estava com coisas mais importantes na cabeça, uma carreira para administrar. Agora, porém, que não lhe restara mais nada, aquilo lhe pareceu extremamente importante.

Tomara que ela não tivesse desistido dele, nem estivesse começando a superar a paixão. Pensar nisso quase o fez entrar em pânico.

Era hora de trazê-la de volta.

Para então começar a torturá-la novamente.

Olhou para o relógio. Se saísse naquele exato momento, dava para chegar em Hammersmith a tempo de encontrá-la na saída do trabalho. Cheio de adrenalina e com um objetivo definido, verificou o cabelo. Continuava maravilhoso... se ele continuasse a se comportar assim tão bem, ia lhe oferecer um banho de condicionador mais tarde. Saiu correndo do apartamento. A caminho da estação do metrô, sorriu para uma mulher e a viu continuar pálida e impassível. Será que era apenas a sua imaginação? Será que ele já não era tão irresistível quanto antes? Será que estava ficando mais difícil fazê-las enrubescer?

Já fazia 11 dias desde que Amy mandara a polícia ao apartamento de Lorcan. Onze dos dias mais compridos de toda a sua vida. Um inferno total. Ela ficara completamente louca, e sabia que a sua vida acabara. No entanto, em meio à agonia da separação, ganhou um prêmio de consolação — uma estranha pepita dourada feita de puro alívio. Lorcan era um homem de manutenção cara demais. Seus joguinhos a haviam transformado em uma lunática rabugenta e irreconhecível. Agora, pelo menos, ela poderia resgatar a própria alma.

Todavia, precisava fazer com que sua irmã, Cindy, viesse para ficar uns dias com ela, para servir de guardiã do telefone.

— Prometa — Amy implorara a Cindy — que mesmo que eu lhe diga que minha perna acabou de se despregar do corpo e que se trata realmente de uma emergência você não vai, repito, *não vai* me deixar ter acesso ao telefone!

Embora as duas irmãs tivessem disputado algumas lutas corpo a corpo, às vezes altas horas da noite, Cindy conseguira manter a promessa.

Amy estava saindo do trabalho, preparando-se para mais uma noite repleta de ação, na disputa de *não ligar* para Lorcan, quando viu algo no saguão que quase a fez tropeçar. Lorcan. Grande e destemido, com o braço levantado acima da cabeça e usando o cotovelo para se apoiar na parede, o paletó meio aberto revelando a barriga de tanquinho e o peito musculoso. Nossa, que sensação de calor e alegria quando Amy sentiu que nem tudo estava perdido!

Lorcan manteve a pose durante cinco segundos, enquanto, em sua cabeça, a câmera se aproximava lentamente, fechando em um close. Então, com um sentido de tempo perfeito, enquanto seu rosto enchia a tela imaginária, sorriu, e Amy sentiu-se ofuscada. Corte brusco para a câmera 2, que mostrava as costas esbeltas de Amy e acompanhavam o seu progresso deslumbrado e hipnotizado na direção de Lorcan. Estava claro que ela não tinha como resistir. Novo corte, passando agora para os olhos de Lorcan, cheios de amor, enquanto ele olhava para o rosto de Amy, já ligeiramente elevado em sua direção. Era quase hora de lançar a sua fala, mas... *espere, espere mais um pouco*, avisou o diretor inexistente... e... agora!

— Oi, garota... sentiu muito a minha falta? — perguntou Lorcan, com um misto exato de diversão e gentileza. Expressão muda de Amy, seguida por uma risadinha afetuosa da parte dele. Panorâmica novamente, para mostrar Lorcan, que, de forma rude, agarrava a cabeça de Amy entre suas mãos grandes e a puxava para junto do peito. Close do rosto de Amy, seus olhos fechados e a expressão arrebatada ao sentir o cheiro do paletó de camurça de Lorcan e a sua coxa dura, insinuando-se entre as suas pernas.

A seguir, Lorcan tornou a se afastar para traçar a boca de Amy com a ponta do dedo, lentamente, mostrando-se quase maravilhado. Uma beleza, pensou ele. Uma beleza *de gesto* o seu, é claro. Então, uma vez mais, envolveu-a com determinação em seus braços enquanto, em sua cabeça, um tema musical alegre e comovente teve início e os créditos finais começaram a subir lentamente pela tela.

Tara, de saída do trabalho em direção ao hospital, sentiu-se tocada pela cena e ficou com inveja. Aquela era uma das cenas mais impressionantes a que já presenciara. O cara lindo e imenso envolvendo a frágil mocinha em um gesto de infinita ternura.

Mais tarde ela exclamou para a multidão reunida em volta da cama de Fintan:

— Gente!... Parecia uma cena saída diretamente de um filme!

CAPÍTULO 35

Fintan estava para receber os resultados da biópsia de medula óssea, raios X do tórax e tomografia computadorizada na sexta-feira à tarde. Até então, Tara, Katherine, Sandro, Liv e os O'Grady estavam condenados a viver no limbo, sem conseguir pensar em mais nada. Para eles, o mundo estava parado até sexta-feira à tarde. Nada de importante aconteceria até lá.

De algum modo, conseguiram se convencer de que o câncer nos nódulos linfáticos era o menor dos problemas. Que se a doença não aparecesse no tórax, medula óssea ou órgãos internos, Fintan já podia se considerar curado.

Toda a energia deles mantinha-se focada na espera, para descobrir exatamente o quanto Fintan estava doente. Enquanto a aflição e a esperança brincavam de cabo de guerra uma com a outra, dentro de cada um, a devastação foi grande em seus padrões de sono, apetites, níveis de paciência, concentração e a capacidade de escolher entre sanduíches de frango ou queijo. Ao mesmo tempo, todos liam tudo o que conseguiam encontrar sobre a doença de Hodgkin, e compravam todos os livros sobre curas alternativas que lhes aparecessem pela frente.

Tantos dos colegas e amigos de Fintan apareciam para vê-lo, no horário de visitas, que ele se sentiu levado a comentar, em um momento de amargura e baixo astral:

— Eles vieram aqui só para ver se eu estou com aids.

Porém, mesmo depois que se tornou claro para todos que ele *não estava* com aids, um enxame de visitas bem-humoradas aparecia para visitá-lo, sempre de noitinha. Quanto ao círculo mais fechado, formado por Tara, Katherine, Liv, sua família e seu namorado, estes mantinham uma vigília permanente à beira de sua cama; JaneAnn e Sandro se revezavam na amorosa tarefa de segurar a mão de Fintan.

Na quarta-feira, a primeira manhã dos O'Grady em Londres, Tara levou-os de carro, junto com Katherine, para o hospital; lá eles se encontraram com Liv e Sandro.

— Bom-dia! — cantarolou Tara, olhando para Fintan, determinada a se mostrar alegre.

— O que há de bom no dia? — perguntou Fintan, de cara amarrada, largado na cama e ressentido.

O estado de espírito dos recém-chegados afundou e todos ficaram circulando na ponta dos pés em torno da cama, fazendo as perguntas típicas de visitas de hospital:

— Dormiu bem? — perguntou Katherine, indecisa.

— Seu café da manhã estava gostoso? — quis saber Tara.

— Quer uma uva? — ofereceu Sandro.

— O que há de errado com o sujeito da outra cama? — perguntou Milo.

Fintan respondeu, com amargor:

— Não dormi bem porra nenhuma, o café da manhã me fez vomitar, pode enfiar as uvas no seu cu, e se quer saber o que há de errado com o seu homem, por que não vai até lá e pergunta a ele?

Depois de uma rodada de sorrisos vacilantes diante dessa resposta, todos passaram a fazer uns aos outros as perguntas artificiais de sempre. Como é que Sandro estava, JaneAnn conseguira dormir bem em uma cama estranha, será que não iam reclamar por Tara e Katherine não terem ido ao trabalho, a que hora da manhã Milo e Timothy costumavam acordar normalmente e na Suécia eles criam vacas?

— Putz, lá vamos nós!... — reclamou Fintan, em voz alta, ao ver a enfermeira se aproximando para fazer a primeira coleta de sangue do dia. — Estou parecendo uma almofada de alfinetes. A cada cinco minutos, vem alguém aqui e me espeta uma agulha. — Esticou o braço, à espera da seringa, e todos em volta recuaram de leve, impressionados ao verem o cotovelo ossudo no braço cheio de manchas pretas, roxas, verdes e amareladas. Equimoses em cima de equimoses, com mais uma a caminho.

O coração de Tara pareceu sangrar e ela teve vontade de dividir um pouco daquela dor com Fintan, embora, ao mesmo tempo, se visse grata a Deus, experimentando um tremendo alívio por não ser ela a paciente sobre a cama, a servir como almofada de alfinetes humana. Assim que o pensamento acabou de se formar em sua mente, Tara se sentiu inundada por uma onda de vergonha em seu íntimo. *O que havia com ela para pensar uma coisa dessas*?

— Vamos ver se conseguimos encontrar a veia nas primeiras dez tentativas, pode ser? — propôs ele à enfermeira, com ar de sarcasmo.

— Tenha modos! — repreendeu-o JaneAnn, baixinho. Era aceitável que ele fosse grosseiro com ela, sua pobre e idosa mãe, que passara 18 horas em trabalho de parto para colocá-lo no mundo em uma época em que não existia peridural, mas aquela enfermeira era uma estranha. Pior do que isso, uma estranha que também era *inglesa*.

— Estamos muito contentinhos hoje! — brincou a enfermeira, sorrindo.

— Só se for você...

— O osso da bacia está doendo?

— Não, mas a demora no resultado da amostra que eles tiraram de lá, sim — replicou Fintan.

Tara se inclinou e apertou sua mão. Não era de estranhar que ele estivesse chateado.

O mau humor de Fintan durante o dia era mutante e imprevisível. Menos de uma hora depois do cumprimento mal-humorado e pouco simpático, seu astral já melhorara muito, e assim, por reflexo, o de todos também. A um ponto em que a atmosfera em volta da cama ficou mais parecida com a de uma festa. Em um determinado momento, o bate-papo e as gargalhadas estavam tão altos que a enfermeira teve de pedir para eles falarem mais baixo, pois estavam agitando os outros pacientes.

De vez em quando, e cada um a seu turno, as visitas compreendiam como era inadequada toda aquela alegria. Nesse momento, eles se sentiam culpados por não mostrarem cara de enterro. Até que, de repente, a alegria voltava. Apesar disso, embora às vezes todos se sentissem individualmente aliviados, coletivamente sentiam um terror constante. Katherine observava a onda de horror que se espalhava como um tsunami, atingindo um de cada vez. Enquanto o papo animado rolava, um deles se sentava absolutamente imóvel, exibindo uma expressão de perplexidade. *O que estou fazendo aqui? Porque Fintan está doente? Porque pode ser que ele morra? Mas isso é um absurdo!*

Então, vinha uma enxurrada de esperança, como um bálsamo — *tudo vai dar certo* —, e o terror se movia, implacável, para a pessoa seguinte.

Às 11 horas, Fintan ligou a pequena tevê ao lado da cama.

— Está na hora de "Encha o seu carrinho". É o meu programa de prêmios favorito. Vocês se incomodam de eu assistir?

— Claro que não — murmurou um coro, disposto a agradá-lo. Dentro de instantes o astral tornou a se modificar, com a mesma rapidez estranha, e foi como se todos estivessem reunidos na sala de alguém, assistindo aos concorrentes que enchiam um carrinho de supermercado com o máximo de produtos que conseguissem arrebanhar.

JaneAnn, em especial, parecia estar mais descontraída.

— Bem ali, bem ali! — gritava, com os punhos fechados, ao ver um dos participantes que, desorientado, passava diante do amaciante de roupas Lenor pela terceira vez. — Você é cego? Olhe ali, *bem na sua cara*! — E se colocou em pé, apontando para a tevê antes de se lembrar de onde estava e tornar a se sentar, meio sem graça. — É que na minha terra não passa esse programa — explicou baixinho para a enfermeira, que olhava para ela meio de lado.

Na hora do almoço, todos já haviam ido embora, rumo ao trabalho. Milo e Timothy saíram para fumar e JaneAnn ficou sozinha com Fintan, que cochilava. Sentou-se ali, olhando fixamente para ele, seu filho mais novo, seu bebê, e as lágrimas começaram a lhe escorrer pelas bochechas com textura de papiro. Pegou um terço e, passando as contas enquanto murmurava orações, perguntou a si mesma qual a razão que Deus tinha para ceifar a vida de um rapaz no auge da juventude.

Ao voltarem, Milo e Timothy tentaram comer um dos sanduíches de presunto da pilha que JaneAnn se levantara às seis da manhã para preparar, mas nenhum dos dois estava com fome.

— Vamos lá fora espairecer um pouco — propôs Milo à mãe e ao irmão. — Talvez haja um pouco de verde por aí para a gente ver. — Só que estava frio, eles não encontraram parque algum por onde passear e ficaram circulando de um lado para outro pela Fulham Road, deixando espantados os clientes de todas as lojas chiques em que entraram.

— Vejam! — exclamou JaneAnn, segurando uma caixinha em laca trabalhada. — Quinze libras por uma titiquinha dessas!

— Na verdade o preço não é esse, senhora. São *1.500* libras — explicou a vendedora, com ar de desdém, enquanto resgatava com delicadeza a caixinha das mãos de JaneAnn.

Seu ar de desprezo, porém, não alcançou o efeito desejado: Milo, Timothy e JaneAnn caíram na gargalhada ao mesmo tempo.

— Mil e quinhentas libras! Por aquele cocozinho! Dá para comprar quase um acre com esse dinheiro!

— Ahhh, até que dar essa volta foi uma boa ideia — comentou JaneAnn ao saírem da loja, de volta à rua. — Meu coração já não parece tão pesado.

A próxima lojinha de antiguidades que visitaram estava com a porta trancada, e mesmo quando eles tocaram a campainha e sorriram, obsequiosos, pelo vidro, a porta não se abriu.

— Talvez a loja esteja fechada — sugeriu Timothy.

— Não, tem gente lá dentro — disse JaneAnn, tornando a bater no vidro e acenando para a mulher bem-vestida sentada atrás de uma mesa dourada, em estilo rococó. — Ei!... — berrou JaneAnn. — A gente quer entrar!

Yasmin Al-Shari observou com horror nos olhos os dois sujeitos grandalhões com cabelos selvagens e para a senhora baixinha grisalha que tentavam ser recebidos em seu adorável estabelecimento.

— Xô, xô!... — berrou ela lá de dentro, acenando com a mão inutilmente.

— Saúde! — desejaram de forma automática Milo, Timothy e JaneAnn.

Yasmin os encarou com ar de repulsa e, subitamente, Milo enxergou a si mesmo, ao seu irmão e à sua mãe com os olhos da atendente. Não eram bem-vindos ali. Sentiu-se diminuído e deprimido. Eles não pertenciam àquela cidade, mas precisavam estar ali.

— Acho que somos indesejáveis — comentou ele, tentando fazer a voz parecer alegre.

— Nós? — JaneAnn ficou indignada. Ela era uma das pessoas mais respeitáveis que poderiam existir!

— Somos milionários excêntricos! — berrou Milo através do vidro, colocando as mãos em concha sobre a boca. — Fomos insultados e vamos levar nosso ouro para outro lugar! — Dando um sorriso forçado, virou-se para os outros: — Vamos embora! Vamos olhar os produtos daquela floricultura, para nos sentirmos mais em casa.

Yasmin Al-Shari observou, nervosa, a retirada dos três. A velhinha bem que se parecia com a vovó da família Buscapé. Será que ela acabara de perder uma venda fabulosa?

— Vocês acham que devíamos levar Fintan para casa? — perguntou JaneAnn, externando o que todos estavam pensando. — Acham que devíamos levá-lo de volta para Knockavoy?

Depois, de tardinha, quando Tara e Katherine voltaram ao hospital, Fintan estava novamente com um humor intratável. Desesperada, Tara resolveu contar novamente a história do reencontro de Amy com o namorado supergato no saguão do prédio onde trabalhava.

— Foi lindo! — exclamou ela, com um olho em Fintan, para tentar descobrir se ele estava ou não gostando da história. — Parecia cena de filme!

Katherine e Liv, na mesma hora, engrenaram algumas historinhas leves também. Guardaram tudo o que presenciaram durante o dia que fosse remotamente interessante ou divertido para o caso de Fintan estar desanimado ou deprimido. O único momento, porém, em que Fintan pareceu mais animado foi quando Sandro chegou, acenando com um monte de folhetos de agências de viagem e anunciando:

— O prazo da promoção foi prorrogado! E colocaram 14 novos destinos para a Ásia e o Caribe!

Naquela noite, ao irem embora para dar lugar a uma nova leva de visitas, todos estavam relutantes em se separar, então foram em bando para o apartamento de Katherine, onde pediram pizzas e se confortaram mutuamente, repetindo, como se fosse um mantra, que tudo ia acabar bem.

— O que acharam dele hoje? — perguntou JaneAnn, ansiosa. — Se Fintan estiver apenas com as glândulas linfáticas comprometidas, vai ser uma sorte! Eu li que a doença fica mais fácil de tratar, nesses casos, e que o índice de recuperação é muito alto. Como vocês acham que ele estava hoje?

— Meio cansado — opinou Sandro.

— Cansado? Sim, ele também me pareceu cansadinho, mas todos nós ficamos cansados. Isso não significa nada de terrível. Aliás, não é ótimo que ele fique cochilando daquele jeito, toda hora? Dormir ajuda a curar...

— E ele almoçou tudo — complementou Timothy, animado.

— Que mal pode fazer ele não ter jantado? — acrescentou Milo.

— Todo mundo, de vez em quando, fica sem fome no jantar, não é? — concordou JaneAnn.

— Além do mais, às seis da tarde ele comeu um confeito de chocolate — lembrou Liv, empolgada.

— Dois! — emendou Sandro, em triunfo. — Um azul e um laranja.

— E me pareceu bem quase o dia todo — disse Tara.

— A não ser naquela hora em que ficou chateado e mandou que fôssemos embora, usando aquela palavra com "f". — JaneAnn se entristeceu.

— E ele ficou irritado com aquela assistente social também — lembrou Timothy. — Não é de espantar. A mulher queria saber tudo e mal acabara de conhecê-lo. Como ele estava se sentindo?... Estava revoltado?... Assustado?... Se ele não a tivesse mandado passear, eu o teria feito.

Aquela foi a frase mais comprida que Timothy pronunciara em toda a sua vida.

— É até bom que Fintan esteja de mau humor — tranquilizou Milo. — Vocês não iriam se preocupar se ele estivesse manso como um gatinho o tempo todo? Não seria normal.

— Talvez aqueles outros amigos que chegaram consigam animá-lo mais um pouco. — JaneAnn ficara comovida e fora às lágrimas quando Frederick, Geraint, Javier, Butch, Harry, Didier, Neville e Geoff apareceram, em grupos de dois e três, por volta das sete da noite, trazendo dois quilos de uvas, três livros, 12 revistas, dois pirulitos da Barbie, dois sacos de salgadinhos de queijo, quatro tortinhas de damasco da Maison Mertaux, cinco litros de água mineral, duas garrafas de espumante e um Kinder Ovo.

— É maravilhoso, para ele, receber tantas visitas. Pouca gente tem a sorte de contar com oito rapazes em volta da cama quando está doente — disse JaneAnn, orgulhosa. — E todos eles bem-vestidos.

— *Muito* bem-vestidos — concordou Milo.

— Mas terrivelmente barulhentos — suspirou JaneAnn. — Minha cabeça ficou rodando. Vocês não acharam que o caroço no pescoço dele estava um pouco menor hoje?

— Agora que a senhora mencionou, é verdade — mentiu Tara.

— Ele certamente não estava com aparência de alguém que está morrendo, não acham? — perguntou JaneAnn, com um tom jovial.

— Morrendo? De jeito nenhum! — veio o protesto, em coro. — Alguém morrendo não fica assim com tanto mau humor.

Tudo que se relacionava com Fintan — bom, mau ou indiferente — continuou a se transformar em algo positivo, para servir de apoio à versão de enredo cósmico que o grupo criara, a versão na qual ele se recuperava.

Mas JaneAnn não conseguiu se manter animada. Em meio a todo aquele pensamento positivo, explodiu em um choro convulso, desabafando:

— Preferia que fosse comigo, em vez de ser com ele. Vê-lo assim, jogado numa cama, tão doente e fraco... Ele é muito jovem para isso, enquanto que eu já estou mesmo com um pé na cova.

"Sabem do que mais?", continuou ela, zangada. "A culpa é minha! Jamais deveria ter permitido que ele viesse aqui para a Inglaterra. Os outros quatro meninos ficaram em casa, e nenhum deles teve câncer."

Quando todo mundo correu para consolá-la, as pizzas chegaram. Quando JaneAnn descobriu que aquilo era para ser comido assim mesmo, sem batatas ou vegetais para acompanhar, ficou ainda mais aborrecida.

— Vocês estão falando sério? — perguntou ela. — Isso não alimenta nada! Não é à toa que Fintan ficou doente, se era só isso que ele comia na janta. Uma comidinha caseira, feita com amor de mãe, teria evitado tudo isso.

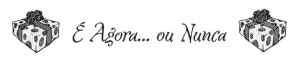

Mais tarde, JaneAnn assumiu um ar compenetrado.

— Muito bem, meninas, agora eu quero conversar uma coisa muito séria com vocês — disse ela. — Vocês duas têm empregos importantes, e eu não quero ter peso na consciência se forem mandadas embora por causa do tempo que perderam paparicando a gente. Vocês não precisam nos levar de carro para todo canto, podemos muito bem pegar o tal de metrô.

Tara e Katherine protestaram na mesma hora, ainda com mais disposição ao ouvirem Timothy comentar:

— Aqueles elevadores lá do hospital são fantásticos, não são?

— Ahn... são — concordou Katherine, de forma meio incerta.

— Eu nunca havia entrado em um bicho daqueles, até ontem — explicou Timothy.

— Nem eu — completou JaneAnn. — Grande diversão, não é?

— Acho que eu ia gostar de ficar subindo e descendo naquele troço o dia inteiro — concordou Milo. — É que nem o carrossel em Kilkee.

— Não podemos deixá-los soltos no metrô de Londres — sussurrou Katherine para Tara. — Pelo menos não sem um curso completo, senão eles vão ficar subindo e descendo pelas escadas rolantes, ou entalados nas catracas, e não vão prestar atenção ao espaço entre o trem e a plataforma, além de ficarem presos na porta do vagão e só Deus sabe o que mais. Já estou até vendo! Vão acabar virando notícia!

CAPÍTULO 36

Alguém dormira com Angie.

Katherine quase não parara no escritório a semana toda, correndo entre uma visita e outra ao hospital para adiantar um pouco o serviço aqui e ali, e sua cabeça estava longe. Por tudo isso, levou um pouco mais de tempo do que o de costume para perceber que um novo apelido estava rolando nas bocas. Gilete.

Apesar de todos os horrores que estava passando com Fintan, Katherine sentiu-se surpresa ao perceber que ainda tinha um resquício de emoção por Joe Roth. Nas poucas vezes em que estivera no trabalho durante toda a semana, continuava muito sensível quando chegava perto dele, e permanecia em alerta total, em busca de qualquer sinal de química sexual entre ele e Angie. Estava envergonhada por isso, mas não o bastante para conseguir parar. Com o coração na boca, mantinha as antenas ligadas em todas as conversas masculinas para descobrir quem era Gilete. Quando seus piores pesadelos se materializaram e ela descobriu que eles se referiam a Angie, Katherine sentiu uma dor aguda no estômago, como se tivesse levado um soco ou comido pão cru.

Gilete?... Por que Gilete?... Que elaborados malabarismos sexuais Angie fizera para ser rebatizada com o nome de uma lâmina de barbear? A imaginação de Katherine correu solta e ela se lembrou de uma história que alguém contara, a respeito de um show na Tailândia, onde garotas retiravam um cordão cheio de giletes de dentro da vagina. Será que Angie fazia isso? Se fazia, onde aprendera? E será que Joe gostava? Katherine era um turbilhão de emoções: ciúme e ansiedade, mas, acima de tudo, censura a si mesma por ser tão pouco imaginativa na cama. Jamais saberia o que fazer com lâminas de barbear, e ia morrer de medo de se cortar. Francamente, não conseguia imaginar como uma lâmina de barbear poderia ser sexy. O que havia de errado com cintas-ligas, calcinhas minúsculas e algumas cordas?

Talvez eles a estivessem chamando de Gilete porque ela raspava os pelos pubianos. Talvez fosse isso. Então, Katherine se viu imaginando se Angie fizera isso por iniciativa própria. Será que Joe pedira para ela fazer isso? Será que Joe a ajudara a fazer isso? Será que Joe a amarrara e *insistira* em fazer-lhe a barba pessoalmente? Enciumada e estranhamente excitada pela ideia, Katherine não reparou no pedido de reembolso que Darren colocara em cima de sua mesa, onde ele incluíra três vezes a mesma conta de restaurante.

Com o radar ligado, Katherine percebeu que não pensava em Fintan há quase dez minutos, e se sentiu chocada e envergonhada. Como ela tinha a coragem de ficar interessada em Joe Roth e Angie em um momento como aquele? Que tipo de amiga era ela?

O problema é que não conseguia evitar. Novamente esticou o pescoço ao ouvir um novo papo a respeito de Gilete. Parou de digitar na calculadora a tempo de ouvir Myles cantar o refrão:

— Gilete! A melhor amiga do homem!

Ahá... Katherine subitamente entendeu tudo. Gilete não tinha nada a ver com Angie raspando os pentelhos, nem brincando de tirar coelhos da cartola com lâminas de barbear. Era porque — segundo o anúncio — ela era a melhor coisa que podia acontecer com um homem. Ao contrário dos apelidos pejorativos que seus colegas davam às mulheres do trabalho, Gilete era um nome *legal*, quase um elogio. Mas eis que a dor enciumada no estômago de Katherine aumentou. Angie era a melhor amiga do homem. Mas de que homem, afinal? Não havia provas de que fosse Joe. Apesar de sua estreita vigilância, Katherine não conseguia achar nenhuma indicação definitiva de que algo estivesse rolando entre Joe e Angie. Aliás, em nenhum momento ela o ouvira referir-se a Angie pelo apelido de Gilete. Só que Katherine não podia considerar aquilo como um sinal de que não precisava se preocupar. Preferia esperar o pior, para não se desapontar. Preferia morrer a ser pega desprevenida.

* * *

Na quinta-feira de manhã, Katherine foi para o trabalho com a aparência de quem dormira vestida. Aqueles dias estavam sendo de arrasar, devido à espera pelo resultado da biópsia, e ela não tinha a energia nem a concentração que normalmente devotava à sua aparência. Apesar de os O'Grady estarem em sua casa desde terça-feira à noite, parecia que eles estavam lá há séculos. Como os rapazes estavam habituados a acordar antes do amanhecer para cuidar da fazenda, Katherine era acordada às seis e meia todas as manhãs, com o barulho da televisão. Depois, na hora de passar a saia a ferro, descobria que o acesso à tábua de passar estava bloqueado pelos dois rapazes, que fritavam fatias de bacon, ocupando metade da cozinha.

Ainda por cima, perdera os sapatos pretos, de ir trabalhar. Eles haviam desaparecido no buraco negro criado por todas as pessoas a mais e seus pertences espalhados pelo apartamento, de modo que ela teve de ir para o escritório vestindo um terninho cinza com sapatos marrons. De um modo distante e exausto, ela se sentia arrasada.

Ao abrir a porta do escritório sentiu, de imediato, uma atmosfera pesada, de tensão. Fumaça de cigarro rodopiava pelo ar, copinhos de café e sacos de comida para viagem jaziam espalhados pela área de "criação"; quatro ou cinco dos funcionários da equipe de Joe estavam desmoronados diante de um quadro para apresentações, descabelados, com a pele acinzentada e cara de sono.

— Até parece que vocês passaram a noite aqui — comentou ela, surpresa. Geralmente não falava nada, mas suas defesas estavam baixas, e as coisas não estavam em seu estado normal.

— É porque passamos mesmo — replicou Darren, com ar cansado. — Hoje é a apresentação da campanha para os cereais Multi Nut. Os idiotas esqueceram de nos dizer que haviam adicionado pedacinhos de chocolate no produto. Só descobrimos isso às cinco da tarde de ontem e tivemos que mudar tudo.

Katherine não conseguia parar de olhar para Joe; agora que ele já não chegava nem perto de sua mesa, ela vivia de olho nele. Joe estava com a barba por fazer e cara de poucos amigos. Por um momento rápido ele a encarou com olhos frios, e então se levantou da cadeira para se espreguiçar. Hipnotizada, Katherine observou a sua camisa, que se esticou e saiu de dentro das calças, revelando por um instante rápido e de tirar o fôlego a pele perolada de seu estômago côncavo e a linha de pelos que saía como um cordão franjado a partir do seu umbigo. Então, ao tornar a abaixar os braços, essa visão maravilhosa desapareceu. Katherine se sentiu frustrada.

— Vou tomar uma ducha — anunciou ele, e saiu da sala a passos largos.

Havia um chuveiro no banheiro masculino da Breen Helmsford, especialmente para ocasiões como aquela — embora o bochicho na empresa era de que a razão verdadeira para o chuveiro era que o comandante geral da empresa, o famoso "Pode me chamar de Johnny" Denning, insitira na obra para que pudesse se livrar de vestígios das transas com as funcionárias antes de voltar para casa.

Katherine se sentou e tentou fazer mentalmente uma lista de coisas que devia passar para Breda, mas não conseguiu se concentrar no trabalho, como vinha acontecendo desde que recebera o telefonema terrível de Tara, na segunda-feira. Só que naquele momento, para variar, não estava morrendo de agonia ao pensar em Fintan, e sim transportada, imaginando o que aconteceria se — apenas *se* — ela seguisse Joe até o chuveiro e entrasse junto. O vapor, a pele dela muito escorregadia devido ao sabonete, enquanto ela se esfregava de leve contra as coxas dele, contra a sua barriga e a sua virilha. Sua ereção se movendo, muito rígida, para um lado e depois para outro, enquanto ela pressionava o próprio corpo junto do dele. A sensação de suas mãos grandes envolvendo-a pela cintura, escorregando para as nádegas, cobrindo-a de espuma e depois usando os dedos escorregadios para lubrificá-la entre as... puxa vida!... Soltou o ar com esforço e se obrigou a parar com aquilo. Estava ali para *trabalhar*.

De repente, um pensamento horrível a atingiu. Onde é que Angie se enfiara? Quase sem fôlego, olhou em volta, por todo o escritório e, para seu alívio, viu Angie sentadinha à sua mesa. Ótimo! Já que ela não podia tomar um banho com Joe, era bom que Angie Hiller também não tomasse.

Joe voltou para o escritório envolto em uma névoa revigorante. Seus cabelos escuros estavam molhados e grudados na parte de trás da cabeça e ele vestira o terno. A gravata, porém, ainda estava com as pontas soltas e a camisa tinha os botões de cima abertos. Pelo buraco da camisa, Katherine olhou para os pelos do peito. Ficou chocada e pouco à vontade pela atração sexual tão direta que sentiu, ainda mais em um lugar inadequado como o escritório; ficou também alarmada pela intensidade de sua reação.

Não conseguia parar de olhar, enquanto ele abotoava a camisa e pegava as duas pontas da gravata para dar o laço.

— Puxa, preciso de um espelho para fazer isso — comentou ele e, no momento em que deu meia-volta em direção ao banheiro masculino, Angie já estava junto de sua mesa agitando na mão um espelhinho de bolso.

— Eu tenho um aqui comigo — ofereceu. — Pode deixar que eu seguro para você.

Por um instante, Joe pareceu confuso, mas então sorriu, agradecido, e começou a fazer o nó da gravata com precisão, passando uma das pontas por dentro da outra, pegando-a pelo outro lado enquanto dobrava ligeiramente os joelhos e olhava para o espelho com grande concentração.

Katherine sentiu um terror pegajoso instalar-se corpo abaixo. Angie ali, segurando o espelhinho, lhe pareceu algo íntimo demais para o seu gosto. Sem vontade própria, manteve os olhos grudados na cena, enquanto Joe fazia escorregar a gravata entre os dedos para a frente e para trás, de um lado para outro, até amarrá-la com um nó grande e firme. Por que será que aquilo lhe pareceu tão sensual?

Será que foi o foco que ele demonstrou com o gesto, tentando fazer a coisa certa? Ou será que era pelo fato de aquilo ser algo tipicamente masculino? Ecos de masturbação?

Lentamente, Joe fez deslizar lentamente o nó ao longo da gravata, até encaixá-lo no lugar. Katherine sentiu outra onda de tesão. Então, deu um empurrãozinho final e uma puxada, e sua mão grande veio se esfregando ao longo do tecido, fazendo a boca de Katherine ficar seca. Ele estava lindo. Sua gravata com colarinho branco em contraste com o rosto barbeado, o nó da gravata justo e bem-feito.

— Obrigado — sorriu ele para Angie.

— De nada — ela devolveu-lhe o sorriso, fechando o espelhinho com um estalo. Ficou ainda por algum tempo diante dele, sorrindo feito uma idiota. Katherine sentiu um gosto metálico na boca. Não havia mais erro quanto à intimidade e à conexão que havia entre eles. Joe Roth devia ser o homem misterioso, o Sr. Gilete. Katherine se sentiu péssima. Mas de quem era a culpa? Dela mesma. Estragara tudo. Podia estar com ele, e ela mesma se sabotara.

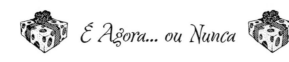

Então tornou a lembrar de Fintan estirado em uma cama, sem saber se ia viver ou morrer, e esperou até que as coisas adquirissem a importância e a perspectiva corretas. Para vergonha sua, isso não aconteceu. Joe e Angie continuavam importantes, naquele momento.

CAPÍTULO 37

A rotina de visitas ao hospital continuou sem mudanças, de forma que quinta-feira seguiu o mesmo padrão da quarta. Tara passou a manhã no hospital, e Katherine ficou de assumir o turno da tarde.

Quando Tara e os O'Grady apareceram às nove da manhã, Sandro já estava lá, com a cabeça junto da de Fintan, conversando algo particular. Pareciam tão próximos e íntimos que todos se sentiram sem graça de interromper.

— Desculpe incomodá-los — começou JaneAnn, perguntando a si mesma se estava com ciúme de Sandro.

— Tudo bem — sorriu Sandro. — Eu já estou aqui há horas mesmo.

— Ele não conseguiu dormir — informou Fintan.

— A cama fica grande demais sem ele — disse Sandro, e imediatamente uma onda de horror despontou em seu rosto miúdo. Será que ofendera JaneAnn?

Ela, porém, apesar de ligeiramente chocada, não teve coragem para reclamar de nada dele. De nenhum dos dois, aliás. De algum modo, aquilo já não parecia tão importante, independentemente da visão da Igreja sobre o assunto.

Liv chegou em seguida, e ficou só um tempinho, porque precisava ir a Hampshire, a trabalho.

— Assim você vai perder o *Encha o seu carrin*ho de hoje — brincou Milo.

— Assista por mim e me conte como foi depois — sorriu ela, com um jeito tímido.

Encha o seu carrinho se tornara o programa fixo das manhãs, e *Quinze contra um*, uma competição de perguntas e respostas, era o mais importante evento da tarde. Durante meia hora, duas vezes a cada dia, a realidade ficava em suspenso. Era algo que servia para unir o grupo, além do medo e da impotência.

— Estamos transformando o anômalo em rotina — explicou Liv, a especialista comportamental. — É uma técnica de sobrevivência.

— Mas eu gosto do programa por causa do apresentador — disse Sandro.

— Não seja bobo! — reprovou Liv. — Isso é apenas uma resposta a um trauma terrível.

Em contraste com a véspera, Fintan estava em um estado de completa apatia.

De repente a sua língua cáustica começou a provocar saudades. O único momento em que ele se mexeu na cama foi quando uma das enfermeiras entrou; de modo automático, começou a arregaçar a manga do pijama. Já se tornara um habitante do estranho mundo dos enfermos, pensou Tara, abalada ao se sentir excluída, do outro lado de um abismo que se abrira entre ela e o amigo, logo eles que sempre haviam sido tão chegados. Ela jamais poderia compartilhar o mundo no qual ele estava, nem as coisas que enfrentava, ou o relacionamento que desenvolvera com a enfermeira. Fintan já pertencia a outro universo.

À uma e meia, quando Katherine estava tranquilamente sentada à sua mesa, sem conseguir decidir se pedia um sanduíche de frango ou de queijo para comer de almoço, o telefone tocou, quebrando o impasse. Queijo! Ia pedir sanduíche de queijo. Queijo, sem dúvida. A não ser, é claro, que fosse um de frango...

Desmond, o rapaz da recepção, estava na linha, avisando que havia um cavalheiro no saguão que queria vê-la. Pelo indisfarçável tom de ironia na palavra "cavalheiro", Katherine sacou que seu visitante era tudo, menos isso. Confusa, desceu de elevador e viu Milo rindo de orelha a orelha, com um exemplar da revista *De A a Z* no bolso do paletó.

— Como chegou aqui? — perguntou ela, atônita.

— Peguei a linha até a estação de Piccadilly Circus — disse ele, com palavras que soavam estranhas em seu leve sotaque caipira. — Depois segui pela linha de Bakerloo até aqui na Oxford Circus, que era a estação seguinte. Fintan está dormindo, JaneAnn está fazendo uma sessão de preces, Timothy está lendo, então eu resolvi me lançar em uma aventura.

— A senhorita conhece este homem? — perguntou Desmond, olhando com desdém para o cabelo desgrenhado de Milo, o jeans surrado e as botinas rústicas.

— Sim, eu o conheço, Desmond, obrigada.

Enquanto Desmond se afastava balançando a cabeça com ar de descrença, como quem diz "as mais quietinhas são as piores", Katherine se virou para Milo, parabenizando-o:

— E você conseguiu chegar até aqui sem se perder. Muito bem!

— Ah, mas eu me perdi sim... peguei um trem errado em South Kensington, mas saltei na estação de Earl's Court e pedi informações a uma mulher.

— E ela o ajudou? — respirou Katherine, aliviada.

— Não, não ajudou. Ela me respondeu... Deixe ver se eu me lembro das palavras exatas... Ela disse: "Eu tenho cara de mapa falante, por acaso?"

— Puxa, Milo... — Katherine tocou no seu braço, com jeito protetor, e nem reparou em Joe Roth, que passava pelo saguão em companhia de Bruce. — Sinto muito por isso!

— Não esquente não!... — declarou Milo. — Achei essa resposta o máximo! Já estou até começando a me acostumar com essa tal de Londres. Todo mundo fala o que lhe dá na telha. É interessante! "Tenho cara de mapa falante..." — repetiu, rindo consigo mesmo. — ... Mapa falante. Não é o máximo essa expressão? Nunca tinha ouvido. Bem... estou só de passagem. Vou para Hammersmith agora, visitar Tara. É só pegar a linha de Piccadilly ou então a District. E, ahn... poderia visitar Liv também, mas não sei onde ela trabalha.

Katherine olhou para ele com um ar divertido e informou:

— Ela viajou para Hampshire.

— E que linha eu pego para chegar lá?

JaneAnn rezava sem parar. Vivia com um terço na mão e visitava muito a capela do hospital, às vezes em companhia de Sandro. Em uma tentativa de conseguir a sua aprovação, ele contara um monte de elaboradas mentiras a respeito de suas experiências religiosas e visitas a santuários católicos. Só quando insinuou que chegara a ter visões foi que se tocou que exagerara um pouco na dose.

— Meu filho! — JaneAnn quase perdeu a fala de emoção, apertando a gola do casaco com fervor. — É preciso relatar essa experiência ao padre da paróquia que você frequenta. É o seu dever. Você não pode guardar essa graça apenas para você!

Sandro, mais que depressa, tentou engatar uma ré na história, e conseguiu tirar a empolgação de JaneAnn ao explicar que as visões provavelmente haviam sido causadas pelo excesso de álcool. Ela ficou tão desapontada que ele, para compensar, aumentara a quantidade de visitas à capela, em sua companhia.

— Com essa maratona de orações que vocês dois estão fazendo por Fintan — disse Katherine —, eu diria que ele está com boas chances de sair desta.

— Nem tanto — fungou JaneAnn. — Creio que nossas preces não estão tendo o impacto que deveriam, porque a capela do hospital é ecumênica.

— Mas não é tudo o mesmo Deus? — Tara cometeu o erro de perguntar.

JaneAnn lançou-lhe um olhar de desgosto e murmurou:

— Vá aprender catecismo, minha filha. Explique a ela, Sandro.

Na sexta-feira de manhã, ao saírem do apartamento de Katherine, JaneAnn soltou a bomba:

— Estou louca para chegar o domingo — disse ela, com ar de empolgação. — Dia da boa e velha missa. Acho que vou assistir a umas duas...

Katherine e Tara trocaram olhares aterrorizados. Missa? Nenhuma das duas fazia sequer ideia de onde ficava a igreja católica mais próxima. Pela primeira vez, em vários dias, elas se sentiram preocupadas com outra coisa que não fosse o resultado da biópsia. Na primeira oportunidade, tiveram um papo a sós, do lado de fora da enfermaria de Fintan.

— Por que eu simplesmente não chego e conto a ela que nem sei onde fica a igreja? — sugeriu Katherine.

— Não! — Tara estava irredutível. — O choque pode matá-la! Ela precisa de referências sólidas em seu mundo, no momento. Descobrir que você não é uma carola pode ser fatal para ela.

Liv apareceu correndo no corredor, com os cabelos esvoaçantes. Olhou para as duas amigas juntas, com cara nervosa, e perguntou:

— Já saiu o resultado da biópsia?

— Não, não é nada assim tão preocupante, mas quase. JaneAnn está à procura de uma igreja católica para ir à missa no fim de semana.

— Mas o que há de errado com a Igreja de Santo Domingo, na Maiden Road — perguntou Liv, sem entender. — Aquela que fica na esquina da sua rua?

Tara e Katherine se mostraram perplexas. Como é que Liv sabia de uma coisa como aquela?

— Você é esquisita! — reclamou Tara. — Só falta me dizer que você frequenta essa igreja às vezes.

— Frequento sim.

— Mas você não é católica!

— E daí? Em minha jornada em busca da felicidade eu também frequento sinagogas, mesquitas, encontros de quakers, templos hindus, a Associação dos Bons Samaritanos, sofás de psiquiatras e a Harvey Nichols*, e sempre fui calorosamente recebida nesses lugares todos... com exceção, talvez, da Harvey Nichols — corrigiu ela.

— Será que você, por acaso, sabe o nome de algum dos padres de lá? — arriscou Katherine.

— Claro! Padre Gilligan. Diga-lhe que eu mandei lembranças. Agora, tenho que ir ao banheiro. A gente se vê já, já.

Quando Liv voltou, todas as cadeiras em volta da cama já estavam ocupadas. Milo se levantou e ofereceu:

— Sente-se aqui.

— Não, não precisa se incomodar.

Quando Milo se preparava para argumentar, JaneAnn sugeriu:

— Sente-se sobre o joelho dele, então.

Liv ficou vermelha como um pimentão e recusou a oferta, sem graça:

* Famosa loja de departamentos de Londres. (N.T.)

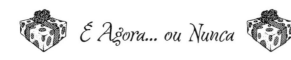

— Eu sou muito grande.

— Mas eu sou grande também — reagiu Milo, parecendo se divertir com aquilo. — Tem muito espaço aqui — e deu um tapinha na coxa.

— Não, não posso aceitar.

— Vá em frente e sente logo — animou-a Fintan, com um fio de voz.

— Sente — pediram Tara e Katherine, em coro. — Sente logo, Liv, sente...

Então, com o rosto tão vermelho que parecia prestes a entrar em erupção, Liv chegou-se muito sem graça e se acomodou sobre o joelho de Milo, e todos se cutucaram de leve.

Mais tarde, alguém ouviu JaneAnn comentar:

— Quando Deus fecha uma porta, abre outra. Ainda vou ver algo de bom sair dessa viagem, nem que seja a última coisa que eu faça.

Naquele grupo, até mesmo o ateu mais empedernido — e havia muita competição nessa área — se viu rezando na sexta à tarde, à medida que se aproximava o momento decisivo.

Disseram a Fintan que o resultado do exame sairia às quatro horas. Assim, a partir das duas, todos os olhos estavam grudados na porta. Sempre que alguém de jaleco entrava, havia um pequeno rebuliço coletivo. Quase ninguém conversava.

Finalmente, às dez para as quatro, quando o sofrimento já estava quase insuportável, o Dr. Singh chegou perto da cama. Quase recuou ao ver a pequena multidão de rostos pálidos.

— Será que eu poderia trocar uma palavrinha com o meu paciente?

— Não, quero que todos fiquem — insistiu Fintan, com a voz fraca.

— Receio que a notícia não seja boa — assentiu o Dr. Singh.

O coração de Katherine pareceu despencar dentro do peito e ela não conseguiu olhar para os outros.

— Os resultados não vão ficar prontos hoje, porque o laboratório anda muito ocupado — continuou o Dr. Singh. — Vamos ter que esperar até segunda.

CAPÍTULO 38

— Acho que ela está procurando outro emprego — disse Bruce.

— Que nada, cara... — contrapôs Myles. — Ela me parece adoentada.

— Não está com cara de doente — assinalou Bruce.

— Mas também não parece nem um pouco animada — replicou Jason.

As especulações descontroladas se multiplicavam e todos analisavam as ausências de Katherine no trabalho, pois nos três anos em que ela trabalhava na Breen Helmsford jamais tirara um dia sequer de licença médica. Darren jurou tê-la visto aos prantos ao telefone, na segunda-feira de manhã, mas ninguém o levou a sério, pois tal fato era pouco provável de acontecer. Além do mais, não seria a primeira vez que Darren contava uma mentira descarada.

Em seguida, rolou o boato, via Fred Franklin, de que na terça-feira de manhã ela pedira a Pode-me-chamar-de-Johnny para sair mais cedo e entrar mais tarde durante alguns dias, devido a "problemas pessoais". Quando essa história chegou aos ouvidos da raia miúda, provocou risos.

— Problemas pessoais? Devido a quê? — Myles caiu na gargalhada. — Aquela garota é uma máquina, não tem vida pessoal!

— Talvez a sua lava-louças tenha enguiçado — sugeriu Bruce. — Isso provavelmente seria considerado uma tragédia para Miss Gelo.

Na sexta-feira, durante o almoço, a equipe de Joe debateu animadamente todas as possibilidades.

— Pode ser que ela esteja de casamento marcado — teorizou Bruce. — As garotas precisam de uma quantidade imensa de tempo para planejar casamento.

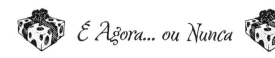

— Talvez tenha colocado silicone nos peitos — sugeriu Jason, esperançoso. — Dizem que é preciso um bocado de repouso, depois da operação.

— Ou talvez ela esteja se divorciando — disse Myles. — Ela parece meio abatida, como se estivesse passando por algum sufoco.

— Bem, aquela garota normalmente tem cara de quem comeu e não gostou — concordou Bruce —, mas essa semana ela me pareceu estar com a cara mais azeda do que nunca.

— São os novos peitos — lembrou Jason. — Dizem que dói muito, no início.

— Parece que ela não anda dormindo muito bem — atalhou Bruce.

— É porque ela só pode dormir de barriga pra cima, até os peitos melhorarem — explicou Jason.

— Mas por que você fica insistindo nessa história? — retrucou Myles, com irritação, olhando para Jason. — Os peitos dela parecem maiores essa semana, por acaso?

— Acho que não — admitiu Jason, a contragosto.

— O que acha que há de errado com ela? — Myles perguntou a Joe, que permanecera em silêncio durante todo o papo.

— Não faço a menor ideia — disse ele, dando de ombros.

Myles trocou olhares do tipo "que bicho o mordeu hoje?" com Bruce e Jason. Joe Roth não estava com o bom humor de sempre.

— Eu e Joe a vimos acompanhada de um cara ontem, na hora do almoço — disse Bruce, surpreendendo a todos com essa informação. — Ele parecia um astro pop meio esquisito.

— O quê?! E só agora você conta essa novidade? — Myles e Jason trocaram olhares entusiasmados. — Assim a coisa muda de figura. Quem é ele?

— Não sei o nome dele não — admitiu Bruce —, mas me pareceu um dos caras do Dexy's Midnight Runners. Aquele grandão, que usa macacão jeans, de grife, é claro. Parecia que ele tinha acabado de tirar a cabeça de dentro de um arbusto de urtiga.

— Então era um astro pop, com certeza! — concordou Myles. — Que saudade do tempo em que os cantores cuidavam da aparência.

— Pois bem... Miss Gelo e Dexy pareciam muito íntimos — atestou Bruce. — O que confirma a minha teoria de que ela está para se casar.

— Caramba! — Myles mostrou-se atônito. — Pode ser verdade... Tem gosto pra tudo! — e olhou meio nervoso para Joe.

Darren irrompeu no pub, acenando com um pedaço de papel, todo agitado.

— Olhem só para isso! — pediu ele. — Miss Gelo endossou meu reembolso!

— E daí? É o trabalho dela.

— Mas eu incluí três cópias da nota do Oxo Tower. Duas delas eram xerox. Só anexei ao requerimento para deixá-la irritada. E ela liberou um cheque no valor total!

— Seu mentiroso sem-vergonha! — zombou Myles. — Aposto que ela estava chorando novamente na hora em que fez isso.

— Juro pela minha avó! Ela estava chorando na segunda-feira e pagou a xerox da nota — Darren pareceu ofendido. — Admito que jamais fiz um *ménage* com Martini e Flora, mas dessa vez estou falando a pura verdade.

— Mas Miss Gelo é impossível de enrolar — disse Jason.

— Também achava isso — garantiu Darren. — Mas vocês podem acreditar, a garota está pirando. Deem uma olhada.

A prova foi passada de mão em mão, diante do bando de "são-tomés". Era inegável.

— Talvez ela realmente esteja com um colapso nervoso — afirmou Myles, boquiaberto.

— É o silicone — concluiu Jason. — Seu cérebro está tão mole quanto os peitos. Hummm... minha receita de garota ideal!

— Isso é uma grande notícia, para todos nós! — lembrou Bruce.

Na mesma hora, as mãos de todos se puseram a trabalhar, em busca de notas antigas nas carteiras que pudessem ser submetidas a Katherine. Todos, menos Joe.

CAPÍTULO 39

— O que está querendo dizer com "não posso"? — reclamou Thomas, olhando para Tara.

— Estou querendo dizer que não posso mesmo — explicou ela. — Eles precisam de cuidados, e não é justo deixar Katherine com a responsabilidade toda.

— Mas eles já tiveram a sua companhia a semana inteira. Hoje é sábado e você vai sair comigo, Eddie e sua nova namorada, e fim de papo!

— Thomas, eu não posso abandonar os O'Grady.

— E quanto a mim? — Thomas colocou o lábio inferior ligeiramente para fora, fazendo cara de criança emburrada. — Quando é que eu vou poder estar com você?

Tara vacilou. Ela e Thomas vinham se dando tão mal ultimamente que ela se sentiu aliviada pela sua insistência em estar com ela.

— Olhe, eu realmente me sinto responsável por ajudar a cuidar dos O'Grady — tentou mais uma vez. Mas quando o rosto de Thomas se fechou com sentimentos de raiva e rejeição, Tara entregou os pontos. — Tá legal, tudo bem! Você não é fácil, hein?! — reclamou, com jeitinho.

— Sou do jeito que sou — pavoneou-se ele, lançando-lhe um olhar arrogante. — É pegar ou largar! — Subitamente ele se sentiu novamente seguro e no comando, enquanto Tara, sem saber exatamente por quê, achou seu jeito dominador muito sexy.

Thomas determinou a roupa que Tara ia usar naquela noite, na esperança de não fazer feio diante de Eddie e sua nova namorada sensual.

— Vista a saia preta curta, aquela não muito curta, os sapatos de salto mais alto que tiver e aquele top com gola em V — ordenou ele. — E mantenha a barriga pra dentro.

Tara dedicou muita atenção ao cabelo, maquiagem e acessórios, mas nem se pintasse os cabelos de azul conseguiria fazer com que Thomas deixasse de reparar em seu peso. Ao analisar o produto em sua versão final, ele reclamou, visivelmente contrariado:

— Você engordou desde a semana passada. É isso o que acontece quando não vai à academia. — Tara não conseguira fazer um dia só de exercícios, pois a sua rotina fora para o espaço com as visitas ao hospital. — Aposto que você também saiu da dieta — acusou Thomas.

Ele tinha razão. Havia comida demais em volta da cama de Fintan, especialmente para uma mulher sem força de vontade. Todos lhe traziam chocolates, brioches, batatinhas fritas, pipoca, doces e frutas, em uma tentativa de espantar a doença engordando o paciente. JaneAnn tinha mais fé em uma dose diária de sanduíches de presunto do que em uma dose diária de medicamentos. Fintan, no entanto, mal olhava para as guloseimas que o rodeavam, e mais ninguém tinha apetite para comê-las. Com exceção de Tara, que não conseguia *parar* de comer. De forma agitada e incessante, sua mão lançava comida na boca, em uma tentativa de encher o buraco provocado por sua ansiedade corrosiva.

Mesmo assim, alimentara esperanças de que Thomas, diante dos problemas que ela enfrentava, lhe fizesse concessões especiais para aliviar a dieta, pelo menos até a vida voltar ao normal, mas isso não ocorreu.

— Estou passando por um momento difícil, Thomas — tentou ela.

— Mas onde é que vamos parar, Tara? — perguntou Thomas, irritado. — Fazendo compras na Evans*, é lá que vamos parar. Estou tentando ajudá-la e, para ser franco, você está sendo ingrata.

— Sinto muito por parecer ingrata.

— Você acha que eu gosto de passar a vida patrulhando você? — perguntou ele.

Na verdade, acho sim, pensou Tara. E na mesma hora se arrependeu. Thomas era difícil, às vezes até mesmo grosso, mas ela precisava se lembrar de que *aquilo era para o bem dela.*

---

* Loja inglesa especializada em roupas para mulheres gordas. (N.T.)

Beryl entrou no quarto e Thomas se virou para ela.

— Quem é a minha gatinha? — cantarolou. — Quem é a minha gatinha linda?

Se ao menos ele fosse assim gentil e carinhoso comigo, pensou Tara, melancólica. Mas um dia ela ia fazer com que isso acontecesse. Se conseguisse parar de comer...

— É melhor chamar um táxi? — perguntou ela, com a voz fraca.

— Por quê? Nós não vamos de carro?

— Não, Thomas. E se eu quiser beber alguns drinques?

— Alguns drinques? E quanto a isso? — Thomas colocou a mão na barriga de Tara e beliscou uma porção considerável de gordura com os dedos.

— Só hoje, Thomas — pediu, tentando seduzi-lo. — Tive uma semana horrível...

— Então, tudo bem — concedeu ele, acrescentando: — Mas só porque o seu amiguinho pode estar morrendo.

Atônita com a sua selvageria, Tara subitamente compreendeu que estava cheia, cheia, absolutamente *cheia* de Thomas, de seu jeito rude, de suas patadas constantes, de sua crueldade gratuita e incansável. Cheia de jamais vencer as discussões. Cheia de ser sempre insultada e magoada. Tudo em nome de algo que sempre servia para absolvê-lo: a franqueza.

— Você não se sente incomodado por isso? — Sua voz estava trêmula de raiva e pesar. — Um homem jovem, da mesma idade que você, doente dessa forma, talvez morrendo?

— Não, isso não me atinge — reagiu Thomas, com um ar de surpresa no rosto ligeiramente apalermado.

Tara o olhou fixamente por alguns segundos, tentando deixá-lo envergonhado.

— É que eu não o conheço muito bem — admitiu ele, meio sem graça, confuso pela intensidade do olhar de Tara. — Talvez se ele fosse meu amigo a coisa me atingisse de forma diferente.

Tara continuou a olhar para ele, séria. Esperando...

— Ele não é meu amigo! — protestou ele, com a costumeira grosseria.

— Mas você consegue compreender a barra que eu estou enfrentando?

Algo surgiu em seus olhos. Não exatamente compaixão, apenas um reconhecimento relutante de que aquilo talvez fosse duro para ela. Pelo menos, foi o olhar mais próximo disso que ele conseguiu em muito tempo, e isso teria que bastar. Ele encolheu os ombros, pouco à vontade.

— Desculpe por não conseguir fingir que estou arrasado por causa dele. Estou apenas sendo...

— Já sei! — Tara terminou a frase por ele, com um traço de desdém. — Está sendo honesto! — Ele a analisou meio de lado. Tara estava com um jeito engraçado. E só porque um amigo estava doente! Ela ia ver o que era bom, se sua mãe a tivesse abandonado em criança!...

Antes de saírem, Tara viu Thomas guardar com todo o cuidado, no bolso, o porta-moedas marrom, e se sentiu chocada ao perceber o quanto aquele gesto simples lhe pareceu mesquinho.

— Tem 20 libras pra me emprestar, Tara? — perguntou ele, tentando fazer graça.

Dawn, a nova namorada de Eddie, era uma garota sexy, magrinha, com pernas longas, morenas e torneadas, além de olhos escuros e penetrantes. Tara se imaginou um marshmallow de 100 quilos, ao se comparar com Dawn. Nervosa, percebeu o olhar de Thomas, que ia de Dawn para ela, e voltava para Dawn. Ele tirava medidas, fazia comparações e achava Tara pior do que a outra. De repente, sentiu que ele olhava para a sua bunda, dividida embaixo dela, uma parte para cada lado, como duas almofadas. O pânico apertou-lhe o peito e fez sua temperatura aumentar. Sua explosão indignada de antes se dissolvera de todo, e ela sentiu-se novamente aterrorizada diante da possibilidade de perdê-lo.

Ficou de porre naquela noite, um porre tão fenomenal que se sentiu melhor. Na boate para onde eles acabaram indo, Tara dançou, completamente bêbada, junto com Dawn, e achou tudo muito divertido. Decidiu que havia gostado de Dawn.

Mais tarde, quando Tara e Thomas voltaram para casa, de táxi, Thomas estava igualmente bêbado e carinhoso; segurou a mão de Tara e fez cafuné em sua cabeça.

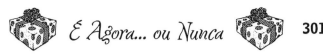

— Por que você me ama? — perguntou ela, de brincadeira.

— E quem foi que disse que eu te amo? — desafiou ele, mas olhando para ela meio de lado, com olhos travessos que, em seu estado de esperançosa embriaguez, Tara avaliou como uma prova de que, obviamente, ele a amava.

— Bem, se não me ama, por que está comigo?

— Porque você me dá grana, é claro.

Ele riu, e ela engoliu a fisgada que sentiu. Aquilo era ótimo... Eles estavam zoando um ao outro, trocando farpas de brincadeira, como as pessoas que se amam costumam fazer.

— Certo! — sorriu ela, entrando no jogo. — Então, se você está comigo só pela grana, em que isso o transforma, hein? Qual o nome que se dá a um homem que fica com uma mulher apenas pelo dinheiro? — elaborou ela. — Um prostituto, ora! E eu devo ser uma cafetina...

Mas ele não sorriu, nem levou a brincadeira em frente. Seu rosto se fechou e ele se mostrou pensativo. Nada de respostas rápidas para levar a coisa adiante. *Puxa vida*, pensou ela, *por que as coisas sempre acabavam dando errado? Por que o clima sempre acabava ficando horrível?* A camaradagem e a cumplicidade calorosa de pouco antes haviam despencado em queda livre.

Não quero mais levar as coisas desse jeito, pensou Tara, cansada. Depois de uma semana horrorosa como aquela, não tinha mais forças para aguentar joguinhos. Perdera o saco, as desculpas e as esperanças.

CAPÍTULO 40

— Que tipo de missa o padre Gilligan celebra? — perguntou JaneAnn.

Katherine permaneceu imóvel. Qual seria a melhor resposta para aquilo?

— Uma missa bem legal — arriscou.

— Uma daquelas compridas?

Será que uma missa comprida era bom? Provavelmente.

— A missa dele leva um tempão — garantiu ela. — Horas!...

— Que bom! — animou-se JaneAnn, balançando a cabecinha com firmeza.

A campainha tocou e era Sandro, com seu melhor terno.

— O que veio fazer aqui? — perguntou Katherine, surpresa.

— Vou à missa das 11 com JaneAnn.

Katherine caiu na gargalhada, mas parou na mesma hora ao sentir que JaneAnn estava atrás dela.

— Não estou entendendo você, Katherine Casey, debochando da fé desse rapaz.

— Desculpe — pediu Katherine, humilde.

Sandro recuou de espanto ao ver que o apartamento normalmente limpo e impecavelmente arrumado de Katherine se tornara um lugar lastimável desde a última vez que estivera ali. Parecia que uma bomba explodira na sala. Roupas, sapatos, pastas e roupas de cama estavam espalhados por toda parte. Meias se espalhavam, penduradas em cima da tevê, uma xícara estava emborcada em um vaso de plantas, as garrafas de vinho e uísque da noite anterior estavam jogadas no chão, e embora o sofá-cama estivesse fechado, uma ponta de lençol ficara de fora, como uma língua pendendo, espremida, de uma boca torta. Da cozinha vinham ruídos de louça, um chiado forte e o cheiro de comida sendo frita.

— Parece que tem 20 universitários morando aqui — sussurrou ele, avaliando o caos, à procura de um cone laranja do Departamento de Trânsito em algum canto.

— Parece mesmo, não é? — riu Katherine, com ar sombrio.

— Mas você é toda organizada e limpa, uma verdadeira Senhorita Arrumadinha! — protestou ele.

— E de que adianta? — levantando os braços, deixou-os cair em seguida ao longo do corpo, desanimada. — Eu arrumo as coisas e, cinco minutos depois, já está tudo bagunçado de novo!

— Você está bem? — Sandro a observou com atenção.

— Muito bem! — declarou ela, com a voz aguda. — Ótima! Só que, cá entre nós — continuou ela, com a voz cada vez mais fina e esganiçada —, de vez em quando, só de vez em quando, seria legal eu conseguir entrar no meu banheiro. Tem sempre alguém lá dentro! Não me importo de JaneAnn ter usado minha bucha de banho para esfregar o chão da cozinha, nem que Timothy tenha raspado o fundo da minha frigideira antiaderente com esponja de aço, até conseguir tirar todo o revestimento preto, de forma que ela já não é mais antiaderente. O que, tipo assim, me deixou meio chateada foi quando, hoje de manhã, eu finalmente consegui entrar no banheiro e descobri que alguém — acho que foi Milo — usou todo o meu condicionador Kerastase.

— Por que acha que foi ele?

— Olhe só para o cabelo dele! — guinchou Katherine. — Veja como está brilhando! — Seu rosto ficou muito vermelho e ela olhou fixamente para Sandro, como se o desafiasse a tentar acalmá-la. — Sinto muito — lamentou ela em seguida, e começou a chorar. — Sinto muito, sinto muito mesmo! — Seus ombros estremeciam com as lágrimas. — Sou uma egoísta mimada. Como é que posso me preocupar com essas coisas, com Fintan tão doente?

A campainha tornou a tocar. Dessa vez era Liv, vestida com sobriedade.

— Não me diga! — riu Katherine, em meio às lágrimas. — Você também vai à missa das 11 com JaneAnn...

Katherine não foi à missa, embora soubesse que era o que esperavam dela. Sentia-se chateada demais.

— Pois então!... — reagiu JaneAnn, irritada. — Se você está chateada, a missa é o lugar certo para ir.

Milo também não foi, o que fez JaneAnn se sentir desconsolada. Quando todos voltaram, porém, duas horas depois, JaneAnn mostrava-se novamente em forma e estava mais encantada do que nunca com Liv, ao ver que ela conhecia o padre Gilligan pessoalmente.

— Você perdeu uma grande missa, minha filha — cantarolou ela para Katherine. — O sermão, então, foi maravilhoso! O padre falou do filho pródigo. Não importa quanto tempo você esteve afastada do Senhor, Ele vai sempre recebê-la de volta, sem perguntas — e fixou os olhos em Milo, de forma significativa.

Logo depois, Tara chegou, e estava na hora de visitar Fintan.

Assim que Tara entrou pela porta do hospital, sentiu-se abatida. Estava devastada, vendo-se vazia depois de tantas emoções, cheia das roupas que tinha em casa, os cabelos com um cheiro ferroso, típico de hospital, cansada de se sentar nas cadeiras duras que ofereciam às visitas e de ficar horas seguidas sem fumar. Não conseguira tricotar nada do agasalho para Thomas, nem fora à academia a semana toda; no seu trabalho estavam sentindo a sua ausência, e ela não conseguia parar de comer. Estava louca por uma noite em casa, sozinha, vendo novela, sem conversar com ninguém. Deu uma olhada em Katherine e reparou que ela estava igualmente arrasada.

— É estranho... — comentou JaneAnn, externando o sentimento de todos. — Parece que se passaram apenas cinco minutos desde que estivemos aqui no hospital, ontem. É como se o sono da noite passada nem tivesse acontecido.

— Até parece aquele filme, *Feitiço do Tempo* — riu Tara, com ar esgotado.

— E olhe que esse é o nosso... — Liv contou nos dedos — ... quinto dia seguindo essa rotina.

— Sim — disse Milo, completando o pensamento —, só que parece o milionésimo.

— Talvez ele vá para casa amanhã — sugeriu JaneAnn, esperançosa.

— Talvez... — concordaram os outros e, pelo menos daquela vez, não estavam tentando enganar a si mesmos. Se o resultado dos exames de Fintan fosse favorável, ele poderia tratar seus linfonodos como paciente externo.

E, por sorte, ele estava bem melhor do que nos outros dias. Embora o caroço em seu pescoço continuasse grande, ele não parecia tão apático nem com a cara amarelada; conseguiu comer e manteve a comida na barriga. O astral de todos melhorou. Tudo ia dar certo.

— Quando é que Thomas vem me visitar? — perguntou ele, só para implicar com Tara.

— Não sei — corou ela. — Ele anda muito ocupado, você sabe, com o trabalho e o futebol...

— Diga-lhe que eu gostaria de vê-lo — sorriu Fintan. — Acho que isso faria com que eu melhorasse um pouco.

— Vou tentar.

— Peça-lhe para fazer isso por você — insistiu Fintan. — A mulher que ele ama.

— Certo — prometeu Tara, embaraçada e confusa. Claro que já pedira a Thomas que fosse ao hospital em sua companhia, para conhecer os O'Grady também, mas ele teimosamente se recusara.

— Não sou hipócrita! — reagiu ele, e isso foi tudo.

O que Fintan planejava com aquilo?, perguntou-se ela. *Ele odiava Thomas.*

Os pensamentos de Tara foram interrompidos por um cumprimento coletivo em voz alta:

— Oi, todo mundo!

Ao levantar os olhos, viu os amigos de Fintan — Frederick, Claude e Geraint — deslizando muito excitados pela enfermaria, carregando um monte de sacolas. Todos se acotovelaram para abrir espaço. Logo em seguida, porém, Harry e Didier chegaram e, mais tarde, Butch e Javier.

Fintan tinha tantas visitas, o tempo todo, que muitas vezes elas transbordavam para o corredor, lugar onde as conversas eram animadas, o astral estava sempre elevado e novos vínculos se formavam. Alguém chamado Davy, um amigo de Javier, já dormira com Jimbob, um amigo de Harry, que ele conhecera na porta da enfermaria de Fintan.

— Enfermaria 17 — divertia-se Fintan —, o lugar onde as histórias de amor começam. — Brincando, ele dizia que alguns dos seus amigos vinham até o hospital e nem se davam o trabalho de visitá-lo de tão atraente que era a atmosfera de festa no corredor. Na verdade, chegou a insinuar que muitas das pessoas que estavam aparecendo ali nem mesmo o conheciam.

Finalmente, para abrir um pouco de espaço, Liv, Tara e Katherine foram para uma sala de espera, onde Liv resolveu puxar um assunto que já estava querendo abordar há algum tempo:

— Timothy é casado, não é? — perguntou ela, de forma pretensamente casual.

— Sim.

— E Ambrose, também é casado? E Jerome?

— Sim.

— E por que Milo é solteiro? Ele é gay?

— Não — garantiu Tara. — É que ele teve uma decepção amorosa com uma garota, certa vez.

— Decepção? — exclamou Liv. — O que quer dizer? Esse é um daqueles eufemismos irlandeses de vocês?

— Ela quer dizer que ele levou um pé na bunda — explicou Katherine. — Estava noivo e planejava se casar com Eleanor Devine. Já tinham o que poderíamos chamar de "compromisso", mas ela deu no pé.

— Por quê?

— Não queria virar mulher de fazendeiro. Foi para São Francisco e virou artista conceitual.

— E como ela era? — Liv pareceu ligeiramente engasgada. — Feia? Gorda?

— Bem bonita, na minha opinião — disse Katherine.

— Bem bonita *o quanto*? — insistiu Liv. — Em uma escala de um a dez...?

— Cinco.

— Quatro... Talvez até mesmo três. — Tara cutucou Katherine. — Agora, conte pra gente, Liv, por que está tão interessada, afinal?

— Porque ele tem quase um metro e noventa — disse Liv, com ar sonhador —, é grande como uma geladeira, tem cabelos pretos compridos e muito brilhantes...

Katherine ficou rígida ao ouvi-la mencionar os cabelos brilhantes.

— ... Olhos azuis escuros e um sorriso lindo — e saiu do transe. — Na verdade, por nada em especial — e todas riram.

— Mas você não está falando sério, está? — perguntou Tara.

— Claro que estou.

— Mas... — argumentou Tara, com um certo desconforto — você é sueca, cheia de estilo, é uma decoradora de interiores, enquanto ele é... Bem, é Milo O'Grady.

— Ele usa macacão jeans! — acusou Katherine, com ar de desdém.

— Jamais ouviu falar de Tricia Guild*?

— Você, por sua vez, não saca nada de parasitas bovinos. Como poderia dar certo?

— Ele é um homem da terra — argumentou Liv, com brilho nos olhos —, que cria vida nova com as próprias mãos, semeando e colhendo. O que pode ter mais valor do que isso?

— Um neurocirurgião — sugeriu Katherine.

— Um assistente social — disse Tara.

— Um contador.

— Um estilista de sapatos.

— Mas ele trabalha com as mãos! — voltou Liv. — Suas mãos grandes, fortes e sensuais. Não conseguem ver o quanto isso é lindo?

— Não — disse Tara, sem precisar pensar.

— Liv, você está chateada — acalmou-a Katherine. — Nenhuma de nós está em seu estado normal nesse momento. E certamente você ainda não esqueceu o seu adorado Lars, não é?

— Aquele babaca! — replicou Liv, vagamente pensando nele. Então, caindo em si e reparando em seu comportamento, foi a sua vez de gemer, envergonhada: — Nossa, como é que eu pude fazer isso? Como pude pensar em homem num momento desses? Sou uma pessoa horrível!

— Não diga isso! — confortou-a Tara. — Por favor, não pense assim. É um momento muito estranho e, se servir de consolo, saiba que eu mesma ando preocupada comigo e Thomas, e me sinto *arrasada* por causa disso. Parece um assunto tão sem importância!

---

* Designer de interiores mundialmente famosa, foi a pioneira no uso de cores fortes para composição de ambientes harmoniosos. (N.T.)

Katherine sentiu como se um fardo estivesse sendo tirado dos seus ombros.

— Graças a Deus você disse isso, Tara! — exclamou ela. — Essa semana, eu me vi interessada em outros assuntos que não tinham nada a ver com Fintan, e achei que havia algo de errado comigo, por ser tão egoísta; fiquei com ódio de mim mesma.

— É mesmo? Pois eu *também* me odiei! — confessou Tara.

— Fico tão feliz por vocês terem confessado isso. Eu também me odiei! — completou Liv.

As três sorriram umas para as outras, em um momento de tímido alívio diante de seus segredos revelados, sentindo-se mais leves, sem aquele peso.

— Ou somos um trio de megeras sem coração — anunciou Tara — ou então somos perfeitamente normais.

— Mesmo assim, pobre Fintan — disse Katherine. — Como será que ele se *sente*? Como é que a gente fica ao saber que tem pouco tempo de vida? Fico tentando me colocar dentro da cabeça dele.

— Eu também — confessou Tara.

— Eu também — acompanhou Liv.

— Imaginem só como seria ter apenas mais seis meses de vida — desafiou Tara. — O que vocês fariam se soubessem que vão morrer até maio do ano que vem?

"Vamos lá, o que fariam?", insistiu Tara, ao ver que Katherine e Liv ficaram olhando para ela, chocadas.

Sentindo-se tola, Katherine fechou os olhos. *Como seria?*, forçou-se a imaginar. Aquele seria o seu último Natal. Não haveria outro verão para ela. Cento e oitenta dias, apenas, em vez dos milhares e milhares que até então sabia que se estenderiam adiante, formando uma cadeia de anos que a levariam à velhice.

Para sua surpresa, algo se modificou dentro dela. Um dia comum, sem grandes emoções simplesmente devido à sua disponibilidade, inútil pelo fato de haver tantos outros à sua frente, parecia subitamente agigantar-se sobre ela, para em seguida florescer, como se todas as suas nuances subitamente lhe parecessem doces e preciosas. Seria um dia valioso como um diamante raro, desde o acordar na manhã cheia de expectativas, se desenrolando até a luz do entardecer. Sentiu uma frenética necessidade de preencher esse tempo, de usá-lo com sabedoria, de fazer tudo o que desejava, as coisas realmente importantes.

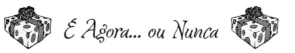

Fim das responsabilidades, pois ela não estaria ali para receber os louros. O mais importante, deixar de ter tantos *cuidados*, pois ela não estaria ali para lidar com as consequências. Sentiu-se quase em pânico ao pensar nas coisas que gostaria de fazer nos seis meses de prazo. Precisaria realizar um milagre pessoal de multiplicação de pães e peixes para poder dar tempo de fazer tudo.

Suas regras e barricadas lhe pareceram sufocantes, até mesmo loucas. Queria submergir totalmente na vida. Experimentar de tudo. Divertir-se. Muita diversão, sem parar! Fazer sexo. Com Joe Roth! Minha nossa! Aterrorizada, abriu os olhos, arregalando-os. Tara e Liv estavam olhando para ela.

— Assustador, não é? — Tara expirou com força, estremecendo. — Querem saber de uma coisa? Se eu tivesse apenas seis meses de vida, não ia mais me preocupar em convencer Thomas a se casar comigo para não passar a velhice sozinha, porque não haveria velhice para me deixar solitária.

— E você, o que faria? — perguntou Katherine a Liv, louca para saber a resposta e parar de pensar na própria vida.

— Daria um pé na bunda em Lars e atacava Milo — respondeu ela.

— É o que vai acontecer, de um jeito ou de outro — disse Tara. — Você não precisa estar morrendo. Já eu, ia me envolver em um caso amoroso.

— Com quem?

— Sei lá! Alguém que eu achasse bonito, ou alguém que *me achasse* bonita! Seria um louco caso de amor sensual, de tirar o fôlego, daqueles em que você não sai da cama o dia inteiro e acorda no meio da noite para transar, porque está louca de tesão — e tremeu de prazer.

— Quer dizer que não é desse jeito que a coisa rola o tempo todo entre você e Thomas? — perguntou Katherine, com um tom seco.

— Você sabe muito bem que depois dos três primeiros meses o sexo quase não rola mais — afirmou Tara. — E não fique me olhando com essa cara! Eu amo Thomas, isto tudo é só fantasia.

— Mas você acabou de dizer que nem mesmo gosta tanto assim dele.

— Eu não!... Disse apenas que se as coisas fossem dife... escutem, nada disso é real, é só imaginação!

— Tem razão — lembrou Katherine. — Não temos só seis meses de vida, nem vamos morrer, então esse papo todo é idiota e sentimentaloide.

— Fico feliz por ouvir isso — gritou Tara. — Estava pensando agora mesmo... e se eu largasse Thomas, saísse por aí tendo o meu caso louco com alguém e depois não morresse? Ia me sentir uma idiota!

CAPÍTULO 41

Logo depois das dez da manhã de segunda-feira, quando as figuras de sempre estavam agrupadas em volta da cama de Fintan, o Dr. Singh irrompeu na enfermaria. Pelo seu ar de leve agitação, parecia que ele tinha informações para transmitir. O ar emitia centelhas de tensão, e os nervos de todos, já em estado de extrema atividade, colocaram-se em estado de alerta total. *Por favor, Senhor, que seja uma boa notícia.*

— Estou com o resultado da biópsia de medula óssea — anunciou ele, olhando para Fintan.

Conte logo, conte logo.

— Você prefere ouvir o resultado em particular?

— Não — disse Fintan, trêmulo, mas tentando manter a calma. — É melhor o senhor contar a todos ao mesmo tempo. Vai me poupar de ter que repetir tudo depois.

O Dr. Singh respirou fundo antes de falar, e fez uma longa pausa. Transmitir aquilo não era nada fácil.

— Receio que seja uma notícia ruim — alertou ele.

Ninguém falou nada. Oito rostos pálidos como cera suplicavam em silêncio, torcendo para ele estar enganado.

— A doença está ativa na medula óssea — continuou ele, nervoso. *Sou apenas o portador das notícias.*

— Ativa como?... — murmurou Katherine, com a voz rouca.

— Receio que já esteja muito avançada.

Katherine olhou para Fintan. Seus olhos estavam arregalados e sombrios, como os de uma criança aterrorizada.

— Trouxe também o resultado da tomografia computadorizada — acrescentou o médico, com ar de quem pede desculpas.

Os oito rostos agonizantes se viraram para ele.

— Ela mostra atividade da doença no pâncreas também. Além disso... — o Dr. Singh parecia mortificado — os resultados das radiografias do tórax também estão aqui.

Seu rosto disse tudo.

— Já está no tórax, também? — perguntou Milo.

O médico fez que sim com a cabeça.

— Entretanto — acrescentou ele —, não há sinais de atividade em nenhum dos órgãos mais importantes, como o fígado, rins ou pulmões. Isso, sim, é que seria extremamente *grave*.

Fintan falou pela primeira vez:

— Eu vou morrer? — perguntou, com a voz rouca.

— Vamos começar o tratamento de imediato — avisou o Dr. Singh, ignorando a pergunta. — Agora que sabemos exatamente contra o que estamos lutando, sabemos também com o que tratá-lo.

— Já não era sem tempo! — disse Tara, com ar amargo, chocando a todos. Não era essa a forma adequada de se dirigir a um médico. — Fintan estava piorando a cada dia — acusou ela —, e vocês não faziam nada a respeito. Deixaram-no aqui, largado na cama, porque a porcaria do laboratório estava ocupado demais para poder dizer de uma vez o quanto ele estava mal. E se todos esses dias que foram perdidos vierem a fazer a diferença entre a vida e... e... — começou a chorar, com soluços altos e descontrolados, que fizeram todo o seu corpo tremer. Virou-se então para Fintan. — Você já devia estar com sintomas há um tempão — reclamou ela, com as lágrimas escorrendo-lhe pelo rosto. — Meses!

— Estava mesmo.

— Pois então!... Por que não foi logo ao médico para se tratar? — Tara não conseguia respirar, ofegante com a raiva e o pesar. — Por que Sandro não o obrigou a ir ao médico?

— Porque ele achou que sabia exatamente qual era o meu problema. Suores noturnos tão intensos que às vezes éramos obrigados a trocar os lençóis da cama. Eu, perdendo peso sem parar, com o estômago constantemente embrulhado. Você sabe que Sandro já passou por tudo isso antes.

Formou-se então uma imagem horrível de Sandro e Fintan compactuados um com o outro, em uma conspiração silenciosa. Fintan

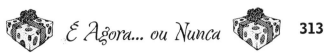

piorando, ficando cada vez mais doente, e nada sendo feito porque eles achavam que *não havia* solução.

— Seus dois idiotas! — estremeceu Tara. — Parece que têm merda na cabeça!

JaneAnn agarrou o braço de Tara, com força, e a afastou da cama, dizendo, com tom ameaçador:

— Pare com essa baboseira, Tara Butler! Ele ainda não morreu.

O tratamento de Fintan teve início naquela mesma manhã. Ele ia ter que permanecer no hospital para enfrentar cinco dias de quimioterapia pesada. Mandaram que todos saíssem.

— Mas eu sou a mãe dele! — a resistência de JaneAnn pareceu dissolver-se. — Não devia ser dispensada.

— Vamos lá, mamãe — encorajou Milo, tentando tirá-la dali. — A senhora poderá vê-lo logo mais à noite.

Todos se espalharam — JaneAnn, Milo, Timothy, Liv, Tara, Katherine e Sandro. Todos, que haviam se tornado inseparáveis durante o período de espera, foram dispersados de forma decisiva pela notícia explosiva.

O clima era de estranho embaraço, um ressentimento não definido em relação a eles mesmos e aos outros. De que adiantara toda aquela vigília dedicada e esperançosa? De que servira todo o trabalho para servir de apoio uns aos outros e a Fintan, bravamente torcendo pelo melhor? Eles foram, o tempo todo, completamente inúteis.

Não havia mais por que todos ficarem ali sentados, ao lado de sua cama, como amuletos humanos dispostos a manter a desgraça longe. O destino de Fintan repousava agora no poder das drogas. Elementos químicos tão tóxicos que as enfermeiras que os administravam eram obrigadas a usar roupas de proteção. Medicação com efeitos colaterais tão avassaladores que às vezes Fintan ia preferir morrer a enfrentar a cura.

Cada um deles, em separado, lançou-se à imensa tarefa de processar, partícula por partícula, toda aquela imensa quantidade de emoções. JaneAnn praticamente se mudou de mala e cuia para a

Igreja de Santo Domingo, onde passava seus dias negociando com Deus, oferecendo-se para ficar no lugar de Fintan, se alguém tivesse de morrer. Timothy se enfiou no apartamento de Katherine, onde assistia tevê o dia inteiro, fumava sem parar e deixava as botinas largadas em qualquer canto, entulhando o chão ainda mais. Milo caminhava quilômetros, sozinho; visitou todos os departamentos da Harvey Nichols, o Museu do Homem, o Museu Victoria and Albert e vários outros pontos de interesse e atrações turísticas. Os outros foram trabalhar. Parecia importante deixar o trabalho de lado para ficar de guarda ao lado da cama de Fintan, mas o pior acontecera. Assim, em vez de tornar seus empregos ainda menos importantes, subitamente pareceu a todos que era fundamental retomá-los.

Em uma manhã fria de outubro, muito clara e azul, ao sair do hospital e seguir pela Fulham Road de táxi, Katherine viu uma mulher com mais ou menos a sua idade, caminhando pela calçada, balançando uma sacola de plástico transparente, através da qual dava para ver uma embalagem de suco de laranja e outra de leite.

Katherine a observou, fascinada, e chegou a virar a cabeça para vê-la melhor. A mulher não parecia particularmente feliz, mas dava a impressão de estar despreocupada, sem muitos problemas na cabeça. Katherine morreu de vontade de ser ela. Houve situações como aquela em sua vida, quando ela também passou pela rua, descontraída, carregando uma sacola de compras. Deve ter feito isso *centenas* de vezes, e jamais apreciara a felicidade de um momento como aquele, a alegria suprema de uma vida livre das garras do pesadelo.

Ao entrar no escritório, viu-se atônita pela quantidade de gente andando agitada, de um lado para outro. Pressa, pressa, pressa... Pareciam ETs correndo atrás da própria cauda. Katherine havia sido lançada por uma catapulta até os limites da vida, onde tudo parecia distorcido, revirado e muito peculiar. *O que importava tudo aquilo, afinal?*

As pessoas cumprimentaram-na com a cabeça quando ela se movimentou pela sala, como se estivesse em um sonho. Ao chegar à sua mesa, teve que parar para verificar se realmente aquela era a sua. Todos os seus pensamentos e reações pareciam envoltos por uma camada de isopor, fazendo-os parecer abafados e indistintos.

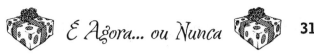

Antes mesmo de se sentar, seus olhos buscaram Joe Roth. Sabia que tinha de se segurar, mas não estava com a sua usual força de vontade para isso.

Ele estava ao telefone, recostado na cadeira, e fazia malabarismos, passando a caneta entre os dedos longos e elegantes. O fone estava colado em seu rosto, junto das bochechas que mais pareciam as conchas convexas e compridas que enchiam a praia de Knockavoy.

Ela o desejava. Esse foi o único pensamento que lhe pareceu transparente como um cristal em meio a um mundo borrado e inalcançável. Essa ideia brilhava ao longe, como um farol em meio ao nevoeiro. Ela queria Joe Roth de forma apaixonada, violenta. Inapropriada. Novamente se perguntou, incrédula: *Como é que eu posso sentir isso?*

O motivo para toda aquela atividade frenética, segundo soube, era que a conta dos cereais Multi Nut fora para uma firma concorrente. Era o primeiro fracasso de Joe Roth na Breen Helmsford.

— A gente perde uma e ganha outra — reagira Joe, dando de ombros com dignidade, tentando manter o moral de sua equipe.

— Não aqui... não nesse ramo, filho — reagiu Fred Franklin, com brutalidade. — Em nossa atividade, quando a gente ganha, simplesmente ganhou. Quando perde, perde o emprego junto.

Katherine devia se sentir satisfeita, porque era possível que Joe fosse despedido por perder a conta, mas, na verdade, ficou com vontade de ir até ele e lhe oferecer algum conforto, talvez colocar sua cabeça linda em seu colo e passar os dedos de leve pelos seus cabelos.

— Essa não é a sua semana, hein, meu rapaz? — cacarejou Fred, zoando Joe. — Ainda por cima, o seu adorado time, o Arsenal, perdeu no sábado.

Melhor voltar ao trabalho, decidiu Katherine. Olhou para os relatórios em sua mesa, mas é como se estivessem escritos em idioma urdu. Começou a virar as páginas de cabeça para baixo, para ver se elas faziam algum sentido, e viu que Breda olhava para ela com ar assustado.

— Falo com você já, já, Breda — disse-lhe Katherine, fingindo que estava tudo sob controle. — Estou só conferindo algumas coisas aqui. — Controle-se, ralhou Katherine, brigando consigo mesma. Joe Roth não ia ser o único a receber o bilhete azul se ela não tomasse cuidado.

— Esse é um bom momento? — ouviu ela e, ao olhar para cima, viu Joe Roth em pé, diante dela.

— Um bom momento para quê? — gaguejou ela, com o coração aos pulos.

— Apresentação de recibos.

— De novo?

— De novo — e deu um sorriso torto. — É melhor fazer isso logo, para me garantir, caso alguém me mande limpar a mesa ao final do expediente.

— Isso é brincadeira, não é? — perguntou ela, perplexa.

— O mundo da propaganda é uma selva — e sorriu.

— Mas essa foi a sua primeira e única falha — protestou ela. — Não seria justo!

Ele colocou a mão na mesa e se inclinou, pedindo, com intensidade e um riso nos olhos:

— Katherine, acalme-se!

Ela sentiu o perfume dele, um cheirinho penetrante e bem masculino de limpeza. Sabonete, um aroma cítrico e algo um pouco mais agressivo ao fundo. Ele tornou a se afastar e ela se sentiu confusa e abandonada.

— Puxe um banquinho — ela conseguiu dizer, e ficou feliz por ter usado a palavra "banquinho". Ficou mais relaxado e casual.

Joe se sentou diante dela com uma camisa branca muito limpa, barbeado, com o maxilar saliente e a pele um pouco pálida. Ao analisar o montinho de recibos, notou que a sua presença provocava uma devastação em seus dedos, que não conseguiam alcançar a calculadora. Ficava apertando o botão de porcentagem e o de raiz quadrada, em vez do sinal de "mais".

— Sinto muito por você ter perdido a conta dos cereais Multi Nut.

Se ele ficou surpreso pela sua inédita mensagem de apoio, não demonstrou. Simplesmente encolheu os ombros, dizendo:

— Coisas da vida, não é? — ele conseguiu dar a impressão de que aquilo não importava, mas ela sempre sentira o quanto o seu trabalho era importante para ele. — Nem sempre dá pra conseguir tudo que a gente quer — e manteve os olhos fixos nela ao acabar de falar. Seria imaginação dela ou havia algo de significativo em sua expressão? — Talvez apenas *você* consiga — acrescentou ele.

Ela sempre conseguia o que queria?

Joe continuou a olhar para ela fixamente, e então lágrimas encheram os olhos de Katherine, transbordando logo em seguida, de forma linda e ordenada, ao longo de seu rosto liso, o que surpreendeu ambos.

— Desculpe-me — sussurou ela, abaixando a cabeça e limpando as lágrimas com as costas da mão. — É que eu recebi uma... notícia muito ruim, hoje de manhã.

— Sinto muito por isso — ele parecia estar sendo sincero, e isso a fez chorar ainda mais. Queria se lançar sobre ele, sentir a firmeza de seus braços em suas costas, puxando-a de encontro a ele, para então colocar a bochecha em sua lapela de casimira, virar o rosto para o algodão da camisa e *cheirá-lo*.

— Você gostaria de...? — Ele ia perguntar se ela gostaria de tomar uma xícara de café e conversar com ele, mas não completou a frase. É claro que ela não ia querer.

Katherine foi distraída nesse momento por Angie, que caminhava lentamente por trás dele, virando o pescoço em um ângulo quase impossível. Notou que ela estava tentando dar uma espiada em Joe. Agora que reparara, teve a vaga noção de que também vira Angie passando por ali pelo menos duas vezes, durante a conversa. Por que seria?

— Está tudo bem — disse Katherine, apontando para os recibos com um sorriso molhado. — Vou liberar o cheque em um ou dois dias.

Quando Joe voltou para a mesa, foi recebido por uma agitada comitiva encabeçada por Myles.

— Miss Gelo estava *chorando*? — quis saber ele, muito empolgado.

— Não — respondeu Joe, sem muito papo, virando-se em seguida.

CAPÍTULO 42

Fintan havia pirado. Não havia outra explicação para o seu comportamento. Convocara Katherine e Tara para ficar ao seu lado, na cama, e explicou que tinha um pedido para fazer a cada uma delas. As duas chegaram à conclusão de que o câncer já estava afetando o seu cérebro quando acabaram de ouvir o que ele queria que elas fizessem.

Fazia cinco dias desde o diagnóstico, e ele recebera um dia de folga da quimioterapia, porque o tratamento era de arrasar. O coquetel de drogas o deixara enjoado, ele desenvolvera monstruosas aftas na boca e seus cabelos já começavam a cair.

— Minha nossa! — balbuciou ele, quando conseguiu reunir um pouco de energia para falar. — Acho que era melhor eu me arriscar com o câncer.

Suas reações aos medicamentos fizeram com que todos se lançassem a uma corrida em busca de textos sobre curas alternativas.

— Normalmente eu acho graça desse tipo de coisa — admitiu Katherine, levantando os olhos de um livro que sugeria que Fintan poderia ficar curado simplesmente se imaginando envolto e sendo banhado por uma luz amarela. — Mesmo assim, talvez valha a pena tentar.

Fintan respondia sempre do mesmo modo às sugestões para que se imaginasse respirando uma luz prateada, pura e curativa, ou para que se visse destruindo as células cancerosas como se estivesse jogando *Space Invaders*. Sua resposta padrão era:

— Corta essa, porque eu estou doente demais para isso!

Naquele dia, porém, embora continuasse no soro, que pingava lentamente, apesar de se sentir fraco como uma folha seca e magro como um esqueleto, apesar de exibir uma cor amarelo-acinzentada, parecia melhor do que nos primeiros dias.

— Cheguem aqui pertinho de mim, meninas! — grasnou ele, em um arremedo do estilo exuberante de antes. — Vocês vivem dizendo que gostariam de fazer alguma coisa por mim...

Tara e Katherine concordaram com a cabeça, ávidas.

— Ótimo! Prometem que farão?

— Prometemos.

— Prometem de verdade?

Elas olharam para cima, impacientes. Até parece que elas não fariam qualquer coisa exatamente do jeito que ele pedisse!

— Prometemos de verdade!

— Certo. Vou começar por você, Tara.

Ela assumiu uma expressão atenta.

— Quero que você termine com Thomas.

O sorriso permaneceu no rosto de Tara, mas o brilho em seus olhos se apagou e eles se arregalaram.

— Como disse? — Ela conseguiu falar, depois de algum tempo. Esperava que ele fosse lhe pedir para levar um pijama novo ou — Deus queira que não — que fosse procurar um agente funerário para pegar folhetos promocionais, ou até mesmo obrigá-la a jurar que ia cuidar de Sandro, se o pior acontecesse. Mas não esperava aquilo.

— Quero que você termine com Thomas! — repetiu ele.

Tara cutucou Katherine e riu, sem muita convicção, dizendo:

— Depois ele vai querer que a gente escale o Everest, e na volta desentorte a Torre de Pisa, para depois...

— Não acho graça nenhuma, Tara — reagiu ele, silenciando-a. — Isso não é brincadeira!

Pega de surpresa pelo seu tom intenso, ela olhou para o seu rosto magérrimo, em busca de pistas. Seu coração começou a batucar-lhe no peito ao perceber que ele falava sério.

— Mas... po-por quê? — gaguejou ela.

— Porque eu quero que você seja feliz. — Sua voz estava muito baixa, mas surpreendentemente firme.

— Eu sou feliz! — A insatisfação indefinida e inexplicável que vinha sentindo com relação a Thomas desapareceu na mesma hora. — Eu ficaria muito infeliz sem ele. Não ficaria, Katherine? — e virou-se para a amiga, em busca de apoio.

— Não adianta nada perguntar isso para ela — cantarolou Fintan, com a voz rouca —, Katherine concorda comigo.

— Mas... o quê, exatamente, a minha relação com Thomas tem a ver com você? — quis saber Tara, tentando dar à frase um tom de desafio.

Fintan respirou fundo, preparando-se para falar, mas então parou. Olhou para sua coberta, em busca de inspiração, antes de dizer:

— Pode ser que eu morra, mas não quero, de jeito nenhum, que você desperdice a sua vida.

Tara sentiu-se chocada, envergonhada... e zangada. Como ele ousava brincar de Deus com a sua vida só porque, talvez, fosse morrer?

— Sim, sou um canalha — disse Fintan, alegremente, falando o que lhe deu na telha e deixando-a sem graça. — Sei que estou manipulando a minha posição com a maior cara de pau. Já que estamos nesse pé, é melhor conseguir o que pretendo. Deus sabe que não há muito mais o que esperar.

— É uma pena que você não goste de Thomas.

— O único motivo de eu não gostar dele é o fato de ele não ser bom para você — os olhos brilhantes de Fintan se fixaram nos dela. Veja só como ele nem se dignou a vir até aqui me ver, e olhe que eu já estou internado há quase duas semanas. Até Ravi já veio aqui me visitar.

Tara suspeitava que Ravi fora até lá pelo mesmo motivo que leva as pessoas a diminuírem a velocidade e tentar enxergar com detalhes um acidente na beira da estrada, mas disse apenas:

— Se Thomas não veio, ele está sendo descortês *com você*, Fintan, e não comigo. Se acha assim tão importante que ele venha fazer uma visita, posso trazê-lo aqui.

— Não, não faço a mínima questão de vê-lo. Nossa, só de ficar cara a cara com ele ia fazer o meu tratamento retroceder meses. O que estou provando é que ele não apoia *você*.

— Fintan, eu faço qualquer coisa por você, qualquer coisa mesmo — e balançou os braços. — Só que não vou deixar Thomas, de jeito nenhum.

— Você prometeu! — e fez biquinho com os lábios, fingindo pirraça. — Olhe aqui — e colocou a língua para fora. — Quer ver minhas aftas? Elas estão enormes!

— Fintan...

— Olhe para essas aqui, na parte de baixo da língua. Não estão imensas? Olhe! — ordenou ele. — Olhe só!...

— Sim, estão imensas — disse ela, sem expressão. — Olhe, Fintan, não me peça para deixar Thomas. Ele não me trata tão mal *assim*...

— Não! — Fintan tentou se sentar na cama, mas não conseguiu reunir a energia para isso. — Katherine e eu não estamos a fim de ouvir como Thomas insulta você para o seu próprio bem, em uma prova do quanto ele se importa. E não queremos mais ouvir aquela história de que não é culpa dele o fato de ser um babaca detestável. Se ele tratava a mãe do jeito que trata você, quem é que pode culpá-la por ter dado no pé? Você prometeu fazer por mim qualquer coisa que eu pedisse. Agora faça!

— Qualquer coisa, menos isso.

— Mas é fácil cair fora — disse ele, com a voz mais fraca agora, como se a explosão desafiadora tivesse se dissolvido de repente, voltando a afundar no travesseiro. — Diga a ela, Katherine. Basta jogar todas as suas coisas dentro do carro e ir embora!

Pela primeira vez, Tara visualizou a cena e se contraiu de medo. Era como se a mandassem pular de um precipício.

Fintan esfregou a cabeça no travesseiro e um tufo de cabelos pretos se soltou junto da nuca. Ele nem percebeu, e isso, de certa forma, tornou a cena ainda mais chocante.

— Mas o que seria de mim sem Thomas? — Tara conseguiu dizer, sentindo-se mal por presenciar os cabelos do amigo se soltando. — Nunca mais ia conseguir ninguém, e detesto ficar sem ter um homem comigo.

"E isso não é algo de que me orgulhe", apressou-se em completar.

— Vou vomitar! — interrompeu Fintan, com pressa. — Katherine, pegue aquela vasilha para mim, por favor — e tentou vomitar com toda a força, mas sem êxito. Então, suando e exausto, deixou a cabeça cair sobre o travesseiro. Todos ficaram em silêncio. Tara e Katherine já estavam pensando em se preparar para sair quando Fintan tornou a falar: — Como é que você sabe que detesta ficar sem homem, Tara? Você só ficou sozinha por uma semana, desde que mudamos para Londres, há 12 anos! No minuto em que termina com um, já está com outro engatilhado. Vamos lá! — encorajou-a, com a voz fraca. — Quebre essa barreira de medo!

Parecendo um peixe preso no anzol, ela lutava para se desvencilhar.

— Não, Fintan, estou com 31 anos, e papagaio velho não aprende a falar. Estou no sufoco do "Agora ou Nunca" e...

— Você e o seu sufoco do "Agora ou Nunca" — riu Fintan, com amargor. — Se tem alguém aqui numa situação de "Agora ou Nunca", esse alguém sou eu.

Tara não conseguiu falar nada. Raiva e culpa se entrelaçaram dentro dela. Aquilo era chantagem.

— Quer acabar como a sua mãe? — perguntou Fintan. Tara levantou a cabeça na mesma hora. — ... Vivendo a vida inteira com um chato de galochas — sugeriu ele, com um ar de malícia. — Levando a vida como quem pisa em ovos, sem jamais conseguir agradá-lo? Se bem que isso já é o que você faz mesmo!

Tara ficou furiosa. Uma coisa era ela reclamar do seu pai, mas machucava ver outra pessoa, mesmo alguém tão chegado quanto Fintan, falar daquele jeito a respeito de sua família. De qualquer modo, ela não era nem um pouco parecida com a mãe, que era um doce de pessoa, mas servia de capacho para o pai. Embora Thomas fosse difícil, às vezes, Tara não era um capacho. Era uma mulher moderna e independente, cheia de escolhas e poder. Ou não era?

— Você não pode me negar nada que eu queira, estou com câncer — lembrou Fintan. — Então, para dar o golpe de misericórdia, completou: — Se você não largar Thomas — piscou depressa —, vou morrer, só para arrasar com você.

Tara sentiu vontade de matá-lo. Estava tão furiosa quanto devastada. Ao longe, dentro de sua cabeça que latejava, ouviu-o dizer:

— Tudo bem, estou disposto a chegar a um meio-termo. Peça a Thomas para se casar com você; se ele disser que sim, vocês têm a minha bênção. Mas se a resposta for não, mande-o ir se catar. Que tal assim?

— Talvez — resmungou Tara, pensando: *É ruim, hein?!... Nem que a vaca tussa... Nem no Dia de São Nunca.*

— Ótimo! — Apesar do cansaço e da náusea, Fintan ficou satisfeito. Até lhe passar pela cabeça que havia uma chance, ainda que mínima, de Thomas aceitar a proposta. Seria horrível!

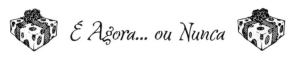

— Agora é a sua vez, Katherine — declarou ele. — Você, senhorita, vai ter que se retirar da geladeira.

Katherine assumiu uma expressão de interesse bem-educado, como se não tivesse a mínima ideia do que Fintan estava falando.

— Arrume um cara para você — disse ele, explicando-se melhor.

— Ora, mas por que ela recebe a missão agradável e eu fico com a tarefa horrível? — reclamou Tara, zangada.

— Não creio que Katherine esteja enxergando as coisas desse jeito. — Na mesma hora Katherine forçou um sorriso que parecia ter sido grampeado em seu rosto. — Será que você não reparou qual é o seu padrão, Katherine? Pois eu, com certeza, já reparei — murmurou Fintan. Seus olhos estavam novamente semicerrados e ele parecia estar falando para si mesmo. — A cada 12 meses, em média, você surge com um sujeito inacreditavelmente lindo a tiracolo. Fica com ele por umas duas semanas, e então, bum!... Ele vai embora e você fica dizendo que não quer conversar sobre o assunto. Será que não podia conseguir alguém que é tipo assim, *medianamente* bonito? Ou então parar de pré-fabricar um fracasso para todo relacionamento em que embarca? E não pense que eu não sei o porquê de você agir dessa forma. — Sua voz estava tão baixa que as duas tiveram que se inclinar ligeiramente em sua direção para ouvi-lo melhor. — Você é a cópia da sua mãe. Uma experiência malsucedida com um homem e ela amarelou para sempre, fugindo como uma galinha assustada. Có-có-có-có-cóóó... — Com os olhos ainda fechados, Fintan dobrou o braço e fingiu bater as asas, sem muita força. — Galinha assustada! — repetiu, com determinação, abriu os olhos e os colou em Katherine.

— Eu não sou nem um pouco como a minha mãe! — Katherine engoliu em seco.

— É igualzinha a ela! Homens escorregadios adoram uma mulher covarde.

— Mas a minha mãe é pirada.

— E você vai acabar ficando também, se continuar desse jeito.

— Fintan... — a voz de Katherine parecia controlada. — Não é obrigatório que um ser humano esteja acompanhado para ser feliz.

— Ah, qual é?... Pegue a tigelinha de vomitar novamente para mim, por favor.

Desejando poder sair dali correndo, as duas se sentaram enquanto Fintan tentava mais uma vez vomitar, sem sucesso.

— Se eu conseguisse botar tudo isso pra fora, tenho certeza de que ia me sentir melhor — resmungou, depois de desistir pela segunda vez.

Katherine e Tara ficaram olhando para os sapatos, desejando estar vivendo outra vida.

— Continuando, Katherine... — continuou Fintan, quebrando o silêncio que se instalara — eu concordo que há pessoas que se dão muito bem sozinhas, mas você não é uma delas. Tara me contou que há um cara especial, no seu trabalho.

Katherine lançou fagulhas para Tara com o olhar, redirecionando para ela toda a raiva que estava impedida de lançar contra Fintan.

— Não tem mais cara nenhum — contou ela, com um prazer especial.

— Ele saiu do emprego?

— Não, saiu do meu pé.

— Por quê?

Katherine não respondeu.

— Você tem que me contar tudo! — ordenou ele. — Estou com câncer. Posso morrer!

A contragosto, Katherine deu uma explicação mais detalhada:

— Acho que ele caiu fora por eu tê-lo acusado de assédio sexual, depois de ele insistir em me convidar para sair.

— E por que fez isso?

— Porque não queria sair com ele.

— E por que não? Ele não é uma boa pessoa?

— Não! Ele é um cara tão legal que até dá nos nervos.

— Ahá!... — reagiu Fintan, parecendo perceber tudo. — Então você reconhece que teria aceitado sair se ele fosse um babaca? Então, quando ele a dispensasse, você estaria novamente a salvo, solteira e com o baixo conceito que tem dos homens bem-reforçado. Katherine, você realmente pensa em tudo.

Ela encolheu os ombros, odiando o papo.

— Ele é casado?

— Não que eu saiba.

— E é boa-pinta?
— Muito.
— Perigosamente? Enlouquecedoramente?
— Não, só muito bonito.
— E trabalha como modelo nas horas vagas?
— Não.
— Ótimo! Já estou gostando dele. E você, está a fim dele?

Katherine esperou um instante, e então concordou com a cabeça, de forma meio incerta.

— Como é o nome dele?
— Joe Roth.
— Sua missão, Katherine Casey, caso decida aceitá-la, e acredite em mim: é melhor aceitá-la, se quiser tornar a ver Fintan O'Grady com vida, é ganhar esse Joe Roth.
— Acho que ele tem namorada — protestou Katherine.
— E você adora um desafio!

Ela não disse nada.

— Prometa-me, agora — ordenou Fintan, com a voz fraca. — Prometa-me que vai tentar.
— Vou pensar nisso.
— Sei que vocês duas me odeiam — e lançou um sorriso para ambas —, mas se pudessem ver as coisas do jeito que eu vejo, ficariam muito revoltadas pela forma com que estão desperdiçando suas vidas. Vocês mantêm o sofrimento em nível moderado porque acham que, em algum momento do futuro, as coisas vão todas se encaixar sozinhas e a vida vai ficar perfeita.

"Podem ir para casa agora, vocês duas me deixaram esgotado. Lembre-se, Tara, comece a preparar as malas. Quanto a você, Katherine, lembre-se de usar o melhor conjunto de calcinha e sutiã quando for trabalhar na segunda-feira! Agora, o mais importante", encerrou ele, com o tom dramático de um treinador de futebol, "Saiam daqui e vivam, vivam... aproveitem a vida!"

Com o corpo rígido, elas se despediram dele. Quando já haviam se afastado da beirada da cama, Neville e Geoff chegaram.

— Desculpem, meninas — gemeu Fintan, olhando para os amigos. — Estou me sentindo um cocô para receber visitas!

Tara e Katherine não deram uma palavra ao descerem pelo elevador, e simplesmente acenaram para Harry, Didier e Will, que seguiam fazendo um grande alvoroço a caminho da enfermaria de Fintan, carregados com flores, revistas e cerveja. As flores e as revistas eram para Fintan, mas a cerveja era para eles.

Quando Tara começou a tirar o fusca da vaga, outro carro vinha vindo. Katherine balançou os dedos para as pessoas que estavam lá dentro — Javier e Butch.

— Será que Didier vai largar o Butch? — perguntou como quem não quer nada.

— Será?

Seguiram em silêncio por quase 20 minutos. Finalmente, Tara falou:

— Fintan é a maior figura, não é? — e forçou uma risada. — Doidinho!...

Katherine prendeu a respiração. Ia ficar ali se remoendo à toa?

— Você achou que ele estava brincando? — perguntou.

— Claro, e não era para achar? — Tara olhou meio de lado para Katherine. — Quem poderia levá-lo a sério? Ele não é zureta?

Katherine olhou ansiosa para Tara. Não estava bem certa se Fintan estava de zoação com elas. Mas seria um alívio se estivesse...

— Zuretaço! — concordou ela, empolgada. — Totalmente despirocado!

Então a risada se amplificou e se tornou real.

— Imagine só...

— Até parece que...

— Ele *pirou de vez.*

— Fintan e seus planos de porra-louca!

— E nós entramos na pilha dele. Eu até o levei a sério, por alguns minutos — admitiu Katherine.

— É, eu saquei... — disse Tara. — Eu não entrei nessa, é claro.

E as duas caíram na gargalhada mais uma vez, ao lembrar com carinho da pegadinha de Fintan.

CAPÍTULO 43

Lorcan estava na cama, ao lado de um exemplo típico do chamado visual esquelético: uma jovem de 23 anos, atriz desempregada, que se chamava Adrienne e se encontrava muito além da anorexia. Acreditava piamente no poder da mente sobre a matéria, e essa era a única forma de lidar com sua fome constante. Foi assim que finalmente conseguira dobrar Lorcan. Ela vivia se encontrando com ele por acaso em testes e, apesar de saber que tinha namorada, o perseguira sem esmorecer. Dizia a si mesma que devia se visualizar o tempo todo ao seu lado, do mesmo modo que visualizava a si mesma comendo três refeições completas por dia e lanches às 11 da manhã e quatro da tarde. Assim, conseguiria que a visão se tornasse realidade. Tudo o que precisava fazer era desejá-lo com muita determinação e ele seria todo dela.

E não é que aquilo funcionara? Foi quase uma surpresa, porque ela vinha tentando a mesma técnica para conseguir trabalho como atriz e fracassara de forma tão espetacular que acabou arrumando emprego trabalhando até altas horas como esteticista para segurar as pontas com as despesas.

No estado relaxado do pós-coito, suas pernas compridas se entrelaçaram com as dele; ambos estavam deitados em seu *futon* de segunda mão, com o corpo colado.

Adrienne transbordava bem-estar. Agora que ganhara Lorcan, não conseguia acreditar nas dúvidas que tivera a respeito disso. E não pretendia ser enrolada por ele. Continue em frente com a mesma disposição do início era seu lema.

Levantando um pouco o corpo e firmando-se no cotovelo ossudo, sentiu os músculos fraquejarem devido à falta de alimento. Colocou a cabeça desproporcional em relação ao corpo apoiada na mão em concha e afirmou:

— Espero que esta transa não seja de uma noite só — avisou ela, em tom de brincadeira, olhando para Lorcan, que continuava esticado, exibindo a sua nudez magnífica.

Ele entrelaçou os dedos atrás da cabeça, mostrando tufos de cabelos dourados embaixo dos braços, e ecoou:

— Transa de uma noite só? — sua voz demonstrou surpresa. — Você está brincando?

Adrienne sentiu-se banhar com uma agradável sensação de orgulho. Tinha quase certeza de estar no comando das coisas com aquele cara, mas nunca se sabe...

— Eu nem mesmo *sonharia* com uma transa de uma noite — continuou Lorcan. — Não acredito nessas coisas.

A confiança dela floresceu e se amplificou, e ela sentiu uma pontada de desprezo por todas as mulheres que se permitiam ser pisoteadas pelos homens. Isso não aconteceria com ela. Não senhora!...

— Eu, hein!... — disse Lorcan, com um sorriso cintilante. — Uma noite *inteira*? Você está maluca? Quem quer este tipo de compromisso?

Até mesmo a cabeça desproporcionalmente grande de Adrienne pareceu girar, confusa, quando Lorcan se levantou, com agilidade, do *futon*.

— O que está fazendo? — perguntou ela, já em pânico.

— Estou me vestindo.

— Mas... por quê? — Adrienne se sentou, sem conseguir esconder a frustração.

— Porque não posso ir para casa desse jeito — gargalhou ele, mostrando o seu corpo grande e despido.

Ao vê-lo catar pelo chão as suas cuecas abandonadas, Adrienne gaguejou:

— Mas é uma da manhã. Você não pode ir embora!

Como ela era ainda muito jovem e linda, ainda não aprendera direito a esconder o desapontamento, reparou ele. Não tinha muita prática. Tudo bem, isso viria com o tempo.

— Mas eu preciso ir — protestou Lorcan, com inocência fingida.

— Por quê?

— Porque sim! — disse ele, quase gritando, como se jamais tivesse ouvido uma pergunta mais idiota em toda a sua vida. — Porque a minha namorada deve estar querendo saber onde é que eu estou!

— Mas você não mora com ela.

— Eu sei, mas fiquei de ligar, para nos encontrarmos.

Adrienne ainda tinha um fiapo de esperança de que talvez ele estivesse brincando, mas ao vê-lo vestir o jeans e calçar os sapatos com impressionante rapidez, percebeu que era sério e que ela levara um cano, em mais de um sentido. Algo dentro dela começou a chorar baixinho.

— Tenho pena de você! — lançou ela para as costas dele que, já totalmente vestido, se arrumava diante do espelho.

— Pena de mim? Por quê? — ele pareceu realmente preocupado. — Por causa do meu cabelo?

Ela arregalou os olhos e quase se esqueceu do discurso tipo "você deve ser profundamente infeliz para ser assim tão cruel" que ia fazer.

— Não — conseguiu falar, reassumindo o ar indignado. — Não é por causa do seu cabelo. Tenho pena de você por ter sido tão sacaneado pela vida, pois essa é a única explicação para... — mas se conteve. A curiosidade era grande demais. — O que há de errado com o seu cabelo?

— Ora... — gargalhou Lorcan, com ar indulgente, e fez a mão circular em volta da cabeça, formando um halo no ar. — Olhe o estado em que ele ficou. Está totalmente desarrumado!

Depois do rala e rola, o cabelo dele estava, realmente, todo bagunçado. Havia duas pontas eriçadas, apontando para cima, uma de cada lado da cabeça, e em seu estado de humilhação e pasmo Adrienne achou que pareciam chifres. Com ar satisfeito, Lorcan avistou um potinho de gel para cabelo na penteadeira de Adrienne. Não era algo que ele costumava usar no cabelo, ainda mais de uma marca tão pobre. Pelo que ele lembrava, aquele produto conseguira apenas duas estrelas em um teste que vira na revista *Cabelos Agora!*, mas ia ter que usar aquilo mesmo.

— O que acha deste produto? — e mostrou o pote de cor magenta para Adrienne. — Ouvi dizer que ele dá um bom volume aos cabelos, mas faz com que eles fiquem meio grudentos.

— Como é que você consegue ficar aí, falando de cabelo? Eu quero discutir a nossa relação.

— A nossa *o quê*?!... — O rosto de Lorcan se enrugou quando ele riu.

Adrienne não respondeu. Falar aquilo fora um erro.

— Você jamais conseguirá ser feliz — declarou ela, com voz pastosa, repetindo a frase que Lorcan já ouvira de outras mulheres que dispensara.

Lorcan encolheu os ombros, esfregando com vigor uma gotinha do gel cor-de-rosa entre as mãos, antes de aplicar, conforme as instruções.

— Por que está fazendo isso comigo? — quis saber Adrienne.

Por que será? Ele começou a passar o gel no cabelo com movimentos lentos e amorosos.

Pronto, meus lindos, minhas belezas.

— Fale comigo! — berrou ela, frustrada. — O que espera da vida? O que está procurando? Isto é, o que você, na verdade, QUER?

Lorcan olhou para o reflexo dela no espelho e pensou por alguns momentos, antes de responder:

— Paz para o mundo.

Na verdade, ao sair do apartamento de Adrienne, Lorcan se sentiu estranhamente triste.

Nas três semanas que se seguiram ao fiasco da "manteiga de verdade", ele não conseguira trabalho algum. Nem tivera a oportunidade de sair da sua obscura condição de substituto para incendiar o mundo como Hamlet. Suas constantes preces para que Frasier Tippett quebrasse o pescoço ou pegasse meningite não deram em nada. Que tipo de Deus era aquele?, perguntava-se ele muitas vezes, enraivecido. Que tipo de mundo doente Ele governava? Não existia justiça?

Para tapar os buracos abertos em sua autoconfiança, ele lembrava a si mesmo, o tempo todo, o quanto era irresistível para as mulheres, fazendo jogos de poder com elas, já que, profissionalmente, ninguém queria nada com ele. Ao caminhar pela rua, porém, ao sair da casa de Adrienne, ele não se sentiu triunfante, nem renovado. Em vez disso, sentiu um pouco de repulsa. Por Adrienne, talvez? Bem, por quem mais? Compreendeu, no entanto, que seu desprezo por ela tinha algo a ver com Amy.

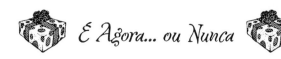

Lorcan pesquisou a fundo estes sentimentos pouco familiares, tentando entendê-los. Por fim, relaxou: Adrienne devia ter mostrado um pouco mais de respeito por Amy, decidiu. Havia sido uma falta de consideração com Amy ela ter colocado a mão na coxa de Lorcan e ter dito, com um olhar significativo:

— Faço 100 flexões pélvicas por dia.

Sim, analisou Lorcan, com devoção fingida... Aquilo não era jeito de ela tratar Amy.

CAPÍTULO 44

No sábado à noite, Liv e Milo se tornaram, oficialmente, namorado e namorada. Tornaram público o novo relacionamento ao anunciar com ar tímido que iam ao cinema na última sessão. Ao ouvir isso, Timothy reagiu com empolgação, respondendo:

— Ótimo! Vamos assistir a um daqueles bangue-bangues. Não está passando nenhum com o Clint Eastwood?

Um silêncio desconfortável caiu na sala, e então Liv corou ligeiramente, murmurando:

— Sabe o que é...? Só eu e Milo é que vamos...

JaneAnn ficou empolgada.

— Há sempre um chinelo velho para um pé cansado — opinou ela. — Sabia que Milo ia encontrar um par, nem que fosse no fim do baile. É um bom rapaz, mas não há ninguém em Knockavoy que combine com ele. Bem que dizem que viajar amplia os horizontes... Ele merece uma boa esposa. Especialmente depois que ficou tão terrivelmente... — parou de falar e segurou as lágrimas — *desapontado* com Eleanor Devine. Eu bem que avisei — continuou ela. — Disse que ele não devia confiar em ninguém que viesse de Quinard. Conheço muito bem aquela raça. São capazes de tacar fogo no mato e botar a culpa nos índios. Enfim, todos temos que cometer nossos erros, imagino — e sorriu, com ar sonhador. — Liv vai adorar Knockavoy.

Tara e Katherine trocaram olhares pasmos. JaneAnn já casara Liv e Milo.

— O melhor de tudo é que ela é um boa católica — disse JaneAnn. Embora Liv também fosse uma boa budista, hinduísta, sique, cientologista, judia e ateia, quando lhe interessava. Mas ninguém queria tirar a ilusão de JaneAnn.

— A senhora não acha que ela vai ter dificuldades para se adaptar em Knockavoy, tão longe de casa? — perguntou Tara, sentindo-se na obrigação de comentar aquilo.

— Ora, mas ela já está muito longe de casa de qualquer modo — lembrou JaneAnn, com inegável lógica.

— Sim, mas... e quanto ao seu emprego?

— Milo ganha mais do que o suficiente para mantê-la. Ela jamais vai precisar de nada, estando com ele.

— Talvez Milo se mude para Londres — sugeriu Katherine, com cuidado.

Ao ouvir isso, JaneAnn se desdobrou em gargalhadas. Riu, riu, riu muito...

— Caia na real, minha filha — disse, por fim, enxugando os olhos. — Raciocine um pouco. Com um pedaço de terra bom como o que ele tem... Morar em Londres, imagina!

— Por que ele está fazendo isso comigo, ó Sapientíssima — perguntou a Liv. — Ó Anne Raeburn*, diga-me por que motivo ele pretende arruinar a minha vida? Ele devia ser meu *amigo*.

Era domigo à tarde. Tara, Katherine e Liv deram uma fugida do hospital e foram a um pub ali perto.

O problema é que Fintan fizera tudo aquilo de novo — reiterara suas exigências incomuns. Depois, para piorar as coisas, contara a Sandro e à sua família a respeito das coisas que queria.

JaneAnn olhara chocada de Tara para Katherine.

— Me-meninas... — gaguejara — vocês precisam fazer o que ele pediu. Ou vão querer carregar esse peso na consciência?

Tara e Katherine circularam por ali, em busca de algum aliado, mas só o que repararam é que Milo, Timothy, Sandro, Liv e, é claro, JaneAnn, ficavam olhando para elas como se fossem assassinas.

— Fintan adquiriu consciência de sua própria mortalidade — explicou Liv a Tara, citando um trecho de *O Pesar Positivo*, seu livro do momento. — Como o seu tempo pode estar se esgotando, ele

* Conselheira sentimental que atende os telespectadores no ar em um programa da tevê inglesa. (N.T.)

subitamente lhe parece muito precioso. E não só o tempo dele, mas o de todos à sua volta.

As três sentiram uma onda de empatia com esse sentimento, mas passou logo.

— A questão... — disse Tara, esperançosa — é que ele não tem como levar essa história adiante, porque não vai morrer. Está recebendo um tratamento muito poderoso, e a doença de Hodgkin apresenta uma taxa de cura muito elevada.

Liv não podia deixar aquilo passar.

— O caroço em seu pescoço não diminuiu nem um pouco, e os testes localizados não mostraram nenhuma resposta ao tratamento, até agora. Você está em estado de negação e não consegue suportar as coisas ruins do jeito que estão.

— Pode ser que isso seja apenas uma fase dele e passe daqui a alguns dias — animou-a Katherine. — Ele está passando por um sufoco muito grande. Não é de espantar que pareça meio desequilibrado.

— Ele não está desequilibrado. — O rosto de Liv se tornou mais sombrio. — Acho que ele tem razão. Você *devia* largar Thomas — e acenou com a cabeça para Tara. — E você... — virou-se para Katherine e gritou: — O que precisa é de uma boa TREPADA!

A maior parte das pessoas do pub se virou para olhar. Antes que a apoplética Tara e a horrorizada Katherine tivessem a oportunidade de dizer a Liv que fosse cuidar da sua vida, ela saiu do pub, furiosa e pisando duro.

— Que diabos deu nela? — exclamou Tara.

— Como é que eu vou saber? — replicou Katherine, irritada.

As duas permaneceram sentadas em um silêncio indignado. Tara fumava, e Katherine brincava com as chaves do carro.

— Quer parar de balançar esse troço? — explodiu Tara, dando um tapa na mão de Katherine. — Você está me deixando louca!

Katherine fechou a cara com uma expressão revoltada, mas largou as chaves.

— Acho que devíamos voltar para o hospital — disse Tara, finalmente.

— Ainda não.

— Ótimo, também não estou com muita vontade de voltar lá.

Estou morrendo de medo que eles comecem a pegar no nosso pé, de novo.

— Pois eles que se danem.

— Que tal se *você* largasse Thomas — sugeriu Tara — e *eu* dormisse com Joe Roth?

As duas riram ao mesmo tempo, nervosas, trêmulas e novamente aliadas.

— Você acha... — Tara fez uma pausa, pensativa. Tinha que falar aquilo de forma delicada. — Você acha que Fintan nos pediu para fazer essas coisas porque está chateado de ser ele a estar muito doente e nós não?... Você acha que pode ser, tipo assim, uma espécie de vingança? Que ele esteja querendo esculhambar com as nossas vidas, como aconteceu com a dele?

Aquilo já estava indo longe demais, na opinião de Katherine.

— Eu diria que se trata apenas de uma fase pela qual ele está passando — disse, com voz firme. — Está muito chocado com tudo e anda meio descontrolado.

— Espero que sim — ameaçou Tara —, porque, se ele não sair dessa, não venho mais visitá-lo.

— Isso é uma coisa horrível de se dizer! — exclamou Katherine, que secretamente havia pensado a mesma coisa.

— Para você é fácil — defendeu-se Tara. — Você ficou com a melhor parte do acordo. Vai ter que ir para a cama com um cara lindo, enquanto eu vou ter que me separar do homem que amo.

— As coisas não são bem assim, como você está pensando — retrucou Katherine, irritada. — Fico paralisada só de pensar nisso.

— Sei, tá legal!...

— Fico mesmo. Você sabe que eu não conseguiria fazer isso.

— Não poderia fazer o quê? Dar bola para um sujeito maravilhoso que já está a fim de você mesmo? Pois tente imaginar o que é deixar para trás uma relação de dois anos e ficar sozinha aos 31 anos de idade! *Isso* é de deixar qualquer uma paralisada. E afinal de contas, *por que*, exatamente, você não está a fim desse tal de Joe?

Antes de Katherine ter chance de se recusar a responder, Tara bufou com uma fúria inesperada. Subitamente ela sabia exatamente o que dizer.

— Vou ser franca com você, Katherine — ouviu-se dizer, e lançou um olhar flamejante para a amiga. — Não queria falar, mas isso é algo que precisa ser dito. Fintan tem toda a razão a seu respeito. Você não quer se envolver. Nem com a vida, nem com um homem — agora, já não conseguia mais parar. Um monte de emoções represadas transbordaram e ela tornou a respirar fundo, com um jeito zangado. — O jeito como você leva a vida é ridículo, com as suas calcinhas combinando, seu controle exagerado, seu apartamento imaculado e sua falta de namorados. Fintan não pirou não, ele acertou na mosca! Ele a ama e quer que você seja *feliz*!

Quando o rosto de Katherine adquiriu um aspecto furioso, Tara passou a falar ainda mais depressa e alto:

— O que quer que tenha acontecido com você em Limerick não pode ser usado como desculpa para sempre... Não que eu saiba o que houve. Sou sua melhor amiga e não tenho nem uma pista.

Katherine finalmente conseguiu falar:

— Eu?! — uivou, indignada. — Ele acertou na mosca comigo? Sua vaca! Eu não ia falar nada, mas agora vou! Fintan estava pensando no seu bem quando disse aquilo. Você *sabe* que devia largar Thomas, e é por isso que está tão injuriada com Fintan...

— *Não é* por isso que eu estou injuriada com ele.

— E ainda fala que o jeito de *eu* levar a vida é ridículo! E quanto ao seu? — quis saber Katherine, com as bochechas vermelhas de raiva. — Você prefere aturar alguém tão *horrível* quanto Thomas a ficar sem homem. Puxa, isso é tão *patético* que você não faz ideia! E veja só como você está *gorda!*

Tara se encolheu toda e Katherine, percebendo o que dissera, fez o mesmo, mas resolveu ir em frente, tão desabalada quanto um trem sem freios:

— Você come demais porque Thomas a torna infeliz. E depois tem a cara de pau de dizer que Fintan pretende destruir a sua vida quando todo mundo está vendo que ele está apenas tentando ajudar, pois *adora* você.

— Ah, é?! Mas como ele pode me adorar tanto assim? — Torrentes de raiva represadas pelas dificuldades das últimas semanas finalmente afloraram. — Como ele pode gostar de mim se está pedindo para eu abandonar o homem que amo?

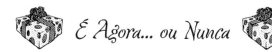

— Pois eu não consigo imaginar nada melhor para a sua vida do que tirar Thomas dela. — Katherine irradiava raiva e destilava bile. — Eu era capaz de pagar só para ver as fuças dele ao ouvir que você ia cair fora.

— Por que é tão cruel com ele? — guinchou Tara, entre dentes.

— Thomas ainda tem aquela bolsinha de moedas marrom? — perguntou Katherine, com desprezo.

— E por que não teria?

— Bem, esse é um dos motivos de eu ser cruel, só pra começar.

— Vou embora! — reagiu Tara, pegando as chaves do carro. — Não vou ficar aqui para aturar isso: ser xingada e ouvir o meu namorado sendo insultado.

— Do que foi que eu xinguei você?

— De vaca! — a voz de Tara estremeceu. — ... E me chamou de gorda.

— Foi você quem começou — gritou Katherine, ao ver que ela já estava saindo. — Foi você que falou das minhas calcinhas!

Mas Tara já fora embora, levada do pub em meio a uma onda de ódio por Katherine, enquanto Katherine continuou ali, sentada. O que estava acontecendo? Elas deviam estar ainda mais próximas, em um momento terrível como aquele. Por que estavam se voltando uma contra a outra? Logo elas que a vida toda haviam sido as melhores amigas?

CAPÍTULO 45

Joe Roth achou que estivesse tendo alucinações. Na quinta-feira de manhã fora para o trabalho, como sempre, e Katherine "Assédio Sexual" Casey sorrira para ele. *Sorrira*. Para *ele*. E não pareceu um sorriso de deboche não. Nem um prelúdio para informá-lo de que perdera o seu pedido de reembolso com todos os recibos, ou recebera ordens superiores para fazer o cálculo de sua indenização por demissão. Nada disso... simplesmente lhe exibira os pequenos dentes perolados, piscou os olhos cinza, normalmente tão solenes, deixou o olhar fixo nele por um tempinho a mais e disse, com um tom agradável na voz:

— Bom-dia, Joe.

O que estava acontecendo? Fazia uns dez dias que ela chorara na frente dele, dizendo que recebera uma má notícia, mas logo em seguida retomou o seu jeito costumeiro, distante e casual. O jeito amigável que demonstrara naquela manhã era algo totalmente inesperado.

Além disso, quando ela chegou, veio caminhando com um balanço diferente até a sua mesa, e ele reparara algo de diferente em sua roupa. Estava um pouco mais curta? Mais apertada? Seja o que fosse, ele gostou. Se não a conhecesse direito — e a essa altura ele já sabia muito bem como ela era — poderia achar que estava flertando com ele.

Quando Katherine chegou em sua mesa, estava tremendo. E se aquilo não funcionasse? E se a única coisa da qual ele realmente gostasse nela fosse a sua inacessibilidade? Ela estaria perdendo todo aquele tempo, parecendo ser gentil e disponível?

Detestava ter que agir daquela forma, mas não havia escolha, porque, no fim, era ela quem tinha que resolver *tudo* mesmo. E sentiu-se plena com a sensação de superioridade moral. Ninguém era mais confiável do que ela. Era sempre ela que pagava as contas, emprestava dinheiro para os amigos, lembrava dos aniversários e carregava todos para casa de carro, quando bebiam até cair. E agora, tinha de salvar a vida de Fintan. Não adiantava esperar que uma egoísta covarde como Tara Butler levantasse um dedo para ajudá-lo.

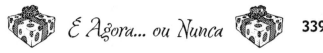

Ao lembrar de Tara, Katherine sentiu um ronco de culpa no cérebro, uma espécie de zumbido em alta voltagem; ela violara o maior dos tabus e dissera, com todas as letras, que Tara estava gorda. Embora apenas afirmasse um fato real, desculpou a si mesma. Tudo o que falara era verdade, fora apenas franca. Nossa, pensou na mesma hora. Estou me transformando no Thomas! Falando o que eu penso... Já fazia quatro dias desde que Katherine e Tara haviam tido aquela briga terrível e, embora tivessem consertado as coisas com Liv, não haviam feito as pazes uma com a outra. Mostravam-se simplesmente civilizadas e bem-educadas quando se encontravam, em respeito aos O'Grady.

Embora Katherine soubesse que era totalmente ridícula a ideia de que a forma como ela conduzia a sua vida pessoal pudesse atrasar o processo de recuperação de alguém com câncer, a história acabara pegando. Morria de medo de que os O'Grady, Sandro e Liv ficassem olhando para ela com olhares acusadores. A cada dia que passava a sua paranoia piorava e lhe parecia que até mesmo as enfermeiras a olhavam com desprezo, bem como os outros pacientes, as visitas e, depois, os estranhos na rua...

O que tornava tudo mais complicado era o fato de adorar Fintan. Katherine vivia se lembrando do jeito que ele era antes de ficar doente — saudável, robusto como um touro, com a pele maravilhosa, cabelos brilhantes e volumosos, olhos cintilantes. Então, ao olhar para a figura encolhida, com olhos sem vida e totalmente apática sobre a cama, com os cabelos empastados em tufos irregulares e o pescoço inchado, não conseguia evitar o pensamento de que ele talvez jamais se recuperasse. Nessas horas, sentindo o estômago embrulhar de dor e pesar quase insuportáveis, sabia que faria qualquer coisa por ele. Qualquer coisa.

Em outras ocasiões — bem mais raras — ela revivia a sensação de ter apenas seis meses de vida, e sua visão de mundo passava a ser regida pelo estado de Fintan. Nesses momentos, ela realmente concordava que era *fundamental* aproveitar ao máximo cada dia. Via-se arrastada em uma onda de fulgurante amor pela vida, e tudo lhe parecia lindo, alegremente simples. É claro que faria o melhor para conquistar Joe Roth!

Depois, esse momento passava e Katherine sempre voltava à realidade mundana, ouvindo um baque surdo. Sentindo-se sobrecarregada com uma tarefa impossível de ser alcançada, a mesma tarefa que, cinco minutos antes, lhe parecera a coisa mais fácil do mundo.

Até que, logo em seguida, seu astral tornava a melhorar e ela enxergava a exigência de Fintan por outro ângulo. Fintan a amava. Queria apenas o melhor para ela, portanto ela podia, certamente, confiar nele.

Certamente?...

Por curtos períodos de tempo ela conseguia fazer isso, mas então a convicção lhe tornava a escorrer por entre os dedos.

Todas as vozes dentro de sua cabeça clamavam em uníssono cada vez mais alto. Todos — inclusive ela, às vezes — a empurravam na direção de Joe Roth, e ela sabia que não teria paz até o momento em que, pelo menos, tentasse.

Naturalmente, como era uma mulher cautelosa, passou dias dividida, antes de finalmente tomar a sua decisão, vendo as convicções se modificarem de "isso nem pensar" para "até que é desejável e aceitável", para logo em seguida voltarem para o estágio do "isso nem pensar".

Por fim, chegou à conclusão de que era mais fácil tentar do que não tentar, apesar da culpa, da pressão, do medo e dos escrúpulos à sua volta. E ainda havia um último fator. Por trás de todos os outros sentimentos, havia um que não dava para confessar nem sob tortura: ela desejava Joe Roth. De forma invisível e vergonhosa, a exigência de Fintan era apenas um pretexto para ela ir em frente.

Na terça de manhã, sentindo como se estivesse se preparando para uma batalha, Katherine reuniu toda a sua audácia e se forçou a usar uma saia de lycra preta bem justa, embora jamais tivesse feito algo assim antes: usar saia curta para trabalhar. Sentia-se tão constrangida quanto se estivesse nua e, embora potegida por um casacão que cobria tudo, mal conseguiu se esgueirar para fora do apartamento. Tinha certeza de que todo homem da Breen Helmsford ia sacar tudo e descobrir o que planejava.

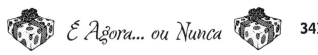

Claro que ela sabia que a sua versão de roupa curta e apertada era café pequeno comparada aos pedaços de pano justo que mal cobriam o traseiro de algumas de suas colegas, mas tudo isso era relativo no momento.

A caminho do trabalho, rezou para que Joe Roth não estivesse lá. Torceu para que estivesse na gravação de algum comercial, ou então doente, ou morto. Mas, ao entrar pela porta, ele foi a primeira pessoa que ela viu. Estava recostado na cadeira, com a pele linda, as maçãs do rosto salientes e a figura comprida e elegante. Um terror paralisante a envolveu. Como é que ela tinha coragem de flertar com aquele homem? Ele era muita areia para o seu caminhãozinho. No momento seguinte, já jogara os planos para o alto. Não faria coisa alguma, decidiu. Ia simplesmente se comportar de forma normal e ignorá-lo por completo.

Então, lembrou-se de Fintan, na cama de hospital, e se sentiu como John Malkovich no filme *Ligações Perigosas. Isto não depende de mim*, entoou, mentalmente. *Não depende de mim.* Ela ia ter que fazer aquilo.

A primeira providência era revelar a sua saia sexy para todos os presentes. Puxa vida! Por um instante louco, pensou em trabalhar o dia todo de casacão, mas acabou por se convencer de que isto só serviria para aumentar a curiosidade. Quase desmaiou ao despir lentamente uma das mangas, depois a outra. Lançou olhares paranoicos para a direita e para a esquerda, para ver se todos os homens estavam se cutucando e cochichando, e se preparou para a longa caminhada através do escritório, até a sua mesa.

Mantenha a dignidade, mesmo diante da adversidade, aconselhou a si mesma. Pense em Padraig Pearse* diante do pelotão de fuzilamento; pense em Joana D'Arc, queimada na fogueira. Sentindo-se mais confiante, abriu os ombros, levantou a cabeça bem alta, superou a vontade de puxar a saia para baixo e saiu em direção a ele.

---

* Poeta, escritor e ativista radical irlandês, executado em 1916. (N.T.)

Estabeleça contato olho no olho, ordenou uma voz de sargento dentro de sua cabeça.

Ela fez isso.

Prepare-se para sorrir!

Ela sorriu.

Sem fingimento!

Sem fingimento.

Pare!

Ela parou.

Agora, fale com ele! E fale com jeitinho!

Sentindo como se a língua estivesse dez vezes maior do que a boca, conseguiu balbuciar:

— Bom-dia, Joe.

Isso foi o melhor que conseguiu fazer?, perguntou o sargento. *Isso é ridículo! Não tenho escolha, a não ser obrigá-la a rebolar um pouco.*

Meio dura e sem jogo de cintura, Katherine tentou fazer as cadeiras ondularem ao caminhar, até que, com alívio total, alcançou a sua mesa e teve permissão para parar.

Então, tremendo um pouco, sentou-se à sua mesa e esperou pelos frutos do seu esforço. Com aquele comportamento devasso, ela lhe fizera um convite inquestionável. Será que ele ia atender e vir até a sua mesa, a fim de convidá-la para sair? Talvez não, reconheceu, especialmente se a única coisa que o atraísse nela fosse o fato de ela não estar disponível.

E ainda havia o fator "Angie". Katherine não tinha provas definitivas de que Joe e Angie estavam se encontrando, mas, se estavam, isso era mau para ela. E para Fintan.

Katherine passou a manhã toda pouco à vontade, cheia de expectativa e observando Joe discretamente. Olhava para seus dedos compridos e sensíveis, quando ele os passava pelos cabelos, e tinha vontade de senti-los nela. Estava louca de vontade de enlaçá-lo, colocando os braços em volta de sua cintura fina.

Até a hora do almoço ele não aparecera em sua mesa, então ela rebolou discretamente, sorriu para ele mais uma vez e disse:

— Tenha um bom almoço.

Ninguém poderia dizer que Katherine Casey não cumpria as obrigações que lhe davam!

A tarde toda ela se manteve tensa, à espera da chegada dele à sua mesa. Olhando meio de lado, vigiava-o em sua mesa. Não se sentia intimidada por achá-lo tão bonito. Ele se recostava na cadeira, falava ao telefone, ou ria de algo que alguém dissera. Ou conversava com um dos membros de sua equipe, as ideias passando rapidamente através das expressões do seu rosto. Ou batia de leve com uma pasta de papelão nos dentes da frente, exibindo um jeito pensativo, os olhos distantes e perdidos em algum pensamento. Aquilo tudo provocava zumbidos quentes e nervosos de expectativa na barriga de Katherine.

Mesmo assim, ele continuou sem aparecer. Assim, por volta de cinco da tarde, ela riu para ele, *de novo*, para indicar que estava disponível para um drinque, depois do expediente. Mas ele lhe devolveu o sorriso de forma cautelosa, mostrando alguns — mas não todos — dentes muito brancos, e não disse nada, o que fez Katherine começar a desenvolver um certo ressentimento por ser ela a ter todo o trabalho ali. Ele não estava, digamos assim, colaborando, pensou ela, meio chateada. Nem dava dicas de querer chegar a um ponto em comum.

Quando o dia comprido demais chegou ao fim e Katherine começou a guardar as suas coisas, fez questão de expressar com o corpo as frases *Estou indo!... Estou mesmo, hein?... Última oportunidade para Joe Roth convidar Katherine Casey para tomar um drinque*. De nada adiantou.

O que mais ela poderia fazer?, perguntou a si mesma. Que não fosse atacá-lo fisicamente? Nem lhe exibir um dos seios "sem querer"?

Isso aí, fim de papo! Ela estava desapontada, mas igualmente aliviada, e não exatamente surpresa. Em algum lugar pelo caminho ela descobrira que Joe Roth era forte e teimoso. Uma vez rejeitado, jamais tentaria novamente.

Pelo menos, ela tentara. Talvez, analisando com sinceridade, ela tivesse demonstrado pouco entusiasmo. Evidentemente o resultado não fora o esperado, mas ela poderia chegar para Fintan com toda a honestidade e dizer que tentara.

Só esperava que ele não fosse piorar do seu restabelecimento, como os clientes de certos advogados que dão calote quando perdem o caso. Sem ganho, nada de grana... sem transação, nada de recuperação.

CAPÍTULO 46

Quando Katherine apareceu no hospital, a falange de amigos e parentes estava, momentaneamente, fora. Sandro e Fintan estavam batendo papo a sós, um momento raro. Sentados um diante do outro, com as cabeças juntas e as mãos entrelaçadas, formavam uma unidade tranquila e confortável que ela não queria perturbar. Sandro estava murmurando algo que fez Fintan sorrir. Ao chegar mais perto, Katherine ouviu o que era.

— ... Piscina de água natural, massagista incluída na diária, *chef de cuisine* premiado, programas noturnos e excursões à floresta em torno, onde você terá a chance de montar em um elefante.

— Oi — sussurrou Katherine, puxando uma cadeira, sem fazer barulho.

— Tailândia. — A boca de Fintan se curvou alegremente. — O Palácio das Orquídeas, em Chiang Mai.

— Parece fantástico.

— Estamos viajando por toda a região próxima à Tailândia — explicou Sandro.

— Nossa próxima escala é Phuket.

— Vamos ficar em um hotel cinco estrelas.

— Com aulas de esqui aquático, entre outras coisas.

— Assim que Fintan melhorar, vamos fazer a viagem de verdade.

— Depois do safári no Quênia. E das duas semanas no La Source, em Granada. Mostre para Katherine o folheto do La Source, Sandro.

Sandro procurou na pilha de folhetos espalhados no chão junto dele e encontrou o La Source, que Katherine admirou, com ar interessado. Então, Sandro foi buscar bebidas, deixando Katherine sozinha com Fintan.

— Trouxe boas notícias da minha missão — anunciou ela. — Dei em cima de Joe Roth.

Talvez "dei em cima" fosse um pouco de exagero para três sorrisos e sete palavras, mas Fintan não precisava saber disso.

— Ótimo! — Empolgado, Fintan lutou para se sentar mais ereto, mas descobriu que não conseguia.

— Você está bem? — perguntou Katherine, meio nervosa. — Por que está assim tão fraco? Já faz três dias desde a última aplicação de quimio.

— Meu sistema imunológico está todo fodido; as células brancas estão no nível zero — e lançou os olhos para o teto. — Efeitos colaterais da quimioterapia. Embora eles coloquem a culpa de tudo o que acontece comigo na quimio. Se eu cair de uma escada e quebrar a perna, vão dizer que foi efeito colateral das aplicações.

— Puxa, será que isso não vai ter uma trégua?

— Ah, deixa pra lá... — e mudou o foco da conversa para coisas mais alegres: — Conte-me tudo a respeito de Joe Roth. Vocês combinaram de sair ou o quê? Quando? Onde ele vai levar você?

— Ahn... lugar nenhum. — Katherine sentia-se péssima por ter que desapontar Fintan. — Ele não me convidou para sair.

— Mas você me disse que tinha boas notícias.

— E tenho... — Katherine forçou um sorriso largo. — Fiz tudo conforme você mandou. Tentei lançar os meus melhores sorrisos e falei com ele. Sei que não alcancei um bom resultado, mas não foi culpa minha.

Fintan ficou em silêncio.

— Fiz o que você pediu! — repetiu ela, baixinho.

— Não, só isso não serve... — declarou Fintan, com determinação. — Isso simplesmente não serve.

O coração de Katherine pareceu despencar dentro do peito e novamente ela contemplou a ideia de não ser mais amiga de Fintan.

— Você se desculpou por acusá-lo de assédio sexual? — perguntou Fintan.

— Bem, não...

— Mas como pode esperar que alguma coisa aconteça quando isso continua pendente sobre a cabeça de vocês dois? — ralhou Fintan. — Caia na real, Katherine Casey!

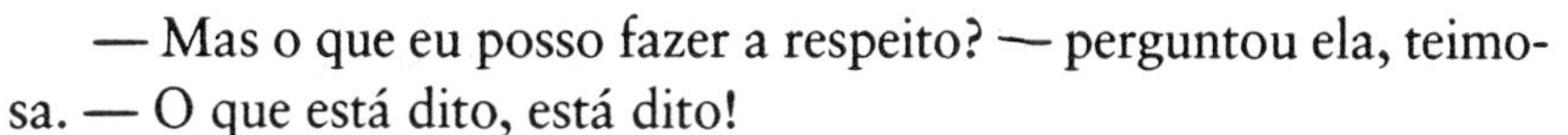

— Mas o que eu posso fazer a respeito? — perguntou ela, teimosa. — O que está dito, está dito!

— Peça desculpas a ele!

Não posso fazer isso. Só de pensar em chegar perto de Joe, toda humilde e com o rabo entre as pernas, ela começou a se encolher e estremecer.

— Você não pode sair por aí tratando as pessoas desse jeito — disse Fintan, com ar sério. — Isso de que o acusou é uma coisa muito séria.

— Você não estava lá para saber — reagiu Ketherine, de mau humor. — Ele forçou muito a barra, não me deixava em paz...

— E foi realmente um caso de assédio? — perguntou Fintan. — Você estava com medo de perder o emprego, se não fizesse o que ele queria?

— Não, mas...

— Ele tocou em você ou fez alguma sugestão indecente?

— Fez! — gritou Katherine, com coragem, lembrando de como ele dissera que adorava o sotaque dela e o quanto ela era fabulosa.

— Elogios não se enquadram como sugestão indecente. — Fintan era muito astuto. — Ele não se afastou de você, assim que você pediu?

— Sim, mas até então ele havia forçado muito a barra — repetiu Katherine, com teimosia. — Ele ficava... ficava... *falando* comigo.

— Ouça só o que você acabou de dizer, sua maluca...

— E ele me convidou para almoçar pelo menos quatro vezes.

— Você está se afundando cada vez mais. Vai acabar igualzinho à insana da sua mãe. Agora, escute aqui... é muito simples. Peça desculpas a ele, e depois convide-o para tomar um drinque. E daí se ele não aceitar? A palavra "não" jamais matou alguém. Vá em frente, você sabe que é exatamente isso o que quer — e piscou para ela de um jeito malandro.

— Eu não... — insistiu ela, com ar resoluto.

— Você sim... Conheço você, Katherine, e conheço a sua teimosia. Você nem mesmo teria sorrido para ele, se realmente não quisesse. Eu sou apenas o catalisador. Apesar de toda a reclamação, para você foi bem conveniente que eu ficasse doente, Katherine Casey.

Muito sem graça, Katherine tentou descobrir se ele estava brincando ou não.

— Minha doença não foi uma dádiva dos céus para você e para a sua vida amorosa? — riu Fintan.

— Como pode dizer uma coisa dessas? — protestou Katherine, com vigor. — Você está totalmente enganado. Só lancei alguns sorrisos para Joe Roth, para ver se você largava do meu pé.

— Pois muito bem... — disse Fintan, com ar alegre. — Se é esse joguinho que você quer fazer, considere-me ainda no seu pé.

Será que não havia saída para aquilo?, pensou Katherine, tentando se livrar.

— Por favor, Katherine — insistiu Fintan —, você é a minha única esperança. Não há a mínima chance de Tara, aquela covarde de coração mole, largar o medonho do Thomas. Se quiser que algo aconteça, peça à Katherine "Confiável" Casey, porque ela jamais deixa ninguém na mão.

Katherine sentiu uma fisgada de orgulho, antes de compreender que ele apertara ainda mais o laço em volta dela.

— Você mudou, Fintan — suspirou ela. — Tornou-se muito manipulador.

— Mas você vai tentar?

— Sim, vou tentar. — O que mais ela poderia responder?

— Agora, olhe para mim e curta o que vê, Katherine — declarou Fintan. — Você está olhando para um homem em estado de lazer.

"Homem em estado de lazer", na língua de Fintan, era uma expressão que evocava imagens tranquilas e urbanas: bigodes *à la* David Niven, cigarreiras, copos de Martíni, lanchas velozes e carros esporte. Olhando para o rosto encovado de Fintan, seus olhos muito vermelhos e seu cabelo ralo, mais ralo a cada hora, ela perguntou:

— Homem em estado de lazer? O que quer dizer com isso?

— Fui despedido!

— Por quem?

— Pela minha patroa, é claro, por quem mais seria? Pelo Dr. Singh, aqui do hospital? Ou por Dale Winton?... Richard e Judy?.. Rikki Lake?* Nossa!... — ele parou de falar e mostrou-se preocupado — acho que meu universo ficou muito pequeno.

---

* Apresentadores de tevê. (N.T.)

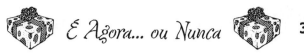

— Não, o que eu perguntei foi quem...

— Carmella. Pessoalmente. Ao vivo, com suas roupas espertas e muita cocaína nas ideias.

— Você está me dizendo que ela veio até o hospital e despediu você aqui mesmo, internado desse jeito? Mas por quê? Você não pode ser demitido por estar doente!

— Ela está preocupada, segundo suas próprias palavras, com a imagem da companhia.

— Ela acha que você é HIV positivo. — Subitamente, Katherine compreendeu tudo.

Fintan concordou com a cabeça.

— Mas isso não é justo! — protestou ela. — E eu, que pensava que o mundo da moda fosse mais tolerante com pessoas HIV positivas.

— Bem, pensando melhor, talvez ela tenha me demitido por eu *não ser* HIV positivo — comentou Fintan, com sarcasmo. — Sei lá! — e formou uma linha fina com os lábios. Então, sua expressão de revolta se dissolveu quando seu lábio inferior começou a tremer e lágrimas encheram seus olhos marcados por vasos vermelhos. — O que vai ser de mim agora? — gaguejou ele, quase se engasgando. — O que vai ser de mim? Não é só pelo dinheiro... — Katherine estava perplexa, sem saber o que fazer. — Trabalhei para ela por oito anos — comentou Fintan, com pesar. — Achava que ela era minha amiga. Sempre me disse que dependia de mim, do meu trabalho, e agora me jogou fora, como um detrito humano. Eu não pedi para pegar essa doença horrível, e adoro o meu trabalho. Sinto-me tão só... Pelo menos, se eu estivesse com aids, haveria outros como eu, todos no mesmo barco; poderíamos conversar a respeito de células T, promover sessões de terapia com abraços coletivos, muita emoção e depois nos reunirmos para fazer... para fazer... uma colcha de retalhos!

— Mas existem grupos de apoio para pessoas com doença de Hodgkin — informou Katherine. Desde que Fintan recebera o diagnóstico fatídico, Liv vivia dizendo que ele deveria procurar outras pessoas que tivessem o mesmo problema. Na verdade, chegou a sugerir que todos eles deviam participar de grupos de apoio — Mãe de Pessoas com Câncer; Companheiros de Pessoas com Câncer; Irmãos de Pessoas com Câncer; Amigos de Pessoas com Câncer.

— Katherine, eu sei que devia me mostrar forte, porque ninguém gosta de cenas de autopiedade, mas preciso dizer uma coisa.

— Diga...

— Morro de medo da dor. Fico aterrorizado, pensando que vou acabar morrendo com dores horríveis, e eles não vão me dar morfina suficiente para acabar com elas.

— A coisa jamais vai chegar a esse ponto — disse Katherine, com a voz fraca. — Olhe, Sandro voltou!

Sandro chegou, viu o estado de Fintan, colocou os drinques sobre a mesinha, pegou um folheto e começou a ler, muito depressa:

— Sans Souci Lido, na Jamaica. Um hotel de alto luxo, com áreas exclusivas, praia privativa, uma enorme variedade de esportes aquáticos, sessões de reflexologia, aromaterapia, restaurantes europeus e caribenhos...

CAPÍTULO 47

— Thomas, você quer se casar comigo?

Thomas se virou para Tara com os olhos brilhando.

— Tara... — a voz dele estava pesada de tanta emoção. — Nem sei o que dizer.

— Diga simplesmente que sim — pediu ela, com a voz rouca.

— Nesse caso, sim! Eu adoraria. Seria uma honra.

Uma sensação de alívio circulou por dentro de Tara, em fortes ondas, e Beryl lançou-lhe um sorriso de congratulações quando a viu colocar sua tigela de ração na lava-louças. Mas espere um instante... Eles não possuíam lava-louças. E Beryl jamais sorria para ela, porque a detestava. No instante seguinte, Thomas disse:

— Como é que é?!... Você está perguntando se eu quero me *casar* com você? Pensei tê-la ouvido perguntar se eu gostaria de ficar com *todo* o seu dinheiro. Desculpe, entendi errado...

Tara acordou, com o coração aos pulos.

Ela andava tendo pesadelos, muitas vezes até mesmo acordada. Todos giravam em torno do pedido de casamento a Thomas.

A culpa era de Fintan. E de Katherine "Coração de Pedra" Casey também. Basicamente, porém, ela culpava as pessoas com quem trabalhava. Especialmente Ravi. Quarta-feira, na hora do almoço, no escritório quase deserto, ele zurrou:

— Anime-se! Está a fim de lamber a tampinha da minha musse de chocolate?

— Obrigada — agradeceu Tara, com ar cansado, aceitando a rodelinha de metal e lambendo-a com pouco entusiasmo, enquanto Ravi jogava a cabeça para trás e balançava a embalagem até sorver todo o restinho que ficara no fundo, passando a língua nas gotinhas que tentaram escorrer em direção do queixo.

Logo depois, abriu um sanduíche gigante de presunto tênder assado com mel.

— Está a fim de cheirar o papel? — ofereceu ele, com gentileza.

Em silêncio, Tara aceitou.

Depois de traçar em poucos segundos o sanduíche inteiro, Ravi abriu uma barra de chocolate e declarou:

— Chocolate! Saboroso e muito nutritivo!

Morrendo de inveja, Tara o viu enfiar a barra toda na boca em duas dentadas.

— Como está Fintan? — murmurou ele, com a boca cheia de chocolate ao leite com gotas de mel.

Tara parou, pensativa. Boa pergunta. Como *estava* Fintan? O caroço em seu pescoço não diminuíra nem um pouco. Os nódulos no pâncreas também não, e qualquer um podia senti-los (não que alguém quisesse) bastando apenas, para isso, apertar com força ao lado da barriga. Será que ela devia mencionar o quanto ele ficara chateado ao descobrir que a quimioterapia ia deixá-lo estéril? E o jeito que o oncologista tocara no assunto, insinuando que, já que ele era gay, aquilo não tinha a menor importância?

— Ele vai sair do hospital no sábado — foi a informação que Tara optou por fornecer. Soava como algo positivo.

— Então ele *está ficando* bom. Isso é ótimo!

— Ele não está ficando bom! — Vinnie levantou os olhos do que fazia e lançou um olhar de chefe para Ravi. — Isso não é um braço que ele tenha quebrado, ou uma unha encravada que tenha retirado. O rapaz está com câncer, e você não fica bom assim, depois de passar algumas semanas no hospital. Leva meses! — e esfregou sua cabeça com poucos fios de cabelo, demonstrando estar nervoso, antes de voltar a trabalhar.

Ravi e Tara continuaram a conversar, baixinho.

— O pessoal lá de cima anda pressionando Vinnie — observou Ravi. — Seu cu dessa vez parece que está mesmo na reta, e ele não sabe como lidar com isso.

— Não ligue para ele não — disse Tara, solidária. — Sempre existe a possibilidade de Fintan *estar mesmo* ficando bom, ainda não sabemos. Vai levar nove meses de tratamento para descobrirmos se funcionou.

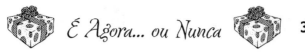

— Mas então, por que ele já vai sair do hospital?

— Não há necessidade de Fintan ficar lá. A partir de agora, ele vai fazer quimioterapia apenas duas vezes por mês, e não precisa ficar internado.

— Duas vezes por mês, apenas? — Ravi pareceu em dúvida. — Talvez isso não seja suficiente. Aumentem a dose. Dobrem as aplicações. Talvez ajude...

Tara sentiu um peso no estômago. Quem dera as coisas fossem assim tão simples. Essa era a quantidade de químio que Fintan seria capaz de suportar sem morrer.

— A mãe dele e os irmãos vão ficar por aqui, durante esses nove meses?

— Não, já vão voltar para casa no domingo. Pelo menos, JaneAnn e Timothy vão.

— Quer dizer...? — Ravi apertou o ombro de Tara. — Quer dizer que o irmão mais velho, Milo, vai ficar?

— Não apenas ficar — concordou ela com a cabeça, olhando de forma significativa. — A questão é... vai ficar em companhia de quem?

— Não me diga que é Liv! — Ravi mal conseguia falar, e guinchou: — Que barato!

— Ele vai ficar por mais algumas semanas, pelo menos — explicou Tara.

— E quanto a Lars? Ela já deu um chute na bunda dele?

— *Deu*. Ontem à noite.

— Uau! Gostaria de ter ouvido esse papo.

— E dava pra ouvir mesmo. Ela me chamou e colocou o telefone no viva-voz, enquanto falava com ele.

Ravi quase perdeu a fala de desapontamento.

— Por que não me contou? — reclamou ele. — Eu gostaria de ter estado lá.

— Desculpe, desculpe, desculpe! É que eu ando com muita coisa na cabeça, como já deve ter notado. De qualquer modo, não foi tão divertido quanto parece, porque eles conversaram em sueco.

— Que droga!

— Desculpe, Ravi. Desculpe mesmo.

— Ele chorou?

Tara hesitou por um instante, e então fez que sim com a cabeça.

— Ah, que droga! Ele propôs largar a mulher de verdade, para ficar com ela, e Liv lhe comunicou que agora era tarde demais?

Tara se encolheu diante do olhar acusador de Ravi.

— Olhe, eu não falo sueco, mas acredito que sim — admitiu.

— Ele disse a ela que faria qualquer coisa e ela respondeu que não havia nada que ele pudesse fazer?

Tara concordou com a cabeça, envergonhada.

— Puxa vida, perdi isso! E não dá nem para assistir aos melhores momentos, no domingo — disse Ravi, com jeito amargo.

Os dois continuaram sentados, em silêncio.

— Você brigou com Katherine? — perguntou Ravi, inesperadamente.

— Por que pergunta?

— Porque o número de ligações que você recebe diariamente caiu 17,4 por cento, desde sexta-feira. Teddy fez um programa que calcula isso. O que houve?

— Nada.

— Conte-me tudo. Prometo que não vou compreender.

Era um alívio estar em companhia de alguém tão descomplicado quanto Ravi! A necessidade de falar tornou-se subitamente imperativa. Tara abriu a boca e tudo jorrou como água de uma represa destruída. Entre sussurros, mas de forma cativante, em um tom de "você não vai acreditar no que aconteceu em seguida", Tara contou a Ravi toda a saga a respeito da ameaça absurda de Fintan, de que se ela não largasse Thomas nem lhe pedisse para se casar com ela, ele iria morrer, só de sacanagem. Contou sobre a briga terrível que teve com Katherine, embora não mencionasse o fato de ela ter falado palavrão. Contou sobre o jeito dos O'Grady olharem para ela, como se ela estivesse atacando Fintan com uma faca de açougueiro. Finalmente, falou de suas superstições.

— Eu acredito em Fintan — admitiu Tara. — É bem capaz de ele morrer e ficar me assombrando se eu não fizer o que ele quer. — E terminou perguntando: — Ele não é pirado?

Ravi não disse nada. Os pensamentos pareciam desfilar sobre a paisagem do seu rosto, como nuvens que criavam luz e sombra nas montanhas.

— Tudo o que você precisa fazer é concordar com a cabeça — disse Tara, ansiosa.

O rosto de menino que Ravi possuía estava distorcido pela perplexidade.

— Fintan é seu amigo — disse ele, lutando para encontrar as palavras. — Ele não ia querer sacanear você. Você o conhece desde que tinha 14 anos, certo?

Tara concordou, de forma relutante.

— E com quantos anos você está agora...? Vinte e oito?

— Trinta e um, seu cabeça de melão!

— Caraca! É mesmo? Tão velha assim?

— É... tão velha assim.

— Pois então... Quando as pessoas mantém uma amizade assim por tantos anos, só querem o que é melhor uma para a outra. — Ravi expressou um sorriso de vitória. Resolvera o dilema de Tara. O engraçado é que ela continuava com aquela cara sofrida.

— Ravi, quer fazer o favor de me ouvir direito? — implorou ela. — Fintan quer que eu abandone Thomas. Ele está doente e não fala mais coisa com coisa.

— Não creio... — disse Ravi, pensativo. — Uma vez eu assisti a um documentário sobre um sujeito que foi pego por uma tempestade em alto-mar, ficou preso no barco por sete semanas, congelou a ponta das orelhas, foi obrigado a comer pedaços da embarcação e quase morreu! Ao ser resgatado por um pescador, viu a luz e mudou sua vida. Passou a ser legal com todos, vendeu o seu negócio, resolveu viver a vida com intensidade e dizia a todos o que deveriam fazer, sem rodeios. Pelo jeito, você tem o mesmo problema com Fintan. Ele é como um passageiro de avião sequestrado que...

— Não, Ravi, não! — Tara pareceu muito desapontada. — Conto com você quando preciso de alguém que aja como um menino emocionalmente analfabeto. Não quero que demonstre sinais de iluminação. Você sempre foi o meu ponto cego em um mundo irritantemente brilhante, cuidadoso e prestativo.

— Des-cul-pee!...

— Você tinha que me dizer que Fintan está zureta e que eu devia ignorá-lo.

— Tá legal! Fintan está zureta. Ignore-o!

— Agora não adianta mais!

— Eu sei. — Ravi teve um momento de inspiração. — Você podia mentir para Fintan. Dizer que tinha largado Thomas, mesmo sem tê-lo feito.

— Bem que eu pensei nisso. Mas ele pensou também. Disse que vai descobrir se eu estiver mentindo. Ameaçou de fazer visitas-surpresa e ligar em momentos aleatórios para o apartamento de Thomas, como se fosse um fiscal. Disse até que vai arranjar uma van com equipamentos de escuta.

— Droga! — Ravi passou a língua nos dentes, com ar pensativo. — Já sei! Você larga Thomas, conta tudo a Fintan, espera até que ele melhore e depois volta para o Thomas.

— Mas... e se Thomas não ficar esperando por mim?

— Nesse caso, é porque o amor dele por você não era assim tão grande, para início de conversa — reagiu Ravi, alegremente. Nossa, até ele conseguia enxergar aquilo!

Tara sentiu uma fisgada forte e agourenta no estômago. Ravi estava falando coisas que não devia. Será que não havia ninguém para apoiá-la?

— Se isso fosse um filme — disse ela, com ar cansado —, é claro que eu largaria Thomas. Tudo seria tão simples!... Só que não está nada simples. Eu amo Fintan e quero muito, *muito mesmo*, que ele fique melhor, e se isso não acontecer... O problema, entende, é que eu também amo Thomas!

— Talvez você não tenha que abandonar Thomas — disse Ravi, como prenúncio de outra sugestão.

— Você tem razão — disse Tara, de forma agressiva. — Não tenho mesmo!

— Não, o que estou dizendo é que há outro jeito. Por que não pede a Thomas que se case com você, como Fintan sugeriu? Se ele concordar, fica tudo resolvido.

Tara encolheu os ombros, sem muita empolgação.

— Pelo menos pergunte a Thomas quais são as intenções dele com relação a você.

Mas ela não queria fazer isso. Suspeitava que já sabia quais eram as intenções dele. Ou melhor, tinha o pressentimento de que ele *não tinha* intenções. Desde a noite do seu aniversário, ela acalentava poucas ilusões a esse respeito. Apesar disso, enquanto ela não soubesse com certeza, isso não seria verdadeiro.

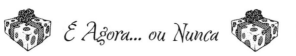

No entanto, não podia deixar de sentir que uma crise se aproximava dela, inexoravelmente. Sabia que estava agarrada a essa relação como alguém pendurada em um penhasco, presa apenas pelas pontas dos dedos. Seria tão fácil soltar os dedos e se deixar cair... Desesperada, colocou o rosto entre as mãos.

— Não posso deixá-lo, Ravi — sussurrou ela. — Esse meu namoro tem que dar certo!

— Mas por quê? — perguntou Ravi, em pânico diante da reação de Tara. Mulheres chorando sempre o deixavam muito alarmado. Tentou urgentemente animá-la. — E daí se não der certo? — consolou. — Ele a faz infeliz, Tara.

Quando Tara mostrou, timidamente, o rosto chocado, Ravi descobriu, subitamente, qual a melhor coisa a dizer:

— Lembre-se bem — ele a persuadiu, com paciência — do quanto você era feliz com Alasdair.

Alasdair! *Alasdair*. Enquanto Ravi estufava o peito, orgulhoso por pensar tão depressa, as lembranças surgiram do nada na mente de Tara. Ela e Alasdair. Minha nossa!

— Alasdair era um cara superlegal — lembrou Ravi, animado.

— E então deu no pé e se casou com a primeira vadia que apareceu — disse Tara, entre dentes.

— Ele vivia lhe dizendo que você era uma garota legal. Vivia repetindo *para mim* que você era uma garota legal, um saco aquilo! Tive que começar a evitá-lo, quando ele aparecia aqui, nas festas do pessoal do trabalho.

— E então deu no pé e se casou com a primeira vadia que apareceu — repetiu Tara, no mesmo tom.

— Pelo menos, ele vinha às festas do pessoal aqui do trabalho. Ao contrário de outros.

— E então deu no pé e se casou com a primeira vadia que apareceu.

— Você não tinha essa paranoia toda de dieta na época em que estava com Alasdair.

— Tinha sim.

— Não tinha não. Comia fora o tempo todo. Não lembra? Toda segunda-feira de manhã você me torturava, contando em qual restaurante famoso fora almoçar com Alasdair, no domingo.

— Então ele deu no pé e se casou com a primeira vadia que apareceu — insistiu Tara.

Mas se viu lançada, de repente, àquele passado cintilante e dourado. Sua época com Alasdair parecia uma campina verdejante banhada por um sol glorioso, enquanto o lugar onde estava agora parecia envolto por uma nuvem negra. Tudo bem que ele dera no pé e se casara com a primeira vadia que apareceu, mas eles tinham curtido um paraíso, não tinham? Ainda mais comparado ao campo de batalha constante que era morar com Thomas. Alasdair dava tudo o que Tara queria, absolutamente tudo. Isto é, antes de dar no pé e se casar com a primeira vadia que apareceu. Mas isso tudo passara, e o importante era o agora. Um pássaro na mão é muito melhor do que dois que saem voando e se casam com a primeira vadia que aparece. Alasdair se fora há muito tempo, e Thomas estava bem ali, no presente.

— Ravi! — voltou Tara. — Se você estava tentando me ajudar, receio que não tenha conseguido.

— Sou apenas um menino — disse ele, com olhar triste.

— Essa ideia jamais iria dar certo.

— Escute, é óbvio o que você devia fazer — interrompeu uma voz irada.

Tara e Ravi levantaram os olhos, surpresos. Era Vinnie, que se levantara, arregaçara as mangas da camisa amarrotada e começou a andar de um lado para outro.

— Pelo que estou vendo — disse ele, balançando uma caneta sobre a palma da mão, como se estivesse tendo uma torrente de ideias —, a primeira coisa que você precisa fazer é pedir a Thomas que se case com você.

— Não existe mais respeito? Isso aqui era uma conversa particular.

— Existem firmas que pagam 100 libras por hora para obter a minha consultoria — replicou Vinnie. — Você tem sorte de eu não cobrar nada. Agora, onde é mesmo que nós estávamos? Vamos analisar esse projeto como um todo.

Correu até o quadro branco onde fazia as apresentações e começou a rascunhar um diagrama, usando um marcador que guinchava em contato com a superfície lisa.

— Vejam... o ponto de partida é aqui — e indicou um ponto vermelho mais ou menos redondo, a partir do qual desenhou uma seta. — Até o momento em que Thomas rejeitar você, e pode ser que isso não aconteça, não existe problema real. Assim, o primeiro passo é fazer essa proposta de casamento a ele.

— Por quê? Você vai me despedir se eu não fizer isso?

Vinnie pareceu chocado.

— Ora, e por que não? — Tara externou os pensamentos em voz alta. — Meu amigo já ameaçou morrer, se eu não fizer isso. Por que eu deveria ficar surpresa se meu patrão me ameaçasse com o bilhete azul?

— Desculpe... — Vinnie subitamente compreendeu que seu comportamento era inadequado. — Eu me empolguei. Não devia nem ficar ouvindo a conversa dos outros. É que o assunto me pareceu tão interessante... Um desafio... Sabe como é, eu não tenho dormido muito bem. Os dentinhos da minha filha de um ano e dois meses estão nascendo...

— Ele tem razão — resmungou Ravi, depois que Vinnie voltou para a mesa, dando palmadinhas no alto da cabeça. — Detesto reconhecer isso, mas ele está certo. Peça a Thomas que se case com você. Você sabe que isso faz sentido!

— Mas... — Como ela conseguiria expressar em palavras o seu medo terrível de que, se ela começasse a mexer naquilo, todo o seu castelo de cartas poderia se desmanchar?

— Está na hora de voltar ao trabalho — anunciou Ravi, olhando para o relógio. — Tenho que lavar as mãos.

Assim que Ravi saiu da sala, Tara pegou o telefone e teclou um número.

— Alô — disse ela. — Será que você poderia me ajudar? Roubaram minha bolsa, com o cartão de crédito dentro. Gostaria de solicitar o cancelamento e uma segunda via para ele.

CAPÍTULO 48

Em meio ao carrossel de emoções que inundavam a mente de Katherine estava a sensação de que ela não tinha nada a perder. Os terríveis acontecimentos das últimas semanas a haviam deixado desorientada, e as referências fixas do seu mundo tinham ficado há muito para trás.

Liv, Sandro e os O'Grady estavam em estado de revolta contra ela. Tara continuava sem falar com ela. Por sua vez, *ela* continuava sem falar com Tara. De certo modo, já se afastara de Fintan. Não tinha mais ninguém agora. Que mal faria ela se desculpar com Joe Roth? Mesmo que ele a tratasse mal, uma pessoa a mais não faria diferença.

Um estranho estado de precipitação tomou conta dela. Era o espírito aventureiro que ela sempre negara, suprimira e esmagara. Afinal, filho de peixe peixinho é e Katherine estava fadada a se tornar igual à mãe, mais cedo ou mais tarde.

De qualquer modo, pensar nisso não a ajudou a lidar com os nervos, a caminho do trabalho, na sexta-feira. Ela achou que aquilo da véspera fosse preocupação? Não sabia de nada! Com seus sorrisinhos e rápidas trocas de palavras, tudo pelo que passara havia sido apenas um ensaio pouco convincente. Agora não, era pra valer. Balas de verdade na arma. Alguém poderia sair ferido.

Seu medo era tanto que ela se sentiu zonza.

Naquele dia, Joe vestia um terno muito bem-cortado, em um tom escuro de beringela, e uma camisa ofuscante de tão branca. Cintilava de charme.

Apesar de estar uma pilha de nervos, Katherine queria resolver aquilo o mais depressa possível. Esperar era muito pior do que partir para a ação. Assim, a partir do momento em que, finalmente, conseguiu tirar o casaco, tentou ficar a sós com Joe sem que metade da Breen Helmsford ouvisse o que ela tinha a dizer. Entretanto, isso se mostrou impossível. Joe era um homem ocupado e muito popular, que vivia em reuniões, dava e recebia centenas de telefonemas e tinha sempre um monte de gente que passava e dava uma paradinha em sua mesa, só para bater papo. Toda vez que alguém saía de perto dele, Katherine fazia um esforço monumental e obrigava a si mesma a levantar da cadeira. Porém, antes mesmo de esticar as pernas de todo, ou o telefone dele tocava ou alguém novo aparecia; nessa hora, toda a força de seu sorriso cheio de dentes se perdia, e ela era obrigada a se sentar novamente. Passou a manhã sem trabalhar, à beira de um ataque de frustração acompanhado de gritos, com a adrenalina no máximo.

Na hora do almoço, ele saiu para se encontrar com clientes, de modo que Katherine teve de aturar algumas horas de nervos à flor da pele e precisou trabalhar muito para manter a sua decisão. Quando ele voltou do almoço, às três horas, a estonteante rotatividade de pessoas visitando a sua mesa e telefonando começou de novo.

Ela ficou com vontade de chorar. Logo já estava desistindo de fazer o que Fintan queria. Toda a adrenalina que não fora usada estava se virando contra ela, tornando-a desesperançada e deprimida.

Às vinte para as quatro, porém, ao voltar do toalete, ela o viu em pé na salinha envidraçada onde ficava a máquina de encadernar. E ele estava *sozinho*. Agora! Agora! Quase sem conseguir respirar, ela saiu quase correndo pelo corredor, que lhe pareceu tão comprido quanto uma planície africana, torcendo para que ninguém se juntasse a ele. Concentrou-se com vontade na ideia de que ele devia se manter sozinho, até ela chegar lá. Até ali, tudo bem. Ninguém mais ali, exceto ele. Mas... não! Ouviu passos de alguém atrás dela. Uma mulher, pelo som dos sapatos. Correndo pelo corredor, como ela. No exato momento em que Katherine alcançou a porta da salinha, olhou para ver quem chegava. Era a maldita Angie, logo ela, com um calhamaço de papéis nos braços.

Joe olhou para Katherine, sem demonstrar interesse.

— Já acabei! — informou ele, indicando a máquina. — Ela é toda sua.

Nesse exato momento, Katherine percebeu que não trazia nenhum papel nas mãos que justificasse a necessidade de usar a máquina de encadernar, e na mesma hora Joe e Angie perceberam a mesma coisa. O pior é que não havia mais nada que pudesse ser feito na salinha de encadernar, a não ser encadernações.

Os dois olharam para as mãos vazias de Katherine. Seus olhos pareceram se fixar por longo tempo nelas, e Katherine as sentiu aumentar de tamanho, se expandindo e se tornando cada vez maiores, até ficarem do tamanho de bacias.

— Eu esqueci... — disse Katherine, com a voz fraca. — ... Esqueci de trazer meu relatório.

— Claro!... — Angie balançou a cabeça, olhando com grandes suspeitas para Katherine.

— Pode usar a máquina — disse Katherine a Angie, encaminhando-se para a porta.

— Não se preocupe — disse ela, com ênfase —, porque eu vou usar mesmo. Joe, será que você poderia me mostrar como se usa essa máquina?

Ao voltar para a sua mesa, Joe ficou algum tempo sozinho, milagrosamente sem ser interrompido por visitantes ou telefonemas. Mas Katherine não se importou. Para quê?, perguntou a si mesma. Vou me dar esse trabalho todo de tentar juntar coragem para, na hora H, aparecer alguém e eu desperdiçar todo o esforço.

Porém, ao dar mais uma olhada para ele, meio de lado, alguns minutos depois, viu que ele continuava sozinho, olhando atentamente alguns papéis.

Antes de se segurar ela já se levantara e, como se estivesse tendo um pesadelo, caminhou pela sala em sua saia minúscula. De repente, viu-se ao lado da mesa dele. Grasnando e tremendo, abriu a boca e se ouviu dizendo:

— Posso falar com você?

Fazendo um floreio gentil com a mão, Joe indicou uma cadeira. Parecia curioso. Quase desconfiado. Meio confusa, Katherine se sentou, colocou os cotovelos sobre a mesa e percebeu que o momento da verdade chegara. Minha nossa!

— Você deve se lembrar — começou ela, hesitante — que algum tempo atrás eu, ahn...

O rosto dele estava pouco amigável. Não havia sorrisos brancos, nem acenos de cabeça encorajadores, nem olhares calorosos.

Ela resolveu mudar de tática.

— Há algumas semanas — tornou ela — você veio até a minha mesa e eu... ahn... disse algo... algo que pode ter levado você a achar que eu... — e parou de repente. Estava cada vez mais nervosa. — Eu acusei você de assédio sexual — disse, por fim, com coragem.

— Foi menos uma acusação e mais uma insinuação — Joe inclinou a cabeça. — Mas, sim, eu me lembro.

Ele não riu, nem fez piada com aquilo, e ela descobriu que esperava que ele o fizesse. Joe parecia sério e compenetrado, e subitamente ela enxergou tudo pelo ponto de vista dele. Muita gente perdia o emprego por menos.

— Gostaria de me desculpar — disse ela, sentindo-se, pela primeira vez, realmente envergonhada pelo que acontecera. — Sinto muito. Não foi verdade, e eu jamais deveria ter dito aquilo.

Com o rosto impassível, ele disse:

— Desculpas aceitas — e continuou, com os olhos castanhos muito frios. — Eu também lhe devo um pedido de desculpas. Forcei a barra. Deveria ter aceito o não logo da primeira vez.

Aquilo era a última coisa que ela esperava ouvir!

— Não, não! — protestou ela. Ao ver o ponto de interrogação em que se transformou o seu rosto, quase perdeu a coragem e saiu correndo. Sua voz voltou quase como um gemido, e ela se apressou em dizer: — Se o convite para um drinque continua de pé, ficaria feliz em aceitá-lo.

Eu te odeio, Fintan O'Grady, pensou ela, remoendo-se toda.

Joe olhou para ela, avaliando o seu rostinho ruborizado. Ela retribuiu o olhar, tentando descobrir o que se passava por trás daqueles olhos duros, certamente desprezando a sua vulnerabilidade. Ela detestava se sentir à mercê de alguém. Particularmente um homem. Pior ainda, um homem em quem estava interessada.

Por fim, ele falou. Manteve os olhos observadores grudados em seu rosto e disse:

— Vou pensar no assunto.

Ela achou que seria capaz de matar alguém. Concordando com a cabeça, tornou a ficar vermelha, forçou um sorriso e se levantou, com os joelhos tremendo. Andando de forma desajeitada devido à raiva e ao choque, foi tropeçando pelo caminho até a sua mesa.

Precisava sair. Foi caminhando até a Hanover Square e subiu pela Oxford Street, fazendo mímica com os lábios e, eventualmente, repetindo sem parar, com a voz meio pastosa: *Vou pensar no assunto. Vou pensar no assunto.*

Ao sentir que as emoções a atacavam por todos os lados, como um vírus, jurou que Fintan O'Grady ia pagar pelo que fizera.

Voltou ao escritório, pegou o equipamento das aulas de sapateado, que não usava desde que Fintan caíra doente, e foi para a academia. Normalmente, ela jamais usava os aparelhos da academia, mas sentiu uma necessidade imensa de socar o saco de areia até ele arrebentar, visto que não poderia fazer isso com Joe Roth. Aliás, nem com Fintan O'Grady.

O instrutor tentou convencê-la de que ela não estava com os sapatos apropriados para aquilo, mas a sua raiva, de certo modo, foi muito persuasiva. Ao começar, seus braços pareciam uma mancha diante dos olhos, e ela socou o saco de pancadas repetidamente. Com o rosto furioso e muito vermelho, manteve-se diante do saco, com o shortinho vermelho e os leves sapatos de dança, que exibiam um laço no peito do pé. Lançou toda a sua raiva contra Joe, contra Fintan, contra Tara e contra a pessoa que a fizera ser daquele jeito.

Outras pessoas, a maioria homens, chegaram para espiá-la. Uma garota com aparência frágil e tanta força!

— Ela podia lutar boxe na equipe inglesa — comentou, admirado, um dos atletas, todo fortinho e musculoso. Katherine parou por um momento. Normalmente um olhar de nível 3 (pouquíssimos amigos e um tom de antagonismo selvagem) ou nível 4 (insatisfação ainda maior, com antagonismo ainda mais selvagem, muitas vezes lançado com um grunhido de desdém quase inaudível) seria o suficiente. Porém, aquele não era um dia como outro qualquer. Assim, ela lançou ao rapaz um olhar de nível 5 (ameaça petrificante de partir para agressão física) e se permitiu um sorriso de deboche ao vê-lo recuar, chocado. Em seguida, voltou a atacar o saco, golpeando toda a sua vulnerabilidade e a quente sensação de estar exposta. Jogou tudo para fora, na esperança de poder se sentir novamente em seu estado normal.

Subitamente ela parou de boxear, para desapontamento da pequena multidão que se aglomerara em torno. Percebeu o que tinha que fazer. Tinha que sair dali e procurar alguém. Alguém que a fizesse se sentir melhor. Alguém que faria tudo dar certo, novamente. Alguém que sempre fazia com que as coisas funcionassem, de um jeito ou de outro. Tara.

CAPÍTULO 49

Quando Tara abriu a porta, Katherine quase capotou diante do fedor horrível que sentiu, mas não permitiu que nada a desviasse do seu propósito.

— Sinto muito — disse Katherine, depressa, antes que Tara batesse com a porta na sua cara. — Desculpe pela briga. Desculpe pelas coisas terríveis que eu falei para você. Sinto muito, muito mesmo. — Engoliu o bolo que sentiu na garganta, antes de continuar: — Eu lhe comprei essas flores — e empurrou um buquê de flores de supermercado na direção de Tara, torcendo a cara. — Desculpe por elas serem tão vagabundas e estarem tão feias — pediu Katherine, com a voz aguda —, mas é que todas as lojas de flores já estavam fechadas.

— Elas são lindas! — os olhos de Tara se encheram de lágrimas. — Eu sinto muito também, Katherine, pelas coisas que eu lhe disse. Não tinha o direito.

— Você tinha todo o direito — exclamou Katherine.

Levadas por uma torrente de sentimentos, elas se lançaram uma sobre a outra, abraçando-se com força, as duas soluçando.

— Desculpe-me, desculpe-me — pediu Tara.

— Tara, por favor, seja legal comigo! — implorou Katherine, com o rosto colado no pescoço de Tara.

— Claro que serei legal. O que aconteceu?

— Joe Roth foi horrível. Estou me sentindo tão humilhada! Como é que eu vou poder voltar lá para trabalhar?

— Oh, meu Deus, quer dizer que você realmente fez aquilo... Pobre Katherine — Tara apertou-a com mais força e a balançou nos braços, para a frente e para trás, até que Katherine não aguentou mais e perguntou:

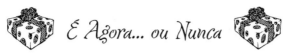

— Tara...? Que fedor medonho é esse?

Tara respirou fundo e seus olhos se fixaram em um ponto distante.

— Entre e eu lhe conto tudo.

Katherine a seguiu, entrando na caverna marrom.

— Fiz uma coisa que não deveria ter feito — admitiu Tara. — É que eu estava desesperada.

— Você não...? — Katherine ficou assustada. — Você não...?

— Eu não o quê?

— Você não assassinou Thomas, não é?

— Ainda não — riu Tara. — Não, não... é o meu velho problema. Vivo à procura de uma solução mágica para a minha imensa circunferência.

— Puxa, eu sinto muito. — Katherine ficou vermelha de vergonha. — Desculpe pelo que eu disse a respeito de você... ahn... não ser magra.

— Mas isso é verdade — admitiu Tara, com ar triste.

Ela ganhara tanto peso nas três semanas em que Fintan estava doente que na sexta-feira de manhã, ao se olhar no espelho, a familiar sensação de pânico tomou conta dela. *Algo* precisava ser feito. Ela vivia se sentindo desconfortável com as roupas, tudo lhe caía mal, era apertado demais, as saias ficavam muito agarradas, os casacos se colavam tanto ao corpo que ela não podia levantar os braços; o cós das roupas dividia sua barriga em duas e a machucava; ela vivia suando. As roupas eram as suas inimigas.

Um monte de gente perde toneladas de peso, dizia a si mesma, como consolo. Veja a Oprah Winfrey. Isso pode ser feito, só que ela precisava de resultados *rápidos*. Depois daquele mico nas mesas de ginástica passiva, ela desistira de soluções milagrosas por algum tempo. Mas medidas desesperadas eram necessárias. De novo.

— Se houvesse alguma coisa do tipo "lipoaspiração de fundo de quintal" eu teria ido lá — admitiu.

Em vez disso, lembrou de uma esteticista perto de casa que colocara um anúncio em um cavalete na calçada, onde estava escrito: "Transpire e se livre de todas aquelas gordurinhas extras com o novo banho de lama." Tara quase chorou de alegria. Ela já ouvira falar de banhos de lama e gostara da ideia. Ficar toda coberta do pescoço até o dedão do pé por uma substância morna, brilhante, que parecia cacau, até se transformar em um chocolate Bounty em forma humana, com toda a gordura saindo pelos poros sem esforço algum, pulando da barcaça de banha que era o seu corpo para o cremoso mar de lama em volta lhe pareceu uma visão do paraíso. Perder peso e se sentir paparicada ao mesmo tempo... havia coisa melhor?

Ligou para o salão assim que chegou ao escritório, e eles lhe garantiram uma diminuição de pelo menos 20 centímetros. Vinte centímetros! Com os olhos brilhando, já calculando perder dez centímetros na barriga e mais cinco em cada coxa, marcou hora para o mesmo dia, na hora do almoço. Se tudo desse certo, poderia voltar lá na segunda-feira, para perder mais 20 centímetros, e novamente no dia seguinte. E continuar indo, até ficar tão magra quanto a sua nova amiga Amy.

— Acabei de lembrar de um antigo provérbio chinês — disse Ravi, assim que ela desligou. — "Sem sofrer, não dá para crescer."

— Cuide da sua vida. Puxa, esse escritório parece um aquário.

— Eu ia perguntar se você estava a fim de lamber a embalagem do meu bombom, mas agora não vou me dar esse trabalho. Já se colocou de joelhos diante de Thomas, pedindo para ele se casar com você?

— Estava com a esperança de que se eu conseguisse melhorar minha silhueta de baleia *ele* poderia me propor casamento — e riu muito, para Ravi não ter chance de considerá-la patética.

Ao meio-dia e meia, Tara foi correndo para o Poppy's, como se tivesse molas nos pés. Lá, encontrou uma magricela de guarda-pó branco que se apresentou como esteticista e informou que seu nome era Adrienne. Usava tanta maquiagem que, se alguém lhe desse um tapa na nuca, era capaz do seu rosto se soltar da cabeça, como se fosse uma máscara de papel machê.

— Em que você trabalha? — perguntou Adrienne, de forma brusca, enquanto encaminhava Tara para uma sala vazia e gelada.

— Sou analista de sistemas — respondeu Tara.

— Sabe... essa aqui não é a minha profissão verdadeira — comentou Adrienne, tremendo de frio e parecendo deslocada. — Na verdade, eu sou atriz. Se houvesse justiça no mundo, e pode acreditar que não existe, eu não estaria aqui, fazendo esse trabalho.

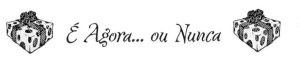

Diante da amargura que sentiu na atendente, o astral de Tara caiu. Despencou ainda mais logo em seguida, quando Adrienne a mandou tirar a roupa e ficar só de calcinha e sutiã. Nossa, que vergonha!

— Isso aqui é como ser revistada pela polícia — comentou Tara, com um risinho fraco e nervoso, tentando distrair a atenção da atendente, para que ela não reparasse na sua imensa barriga tipo "bloft-bloft". Adrienne a ignorou por completo e esticou com força a fita métrica, sem conseguir esconder a indignação. Três anos na Real Academia de Arte Dramática para acabar em uma função como aquela!

Então o momento de tirar as medidas teve início.

— Isso é necessário? — perguntou Tara, nervosa. Que desgraça saber que alguém ia descobrir quais eram as suas medidas verdadeiras.

— Como é que poderemos saber, depois da sessão, quantos centímetros você perdeu? — perguntou Adrienne. Que cliente burra!

— Então está bem, mas não me diga com quantos centímetros eu estou de bunda... nem de estômago — pediu Tara, continuando, depressa: — Nem de coxa! Nem de braço... Nem de...

— Pode deixar que eu não lhe digo nada! — cortou Adrienne, perguntando a si mesma se a fita métrica ia ser comprida o bastante para envolver os quadris de Tara. Qual era o problema com essas mulheres gordas? Tudo de que precisavam era de um pouco de força de vontade. Uma semana de jejum nunca matou ninguém.

Em meio a um silêncio desconfortável, Tara foi medida umas 40 vezes, em lugares diferentes; cada braço foi medido nada menos que quatro vezes. Com crescente preocupação, ela começou a perceber que mesmo que perdesse dois milímetros em cada um dos lugares que estavam sendo medidos, alcançaria com facilidade os 20 centímetros prometidos, mas isso não faria muita diferença na sua silhueta, como um todo. Puxa vida!

Depois que todas as medidas foram devidamente anotadas, e isso levou algum tempo, Adrienne se aproximou de Tara com uma garrafa de plástico, daquelas que gente como Katherine costuma usar para borrifar água nas plantas, e a respingou com água. Tara deu um pulo e gritou. Suas banhas continuaram a balançar por muito tempo depois de ela parar de se mexer.

— Estamos sem água quente — informou Adrienne, fazendo uma cara feia ao ver Tara tremer. *Meu Deus*, pensou ela, com repulsa, *um só cabelinho que fique arrepiado na pele dessa mulher já faz suas banhas balançarem mais que a cabeça de Stevie Wonder!* — Agora, vamos à lama! — anunciou.

Nas fantasias que alimentara a respeito de banhos de lama, Tara achava que ficaria com o corpo imerso em um creme brilhante e oleoso, e deixada ali para chafurdar por algum tempo, como um hipopótamo feliz. Em vez disso estava ali, em pé, tremendo toda, enquanto Adrienne se aproximava dela com uma tigela de boca larga e uma colher de pau.

— Vai confeitar algum bolo? — brincou Tara.

Adrienne lançou-lhe um olhar de pena e desdém, e pegou um pouco da pasta morna e fedorenta no fundo da tigela, passando-a na coxa de Tara, usando a colher de pau para alisar a gosma. Emplastrando a esmo, passando um pouco da meleca marrom e fedorenta aqui, mais um pouco ali, até esvaziar a tigela por completo.

Tara olhou para si mesma e viu seu corpo de pele muito branca cheio de listras marrons. Estou parecendo uma daquelas malucas que se cobrem de cocô, pensou.

— Agora, vamos cobri-la com um isolante térmico — disse Adrienne.

— Mas eu ainda não estou completamente coberta de lama — grunhiu Tara.

— A lama não precisa cobrir tudo.

O "isolante térmico" eram apenas seis bandagens velhas de cor salmão, do tipo que a mãe de Tara usava para praticar enfermagem, no tempo em que era voluntária da Ordem de Malta. As bandagens lhe envolveram a barriga, as coxas e os braços, e cada uma delas foi presa por um imenso alfinete de fralda. Tara tentou não pensar no quanto devia estar ridícula.

— Agora — declarou Adrienne — você vai vestir um traje especial de borracha, que vai aquecer a lama e forçar a saída das toxinas.

O coração de Tara deu um pulinho de alegria, porque aquilo lhe pareceu científico e viável. Muito mais do que o spray de molhar plantas e as bandagens da Ordem de Malta. Porém, para sua grande decepção, o traje especial de borracha não era traje especial, muito menos de borracha. Tratava-se apenas de uma capa de plástico vagabunda que mais parecia um poncho, como o que as adolescentes usam para roubar pequenos objetos em lojas de departamentos. Sentiu vontade de chorar.

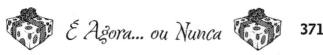

De acordo com Adrienne, o processo de dissolver a banha levava mais ou menos uma hora. A atendente saiu, deixando Tara deitada na mesa, na salinha vazia, ouvindo, através das paredes divisórias que mais pareciam feitas de papelão, o som ritmado de algo que se rasgava; alguém na sala ao lado estava sendo depilado com cera. Não havia nem mesmo uma revista para distraí-la da humilhação. Em determinado momento, deu uma cochilada, mas acordou logo em seguida com o fedor que saía do seu corpo e empesteava tudo.

As coisas ficaram ainda piores. Depois de algum tempo, as bandagens esfriaram e ela sentiu algo gelado e úmido por baixo do plástico. A horrível sensação que sentiu, devido à calcinha ensopada e pegajosa, a fez lembrar uma ocasião na escola, quando, aos quatro anos de idade, ela molhara a calcinha e a meia-calça de lã, mas continuou como se nada tivesse acontecido.

Depois de uma hora, Adrienne voltou, tirou a capa de plástico, soltou as bandagens e mediu Tara novamente, dessa vez apertando a fita métrica como se fosse um torniquete.

— Agora sim! — ficava dizendo, enquanto media, apertando os braços e as pernas de Tara com a fita, usando tanta força que impedia o sangue de circular. — Muito menor! — Depois de somar tudo, anunciou: — Você perdeu 28 centímetros.

— Sei!... — resmungou Tara. Ela podia ser gorda, mas não era idiota. — Onde ficam os chuveiros?

— Não temos chuveiros — avisou Adrienne, falando depressa.

— Mas eu estou imunda! — A gosma secara e endurecera na pele, e já estava começando a rachar e descascar a cada movimento.

— Ahn... é que a lama ainda vai continuar a desintoxicar você por mais 24 horas — insistiu Adrienne.

Ah, é?, foi a expressão de Tara. *Será que isso não tem nada a ver com vocês estarem sem água quente?*

Depois de pagar 40 libras pela experiência, Tara queria aproveitar todos os benefícios que conseguisse. Assim, a lama ficou e ela se vestiu. Naturalmente caprichou na gorjeta, pois se sentia um ser inferior, por ser tão mais gorda que Adrienne. Então saiu, com o moral e as esperanças abaixo de zero.

Assim que voltou ao trabalho, as pessoas começaram a colocar os narizes para cima, alarmadas.

— Que fedor nojento é esse? — quis saber Ravi.

Tara permaneceu sentadinha à sua mesa, tentando ficar parada, pois espalhava lama seca a cada movimento que fazia.

— Alguém deve ter pisado em bosta de cachorro — anunciou Vinnie. — Todo mundo verificando os sapatos! — comandou.

Houve um movimento generalizado de pessoas se levantando dos lugares para examinar as solas dos sapatos.

— Você também, Tara! — exigiu Ravi, franzindo o cenho.

Bem devagar... lentamente, Tara levantou um pé, mas não foi cautelosa nem lenta o bastante, porque uma nuvem de poeira se elevou em torno dela, ocultando-a aos olhos de todos.

— O que aconteceu? — quis saber Ravi. — Você acaba de ser *exumada*? — Foi chegando e se colocou ao lado dela. — Eeee-ca! — declarou, em tom dramático, apertando o nariz com a ponta dos dedos. — Pode parar de procurar a merda nos sapatos, galera! — anunciou ele. — Esse fedor é da lipoaspiração de Tara.

— Não foi lipoaspiração! — Tara se ajeitou na cadeira, defendendo-se com determinação, o que fez com que mais meleca seca se esfarelasse em volta. — Foi só um banho de lama. Faz bem para a pele!

Quem dera que ninguém soubesse as coisas desesperadas que ela fazia para perder peso...!

Ravi começou a afastar a sua mesa, com gestos teatrais.

— Sou obrigado a fazer isso. Não consigo me concentrar com essa fedentina — reclamou ele.

Afinal, por aclamação popular, Tara saiu do trabalho mais cedo, deixando uma trilha de sujeira marrom atrás de si, como se estivesse apodrecendo pelo caminho.

— Não volte até tomar um bom banho e se esfregar com caco de telha! — ordenou Vinnie, com ar cansado. Como se não bastasse ter aquelas quatro crianças em casa...

Tara foi para casa. Poderia ter ido até o apartamento de Katherine, a fim de pegar os O'Grady e levá-los para o hospital, mas estava muito deprimida, sem falar no fedor. Sozinha e arrasada, ficou sentada no soturno apartamento de Thomas, tentando ler *Você Pode Curar sua Vida*, de Louise L. Hay, um dos muitos livros de cura alternatina que comprara. Mas não conseguia se concentrar na leitura. Em vez de visualizar as células cancerosas de Fintan sumindo, sumindo, até desaparecerem de todo, ela se visualizou abandonando Thomas. Pensamentos demais haviam sido plantados em sua mente, e por muitas pessoas diferentes para que ela continuasse com a cabeça enterrada na areia.

Ela amava Fintan. Amava de verdade. Agora ele estava muito doente, possivelmente morrendo, e queria que ela deixasse Thomas.

Com relutância, Tara admitiu que dava para ver como o seu relacionamento parecia a Fintan. Comparada à época que passara com Alasdair, sua relação com Thomas talvez fosse um pouco mais complicada. *Pelo menos para alguém de fora.*

Olhou em volta da sala, imaginando-se embalando seus quadros, seus livros e seus quatro CDs, para depois fechar a porta da frente atrás de si pela última vez e enfrentar sozinha o mundo grande e mau. Isso a fez apertar os olhos com força, e o medo aflorou novamente. De jeito nenhum ela conseguiria fazer aquilo. Tentando se apegar a qualquer fiapo de esperança, lembrou que talvez Thomas se casasse com ela. Tudo o que precisava fazer era pedir. Só que ainda era cedo...

Pensou em Katherine. Sentia falta dela e, por alguma razão, a raiva que sentira desaparecera. Então a campainha tocou e, como se os seus pensamentos se materializassem, ali estava Katherine, com uma braçada de flores nos braços e parecendo atormentada, de um modo como há muito tempo Tara não via.

CAPÍTULO 50

No sábado de manhã, Tara e Sandro levaram Fintan para casa. Ele passara quase três semanas no hospital.

Estava com uma aparência péssima. E tão fraco que teve que se apoiar em um enfermeiro e em Sandro para conseguir chegar ao local onde o carro estava. Para falar a verdade, com um metro e sessenta e cinco de altura, Sandro era mais um estorvo do que uma ajuda, mas insistiu em servir de apoio, e as emoções estavam muito agitadas para alguém recusar aquele tipo de oferecimento.

Ver Fintan ali fora, no mundo exterior, deixou Tara abalada. Ela percebeu que dava para aguentar alguém com cara de quem está morrendo em cima de uma cama de hospital: o paciente parece pertencer àquele lugar. Estar ali fora, onde as pessoas são, em sua maioria, saudáveis, eram outros quinhentos...

Porém, Tara reparou em uma coisa boa. Fintan estava usando o casaco de pele verde-pistache que pegara "emprestado" do mostruário em seu trabalho.

— Acho que agora esse casaco não vai mais voltar ao lugar de origem — piscou Tara.

— É a minha indenização trabalhista — disse ele, com ar sombrio.

Tara e Sandro trocaram um olhar do tipo "Caramba!".

Ao chegar ao apartamento vazio em Notting Hill descobriram que, enquanto estavam fora, JaneAnn arrumara e limpara tudo para a volta de Fintan. O chá da tarde poderia ser tomado sobre o piso emborrachado da cozinha. JaneAnn quase gastara os tapetes estilosos da Purves & Purves de tanto passar o aspirador neles, e quase arrancou o poliuretano que dava brilho ao piso de concreto do apê. Os espelhos com moldura de alabastro tinham sorte de não terem rachado sob o seu esfregar enérgico.

Um cartaz imenso, cor-de-rosa, com as palavras "Seja bem-vindo" estava preso no umbral que levava à sala de estar, com sua porta em aço escovado. Balões e fitas estavam grudados com fita adesiva sobre as pinturas originais, as lâmpadas japonesas e o gaveteiro estreito em estilo industrial. Cartões desejando melhoras mantinham-se em pé, enfileirados sobre as exclusivas prateleiras de Philippe Starck. Havia flores recém-colhidas em todos os cômodos.

Deslumbrado, Fintan se sentou no sofá em couro cor de canela, fabricado e importado diretamente de Nova York, enquanto Sandro andava de um lado para outro como uma velha, ajeitando as flores, afofando as almofadas de couro e alisando a mesinha de centro em fórmica, estilo anos 70. Aproximou-se com um cobertor de tartã e tentou prendê-lo em volta dos joelhos de Fintan.

— Comprei isto especialmente para a sua volta. Sua mãe me disse que cobertores e mantas em tartã são bons para pessoas doentes.

— Ei, tira isso daí! — de forma petulante, Fintan arrancou a manta e a atirou longe.

— Mas JaneAnn me disse que você ia gostar disso.

— Tenho 32 anos, e não 82! Aliás, jamais vou chegar lá — acrescentou, com um tom amargo na voz.

— Ahn... acho melhor ir lá dentro para ouvir os recados da secretária — e Sandro saiu da sala.

— Não é o máximo estar de volta em casa? — perguntou Tara, meio nervosa.

— O máximo? Que droga de diferença vai fazer? E será que podemos dispensar essas flores todas? Isso aqui está parecendo um quarto de hospital!

— Ahn... Katherine me trouxe uma boa notícia. — Cabia a Katherine contar a Fintan a respeito de Joe Roth e das desculpas que ela pedira a ele, mas Tara estava louca para aliviar um pouco a atmosfera pesada e foi em frente: — Ontem ela se desculpou com o tal cara do trabalho, Joe Roth!

Fintan embicou os lábios, com cara de poucos amigos.

Sandro voltou com uma lista, todo orgulhoso.

— Você recebeu ligações de Ethan, Frederick, Claude, Didier, Neville, Julia e Stephanie. Todos querem vir aqui para vê-lo, mas eu disse que não, que eles vão ter que esperar. Avisei que você vai decidir quando está pronto para receber visitas.

— Nenhum telefonema de Carmella Garcia me oferecendo o emprego de volta?

Sandro pareceu ter sido golpeado.

— Esse é o único telefonema que me interessava. Sabe o que eu quero, mesmo?

— Não, o quê? — perguntou Sandro, já em posição de largada.

— Quero beber até cair!

— Você não pode fazer isso! — exclamou Tara, embasbacada. — Você está doente. Precisa melhorar primeiro.

— Eu não vou melhorar.

— É claro que vai. Você precisa pensar de forma positiva — insistiu Tara. Essa era a mensagem que as enfermeiras tentavam imprimir na mente das pessoas. Quem assumia uma atitude positiva tinha uma chance muito melhor de recuperação.

— Pensar de forma positiva? — ladrou Fintan, com um riso sarcástico. — Não tenho energia para isso.

— Trouxe coisas para você comer — animou-o Sandro. — Tudo o que você gosta. Morangos, empadão de carne de porco, queijinhos, sucrilhos, caramelos...

— Não quero nada.

— Mas, *bambino*, você precisa comer.

— Não quero *nada* — rugiu Fintan, de repente. — Eu vivo dizendo para você que tudo está com um gosto horrível. Além do mais, você sabe que eu não posso comer coisas com conservantes, corantes, nada que seja industrializado!

Soltando um soluço histérico, Sandro correu para a cozinha. Dividida, Tara foi atrás dele e o encontrou com o corpo largado sobre o balcão em pedra vulcânica vinda da Islândia, debulhando-se em lágrimas, ao lado de uma espremedora de frutas Alessi verde-clara, ainda não estreada.

— Tudo o que eu faço está errado!

— Ele não está bem. Não consegue evitar. Se você não tivesse feito nada, isso iria irritá-lo do mesmo jeito.

— Ele se transformou em uma pessoa diferente, sempre zangado e rabugento. Não é o meu Fintan.

— É muito difícil para ele — consolou Tara.

— Mas é difícil para mim também.

— Venha comigo. — Tara o levou para a sala da frente, onde todos permaneceram sentados, compartilhando um silêncio desconfortável, enquanto esperavam Katherine voltar das compras, com JaneAnn e Timothy.

— Vou tomar uma ducha. Não faço isso há semanas — anunciou Fintan.

— Mas você mal se aguenta em pé.

— Eu consigo — afirmou ele, lançando-lhes um olhar duro.

Sandro e Tara ficaram sentados na sala, com o estômago agitado, tentando entender como a alegria de Fintan ter voltado para casa conseguira escapar tão depressa.

Subitamente, ouviram um grito estranho, muito agudo, vindo do banheiro. Olharam um para o outro, ligeiramente confusos por um décimo de segundo, e então voaram para a porta.

Fintan estava do lado de fora do boxe, encolhido sobre os ladrilhos, com água pingando do seu corpo nu e esquelético, parecendo um prisioneiro de campo de concentração nazista. Gaguejava de forma desconexa, com o rosto rígido de repulsa.

Algo estava diferente nele, notou Tara. Aquela pessoa encolhida no chão não parecia Fintan.

De repente ela percebeu o que era.

Ele estava careca.

Havia tufos de cabelo caídos em seu ombro e peito. Na cabeça, não havia quase nada.

Eles olharam na direção do lugar para onde Fintan estava apontando. O piso do boxe. Acompanhando com os olhos três filetes espumosos de gel para banho que seguiam em direção ao centro, viram que o ralo parecia entupido.

Estava cheio de cabelos.

Muitos cabelos. Pretos, pesados e brilhantes. Iridescentes devido ao efeito do xampu que Fintan não tivera chance de enxaguar, antes que eles se soltassem da cabeça.

— Meu cabelo! — foi tudo o que conseguiu dizer.

Tara ficou com vontade de chorar.

— Seu cabelo — confirmou ela.

— Fiquei careca!

— Eles vão voltar a crescer, quando você melhorar — a voz de Sandro estava trêmula de choque.

— Eles avisaram que era possível que isso acontecesse, não foi? – perguntou Tara, com jeitinho.

— Avisaram, mas eu não pensei que fosse acontecer comigo... Isto é, não achei que seria desse jeito... *Todo* o meu cabelo! — balbuciou ele. — Olhem só para isso! Parece um filme de terror.

— Venha, vamos sair daí. — Sandro pegou uma toalha grande e felpuda e começou a enxugar Fintan, com todo o cuidado, como uma mãe cuidando de um filho. Secou suas mãos, seus braços, embaixo dos braços e o peito.

— Levante o pé. — Sandro agachou-se no chão e começou a secar entre os dedos dos pés de Fintan, enquanto este tentava manter o equilíbrio, apoiando-se na parede. — Agora levante o outro pé.

Com o coração despedaçado, Tara recolheu os cabelos molhados do ralo, colocando-os entre as mãos. Aquilo fora o pior até agora, realmente o pior.

Fintan enrolou a toalha sobre a cabeça, como se fosse um turbante, foi para o quarto, atirou-se na cama e começou a chorar. Por meia hora ele chorou desesperado, parecendo um bebê, enquanto Tara e Sandro permaneceram ao lado dele, sentindo-se implodir de impotência e dor.

— Estou pavoroso! — chorava Fintan, soluçando entre as sílabas. — Pa-vo-ro-so!

— Não está não. Não está não.

— Estou sim, estou... — Uma nova onda de pesar o inundou. — Estou pa-vo-ro-so. Pa-vo-ro-so!

— Os cabelos vão voltar a nascer, assim que você melhorar.

— Eu jamais vou melhorar.

Depois de algum tempo, ele se levantou e foi até o espelho. Lenta e dolorosamente, foi tirando a toalha e se forçou a encarar sua nova aparência, começando a análise pelo perfil.

— Minha nossa! — ele franziu a testa ao chegar finalmente a se ver de frente. — Isso vai me tirar noites de sono. — Passou a mão sobre a sua cabeça lisa com um sentimento de amargor e irremediável lástima. — Minha gloriosa coroa de cabelos. Tudo se foi... tudo

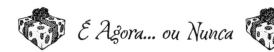

desapareceu. Sem os cabelos eu fiquei tão medonho quanto um vira-lata pelado.

— Não ficou não. Não ficou não!

— Meu Deus! — Fintan reparou em algo, e então enterrou o rosto nas mãos. — Uma das minhas orelhas é mais comprida do que a outra.

— Não é não.

— É sim, deem só uma olhada.

Era.

— Nunca imaginei que a minha cabeça fosse tão cheia de calombos. Meu Deus, que pavor! E olhe que isso é apenas o início, sabia? — e olhou para Tara. — Minhas pestanas vão cair em seguida. Depois as sobrancelhas. E depois "você sabe onde".

— Você pode usar uma peruca — disse Tara, sentindo-se horrível. — Talvez não para "você sabe onde", mas para a cabeça, sim. — Ela se forçou a parecer alegre: — Ei, você é gay! Não me diga que já não há várias perucas em algum lugar por aqui!

— Bem... para falar a verdade — recuperou-se ele —, agora que você mencionou, eu tenho uma em estilo Pamela Anderson.

— Talvez não tenha sido uma boa ideia você tomar banho — lamentou Sandro. — Talvez você conseguisse manter os cabelos.

— Eles já estavam presos por uma raiz muito fraca, literalmente por um triz — admitiu Fintan. — Embora parecesse que eu tinha cabelos, eles já tinham ido embora. Era só uma questão de tempo, até cair tudo. Eu só não queria ter que enfrentar esse momento.

Puxa, pensou Tara, do que é que essa situação a fazia lembrar?...

Nesse ínterim, Katherine estava passando por um sufoco. O consenso era de que não seria muito bom sobrecarregar Fintan de emoções no momento em que ele voltasse para casa, e ela fora eleita para manter JaneAnn e Timothy fora do caminho, por algum tempo. Milo adoraria ter ajudado, mas infelizmente ele estava ocupado.

Literalmente.

Liv era terrível.

Como JaneAnn e Timothy estavam voltando para casa no dia seguinte e planejavam levar presentes para Ambrose e Jerome, além de todos os vizinhos que haviam ajudado a cuidar da fazenda enquanto estavam fora, Katherine os levou para fazer compras. Decidiu ir à Harrods, porque era ali que os turistas geralmente gostavam de ir, mas foi um erro.

JaneAnn reclamou o tempo todo de o quanto as coisas eram caras e o quanto era imoral cobrar preços absurdos como aqueles; Katherine, por sua vez, não estava em condições de melhorar o humor da velha senhora, pois sua cabeça estava cheia também, diante do problemão que seria ir trabalhar na segunda-feira e dar de cara com Joe Roth. Nossa, que vergonha! Enquanto JaneAnn perguntava em voz alta como é que eles podiam cobrar 25 libras por uma faca de pão quando ela sabia muito bem que dava para se conseguir uma no armazém do Tully, na rua principal de Knockavoy, por apenas quatro libras e cinquenta, Katherine enfrentava o pesadelo de imaginar o que aconteceria se, depois de Joe ter "pensado no assunto", decidisse que *não queria* tomar um drinque com ela.

De repente, tornou a prestar atenção ao que JaneAnn dizia, ao ouvi-la comentar:

— E se a faca perder o corte, Curly Tully ainda se oferece para amolá-la novamente, sem custo adicional. Aposto que eles não fazem isso aqui, Katherine. Acho que vou ter uma conversinha com aquela moça — e apontou para a jovem que trabalhava no caixa. — Talvez ela possa dar essa ideia para o pai dela.

— Não, não faça isso! — pediu Katherine, com ar cansado. — Ela apenas trabalha aqui. Não creio que faça parte da família Harrods.

Timothy estava a fim de comprar um presente para sua esposa, Esther.

— Mantenha JaneAnn distraída — cochichou para Katherine — e me diga onde fica a seção de lingerie.

Quinze minutos depois Timothy voltou, tentando esconder um pacote de roupa de baixo vermelha e preta que Esther usaria apenas uma vez, para agradá-lo, e depois fingiria que tinha desaparecido.

Ao sair da Harrods, JaneAnn foi a um quiosque na calçada e comprou duas camisetas que diziam "Minha mãe esteve em Londres e tudo o que me trouxe foi esta camiseta"; depois pegou mais três que diziam "Minha sogra esteve em Londres e tudo o que me trouxe foi esta camiseta", e resolveu levar mais sete que diziam "Minha vizinha esteve em Londres e tudo o que me trouxe foi esta camiseta". Em seguida, começou a pechinchar com o vendedor, e chorou miséria até ele baixar o preço de sete libras e meia por camiseta para 60 libras pelas 12. Deixando o pobre homem aturdido, sem saber ao certo se levara prejuízo, entraram todos em um táxi e seguiram para o apartamento de Sandro e Fintan.

Foram recebidos por uma estranha criatura que exibia o rosto de Fintan, mas tinha cabelos louros que iam até a cintura.

No domingo à tarde foram todos, em bando, até o aeroporto de Heathrow, para colocar JaneAnn e Timothy no avião para casa. JaneAnn só concordara em deixar Fintan em Londres por causa dos cuidados médicos de alta qualidade que ele estava recebendo.

Houve uma época em que ela costumava fazer pouco dos medicamentos, e confiava unicamente no poder da oração para curar, especialmente quando era o parente de alguém de fora que estava doente. Inúmeras vezes passou pela rua principal de Knockavoy falando para quem quisesse ouvir, com ar devoto:

— Os médicos só podem curar até certo ponto. O que tem o verdadeiro poder de cura é a oração. O poder da oração opera milagres!

Agora, porém, estava dividida, e gostaria de se garantir pelos dois lados. Queria conversar com Sandro sobre a possibilidade de levar Fintan a Lourdes (ou a Knock, se o dinheiro não desse para ir até a França)*, mas também queria que Fintan tomasse os melhores medicamentos que conseguisse. JaneAnn agradeceu efusivamente a Katherine por ela ter recebido a família em sua casa.

— Tenho um presentinho para você — discretamente, entregou-lhe um pacote pequeno, mas pesado. — É uma imagem do Menino Jesus de Praga. Não se preocupe se a cabeça cair... significa boa sorte. — Colou o rosto no de Katherine, pedindo: — Você vai cuidar de Fintan, não vai? Vai me telefonar sempre, dando notícias, não vai? E queremos ver todos vocês no Natal. — Abraçando Katherine

* Knock é uma cidade irlandesa onde ocorreram aparições de Nossa Senhora, em 1879. (N.T.)

ainda com mais força, falou em seu ouvido: — E você vai fazer o possível para sair com o rapaz do seu trabalho, não vai? — incentivou ela. — É o amor que move o mundo, sabia? Veja como Milo e Liv estão felizes!

— Vou fazer o possível — murmurou Katherine.

JaneAnn foi em seguida falar com Tara, fazendo-a prometer que iria cuidar tão bem de Fintan como dela mesma.

— Diga ao seu namorado que ficamos com pena de não o termos conhecido.

Uma raiva súbita e forte atingiu Tara. Ela estava morrendo de vergonha pela falta de educação de Thomas.

— Ele anda muito ocupado, a senhora entende... — desculpou-se.

— Claro que entendo, ainda mais ele sendo um professor. É um trabalho com muitas responsabilidades. Quem sabe ele pode vir nos visitar no Natal com você? A não ser... — acrescentou, como quem não quer nada — que você faça aquilo que Fintan lhe pediu. Nesse caso, acho que não vamos chegar a conhecê-lo.

Tara mexeu o corpo, meio sem graça. Sabia que JaneAnn não iria conhecer Thomas, nem de um jeito nem de outro.

CAPÍTULO 51

Katherine foi se arrastando para o trabalho na segunda-feira, nervosa, agitada e preparada para passar vergonha. Com que cara ia olhar para Joe Roth? Pior ainda... e se ele ignorasse a sua insolente indireta? Ela ia morrer!

Na verdade, chegou a pensar em nem ir ao trabalho. Ter que decidir entre aplicar uma tonelada de maquiagem, usar algo leve, exibindo uma máscara de indiferença, ou não usar maquiagem alguma, na esperança de que seu rosto pálido se tornasse invisível tinha sido demais para ela. Tentou ver as coisas pelo lado positivo. Depois de voltar do aeroporto, teve um reencontro emocionado com seu controle remoto. E Fintan saíra do hospital. Essa era uma boa notícia, não era? Mesmo que tivesse se mostrado amargo e mal-humorado quando ela lhe contou a triste história de seu mortificante pedido de desculpas para Joe Roth, Fintan mal resmungara uma resposta.

Apesar de sua intenção de não olhar diretamente para Joe, no momento em que tirou o casaco efetuou um rápido contato olho no olho com ele. Quase deslocou uma vértebra do pescoço devido à velocidade com que abaixou a cabeça. Não pôde deixar de reparar que ele estava sorrindo para ela. *Sorrindo para você?*, perguntou sua paranoia... Ou *rindo de você?*

Ela rezara durante todo o fim de semana, e continuava rezando naquela hora, para que ele apagasse toda aquela humilhação com um golpe só, convidando-a para sair. Estava louca para que ele viesse andando na direção dela com seu jeito descontraído e charmoso, se sentasse na pontinha da mesa, como antes, e dissesse, com uma ênfase que somente eles dois poderiam entender:

— A respeito daquele projeto que você mencionou na sexta-feira... que tal discutirmos o assunto durante o almoço?

Mas ele não fez isso. Permaneceu com ar resoluto em sua mesa e, à medida que a manhã ia passando, ela viu que suas esperanças minguavam, e passou a esperar menos. Não precisava ser almoço. Podia ser apenas um drinque. Depois, decidiu que não precisava nem ser um drinque. Só uma caminhada, sem bebidas de nenhum tipo, já servia. E ele nem precisava convidá-la pessoalmente. Uma ligação para o ramal dela seria aceitável. Ou um e-mail. Ou um memorando interno. Quando deu uma da tarde, ela ficaria feliz com qualquer coisa. Um aviãozinho de papel trazendo o bilhete "Está a fim de uma transa?" serviria muito bem.

Mas nada aconteceu. E ele continuou sem se aproximar dela durante toda a tarde, enquanto ela arrumava mil maneiras de justificar isso. Talvez ele estivesse saindo com Angie, embora ela já tivesse praticamente descartado essa hipótese, pois, se esse fosse o caso, por que razão Joe não teria respondido "Já tenho namorada", em vez de "Vou pensar no assunto"? No entanto, se Angie não era o obstáculo, isso significava que ele simplesmente não queria Katherine, o que seria ainda pior de encarar. Assim, rapidamente, ela voltou a se perguntar se o motivo não seria Angie. Mas então, por que Joe não disse "Já tenho namorada"? E essas dúvidas giravam em sua cabeça sem parar, como um hamster correndo em sua rodinha, até que chegou a hora de ir embora para casa. Tentando transmitir a mensagem *Tenho vida própria, sempre tive*, ela se levantou e foi para a casa de Fintan.

Na terça-feira, ela se levantou da cama e fez tudo exatamente igual à véspera, com a diferença que Tara telefonava de hora em hora para monitorar o progresso inexistente.

— Ele está sendo grosso com você? — perguntou ela.

— Não. Parece bem amigável sempre que meu olhar cruza com o dele, o que não ocorre com frequência — admitiu Katherine — porque estou com os olhos grudados no chão.

— Ainda bem que ele está se mostrando amigável — consolou Tara.

— Não é amizade o que eu quero dele. Já tenho amigos em quantidade suficiente!

Na quarta-feira, Katherine finalmente admitiu que aquilo simplesmente não ia acontecer. Ela já dera a Joe tempo suficiente; aliás, chegara a prorrogar esse tempo ao máximo. A última esperança evaporara. Ele a rejeitara, agora era oficial! Ele pensara a respeito e descobrira que não estava interessado. Katherine ficou esperando pela fossa. Desapontamentos com homens geralmente a faziam se sentir a um passo da morte. Tiravam um pouco da sua alegria de viver. Estranhamente, porém, a sensação de entrar na fossa não pintou. Por que será?, perguntou a si mesma. Será que era porque estava com outras coisas na cabeça, principalmente Fintan? Mas a sua preocupação com Fintan não a impedira de ficar com a calcinha pegando fogo por causa de Joe Roth, há algumas semanas.

Qualquer que fosse o motivo, ela mantinha a estranha crença de que a vida ia continuar, e ela iria sobreviver. Sentindo uma estranha esperança, soube que tinha algum tipo de futuro. Joe Roth não a queria, mas enquanto estivesse viva, tudo podia acontecer.

Naquela noite, Katherine foi à aula de sapateado pela primeira vez em seis semanas, e depois foi ao barzinho All Bar One com Tara, Liv e Milo. Sandro pedira para ficar uma noite sozinho com Fintan.

Ao chegar lá e se sentar em volta da mesa com os amigos, Katherine se sentiu surpresa com a sensação de bem-estar que a inundou. Estava empolgada por ter saído, e muito a fim de se divertir. Não apenas a ansiedade a respeito de Joe Roth desaparecera como também a preocupação com Fintan, que ela andara arrastando durante a semana toda, como um saco de pedras.

Milo estava completamente diferente do caipirão que aterrissara em Londres menos de um mês antes. Seu cabelo recebera um corte decente e já não parecia ter sido cortado com um serrote, e ele vestia uma roupa nova, bonita, bem na moda, e por trás da qual dava para sentir a mãozinha de Liv. Estava incrivelmente bonito, com seu corpo de atleta, cabelos pretos e olhos quase em um tom de azul-marinho.

— Olhe só para isso! — riu ele, apontando para o par de sapatos peculiares e assimétricos que usava. — Não são a coisa mais estranha que vocês já viram? Compramos em uma loja maluca chamada Red Head, ou algo assim — e olhou para Liv, pedindo ajuda.

— Red or Dead* — murmurou ela. Era uma sensação diferente, passar a ser a pessoa que corrigia, em vez de ser a que era corrigida. Liv estava *adorando*.

---

* Grife londrina que vem influenciando a moda em Londres e no resto do mundo com suas roupas e sapatos funcionais de design sempre marcante. (N.T.)

Milo e Liv ainda estavam nos primeiros estágios da paixão egoísta e antissocial. Assim, apesar dos esforços pouco entusiásticos para conversar com Tara e Katherine, eles passavam a maior parte do tempo de risinhos e cochichinhos um com o outro, tocando-se com as pontas dos dedos e trocando beijinhos. Milo sussurrou algo no ouvido de Liv e ela, baixando os olhos, deu um sorriso largo e cutucou Milo, acertando-o nas costelas vestidas com um agasalho da Diesel, enquanto murmurava, com relutância fingida:

— Pare com isso!

Milo sussurrou mais alguma coisa. Obviamente foi algo bem mais sugestivo, porque o sorriso de Liv ampliou-se ainda mais e novamente ela murmurou, com uma risadinha e uma nova cotovelada:

— Quer paa-raar?...

Milo colou a boca no ouvido de Liv mais uma vez, e ela reagiu dando um aperto forte no joelho dele, que vestia um jeans Carhartt. Tara e Katherine trocaram olhares impassíveis, meio de lado.

— Pelo amor de Deus — reclamou Tara.

— O que vai querer beber? — perguntou Katherine a Milo. Ele a ignorou e continuou cochichando entre os cabelos de Liv.

— O que vai querer beber? — ela tornou a perguntar, mais alto.

Depois da quarta tentativa, Milo lançou-lhe um olhar confuso e perguntou:

— Ahn... humm... desculpe, você falou alguma coisa?

— Parece que a gente vai ter que distrair uma à outra a noite toda — disse Tara para Katherine.

Depois que alguns cálices de vinho foram servidos, Tara começou o interrogatório:

— Você ficou muito arrasada por causa de Joe?

— Não... não estou tão mal assim — respondeu Katherine.

— Mas você também não me contaria, se estivesse — afirmou Tara, pesarosa. — Você nunca conta...

— Não, eu estou bem, honestamente... — Katherine estava sendo sincera. — Não estou mal mesmo, não. Magoa saber que ele não me quis, mas eu fiz uma coisa boa. Fui corajosa e me arrisquei.

— Você só está falando isso para eu largar Thomas — Tara deu uma tragada tão forte no cigarro que parecia estar sugando veneno de uma picada de cobra. — Isso foi um caso descarado de puxasaquismo. Fazer o que Fintan queria só para me colocar como a cagona da história.

— Não, nada disso! — Katherine balançou a mão. — Segure sua onda que eu tento explicar tudo. Lembra daquela vez em que tentamos imaginar que íamos ter apenas seis meses de vida? — Ao ouvir isso, Tara demonstrou estranheza.

— Dissemos que a vida é para ser vivida — continuou Katherine, lembrando a conversa. — Que nós só tínhamos uma bala para gastar. Lembra?

— Sei... a vida não tem ensaio geral... logo estaremos mortos... Só se vive uma vez... — o sarcasmo de Tara era quase palpável.

— Exato! É isso que...

— Ei! — interrompeu Tara, demonstrando ansiedade. — Você não percebeu o meu tom de ironia?

— Ah, você estava sendo sarcástica? Pois você é quem sabe. De qualquer modo, eu me sinto viva, e estou muito contente por isso — disse Katherine, simplesmente.

— Mas você é sempre tão pessimista — argumentou Tara, desarmada. — ... E um cara lindo acabou de dispensar você. Qualquer mulher normal estaria com vontade de morrer.

— Nunca se sabe. — Katherine lançou-lhe um olhar travesso. — Pode ser que eu encontre outro homem.

— Mas... — Tara estava confusa. Katherine jamais falara coisas desse tipo.

— Como aquele ali — Katherine cutucou Tara e dirigiu a sua atenção para um sujeito louro boa-pinta, que estava encostado no bar.

Quando Tara olhou, ele começou a sorrir, e o sorriso era dirigido para Katherine. Tara se virou na mesma hora na direção de Katherine que, em vez de lançar para o sujeito um olhar de nível 1 (gélido desdém) ou de nível 2 (gélido desdém com uma sutil pitadinha de hostilidade), sorriu de volta. Não era um daqueles sorrisos de orelha a orelha, mas era um sorriso mesmo assim.

Então, a verdade realmente espantosa foi captada por Tara. Katherine não estava retribuindo o sorriso do cara louro. Foi ela que sorrira para ele primeiro.

O que estava acontecendo? Havia um ar de ligeira porra-louquice em Katherine naquela noite. Ela parecia diferente e fez Tara lembrar de alguém. Quem seria?... Uma pessoa muito familiar, mas ao mesmo tempo não. Ah, já sei quem é!... Algo pareceu girar e se encaixar no lugar, e de forma inesperada. Katherine estava parecida com a própria mãe, Delia.

Na quinta-feira, Katherine foi para o trabalho com uma leve ressaca, mas seguiu em frente com sua vida, livre de Joe Roth. Estava meio pra baixo e desapontada, mas continuava estranhamente convencida de que ia ficar legal.

O trabalho era uma grande distração. No meio do serviço, porém, enquanto montava uma planilha dos ativos da firma, uma vontade de olhar para Joe despencou sobre ela, não se sabe de onde. Manteve a cabeça fixa na tela e resistiu. E resistiu. Mas a vontade foi aumentando, até que ela não conseguiu mais lutar. Virando a cabeça alguns milímetros para o lado, ela se permitiu dar uma olhada nele com a pontinha do rabo do olho.

Sua pele pegou fogo ao perceber que ele estava olhando para ela. Meio de lado, também, de modo furtivo, mas com grande intensidade. Então, seus olhos se fixaram nos dela, e ele sorriu. De forma descontraída, íntima e significativa.

De que ele estava rindo?

Tornou a olhar para a tela. No canto superior esquerdo, um envelopinho branco piscou. *Acaba de chegar uma mensagem.* Ela clicou no ícone com o mouse e abriu uma nova tela. Era um e-mail.

De Joe.

CAPÍTULO 52

No dia do pedido de desculpas, Joe Roth dissera a Katherine que ia pensar no assunto. E Joe Roth era um homem de palavra. Assim, ele pensou no assunto.

Sendo um homem pragmático, quando Katherine o rejeitara com suas insinuações de assédio sexual ele sufocara os sentimentos por ela. Mas não derramara o ácido da amargura sobre eles, corroendo-os até transformá-los em algo feio e distorcido. Assim, embora consideravelmente diminuídos, eles continuavam perfeitamente preservados e prontos para ser reativados a qualquer momento.

Joe não apenas queria sair com Katherine, como também queria levá-la a um lugar marcante e absolutamente especial.

Um lugar mágico. Um lugar importante. Um lugar que servisse para mostrar a ela o quanto ele estava interessado em sua companhia. Mas que lugar poderia ser esse? Um jantar espetacular? Um passeio de balão? Um fim de semana em um lugar diferente? Uma pousada? Reikjavik? Barcelona?

Nada a não ser o melhor serviria para um programa com ela.

Queimou os miolos durante todo o fim de semana, em vão. De repente, porém, tudo ficou claro. Aquela era a coisa óbvia a fazer por uma mulher do calibre de Katherine.

Mas como ele conseguiria arranjar aquilo? Ainda mais para o sábado seguinte, tão em cima da hora? Esse tipo de coisa normalmente levava meses para se conseguir, e, mesmo para os membros especiais, a lista de espera era de oito semanas.

Imediatamente, ele compreendeu que iria precisar da cooperação de seu amigo Rob, não havia outro jeito. Jamais conseguiria ajeitar tudo sem a sua ajuda. Naquela mesma noite, foi visitar Rob em seu apartamento, porque um pedido tão complicado de ser atendido merecia uma visita pessoal.

— Conheci uma garota — começou Joe.

— Eu sei.

— Não, essa é outra.

— Caramba!

— Seu nome é Katherine e ela é realmente especial.

— Bom para você, amigão.

— Preciso que você faça um sacrifício extremo por mim.

Os olhos de Rob piscaram, desconfiados.

— O que está planejando? — perguntou.

— É que no sábado...

— Sábado! — exclamou Rob. Certamente ele não estava querendo...?

— Sábado — confirmou Joe, de forma significativa.

— Nem pensar, cara — suplicou Rob, afastando-se dele. — De jeito nenhum, cara. Não funciona, não me peça para fazer isso. Uma recusa muitas vezes pode ofender.

— Um beijo na boca também.

— Então, é assim?

— Só porque estou desesperado.

— Já somos amigos há muito tempo. Jamais imaginei que você me aprontaria algo desse tipo.

— Sei, pois é... sinto muito. Sinto mesmo, mas não tive escolha.

— Quem é essa mulher? Pamela Anderson?

— Melhor. Então, o que me diz? Sim?... Ou sim?

— Você não pode levá-la a algum outro lugar?

— Não. Tem que ser o melhor para Katherine. Vamos lá, Rob. Eu compenso você depois. Pago o preço que pedir.

— Dinheiro não significa nada, você sabe disso. Assim você me insulta...

— Então é sim?

— Vou pensar no assunto.

— Não, eu preciso saber *agora*.

Rob olhou espantado para Joe.

— Caramba, você está realmente a fim, hein?

— Talvez esteja.

— Pois bem, eu também! — reagiu Rob, tremendo diante de Joe, de forma agressiva.

— Eu entendo, mas, por favor... 200 libras?

Rob soltou um longo suspiro. Sabia que não ia vencer aquela parada.

— Muito bem, então. Duzentas e cinquenta e estamos fechados.

Na quinta-feira à tarde, o telefone de Tara tocou no trabalho. Era Katherine, falando baixinho.

— O que aconteceu? — perguntou Tara, sem fôlego, sempre esperando más notícias a respeito de Fintan.

— Recebi um e-mail de você-sabe-quem.

— E...?

— Ele me convidou para sair no sábado.

Tara quase infartou.

— Não acredito! Você disse que ele estava se comportando de forma horrível e a ignorou a semana toda. E agora está me dizendo que vai sair com ele no sábado! Ele limpou a barra com você, então!

— Eu não falei sábado à noite. Falei *sábado*.

— Paris, viajando pelo Eurostar?*

Katherine soltou uma gargalhada que pareceu estranha.

— Humm... Almoço, então? Algum lugar fabuloso?

— Não.

— O quê, então? Não me diga que é um passeio ao zoológico? Ainda mais em novembro?

— Não, é... — Katherine mal conseguia contar de tão sem graça que estava.

— Onde é? O que foi?

— Ele... ahn... é que ele...

— Ele o quê?!

— Ele vai me levar para assistir a uma partida de futebol — conseguiu falar, por fim, morrendo de vergonha. Sabia reconhecer um momento de humilhação pública.

— Ir ao futebol é a onda do momento — disse Tara, com jeitinho. — Você não precisa justificar isso. — Quais são os times? —

* Trem-bala que liga Londres a Paris, através do *Chunnel*, o túnel que passa sob o Canal da Mancha. (N.T.)

Muita coisa estava em jogo nessa pergunta. Será que Katherine ia passar a tarde de sábado em pé com outras três outras mulheres, na beira de um campo enlameado onde Judas perdeu as botas, assistindo a dois times da quinta divisão se arrastando em campo e provocando bocejos nas torcidas? Ou será que era um estádio daqueles imensos, muito sexy, com lugares marcados, programas coloridos, onde vendiam calcinhas e cuecas com emblemas dos clubes, em uma partida importante pelo campeonato nacional, cujos ingressos custavam mais do que as entradas de teatro no West End?

— Ahn... não sei. Arsenal contra outro desses times aí...

— Arsenal?!

— Eu sei... Tara, eu gostaria de jamais ter me envolvido nessa história. Estou quase morrendo de vergonha. A cara de pau dele! Se não fosse por Fintan...

— Mas entradas para uma partida do Arsenal valem mais que ouro em pó!

— Ah, *valem*...?! — De repente, as coisas pareceram melhorar.

— É mais difícil conseguir ingresso para uma partida do Arsenal do que eu entrar em um jeans tamanho 40.

— Como é que você sabe disso?

— Ravi torce para os Gunners.

— E quem são esses?

— Gunners é o apelido pelo qual o time do Arsenal é conhecido. Nossa, você tem muito a aprender. Precisa fazer um curso intensivo com Ravi.

Ravi fez sinais de quem estava cortando a própria garganta e lançou os olhos para o alto, alarmado. Morria de medo de Katherine. Seu jeito enigmático não funcionava com ele, que a achava simplesmente esquisita.

— Como é que você sabe tanta coisa assim e respeito de futebol? — perguntou Katherine.

— Porque Ravi organizou um bolão aqui no trabalho. Conte-me o que Joe disse no e-mail. — Tara apertou o fone com mais força contra o rosto. — Leia *exatamente* o que ele escreveu.

Katherine olhou de um jeito furtivo em volta da sala e baixou a voz ainda mais:

— Aqui diz: "Sábado à tarde em Highbury. Cerveja, Arsenal X Everton e Vossa Senhoria? Que tal? Prometo explicar direitinho as regras do impedimento para você e alimentá-la depois do jogo."

Tara mal conseguiu falar, porque estava à beira das lágrimas.

— Ai, que lindo! — guinchou ela. — E ele vai levá-la para jantar depois. Você não me contou isso.

— Beeem... — um sentimento de orgulho começou a brotar em Katherine.

— Muito bem, mesmo!

— Então... humm... será que você se importaria de esperar até depois de sábado para abandonar Thomas? — perguntou Katherine, de foma astuta. — Talvez eu precise do meu apartamento só para mim.

— Droga! — lamentou Tara. — E eu que queria tanto largá-lo ainda hoje...

— Até parece...!

— Então, o que pretende usar? — quis saber Tara, toda alegrinha. — Use jeans! Quem dera eu pudesse usar jeans. Triplico a aposta no jeans. Vá em frente! É um lance descoladíssimo. Quadruplico a aposta. *Quintuplico* a aposta!

— Mas e se...?

— E se o quê?

— Bem, digamos que nós... você sabe, fiquemos juntos?

— Katherine Casey! No primeiro encontro? Estou chocada!

— Vou ficar com as marcas do jeans nas minhas pernas e na minha barriga. Isso não é muito sexy. E quanto à roupa de baixo? — perguntou, incerta.

Tara estava perplexa diante de todo aquele fogo.

— Você está pensando em cintas-ligas e todos aqueles troços?

— Hum-hum... — confirmou Katherine.

— Bem, eu acho ótimo. Já era tempo de algum homem colocar os olhos nelas. Mas você tem razão. Não dá para usá-las com jeans. Por que não usa calcinhas com os dizeres "Fiz um gol em Highbury"? Ele é capaz de gostar disso. Ou também, se preferir, pode ir sem calcinha nenhuma. Ele vai adorar, a não ser que você raspe os pentelhos! Rá-rá-rá-rá...!

Katherine se arrependeu de ter contado as ideias que teve para explicar o apelido de Gilete.

— Fintan vai adorar saber dessa história — cantarolou Tara, ela mesmo curtindo tudo. Quanto mais real o caso de Katherine e Joe se tornasse, maiores as chances de Fintan diminuir a pressão sobre ela. Embora, com relação a isso, já fizesse alguns dias desde que ele tocara no assunto de Tara largar Thomas. Na verdade, já fazia uma semana desde que ele mencionara o fato pela última vez. Mas não dava para ver nisso um motivo para relaxar.

CAPÍTULO 53

— Ora! — declarou Ravi, quando Tara desligou.

— Ora mesmo — concordou Tara.

— Então ela vai sair com o cara do trabalho.

— Vai mesmo.

— E ele é torcedor do Arsenal. Parece um cara legal, para mim. Só que não tem tão bom gosto assim para mulheres.

— Ravi! — Tara desistiu de reclamar com ele e apertou o estômago. — Puxa, Ravi...

— O que foi dessa vez?

— Amêndoas. Tartelete.

Tara estava novamente às voltas com a dieta de fome. Não apenas tudo o que via e ouvia a fazia lembrar de comida, como agora até mesmo os aromas a atormentavam.

Tudo começara naquela manhã, quando o aromatizador do carro, com essência de morango, a fizera lembrar do cheirinho artificial de jujubas. A vontade quase incontrolável de parar o carro e comprar todo o estoque de jujubas da primeira banca de jornais que aparecesse pareceu se apossar dela como um demônio. Assim que chegou na Westway, o foco mudou e ela sentiu um desejo quase irresistível de se lamber toda. O cheirinho de sua pele estava delicioso, um aroma de cocada ou sorvete de coco. Isso a deixou bolada e quase louca, até lembrar que a loção que passara sobre a pele, depois do banho matinal, tinha aroma de coco. Então, ao chegar ao escritório, sentiu uma vontade incontrolável de comer cheesecake de limão. O prédio inteiro parecia cheirar a limão.

Já estava imaginando que pirara de vez quando Ravi lembrou que o pessoal da faxina usava um produto com aroma de limão para lavar os corredores.

— De onde vem esse cheiro de tartelete de amêndoa? — perguntou Ravi.

Tara apontou para Evelyn e Teddy. Ravi se levantou e começou a cheirar o ar em volta deles.

— O que está fazendo? — quis saber Teddy.

— Verificando uma coisa para Tara. Vocês dois estão usando perfume à base de amêndoas? Ou usaram sabonete de amêndoas?

— Bem, para falar a verdade — informou Evelyn, parecendo surpresa —, eu lavei o cabelo com xampu de amêndoas hoje de manhã.

— Será que dá para usar xampu com outra fragrância, até Tara sair da crise? — perguntou Ravi. — Um cheio de algo não comestível?

— Claro — Evelyn olhou para Tara, com pena. — Pode ser eucalipto?

— Desculpem — murmurou Tara, morrendo de vergonha. — Não deem ouvidos a ele.

Mas Tara continuou assombrada por comida. Quando ela e Ravi saíram para dar a sua voltinha da hora do almoço, indo até o Shopping Hammersmith, ela se distraiu por um momento pelo novo batom de efeito duradouro da Clinique. Interessou-se o bastante para comprar dois, de cores diferentes. Ao voltar para a rua novamente, os sinais de trânsito em vermelho, amarelo e verde pareciam gigantescos drops de frutas, e Ravi teve quase que segurar Tara com os dois braços para impedi-la de subir no poste e lamber as luzes.

— Eu compro uma embalagem de drops de verdade para você — ofereceu ele.

— Não posso — agradeceu Tara, balançando a cabeça. — Ingeri as calorias da semana toda ontem à noite. A culpa foi de Milo O'Grady. Ele nos levou a um restaurante vietnamita, depois do pub. Está louco para experimentar tudo o que Londres tem a oferecer de diferente.

— Você devia se alimentar — aconselhou Ravi, em um raro momento de bom-senso. — Com Fintan assim tão doente, é um momento muito bravo para você.

— A vida precisa ir em frente.

— Mas você está sendo muito severa consigo mesma.

— Não estou não. Estou só meio bagunçada. Entre Thomas e Fintan, estou um caos por dentro

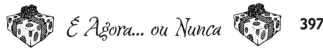

— Ahn... E como vão as coisas com Thomas?

— Péssimas! Não entendo como é que ainda conseguimos agir de forma civilizada um com o outro. Tenho a constante sensação de que algo terrível está para acontecer.

— Talvez seja por você andar pensando muito em Fintan.

— Não creio — admitiu ela. — Pelo menos, não se trata só disso... o que me deixa ainda pior. Como é que eu posso estar preocupada com assunto de namorado quando meu amigo mais antigo está doente de verdade? O fato é que — justificou-se ela, depressa —, embora Fintan esteja com uma aparência horrível, ainda tem oito meses de tratamento pela frente, portanto ainda há tempo de sobra para ele ficar melhor. E pelo fato de ele não estar piorando, as coisas parecem assim meio... bem, não exatamente *normais* — murmurou Tara —, mas a gente se acostuma. Katherine sente a mesma coisa. Liv explicou que é uma técnica de subsistência, pois ninguém pode se manter em estado de choque ou terror contínuo, e acaba aceitando como normal o que na verdade não é.

— Vocês, garotas... por que tudo é sempre tão complicado?

— Puxa vida, acabei de pensar uma coisa horrível! — Tara parou de repente no meio da calçada e alguns pedestres, cheios de compras de Natal antecipadas, esbarraram nela e prepararam caras iradas, até perceberem a expressão rígida que se instalara em seu rosto. — Pode ser que ele não melhore! É como uma visão do inferno. Parece... diabólico.

— Você precisa de um drinque. — Ravi foi encaminhando Tara pela rua, guiando-a pelo cotovelo até o pub mais próximo, onde a colocou sentada e foi buscar um gim-tônica. — Ele não se animou um pouquinho desde que voltou para casa?

— Não, nem um pouco. — Tara tomou um golinho do drinque e estremeceu de alívio. — Obrigada, Ravi, você me salvou a vida. Não, Fintan está horrível. Sabe aquelas histórias que a gente ouve, a respeito de pessoas cujas vidas desabrocharam diante da perspectiva de morrer? Bem, não aconteceu nada disso com ele. A partir do instante em que se viu novamente em casa, Fintan se tornou um tirano exigente e mal-humorado. Não podemos culpá-lo, pois quase morreu quando os cabelos caíram — e franziu os olhos, com ar de estranheza. — Desculpe, acho que me expressei mal. É que ele se sente péssimo porque a contagem dos glóbulos brancos continua muito baixa, mesmo depois da químio em doses cavalares. Está zangado e apavorado. Só que é difícil aturá-lo desse jeito o tempo todo.

Tara se virou para Ravi com os olhos cheios de lágrimas e continuou:

— Às vezes tenho vontade de dar uns tapas nele, porque também estou chateada e apavorada. Depois, me sinto culpada!

Ravi, meio sem graça, deu tapinhas consoladores na mão de Tara.

— O que você sente me parece normal. — Na verdade, ele não tinha a menor ideia se era normal mesmo, mas queria muito ajudar. — Quer mais um drinque? — perguntou, tentando animá-la, mesmo vendo que ela mal tocara no primeiro. — Acho que o fato de Katherine ter marcado de sair com o sujeito do trabalho vai levantar o astral de Fintan.

— Tem que levantar, porque eu jamais vou conseguir fazer o que ele quer, e essa é parte da razão de eu estar chateada e apavorada.

— Você não sabe do que é capaz até tentar.

— Mas eu sei. Jamais tive tanta certeza de algo em toda a minha vida. Não posso me separar de Thomas e pronto!

— Mas você disse que as coisas não andavam muito boas com ele.

— Sim, mas... isso é temporário. Ele está com ciúme de Fintan, e toda essa pressão está me fazendo comer demais e... não se preocupe, tudo vai ficar bem logo, logo...

— Pode ser. Mas você está com um prato cheio de problemas — disse Ravi, com sinceridade.

— Um prato cheio... Prato! — reagiu Tara, com ar sonhador. — Comida. Estou obcecada.

— Dê um tempo a si mesma.

— Você é um amor! — agradecida, Tara encostou a cabeça no ombro de Ravi e ele, meio sem graça, a abraçou.

— Mmmm — Tara fungou no pescoço dele. — Você está com um perfume bom... creme *brûlée*! Você está com cheiro de creme *brûlée*. Baunilha com açúcar queimado. Que loção pós-barba você colocou?

— JPG. Foi Danielle quem me deu. Agora que mencionou, lembro de ela dizer algo a respeito de aroma com toque de baunilha, o que quer que isso signifique.

Depois do trabalho, Tara foi visitar Fintan e levou o artigo de uma revista a respeito de fitoterápicos chineses que Vinnie lhe trouxera.

Sandro a interceptou ainda na porta.

— Fintan entrou em parafuso por causa do canal de compras — sussurrou ele. — Comprou um aparelho para abdominais, um CD de música country que não está à venda em lojas, um conjunto medonho de corrente de ouro com bracelete e um equipamento de esqui. Não sai do telefone, informando o número do cartão de crédito dele!

Fintan estava entronizado no sofá, usando um turbante Diana Vreeland, e de cara amarrada. Desde que voltara do hospital estava agindo de modo desagradável e se mostrava azedo como leite estragado. Deu uma olhada no artigo que Vinnie enviara e em seguida descartou-o, colocando-o de lado.

— Tara, sempre que você vem aqui me aparece com alguma coisa nova, tipo abracadabra, para eu experimentar. Homeopatia, acupuntura, dieta de alimentos crus, massagem, terapia de cores, meditação, e agora ervas chinesas.

— Mas, Fintan — explicou Tara, desesperada. — Vale a pena tentar de tudo. Mal não vai fazer...

— Ligue a tevê — interrompeu ele, de forma rude. — Vamos ver algum besteirol que distraia. Ao contrário de outras coisas que não distraem nem um pouco.

— Fintan... — Sandro, com os olhos cheios d'água, torcia as mãos de desespero. — Por favor, não faça isso com as pessoas. Vai ficar sem amigos se continuar a ser tão grosso com todos e...

— Não se preocupe com Tara — garantiu Fintan, com ar astuto. — Quanto pior os homens a tratam, mais devotada ela se mostra.

Tara se encolheu toda, como se tivesse sido esbofeteada. Fintan, porém, sem se compadecer dela, ligou a tevê pelo controle remoto. Enquanto as luzes da telinha piscavam diante deles, Tara permaneceu sentada ali, em silêncio, com o rosto vermelho de vergonha. Odiava se sentir um alvo de pena e escárnio, mas o que poderia fazer?

Estranhamente, Katherine só chegou depois das nove da noite, trazendo uma calculadora, a fim de ajudar Fintan e Sandro a fazer um planejamento financeiro, até Fintan receber a indenização trabalhista ou o auxílio-doença.

— Você precisa parar de gastar dinheiro — implorou Sandro, e Fintan respondeu-lhe com um olhar duro.

— Ah, e por falar nisso... — Katherine enfiou a mão na bolsa e pegou um recorte de jornal — saiu um artigo no *Independent* de hoje, a respeito de cura baseada em equilíbrio dos chacras. Pode ser que valha a pena dar uma olhada.

Fintan teve a delicadeza de sorrir, apesar de ser um sorriso amargo. Com a esperança de que a grande notícia de Katherine a respeito do e-mail de Joe fizesse melhorar o nível de bile do amigo doente, Tara escapou para casa, a fim de encontrar Thomas.

Quando alcançou a Holloway Road e deu a volta ao quarteirão em busca de uma vaga para estacionar, Tara sentiu que não estava preparada para o pensamento que lhe assaltou a cabeça. O de que *se ela se mudasse daquela rua, ia escolher um apartamento com vaga na garagem.*

Olhou para si mesma no espelho retrovisor, atônita. Quando Fintan sugerira pela primeira vez que ela largasse Thomas, sua negação fora automática. Alguma coisa da ideia, porém, conseguira se infiltrar pela carapaça com a qual se cobrira.

Em seguida, imaginou como seria contar apenas consigo mesma e congelou por dentro.

Entrou em casa. A primeira coisa que fazia cada vez que colocava os pés em casa era verificar qual era o astral de Thomas. Naquela noite, ele estava debruçado em cima de um monte de provas, que corrigia com a furiosa caneta vermelha em punho, promovendo um banho de sangue em cada página.

— Onde você estava?

— Com Fintan.

— Humpff.

— Como está Fintan, Tara? — surpreendeu-se ela, falando em voz alta, com a voz rolando no sarcasmo. — Não vai muito bem não, Thomas, mas obrigada mesmo assim por perguntar.

— E quanto a mim...? — quis saber Thomas. — Quando é que vou conseguir ver você?

As reclamações a respeito do tempo e da atenção que Tara andava dedicando a Fintan estavam piorando. Porque ele estava inseguro. Tara, por sua vez, estava farta de inventar desculpas para ele, e era exatamente isso que elas eram: apenas desculpas.

— Pensei em darmos uma saída hoje à noite — disse Thomas. — Talvez irmos ao restaurante indiano da esquina, curtir um rango.

— Não estou comendo nada.

Thomas se viu numa sinuca.

— Isso é muito bom para você, Tara — elogiou ele, embora não quisesse ir ao restaurante indiano sozinho. — Só que eu não me incomodo se você sair da dieta por uma noite apenas.

Ela balançou a cabeça, com firmeza.

— Mas você se enchia de comida todas as vezes que ia ao hospital visitar o seu amigo Fintan!

Acho que vou precisar alugar uma van, pensou ela. *Todas as minhas coisas não vão caber no carro.* Então sentiu novamente aquele aperto na barriga, ao encarar a ideia de morar sozinha.

Ligou a televisão e, por coincidência, estava passando um documentário sobre mulheres que, um belo dia, piraram na batatinha e mataram seus maridos, depois de anos de abuso.

— Olha lá, essa sou eu! — riu ela, esperando uma reação de Thomas.

— Acho que essa situação se parece mais com a minha — contra-atacou ele, com ar confiante.

Ao observá-lo corrigindo aquele monte de provas de adolescentes, Tara compreendeu com súbita clareza o quanto passara a detestar Thomas, desde que Fintan caíra doente. Sua armadura de receios misteriosamente se desmanchou, tornando-a impulsiva e ousada. Tão impulsiva e ousada que, ironicamente, achou que aquela talvez fosse a hora certa para lhe fazer *aquela* pergunta.

Abriu a boca para falar e, na mesma hora, o seu coração começou a batucar mais que bateria de escola de samba.

Ficou se perguntando como, exatamente, faria a pergunta.

— Thomas...? — perguntou ela, com ar casual. Dava para sentir o nervoso na voz, e não gostou disso.

— Que é?! — reagiu ele, sem nem ao menos levantar os olhos da pilha de provas.

— Nada não.

E voltaram ao silêncio total. Então, os sentimentos lhe serviram de mola, impulsionando-a para a frente, mais uma vez.

— Thomas...?

— Que é?!

— Por que a gente não se casa?

— Deixe de falar bobagens — riu ele, sem levantar a cabeça.

— Ahn... tá legal.

— Essa foi boa!... — reagiu ele, rindo baixinho consigo mesmo. — A gente se casar!

O silêncio voltou à sala marrom, escura como um porão, com o ar pesado e sombrio. Tara sentiu uma singular ausência de emoção. Não de perda, nem de desapontamento, nem de surpresa, simplesmente nada. Achou que fosse se sentir arrasada.

— Por quê? — perguntou Thomas, depois de algum tempo. — Você está prenha?

— Rá! Ia ser difícil, hein...? — Eles não transavam desde o aniversário dela, há mais de um mês.

— Você *está* tão embuchada que parece que está grávida mesmo — comentou ele.

— E você também não está nem um pouco magro, não está assim nenhuma Kate Moss — reagiu Tara.

— Nossa, isso foi cruel de se dizer. — Levantou os olhos da correção das provas, com um ar de menino espantado. Parecia realmente surpreso.

— Agora você sabe como é que eu me sinto ao ouvir essas coisas.

— Mas quando eu falo é para o seu próprio bem.

— E eu também estou falando para o seu próprio bem.

Thomas olhou para ela e, em uma daquelas mudanças típicas de humor, tão repentinas, sorriu de forma sugestiva, dizendo:

— É preciso um martelo forte para dar conta de um prego grande. — Ele abriu as pernas e se virou na direção dela, e o seu olhar malicioso disse tudo.

Tara olhou de volta para ele, estupefata, e franziu os olhos, como se estivesse tentando ler letras miúdas. Por que será que ele estava lhe parecendo um gnomo?

Sentiu que não estava nem um pouco a fim de dormir com ele. Essa era a única coisa da qual tinha certeza.

— Você debocha da ideia de nos casarmos e depois espera que eu vá para a cama com você. Será que não há algo de errado nessa história?

— Ah, Tara, qual é?... — choramingou ele, parecendo genuinamente confuso. — Foi você quem me deixou com tesão. Não seja estraga-prazeres agora.

— Pois resolva o problema por conta própria — e, levantando-se, saiu da sala.

Não se sentia chateada. Nem sabia ao certo como estava. A não ser que estava com fome.

Mas pensar em comida a deixou enjoada.

Sempre que Tara se via com fome demais, e isso a impedia de pegar no sono, tomava um sonífero leve para apagar. Sempre funcionava para ela, e funcionou novamente naquela noite. Só que o seu último pensamento, antes de deslizar para o mundo dos sonhos induzidos, não foi, como costumava ser, *Eu adoraria um sanduíche de presunto*. Em vez disso, foi *Queria saber como está Alasdair.*

CAPÍTULO 54

Na sexta-feira, Tara acordou com um mau pressentimento, com os maxilares doendo de ranger os dentes a noite inteira.

Sentiu-se humilhada por Thomas achar graça dela. O que havia de tão engraçado em querer se casar? Eles já estavam juntos há dois anos. As pessoas se casavam, não havia nada de hilário nisso. Sentiu uma dor lancinante provocada pela rejeição, embora não tivesse consciência de que a causa disso eram as palavras descuidadas de Thomas.

Embora tentasse convencer a si mesma de que não tinha muita certeza de querer se casar — afinal, *ela* passara a adolescência apregoando que o casamento era uma instituição burguesa —, gostaria de alguma indicação de que Thomas levava o relacionamento deles a sério.

A caminho do trabalho, sentiu-se torturada pela ansiedade de não saber o que aconteceria a seguir. Certamente as coisas não poderiam continuar do jeito que estavam... ou poderiam? Sentiu nos ombros uma terrível necessidade de, em nome do respeito por si mesma, fazer *alguma coisa*, tomar uma atitude. Já devia ter feito isso há mais de um mês.

Mas não queria fazer isso. Preferia ficar andando na ponta dos pés pela vida, como se estivesse vagando por um prédio condenado. Temerosa de o edifício inteiro desmoronar em sua cabeça se desse um passo errado, pisasse em uma tábua podre ou se encostasse em um pilar instável.

As coisas eram boas com Thomas, avaliou. Tudo era maravilhoso. Talvez ela não precisasse estar assim tão preocupada, tentou convencer a si mesma, em um momento de esperança loucamente renovada. O relacionamento entre eles ainda não fora para o espaço. Essencialmente nada mudara, e a estrutura parecia sólida.

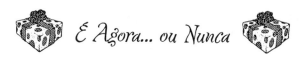

Talvez *sólida* não fosse a palavra exata, admitiu. Mas parecia igual ao que era antes. O que quer que isso significasse.

— Que tal o novo batom? — perguntou Ravi, aos berros, assim que ela entrou no escritório. — É resistente a beijo?

— Não testei isso.

— Está interessada em descobrir se ele resiste a rosquinhas açucaradas? — e acenou para ela com uma rosquinha. — Desculpe — disse ele, desviando o olhar ao ver a cara azeda que ela lhe lançou. — Que tal um café?

Ravi pegou uma caneca de café para ela. Vinnie, Teddy, Evelyn, Cheryl Magriça e Steve Cochilo pararam de trabalhar, a fim de verem o que aconteceria quando a boca de Tara entrasse em contato com a borda da caneca. Ela levantou a cabeça até a altura dos lábios, tomou um gole pequeno e esticou a caneca diante de si, para todos poderem ver. Houve um "Ohhh" coletivo de desapontamento diante da imagem acinzentada com o formato de uma curva labial que ficou impressa no revestimento esmaltado amarelo.

— Na embalagem dizia que ele *durava muito tempo* — consolou-a Ravi —, e não que *não saía de jeito nenhum.*

— Acho que vou desistir — suspirou Tara. — Essa é uma guerra que eu não vou ganhar.

Depois do expediente, ela foi tomar um chopinho com Ravi e alguns dos outros, e não mencionou Thomas, nem Fintan, nem nada desagradável. Mas não estava bem de cabeça, e não conseguiu se livrar do terror indefinido e onipresente.

Assim, foi para casa, mas no instante em que avistou Thomas o sentimento de humilhação aumentou. Forçando um tom casual, perguntou:

— Adivinhe o que aconteceu...? Katherine vai sair com um carinha, amanhã.

— Será que ele vai conseguir abrir o cadeado das calcinhas dela? — debochou ele.

Tara manteve a boca fechada. Perder a paciência era um luxo que não poderia ter. Mas se imaginou olhando aquela cena a distância e pensando: *Que comportamento estranho para duas pesoas que deveriam se amar.*

Que jeito bizarro de viver. Que *desperdício*!

Embora não conseguisse lembrar a partir de que momento eles haviam cruzado a linha divisória, sabia que nem sempre as coisas foram daquele jeito.

Estava esgotada. Havia situações esquisitas em demasia na sua vida.

— Pegue um drinque para mim — disse ela. — Um cálice de vinho branco.

Surpreso, ele obedeceu.

Algo muito importante estava começando a acontecer dentro dela. Tara ainda não sabia o que era, e não estava certa de aguentar descobrir o que poderia ser.

CAPÍTULO 55

Tara já aprendera há muito tempo a organizar a sua vida em compartimentos estanques. Thomas jamais quis nenhum tipo de envolvimento com os amigos dela. Assim, no sábado de manhã, ao ir dirigindo para a casa de Katherine, a fim de ajudá-la a se preparar para o encontro com Joe Roth, era fácil deixar a humilhação e o terror de Thomas para trás. Mais do que fácil, na verdade. Sua vida se tornara um lugar desconfortável a respeito do qual ela não sabia o que pensar ou o que fazer. Era um *prazer* deixá-la para trás, mesmo que por um curto período de tempo.

Quase pegando fogo de tanta empolgação, chegou ao apartamento de Katherine.

Ela estava de sutiã e usava um par de jeans apertados, o zíper frontal colocando em destaque a barriga lisa e os quadris delineados.

— Você está usando isso porque sabe o quanto eu gostaria de poder entrar em uma roupa dessas, não é? — afirmou Tara, com ar alegre. — Você me adora mesmo!

— Não, estou usando isso porque os pretinhos básicos não estão muito em moda nos estádios de futebol — replicou Katherine.

— É... acho que você está sendo apenas gentil com sua amiga gorda, fazendo-a curtir por tabela a emoção de usar um jeans desses. Como eu gostaria de ser você — suspirou Tara, com ar sonhador. — Totalmente sem bunda e com as pernas fininhas. Ainda bem que é minha amiga, senão eu seria capaz de matá-la.

Tara olhou em volta no apartamento. Algo estava errado. O lugar continuava todo desarrumado, embora já fizesse quase uma semana que os O'Grady tinham ido embora. O tapete da sala precisava urgentemente de um aspirador de pó, tudo estava meio empoeirado e fora do lugar, e pela porta da cozinha dava para ver uma pilha instável de pratos sujos dentro da pia.

— Ahn... — Katherine girou o braço em leque, com ar vago. — Sim, eu sei. Planejava fazer uma grande faxina quando eles fossem embora, mas... — e parou de falar. — Não me parece assim tão mau. Está legal assim. Está tudo bagunçado, mas, pelo menos, limpo.

Na verdade não estava, mas Tara engoliu em seco e não disse nada.

— Sabe de uma coisa...? Sinto falta deles — admitiu Katherine. — Acho que me acostumei com a presença daquele povo todo por aqui.

— Mas eles estavam levando você à loucura — exclamou Tara. — Lembra aquele dia em que Milo usou a sua loção de corpo Coco Chanel?

— Não sabemos com certeza se foi realmente Milo — defendeu Katherine. — Pode ter sido JaneAnn ou Timothy.

— O cheiro era de Milo. Acho que ele pegou gostinho pelas coisas finas.

— Ele se adaptou muito bem ao estilo de Liv, parece um pato na água — concordou Katherine.

— Que cheiro esquisito é esse? — Tara empinou o nariz, farejando o ar e inalando novamente. — Cabelo queimado?

— Acho que exagerei um pouco com o alisador — Katherine pareceu sem graça.

— Nossa, superprodução total para o projeto Joe Roth. E aí se acontecer de vocês chegarem aos "finalmentes"? Não está preocupada de o seu apartamento estar meio... — hesitou — ... desarrumado?

— Comprei roupas de baixo novas, carésimas — confessou Katherine. — Já abusei demais do destino.

— Mais *roupa de baixo*? — Tara quase engasgou. — Se você usar uma calcinha diferente por dia, a começar de hoje e até o dia de sua morte, ainda vão sobrar algumas sem estrear!

— Lá vamos nós de novo com aquela ideia de que vamos viver para sempre — disse Katherine, baixinho.

— Toda vez que penso nisso, é tão ruim quanto a primeira. — Tara ficou pálida. — Ele vai ficar legal, não vai?

— Talvez. Espero que sim.

A morte pareceu ficar pairando no ar, até que Katherine quebrou o clima:

— Vamos lá! — chamou ela. — Faça o que veio fazer e venha ajudar a me vestir.

Apesar de tudo, Tara não conseguiu evitar a empolgação que sentiu.

— Que blusa devo usar? — especulou Katherine.

Tara passou os olhos através dos cabides imaculados de Katherine.

— Você e as suas roupas fechadas!... — resmungou ela, com tom professoral. — Um monte de cores neutras, com muito cuidado para cada item combinar com o resto, alguns itens avulsos comprados no início de cada temporada, um terninho cinza, um tailleur azul-marinho, calças estreitas pretas, um monte de coisas. — E chegou ao fim dos cabides. — Desculpe, Katherine, mas não vejo nada aqui, nem um top que seja sexy, e não dá para usar uma blusa de ir trabalhar por cima desses jeans. — Colocou as mãos nas cadeiras, sem saber o que fazer. — Acho que você não iria topar ir assim, de sutiã mesmo...

Katherine a surpreendeu ao dizer, meio sem graça:

— Bem, na verdade, andei fazendo umas comprinhas... — e pegou uma sacola embaixo da cama. — Comprei isso, mas não tem nada a ver comigo — acrescentou com ar de quem pede desculpas. — Acho que vai virar bumerangue.

Tara olhou para ela, perplexa.

— Bumerangue... Veio da loja e vai voltar para lá — explicou Katherine.

— Deixe eu ver! — Tara puxou um suéter curtinho, cor de framboesa. — Vista isso! — ordenou. — Nesse minuto!

— Mas...

— Vista!

Katherine ficou em pé, vestida, meio sem graça, diante de Tara. Estava linda. A cor, um tom de rosa bem escuro, iluminava o seu rosto como se ela estivesse sob holofotes. O tecido sedoso ficou bem justo em seus braços e no busto, e a roupa era curta o suficiente para exibir uma imagem rápida e tentadora de sua barriguinha côncava. Tara gostaria de ter sugerido a Katherine a aplicação de um piercing no umbigo. Isso era algo que ela mesma gostaria de fazer, mas receava que fosse necessário o equipamento utilizado para escavar o túnel sob o Canal da Mancha para perfurar a camada de gordura e fazer o furo. O pior é que a argolinha que ia servir de piercing teria que ser do diâmetro de um prato.

— Você tem que usar essa roupa!

— Não posso! — protestou Katherine. — É muito óbvia, e jovem demais para mim.

— Por favor! — implorou Tara. — Você está muito sexy, com jeitinho inocente. Ele está tão acostumado a ver você toda abotoada até o pescoço com terninhos sem graça que nem vai saber o que o atropelou quando colocar os olhos nisso.

— Mas estamos em novembro. Vou pegar um resfriado.

— Resfriados são provocados por vírus. E você vai usar um casaco por cima. Qual desses estava pensando em usar?

Houve uma pausa inesperada e Katherine exibiu um rosto angustiado de culpa.

— Bem, quando estava fazendo compras, eu vi isto — confessou ela, puxando outra sacola debaixo da cama. — Só que não devia ter comprado. Vou devolver essa peça na segunda-feira. Ela veio só passar o fim de semana aqui em Gospel Oak. Não sei onde eu estava com a cabeça...

Tara agarrou a sacola das mãos dela e puxou lá de dentro uma jaqueta de couro macio azul-petróleo, com mangas três-quartos, ainda embrulhada em papel de seda.

— Minha nossa! O que mais tem debaixo dessa cama? — Tara se jogou no chão como uma refém de assalto bancário.

— Nada... — apressou-se Katherine. — Só um par de botas. Mais umas joias e maquiagem. Ah, e mais algumas peças de roupa de baixo. Mas elas não combinam comigo, nem um pouco. Não importa o que você tenha achado do resto das coisas, comprar isso aqui foi um grande erro, muito grande mesmo.

— Ca-ra-ca!... — Tara estava com a cara enfiada embaixo da cama, com a voz abafada, mas em êxtase.

Katherine percebeu que Tara havia acabado de encontrar as botas Prada.

— Por favor, saia daí de baixo.

Tara reapareceu, exclamando:

— Então foi por isso que você só apareceu na casa de Fintan às nove da noite, na quinta-feira. Estava no shopping!

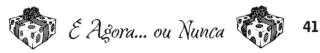

Com toda a reverência, começou a desembrulhar a jaqueta.

— Minha Nossa Senhora da Grife, eu não acredito! — exclamou ao ver a etiqueta. — Dolce & Gabbana!

— Não quero falar sobre isso — interrompeu Katherine, com jeitinho. — A culpa é insuportável, entende?

Tara se sentiu aliviada. Katherine se comportara de forma totalmente inesperada ao torrar aquela grana comprando roupas para exibição, pouco práticas e caríssimas, mas pelo menos tinha a decência de se sentir culpada por isso.

Finalmente, Katherine estava pronta, com o novo top, a jaqueta, as botas, a gargantilha, os brincos, a calcinha fio dental, o sutiã de rendinha, batom, delineador, um toque do caríssimo perfume Boudoir no pescoço, nos pulsos e entre os seios. Deixou até mesmo Tara fazer-lhe um rabo de cavalo.

— Parece que você tem 14 anos — disse Tara. — Vá em frente e peque à vontade, minha filha.

— Pode apostar!

— Sério mesmo? No primeiro encontro?

— A vida é para ser vivida — disse Katherine, em um tom pomposo. — Amanhã podemos estar mortos.

Ela parecia realmente acreditar naquilo, e a ansiedade de Tara voltou. Bem que Katherine podia continuar sendo normalzinha.

Ao saírem de casa, Tara olhou de forma furtiva para um lado e para outro da rua.

— O que está procurando?

— Ravi. É bem capaz de ele aparecer aqui, dar uma porretada na sua cabeça, roubar as suas roupas e fingir que é você só para poder usar o seu ingresso e ir ao jogo.

— Esse jogo é um lance tão importante assim? — Katherine pareceu satisfeita.

Fintan fora devidamente convidado para participar dos grandes preparativos de Katherine, mas afirmou que não estava a fim de ir, de forma bem desagradável. De qualquer modo, com a esperança de animá-lo um pouco, elas decidiram passar lá para mostrar o resultado de seu trabalho, antes de Katherine ir se encontrar com Joe.

Sandro atendeu a porta, pálido e preocupado, envolto em uma névoa de opressão. Sem falar nada e com os lábios apertados, acenou com a cabeça na direção da sala de estar.

Fintan estava largado no sofá, usando uma peruca cacheada *à la* Diana Ross & the Supremes. A primeira imagem dele e sua pele acinzentada era sempre um choque. Mesmo sabendo que tudo aquilo eram os efeitos colaterais da quimioterapia e da baixa contagem de células brancas, era impossível evitar a ideia de que tinham diante de si a imagem da morte. Mas o choque logo passou. Todos haviam sido avisados de que ele ia parecer ter piorado antes de melhorar.

— Como está? — perguntou-lhe Tara.

— Uma merda! — declarou ele.

— Mas não está pior, está? — quis saber Katherine, sem aparecer na sala.

— Não — reconheceu ele, a contragosto.

Algumas semanas atrás eles haviam passado mais de meia hora discutindo a sua saúde com os médicos. Convencidos de que não havia novos tumores, nem inchaços ou dores inexplicáveis, as coisas começaram a parecer quase normais.

— Você está bem acomodado? — perguntou Tara, aumentando ainda mais a tensão.

— Não. Minha bunda desapareceu.

— Olhem só que exibido! — reagiu Tara. — Está pronta, Katherine?

Ao vê-la concordar, Tara exclamou:

— Ta-rã!... Apresento-lhes Katherine Casey, a supergata sexy, pronta para Joe Roth. Esta garota promete, senhores telespectadores!

Katherine surgiu correndo e parou no meio da sala, apresentando um pequeno passo de dança, exibindo as novas roupas, abrindo a jaqueta e rebolando os quadris de um lado para outro, parada no mesmo lugar.

— Você sempre foi uma desgraça para dançar — disse Fintan, deixando Katherine perplexa, imóvel e muito magoada.

Nesse instante Tara reparou a lata de cerveja Sapporo na mesinha em frente a ele, e sentiu um receio tão grande que ficou gelada. Olhou para Katherine, que também reparara na bebida.

— Katherine está de saída para se encontrar com Joe Roth — informou Tara, sem conseguir evitar o tom lento de quem explica algo para os malucos ou aflitos.

— Pois não se dê o trabalho de fazer isso por *minha* causa, minha cara — disse Fintan, com ar rabugento.

— Mas... você não está feliz por ela? — perguntou Tara, com a voz hesitante, enquanto Katherine se mantinha rígida. — Não está empolgado? Puxa, isso aconteceu graças a você. De certa forma, foi você que...

— Acho que você está me confundindo com algum outro paciente canceroso que não está cagando e andando para o mundo.

— Mas ela fez tudo isso por você! — De repente, Tara ficou com uma vontade louca de fumar.

— Não, não fez — retorquiu Fintan. — Fez por ela mesma.

— Eu *fiz* isso por você — insistiu Katherine, com a voz rouca.

— Ah, é? Pois pode parar agora.

— Está meio tarde para isso.

— Que nada! Antes tarde do que nunca. Você está dispensada da missão. Para falar a verdade, não quero que você vá se encontrar com ele, estou pedindo para você não ir — disse Fintan, com uma voz que parecia um punhal em Katherine.

— Você não pode fazer isso! — guinchou Tara. — Ela comprou uma jaqueta de couro da Dolce & Gabbana. Calcinhas da Agent Provocateur. Botas Prada. Mostre as botas a ele, Katherine, levante a bainha dos jeans. Olhe só para esses *saltos*, Fintan! E apesar do top ser mais simplezinho, da French Connection...

Quando Katherine puxou a bainha dos jeans, de forma obediente, seu rosto assumiu um ar de súplica. Só pensar em não se encontrar com Joe já era insuportavelmente frustrante.

— Viu só? — reagiu Fintan, com a boca retorcendo-se em um sorriso de amargura. — Você quer se encontrar com ele. Eu não tive nada a ver com isso. Fui apenas o catalisador.

Uma onda de conflito atingiu Katherine. Ela não estava a fim de ter coisa alguma com Joe. Bem, *estava a fim*, mas jamais teria feito coisa alguma a respeito disso. E sentira um medo real de que o estado de Fintan fosse piorar se não fizesse o que ele pediu. Naquele momento, porém, se viu forçada a admitir que uma parte dela considerara bem-vinda a desculpa para dar em cima de Joe, e não queria mais parar. Sentia que, agora, nada daquilo tinha a ver com Fintan, mesmo.

Talvez, exceto pelo fato de sua doença ter sido o gatilho de tudo, jamais teve.

Isso a fez se sentir horrivelmente desconfortável, e subitamente compreendeu como é que Tara se sentira ao ouvir que devia abandonar Thomas.

— Por que você me pediu para fazer isso, se ia mudar de ideia depois? — balbuciou ela.

— Estou com câncer, querida, posso fazer o que me der na telha. — o tom de Fintan mudou e ele pareceu cansado. — Isso me pareceu uma boa ideia naquele dia, Katherine, pareceu mesmo. Eu achei que se você e Tara aproveitassem a vida plenamente, eu ficaria bem. Liv explicou que eu estava na terceira fase da resposta a uma notícia má... a fase da barganha.

— Qual foi a primeira e a segunda? — perguntou Tara.

— Negação e depressão.

— E agora, em que fase você está?

— Atolado na fase quatro.

— E qual é ela?

— Autopiedade. Não é óbvio?

— Na verdade, isso não é autopiedade. — Katherine também havia se informado com Liv. — É raiva.

— Tanto faz.

— Existe uma fase cinco? — quis saber Tara, meio desconfiada. O que poderia esperar em seguida?

— Existe. Aceitação, segundo dizem. Mas eu vou estar morto antes disso.

Tara abriu a boca para expressar um clamor automático de negação diante dessas palavras, mas Fintan a impediu, suspendendo a mão.

— Por favor, não diga nada. Ver que as pessoas estão agindo de forma condescendente é irritante ao extremo. Olhe só para mim... Meu caroço do tamanho de um kiwi continua aqui, apesar das doses sobre-humanas de químio, que me deixaram todo careca. Sou um tumor ambulante; então, o que posso pensar de mim mesmo? —

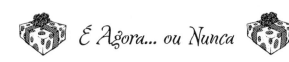

Virou-se para Katherine e disse, quase em tom de desculpas: — Ah, vá em frente. Saia com ele, divirta-se, curta bastante.

Katherine hesitou, relutante em admitir abertamente que ia sair com Joe Roth porque no fundo era o que queria. Querendo que Fintan continuasse envolvido com a questão, prometeu:

— Se tudo der certo com Joe, eu o trago para conhecer você.

— Não se preocupe com isso.

— Bem, eu... ahn... é melhor eu ir andando, senão vou me atrasar.

E seguiu para a estação do metrô, caminhando com firmeza sobre os saltos de 12 centímetros, tentando ir bem depressa para afastar a sensação de zanga e confusão que se apossara dela.

Tara ficou sozinha com Fintan. Sentia-se terrivelmente pouco à vontade com ele, e Sandro também, a julgar pelo modo com que evitou se aproximar da sala. Antes de tudo aquilo, a vida de Fintan parecia transbordar de alegria. Agora, se tornara uma coisa mesquinha, amarga e inútil. Tara estava morrendo de medo que ele mencionasse o nome de Thomas. Mesmo tendo absolvido Katherine — embora, pelo seu jeito desagradável, aquilo não se parecesse muito com absolvição —, Tara não sabia se ela também estava liberada. Talvez até as armas dele se voltassem todas para ela, agora, mas não teve coragem de perguntar e disse apenas:

— Fintan...? Você devia estar bebendo isso aí? — e apontou com a cabeça para a lata sobre a mesinha.

— Por quê? Quer um pouco? Não está meio cedo para bebidas?

— Eu poderia lhe perguntar a mesma coisa.

— Ah, mas eu estou com câncer.

— Pior ainda... — Tara suspirou baixinho. Reuniu toda a coragem e lhe perguntou: — Gostaria que fizéssemos uma sessão de visualização, juntos?

— Uma o quê?!...

— Uma visualização. Está no livro. Você sabe como é... visualizamos você sendo preenchido com... — diante da expressão de sarcasmo que viu, hesitou: — ... bondade, pureza, luz e... ahn... todas essas coisas.

— Como vai Thomas? — atirou ele. A pergunta que ela temia tanto.

— Bem... levei um papo com ele e receio que pelo front do casamento a passagem está bloqueada, mas não me esqueci do que você sugeriu a respeito de largá-lo, isto é, a ideia está plantada na minha cabeça, ando pensando muito nas coisas que você disse e...

Para sua surpresa, ele a interrompeu, repetindo o que dissera mais cedo para Katherine:

— Não se dê o trabalho de fazer isso por minha causa, minha cara.

— Como assim?

— Estou cagando e andando para o que você faça ou deixe de fazer. Passe a vida toda com ele, se quiser.

— Você não quer que eu o abandone?

— Não, Tara. Não ligo a mínima. Case com ele, ou não case com ele. Fique com ele, seja o capacho dele, como você já é... A vida é sua, não minha, faça dela o que bem entender. Desperdice-a... isso é o que todo mundo faz mesmo.

— Ahn... tá legal.

— A vida — afirmou Fintan, com a voz pesada — é desperdiçada com as pessoas vivas.

— Então eu estou liberada? — perguntou Tara, sem muita certeza.

— Livre para ir aonde quiser e tudo o mais.

— Puxa, ahn... isso é bom, então. — Conseguiu formar um sorriso. — Não sabia se você mudara de ideia apenas no caso de Katherine. Enfim... obrigada.

Ficou esperando que o peso imenso saísse de cima de seus ombros; esperava se sentir livre, voando alto, liberta. Tudo estava bem. Ela poderia continuar com Thomas. Fintan lhe dera sua bênção e ela poderia ficar com Thomas pelo tempo que quisesse.

Iu-hu! Sentiu uma voz gritando dentro da cabeça. Ela poderia ficar com Thomas *para sempre*!

Por que será que subitamente aquilo lhe pareceu mais uma ameaça do que um sonho realizado?

CAPÍTULO 56

Joe estava esperando junto à bilheteria da estação de Finsbury Park, conforme combinado. Havia tanta gente circulando de um lado para outro com camisas do Arsenal que, por um momento, ela não o viu. Então o avistou encostado em uma parede, com as mãos nos bolsos do casaco. Ele vestia um par de jeans desbotados, botas pesadas e um grande casaco de couro de corte quadrado nos ombros. Uma pequena mecha de fios escuros pendia sobre sua testa e seus olhos pareciam distantes. Quando, muito nervosa, ela começou a se encaminhar na direção dele, sua expressão continuou fechada, quase dura. Ela começou a se arrepender de ter ido.

Já estava quase cara a cara com ele quando seu rosto se alterou.

— Katherine! — reagiu ele, desencostando-se da parede e ajeitando o corpo, parecendo ainda mais alto do que já era. — Não reconheci você! — Puxa, eu realmente não reconheci você — repetiu ele, enquanto, sem cerimônia, avaliava os cabelos, o casaco, o jeans e as botas de Katherine. Balançando a cabeça, incrédulo, soltou o ar, com força, levantando a mecha que pendia sobre a testa. — Uau!

— Eu não estou tão diferente assim — reagiu ela, mexendo o corpo, meio sem graça.

— Não, mas... — seu sorriso se espalhou e cresceu, e ele nem tentou disfarçar que gostava do que via.

Lançando um sorriso para ele, Katherıne tornou a desviar o olhar, embaraçada, mas feliz, e se desculpou:

— Sinto muito por me atrasar.

Ele olhou para o relógio e sugou o ar, ralhando:

— Três minutos e meio, Katherine. Já estava achando que você não vinha — brincou, embora fosse verdade. — Mas finalmente chegou! Venha por aqui — e levou-a para a rua. Enquanto subiam pelas escadas, ele não tocou nela. Nada de mãos dadas, nem empurrãozinho no cotovelo para ajudá-la a caminhar. Mas permaneceu ao seu lado, formando uma espécie de campo de força em torno dela. Ele se mostrava tão simpático quanto sempre fora, especialmente na época em que suas gentilezas com ela estavam no nível máximo, mas Katherine já não achava que isso era motivo para ser cruel ou hostilizá-lo.

O estádio parecia imenso. Depois de entregarem os ingressos, beberam algo leve, no bar. Depois, levaram mais dez minutos se acotovelando com centenas de outros torcedores, pelas passarelas e escadas, até saírem no ar livre e frio, ouvindo a cantoria da torcida, ali perto e mais longe também.

Os lugares eram numerados e havia uma gigantesca cobertura metálica para proteger os espectadores do mau tempo. Tudo muito civilizado, bem diferente da arquibancada a céu aberto com pessoas tentando ver o jogo atrás de milhares de cabeças, como Katherine inicialmente imaginara.

E havia mulheres ali. Muitas, aliás. Ela não era a única! Ao longo de fileiras e mais fileiras de cadeiras com assentos de plástico, eles começaram a descer. Quando encontraram os lugares marcados, se sentaram lado a lado, com as coxas muito próximas, mas sem se tocarem, e com os braços colados, sendo que a ombreira preta alta do casaco de Joe ficava muito acima do ombro delicado, vestido de azul, de Katherine. Ela estava surpresa pela quantidade de gente que havia ali. *Milhares*. Abaixo dela, fileiras e fileiras de cabeças desciam até quase o nível do campo. Ao olhar em torno, viu acres e acres de troncos humanos que formavam quase uma muralha vertical até o teto com revestimento metálico. Em seguida, inclinou-se para a frente e viu centenas de pernas com os joelhos dobrados, nas duas direções. Os outros três setores de arquibancadas estavam igualmente lotados, com pessoas que pareciam tão distantes que, ao se movimentarem em massa, pareciam algas vermelhas balançando ao sabor da maré. Era espantoso.

As palmas ritmadas e os pés batendo no chão e ecoando no teto de metal do estádio eram ensurdecedores e, de certo modo, primitivos. Uma sensação poderosa e viril. Ela sentiu o sangue bombear em suas meias no ritmo da bateção dos pés. Dava para sentir a energia na barriga.

— Está tudo bem? — murmurou Joe, virando-se para ela.

— Tudo bem — concordou ela com a cabeça, lançando um sorriso tênue.

— Você está bem-agasalhada?

Ela balançou a cabeça, em concordância.

— Dá para ver todo o campo?

Outro aceno.

— Não que haja alguma coisa para se ver, por enquanto — acrescentou ele.

Houve uma pequena pausa e ele perguntou:

— Você quer um hambúrguer?... Ou dar uma olhada no folheto com o programa?

Joe estava meio apavorado com a possibilidade de talvez Katherine não estar tão empolgada com aquele encontro quanto ele.

Tranquilizada pela ansiedade que sentiu nele, ela se pegou dizendo:

— Não pensei que fosse sentir essa...

— Essa o quê? — quis saber ele, tenso.

— Essa empolgação — admitiu ela.

Ele sentiu-se mais alegre e gratificado, e essa sensação percorreu-lhe o corpo, preenchendo-o por dentro. Ele estava certo, tinha razão desde o início a respeito dela! Havia um fogo e uma paixão insuspeitados sob a superfície aparentemente fria.

— Se está achando isso empolgante — sorriu ele —, espere só até mais tarde!

Assustada, ela arregalou os olhos. Como ele era presunçoso!

— Estou falando de como vai ficar depois do pontapé inicial — gaguejou ele.

A cantoria começou em volta deles:

"Meu velho me disse:
'Filho, torça pelo Everton',
'Cacete, coroa, qual é?...'"

Felizmente Joe não acompanhou o grito de guerra da torcida. Katherine não sabia ao certo como se sentiria se isso tivesse aconte cido. Mas a energia tribal era muito poderosa, muito viril e sexy. Embora o dia estivesse frio, isso não parecia importar muito.

— Você curte futebol há muito tempo? — perguntou ela, com um jeito tímido.

— Nossa, um tempão! Muito antes de Nick Hornby* colocar o Arsenal como time da moda entre a classe média. Aos quatro anos eu já era um torcedor muito devotado, mas meu time era o Torquay United.

Katherine tentou imaginar Joe como um garotinho de quatro anos e seu coração deu uma cambalhota.

— Esse time, o Torquay United, era bom?

— Que nada! — balançando a cabeça com veemência, ele sorriu. — Eles são... Como posso explicar...? Marcados pela falta de sucesso. Ou talvez pela falta de talento. Estão na terceira divisão agora.

— Por que você não torce mais por eles? Desistiu de apoiar o time vira-lata?

— Não, eu ainda torço — e tornou a balançar a cabeça. — É uma questão de onde você nasceu e foi criado. Sou de Torquay, então não dá para escapar, não há outra escolha na hora de torcer por um time.

— Destino. — Katherine compreendia o conceito.

— Isso mesmo! Grande garota! É o destino. Algo fadado a acontecer. — Todas as mulheres que ele conheceu, não importa de onde vinham, torciam para o Manchester United e queriam que ele fizesse o mesmo. Lançou um olhar meio de lado para Katherine. Todas as vezes que eles se olhavam diretamente, a barriga dela se retorcia, devido ao nervosismo e ao prazer.

— Então, por que viemos assistir a um jogo do Arsenal, afinal? — quis saber ela.

— É que quando eu me mudei para Londres, ir até Devon a cada duas semanas só para ver o Torquay jogar não dava pé. Por acaso, eu morava a 100 metros do campo do Arsenal, e ver um jogo deles era melhor do que não ver nada...

— Entendo — disse Katherine, com a voz séria. — Então nós não viemos aqui porque você gosta do Arsenal?

---

* Escritor de sucesso, autor de *Febre de bola*, livro que trata da relação de amor entre um torcedor e o time do Arsenal. (N.T.)

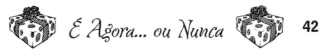

— Mas agora eu gosto! — falou ele depressa, para tranquilizá-la. — Naquela época eu não era fiel a ninguém — e piscou os olhos para ela. — Sabe como é... eu era muito jovem, quase um garoto. Não sabia nada a respeito de lealdade.

— E agora você já amadureceu? — sorriu Katherine ao perguntar.

— Muito!

— Fico feliz de saber — declarou ela, solenemente.

— Embora a coisa tenha começado em fogo lento, eu acabei me apaixonando. — Engoliu em seco e acrescentou, depressa: — Pelo Arsenal, entende?

O campo estendia-se diante deles, enorme, em um tom de verde-esmeralda, listrado e ainda vazio.

— Deve estar quase começando — avisou Joe. Virando-se para ela, pegou com casualidade no seu braço e olhou para o relógio dela. Foi um gesto casual, algo que qualquer pessoa poderia fazer com outra. Mas foi a coisa mais próxima, mais íntima que Joe jamais fizera com ela. Ela prendeu a respiração ao sentir os dedos gelados dele apertando-lhe o pulso. Então ele agradeceu gentilmente, largou o braço dela e acabou o clima. Mas levou um tempinho até a respiração dela voltar ao normal.

Subitamente, uma perceptível mudança se fez sentir no ar do estádio.

— Lá vamos nós — disse Joe baixinho para ela no momento em que, como um só corpo, toda a arquibancada se levantou ao mesmo tempo, batendo palmas, assobiando e gritando. Parece que o Arsenal acabara de entrar em campo, mas Katherine só conseguiu ver as costas e as cabeças das pessoas à frente dela. Em seguida, pelos urros e vaias, concluiu que era o time do Everton que havia entrado.

Voltaram a se sentar, e a partir do instante em que o jogo teve início a atmosfera em toda a arquibancada se tornou rígida, elétrica de expectativa e tensão. A agressividade da multidão, que estava em estado de hibernação, tornou-se aberta, e a emoção que Katherine sentia debaixo da pele começou a se aproximar do medo, mas de uma forma agradável.

— Os jogadores de vermelho e branco são os nossos rapazes — murmurou Joe.

— Eu sei! — Tara havia lhe ensinado as coisas básicas.

— Que legal — elogiou Joe. A coisa ia cada vez melhor.

O sujeito ao lado de Katherine era fanático e parecia ter uma rixa pessoal contra o time do Everton. O tempo todo ele ficava se levantando e rugia:

— Podem vir se vocês acham que conseguem encarar!

Quando o time do Everton perdeu um gol feito, ele explodiu de alegria e começou a entoar uma canção de vitória:

— Vocês não marcam nem na zona! — cantava ele. — Não marcam nem na zona... nem... na... zona!... Zooo-na!

Então ele a cutucou e propôs, deixando-a alarmada:

— Vamos lá, garota! Cante junto com a gente: seus filhos da mãe, não marcam nem na zona...

— Não posso — murmurou ela. — Estou com dor de garganta.

Joe não acompanhou a musiquinha, mas estava muito focado e realmente interessado em cada lance do que acontecia em campo. Katherine imaginou se não devia estar sentida com aquilo. Afinal, por que ele a levara até lá se planejava ignorá-la? Só que não conseguiu ficar chateada. Os olhos dele se estreitavam, percebendo tudo e sem se desviar da bola. Joe assistia ao jogo e Katherine assistia a Joe, com as maçãs do rosto proeminentes, a pele que pedia para ser tocada e o cabelo mais desalinhado do que no trabalho. De vez em quando ele olhava para o lado, para saber se ela estava bem. Continuava preocupado por ela estar, talvez, com frio. Porém, embora suas bochechas estivessem rosadas devido ao frio, a temperatura baixa não a incomodava.

Com 20 minutos de partida, ele fixou o olhar nela por mais tempo. Estava lindo em seu casaco de couro.

— Você está bem? — perguntou pela enésima vez.

— Estou, estou ótima. — Ela exibiu-lhe os dentinhos lindamente alinhados.

— Não ouvi o que você falou — disse ele, inclinando o rosto para ficar junto do dela. — Fale mais perto!

Achando que ele não ouvia devido à cantoria em volta deles, ela se esticou para chegar mais perto dele e repetiu:

— Eu disse que estou bem!

— Continuo sem ouvir — tornou a dizer, com mais suavidade e os olhos mais escuros. — Chegue mais perto!

Sem graça de invadir o seu espaço pessoal, ela se movimentou ainda mais para perto dele e disse:

— Sim, estou legal!

Agora ela estava tão junto do seu rosto que dava para ver os poros de sua pele, onde a barba estava começando a crescer, formando uma máscara escura sobre o maxilar e em volta da boca.

— Não ouvi nada! — ele tornou a dizer, mas agora sua voz era quase inaudível, e ela teve que ler as palavras em seus lábios.

Confusa, ela chegou alguns centímetros mais perto e sentiu que estava respirando o mesmo ar que ele ao dizer:

— Estou bem!

— Não ouvi nada — dessa vez ele fez apenas a mímica das palavras, com a boca.

Havia menos de dez centímetros entre os dois rostos e o hálito dele, com cheirinho de maçã, surpreendeu-a, batendo em seu rosto gelado. Não dava para ela chegar mais perto do que já estava. Completamente imóveis, seus olhares se encontraram. Havia intensidade nos dele e confusão nos dela. E então Katherine compreendeu...

Em algum lugar, em outra dimensão, o time do Everton perdeu mais um gol na cara do goleiro, e os ouvidos dela foram invadidos pelo barulho de 30 mil torcedores do Arsenal cantando, desafinados:

"Vocês são uns meeerdas, e sabem disso!..."

Joe Roth se movimentou ligeiramente, chegando mais perto dela, obscurecendo a sua visão. E a beijou.

CAPÍTULO 57

Rob teria chorado de dor se soubesse que o seu precioso ingresso tinha sido desperdiçado por alguém que passou a partida inteira aos beijos. Para sorte dele, Joe e Katherine se beijaram apenas uma vez.

Mas que beijo!, pensou Katherine.

Os olhos dela estavam fechados, suas mãos se colocaram no rosto de Joe e ela sentiu a barba que nascia espetando-lhe a ponta dos dedos. Um aroma forte de limão, um típico cheiro masculino de limpeza, penetrou em suas narinas e ela reparou, com alguma parte remota do cérebro, o quanto os lábios dele eram firmes e secos. Ele a trouxe mais para perto e suas mãos envolveram-lhe a nuca sedosa. O beijo aprofundou-se um pouco e ficou mais agressivo. O calor das bocas febris contrastava com o frio que lhe atingia o rosto, tornando tudo ainda mais secreto e delicioso.

Logo, logo, porém, tudo acabou. Meio relutantes, eles abriram os olhos e se afastaram ligeiramente um do outro, meio trêmulos pelo excesso de desejo. A realidade entrou novamente em foco.

— Desculpe... eu não devia ter... esse não é o local apropriado — murmurou Joe, com os olhos opacos e atônitos.

— Você tem razão — concordou ela, estupefata ao descobrir que eles não eram as duas únicas pessoas do mundo.

Os dois assistiram ao resto da partida em uma espera aflita. Aparentemente, o Arsenal ganhou o jogo.

Então eles entraram em um táxi e foram direto para a casa dela.

Assim que chegaram lá, Katherine entrou em pânico. Eram apenas cinco e meia da tarde, cedo demais para comportamentos inadequados. Aquilo fora um erro.

A presença dele preencheu todo o apartamento, e ela quis que ele fosse embora. Detestava o sentimento de que ia ter que segurar um tigre pelo rabo, ou que colocara na boca mais do que conseguiria mastigar.

— Essa é a sala — anunciou ela, estendendo a mão, supernervosa. — Sente-se aí que eu vou colocar uma chaleira...

Parou de falar de repente, quando Joe colocou dois dedos no cinto do jeans dela.

— Venha até aqui — disse ele, suavemente, puxando-a para junto de si. Ela sentiu o puxão, sentiu os pés movendo-se na direção dele e o corpo colar no dele. Em silêncio, notou o olhar sugestivo e íntimo que ele lhe lançou ao abaixar o rosto. A pele dela se aqueceu sob o calor do hálito quente dele, e de repente sua boca estava sobre a dela.

Ao fechar os olhos, sentiu seu corpo desabrochar como uma flor. *Está cedo demais*, disse a si mesma, louca para querer parar. *Está cedo demais, vou interromper isso já, já.*

Mas foi Joe quem cortou o barato. Tentando fazer o coração voltar ao ritmo normal, ele sorriu com tristeza, avisando:

— É bom que você saiba que eu jamais durmo com alguém logo no primeiro encontro.

— Nem eu — garantiu ela, com ar arrogante.

— Sorte nossa que esse já é o nosso segundo encontro, não é? — e ele sorriu.

— Não pense nem por um momento que...

— Não estou pensando nada — disse ele, depressa e com cara de arrependido. — Acredite se quiser, mas foi uma piada.

— Ah... então você *dorme* com as pessoas logo no primeiro encontro?

— Não, eu... já entendi, isso também foi uma piada. — E os dois sorriram um para o outro.

— E quanto a esse segundo encontro? — perguntou ela, com a voz suave.

— Bem, eu disse que ia alimentá-la, não disse?

— E...?

— Pensei em sair com você. Está a fim?

— Sair? Sair para onde?

— Ahn... para o Ivy — disse ele, meio sem graça devido à extravagância do convite.

— Tudo bem — disse ela simplesmente. — Mas está tudo bem para você se nós nos encontrarmos lá?

A ideia de ele ficar esperando na sala enquanto ela se aprontava era uma intimidade para a qual Katherine ainda não se sentia preparada.

Ele pareceu desapontado, mas disse:

— A mesa está reservada para as oito horas. Eu a vejo lá, então.

Ele a beijou no rosto e, assim que a porta se fechou atrás dele, Katherine fez uma coisa completamente fora dos seus padrões: saiu dançando pelo corredor. Ela sabia muito bem como era difícil conseguir uma mesa no Ivy.

Correu para o quarto, puxou mais uma sacola debaixo da cama e desdobrou um vestido preto com mangas justas, cortado sob medida. Não era exatamente curto, mas era bem curto *para ela*. Como, porém, ele ia levá-la no Ivy, nada mais adequado.

Tremendo de expectativa, enfiou a unha de mau jeito e rasgou o primeiro par de meias pretas que pegou. Por sorte, era o tipo de mulher que tem sempre vários pares de meias na gaveta. Então, em um momento "ó dúvida cruel", gastou vários segundos dividida entre botas pretas de salto alto ou um par de sandálias de grife, também de salto alto, e acabou escolhendo as botas, porque as sandálias a faziam se sentir muito vulnerável. Depois, o toque final... o casaco Jil Sander mais bonito que conseguira comprar na liquidação de janeiro, e Katherine estava pronta.

Não conseguiu resistir e ligou para Tara. Sabia que ela devia estar louca para saber como as coisas estavam rolando. Quando, porém, alguém atendeu, Katherine achou que havia ligado para o número errado. Não reconheceu a voz rouca e incoerente que arfou a palavra "alô".

— Tara? — perguntou, hesitante.

— Oh, Katherine... — a voz se desmanchou.

Então Katherine compreendeu que *era* Tara, mas ela chorava tanto que mal conseguia falar.

— O que houve, Tara? Aconteceu alguma coisa com Fintan?

— Não, não é nada, deixa pra lá...

— Não pode ser *nada*.

— É o Thomas. Ele é um babaca.

— O que foi que ele aprontou? — Katherine ficou preocupada. Era bem capaz de ele estar de caso com alguém.

— Ele é um babaca completo.

— Sim, mas... — Katherine não sabia o que dizer. *É claro* que Thomas era um babaca, não havia nada de novo nisso. Alguma outra coisa devia ter acontecido. — Ele não está de caso com alguém, está?

— Por quê? Você acha que existe alguma outra mulher no mundo tão idiota quanto eu? Puxa, acabei de me lembrar — interrompeu Tara, ainda chorando. — Você está tendo um encontro. Por favor, me diga que esse é um telefonema de felicidade. Está correndo tudo bem?

— Deixe isso pra lá. Conte-me o que aconteceu.

— Amanhã. Por favor, Katherine, eu preciso saber se está correndo tudo bem por aí...

— Ele me beijou duas vezes e vai me levar para jantar no Ivy.

— No Ivy?! Nossa, fico tão contente de saber!... Ele está realmente a fim, hein? — Tara fez um esforço enorme para parecer alegre. — Na hora em que estiver comendo a mousse dupla de chocolate, pense em mim.

— Você não quer que eu dê um pulinho até aí? — Katherine cruzou os dedos, os braços, as pernas, tentou cruzar o dedão do pé e então fechou os olhos em uma prece fervorosa.

— Até parece que você viria!... — mesmo naquela situação, Tara conseguiu dar uma risada.

— Mas você vai ficar bem?

— Claro que sim. Desculpe se cortei o seu barato com o meu choro. Divirta-se muito, muito mesmo, e não esqueça de exigir seus direitos conjugais.

— Se você tem certeza...

— Juro pela minha avó!

Quando o táxi deixou Katherine na porta do Ivy, passava pouco das oito horas e ela se obrigou a dar uma volta. Tudo bem ficar esperando alguém sozinha no restaurante quando esse alguém era Tara, mas aquela noite era diferente. Com grande força de vontade, conseguiu se atrasar dez minutos. Não exatamente um caso de petulância tipo *supermodel,* mas, para os padrões de Katherine, tratava-se de um marco histórico.

— Estou procurando pelo sr. Roth — comunicou ao maître.

Ele verificou a lista e tornou a verificar.

— Desculpe, senhorita, mas não há mesa alguma em nome do sr. Roth.

O estômago de Katherine se retorceu de medo. Quase em pânico, deu uma olhada no salão e, com grande alívio, viu Joe sentado a uma mesa ao lado de uma pilastra. Ele também acabara de avistá-la e rapidamente se levantou.

— Veja, lá está ele — sorriu ela, indicando Joe.

— Ah... trata-se do sr. Stallone, então — explicou o maître, com rosto indecifrável.

— Ah, é...?

Joe chegara até onde eles estavam.

— Sua acompanhante chegou, sr. Stallone — indicou o maître, de forma educada.

— Ahn... sim, obrigado. É por aqui, Katherine.

— Sr. Stallone? — cochichou Katherine quando Joe afastou a cadeira para ela sentar.

— Foi o único jeito de conseguir uma mesa em tão curto espaço de tempo — murmurou ele.

Houve um momento de espanto e, em seguida, uma onda de riso começou a crescer por dentro dela.

— Sr. Stallone — explodiu ela, soltando risadas sem conseguir parar, com o corpo dobrado sobre a mesa e chorando de tanto rir. Com toda a paciência e um ar simpático, ele a observou. — Nossa! — ela conseguiu dizer, ofegante e enxugando os olhos. — Não ria tanto assim há muitos anos.

— Eu não queria que você descobrisse. Estava de olho na entrada, para ver a hora em que você chegasse, mas aquela pilastra atrapalhou a visão.

— Pois eu *adorei* ter descoberto — e se inclinou sobre a mesa, na direção dele, com o rosto radiante de sinceridade. — Juro por Deus.

Os cardápios chegaram e eles pediram a comida e o vinho.

Embora houvesse muita coisa que não sabiam a respeito um do outro, basicamente conversaram a respeito da comida que chegara. Joe descreveu as delícias do brie frito que pedira de entrada, e Katherine lhe contou tudo o que conseguiu a respeito da salada de bacon que chegara para ela.

É quase como uma conversa casual com Tara ou Fintan, reparou Katherine, surpresa. *Especialmente com Tara.*

Aquilo não era um mau sinal.

Quando o prato principal chegou, Katherine perguntou, genuinamente interessada:

— O seu linguado está saboroso?

— Está — garantiu Joe. — Quer um pouquinho? — Ele já estava levantando o garfo e virando-o na direção dela.

— Ahn... não — ela torceu o corpo meio de lado, com o rosto vermelho.

— Vá em frente — incentivou ele, com a voz em tom baixo. — Está delicioso!

— Esse é um dos diálogos mais manjados que eu já ouvi — disse ela, tentando deixá-lo sem graça, a fim de que desistisse. Mas isso não aconteceu.

— Prove um pouquinho! — repetiu ele.

Animada pelo seu tom de voz e pela intimidade do gesto, Katherine se inclinou para a frente e deixou Joe colocar o garfo em sua boca.

— Não está bom? — perguntou Joe, com um olhar significativo.

— Ótimo — concordou ela, tímida.

Ele observou cada garfada que ela colocava na boca, e o foco de sua atenção era o movimento dos lábios, quando ela empurrava a comida para dentro deles, olhando de um jeito caloroso enquanto ela mastigava. Katherine ficou um pouco embaraçada e excitada. Depois do prato principal, precisou dar uma escapada até o toalete, para respirar fundo e tentar dissipar a tensão sexual que havia na mesa.

Na hora da sobremesa, em homenagem a Tara, pediu a mousse dupla de chocolate. Enquanto deixava deslizar para dentro da boca uma colherada do chocolate preto e branco, levantou os olhos e pegou Joe olhando para ela com muita intensidade. A combinação do sabor inigualável do chocolate explodindo sobre a língua e a promessa que havia no olhar dele fizeram o seu corpo tinir, como se tivesse um miniorgasmo.

Ela formigou tanto por dentro, de expectativa, que ficou quase receosa. Talvez role ainda essa noite. Talvez mesmo...

CAPÍTULO 58

Ao sair do restaurante, ficaram por algum tempo na rua, sob a noite fria.

E agora?

— Poderíamos tomar um café no meu apartamento — sugeriu Joe.

— Em Battersea? — replicou ela, com um tom de voz que insinuava o ridículo da ideia. Era o seu jeito de professora aparecendo.

— Por que não? — perguntou ele, aparentemente inabalado pelo seu ar de escárnio.

Faça-o esperar, implorou ela a si mesma. *Faça-o esperar. Não entregue o jogo assim tão depressa.*

— Não — disse ela, decidida. Observar o risinho de expectativa dele, que se desmanchou, proporcionou a ela um momento de cruel prazer, antes de completar: — É melhor irmos para o meu apartamento.

No táxi, eles seguiram de mãos dadas, em silêncio. Sem falar nada, ela abriu a porta de casa para eles entrarem e depois a fechou cuidadosamente atrás de si. E se preparou para embarcar no primeiro caso de envolvimento carnal com um homem em mais de dois anos.

Foi como se os dois tivessem sido catapultados um contra o outro. Imediatamente, sem tirar nem mesmo os casacos, eles já estavam em pé, encostados na porta da frente, nos braços um do outro, beijando-se frenética e desesperadamente. Ela nem sentiu quando as mãos habilidosas de Joe tiraram o seu casaco, que ficou caído, todo embolado, no saguão, pouco antes de ele levá-la para a sala, para o sofá. Ainda beijando-a, ele fez uma leve pressão em seus ombros, forçando-a a abaixar, até colocá-la deitada de costas. Então tornou a beijá-la durante um tempo que lhe pareceu interminável. Toda vez que ela tentava se ajeitar para sentar ou falar com ele, ele a forçava de volta sobre o sofá e começava tudo novamente. Parecia totalmente devotado a fazer aquilo, a servi-la.

Beijar, por si só, já é uma forma de arte, pensou ela, com a mente ofuscada. *Não se trata apenas de uma preliminar para o evento principal.*

Katherine mantinha os olhos fechados e parecia ter entrado em transe. Bem lá no fundo a sua cabeça voava sobre campos de cor, paisagens e estrelas. *Quem precisa de drogas?*, pensou ela.

Já fazia muito tempo desde que ela havia sido beijada daquela forma pela última vez. Aliás, já fazia muito tempo desde que ela havia sido beijada *de qualquer forma*. Como ela conseguira passar sem aquilo?

Mal sabia onde estava quando tornou a abrir os olhos, e se espantou ao se ver no ambiente comum de sua sala de estar.

Durante todo o tempo em que a beijava, ele tocou nela e a acariciou, de forma lenta e enlouquecedora. Fazia pequenos círculos com as pontas dos dedos compridos e sensíveis sobre a sua pele, sobre o seu rosto, o seu pescoço e os seus braços. De repente, já estava lhe acariciando a barriga, por cima do vestido, e então, calmamente, moveu as mãos um pouco para cima, apertando-lhe as costelas. Em seguida, continuou subindo, até chegar quase à altura dos seios. Por baixo do sutiã rendado, seus mamilos levantaram duas tendas. Gritavam pedindo para serem tocados, mas em vez disso ele a alisou por baixo do seio e passou à área macia ao lado do corpo, para em seguida descer para o abismo entre os seios. Em círculos lentos e descendentes, começou a se mover cada vez mais para dentro deles, até tocar a parte mais volumosa do seio direito. Lentamente, bem devagar, continuou viajando, vencendo o espaço centímetro por centímetro, ao longo do tecido esticado. Então, depois do que pareceram horas, alcançou o mamilo e suavemente o massageou com o dedo indicador. Ela teve a impressão de que ia ter um orgasmo.

Ele se recostou, meio em cima dela, meio de lado, e ela sentiu a sua ereção apertando-lhe o quadril. Aquilo era gostoso demais!

Ele colocou a mão sobre a perna dela, a fez se mover por baixo do vestido e notou que ela estava usando cinta-liga, como ele esperava, e não meia-calça; sua habilidade quase o abandonou.

Começou a formar círculos com os dedos nas suas coxas. Primeiro na parte da frente e depois na parte externa, para em seguida mergulhar na pele virginal e macia da parte interna, antes de voltar para a frente e fazer tudo de novo.

— Não — ralhou ele, ao sentir que ela elevava os quadris em sua direção, forçando-a novamente a se recostar no sofá, com a palma da mão pressionando de leve o seu púbis. Mais uma vez uma sensação de prazer a atravessou por dentro, em ondas doces.

Ela estava louca para tocá-lo, passar os dedos por entre as costelas dele, apertar-lhe o estômago com o polegar e sentir-lhe a musculatura da coxa. Com dedos trêmulos, ela desabotoou a camisa dele e então se ajeitou, sentando-se mais firme, meio de lado, e colocou as mãos abertas sobre o peito dele, sentindo os pelos crespos que havia ali. Para sua surpresa, ela o empurrou com tanta força que ele caiu para trás e ficou de costas sobre o sofá, enquanto ela passou a olhá-lo de cima.

Eles sorriram em silêncio um para o outro, atônitos.

A camisa dele já estava toda aberta e o jeito como a sua barriga magra criava um espaço entre a pele e o cós das calças fez Katherine sentir vontade de enfiar a mão ali. Pousando a palma da mão de encontro à linha de pelos sobre a sua barriga, ela a girou em seguida e movimentou os dedos lentamente para baixo. E mais para baixo. Até entrar em contato com os pelos pubianos dele.

— Katherine... — grunhiu ele, tentando murmurar.

Olhando em seus olhos, mal dava para ele reconhecer a garota de blusa abotoada até o pescoço com a qual trabalhava. Ela era uma predadora.

Novamente ele tornou a beijá-la e a virou, fazendo com que, mais uma vez, ela ficasse por baixo. Ela não conseguia esperar mais.

— Por favor — implorou ela, puxando o vestido e tentando levantá-lo até a cintura. Ele se colocou em pé e rapidamente abriu o cinto, tirou as calças, a cueca e as meias.

A pele dele era muito branca, quase translúcida, tão pálida que os pelos escuros faziam um contraste forte. Sua cintura era fina, seu estômago meio côncavo, com o abdômen definido, tipo "tanquinho", tão reto que a pele parecia ter sido repuxada para baixo, a fim de conseguir cobrir todo o tórax. Suas coxas eram compridas e esbeltas, seus quadris tão estreitos quanto os dela, sua ereção firme e pulsante. Ele era lindo!

Joe a ajudou a despir o vestido, mas, em uma atitude silenciosa e por mútuo acordo, deixou-a com a roupa de baixo. Em seguida se ajoelhou com uma das pernas entre as dela enquanto vestia uma camisinha, e então afastou a calcinha rendada para um dos lados. Quando ele se deixou deslizar bem devagar para dentro dela, apoiando com cuidado o peso do seu corpo, Katherine achou que morrera e fora para o céu.

Depois de tudo, ele pareceu maravilhado.

— Jamais pensei que isto pudesse acontecer — declarou, olhando-a fixamente.

— É mesmo? — perguntou ela, com tom de voz neutro.

— Estava louco por você, e já fazia tanto tempo que eu nem posso acreditar que...

Em silêncio, os dois permaneceram colados, nos braços um do outro, até que Katherine começou a sentir novamente as mãos dele se movimentando sobre ela. Bem devagar, ele abriu o sutiã, soltou o gancho que prendia as meias, tirou a cinta-liga e a calcinha, deixando as roupas espalhadas pela sala de estar já caótica, e foram para o quarto, onde fizeram amor pela segunda vez.

Depois do segundo tempo, Joe não demonstrou nenhum sinal de querer dormir, e isso agradou Katherine.

— Vamos! — chamou ela, cutucando-lhe a barriga.

— Vamos aonde?

— Para o banheiro, vamos tomar banho.

— Por quê? Você tem que ir embora logo, a fim de voltar para casa? — brincou ele.

— Ora, vamos logo.

Dando risadinhas, eles entraram meio desengonçados no banheiro, em direção ao boxe. Katherine lhe entregou uma esponja e uma embalagem de gel para banho.

— Lave-me!

— Tá legal — concordou ele, analisando o seu corpo esbelto e olhando para a esponja. — Só que primeiro vamos ter que molhar você.

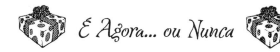

Abriu a torneira de água quente e colocou Katherine debaixo dela. O jeito curioso e calado com que ele olhou para o corpo dela, sob a água da ducha que descia suavemente pelas curvas dos seus seios e chegava aos mamilos antes de continuar escorrendo, e a forma lenta com que espremeu a embalagem de gel sobre a esponja, sem tirar os olhos dela, foi algo carregado de erotismo.

— Você está imunda! — disse ele, com o rosto sério.

— Eu sei. — Ela mal conseguia falar.

Ele passou a esponja bem devagar entre as pernas dela e a sentiu contorcer-se de desejo.

— Fique quietinha! — ordenou ele.

Ela tentou, mas a massagem firme e incessante era irresistível. A água morna, o corpo molhado dele e a pele escorregadia dela foram demais para ambos.

Encostando-a na parede de azulejos frios, com a perna dela em volta de sua cintura, Joe a penetrou novamente. Por alguns momentos paradisíacos eles se agarraram com força, os dentes cerrados de desejo, enquanto ele, de forma ritmada, lançava-se dentro dela em golpes constantes. Até que ele perdeu o apoio dos pés no piso molhado e os dois escorregaram no chão onde, estirados, com as pernas entrelaçadas, mas ainda firmemente unidos, caíram na gargalhada.

Na manhã seguinte, Katherine acordou cedo. Virou-se para o travesseiro ao seu lado e lá estava ele. Joe. Joe Roth. Joe Roth, do trabalho. Sem suas roupas. Adormecido e lindo, com as pestanas grossas, as pontinhas da barba por fazer começando a despontar no maxilar, o quarto tomado pelo cheiro de alguém diferente.

Com grande empolgação, viu que aquilo era como acordar na manhã de Natal e descobrir que Papai Noel aparecera.

Não vou estragar isso, não vou estragar isso, não vou... repetia ela, sem parar, para si mesma.

Sabia que aquele era o momento mais complicado. Tara lhe garantira que era uma situação difícil, não importa quem você fosse. Katherine, porém, achava que era especialmente difícil para alguém como ela, cujo maior atrativo para os homens era a distância. Que desaparecia assim que dormia com eles, pois era difícil transar com alguém e conseguir se manter intocável e fria. Pelo menos, não se a vontade fosse curtir o momento. No entanto, muitas vezes, homens que haviam tentado conquistá-la durante semanas, e até mesmo meses, enlouquecidos pelo fato de ela ser inalcançável, descobriam que, depois da primeira transa, perdiam o interesse. Seu ar místico se dissolvia e ela se tornava, de uma hora para outra, uma mulher comum, fora do seu pedestal e brigando pelo homem que estava com ela em igualdade de condições, como todo mundo.

O pior é que aquele novo caso reacenderia velhas chamas em Katherine. Sem dúvida, era um momento muito delicado.

Joe abriu os olhos, ainda com as pálpebras lânguidas, mas com um olhar expressivo.

— Oi — disse ele, meio grogue.

— Oi — sussurrou ela.

— Que visão maravilhosa logo ao acordar! — ele estendeu a mão e a trouxe para perto dele, puxando o edredom. O coração dela pareceu aumentar de tamanho ao sentir o calor do corpo dele. Com o peito colado nele e a perna sentindo a aspereza dos pelos da sua perna, ela fechou os olhos para saborear a suavidade daquelas carícias matinais, em um doce abandono, e quando fizeram amor novamente tudo foi mais devagar, mais preguiçoso e mais sensual do que fora na véspera.

Depois disso, Joe foi ao banheiro, enquanto Katherine passava freneticamente as mãos pelos cabelos, esfregando os dedos sob os olhos para remover qualquer vestígio de rímel. Quando Joe voltou, parecia indeciso. Com ar pensativo, passou a mão na boca, puxando a ponta dos lábios e tornando a largá-los.

— Acho que eu já devia ter ido embora — disse, quase em tom de pergunta.

— Talvez... — disse Katherine, com um sorriso enigmático. No fundo, porém, estava amargamente desapontada. Onde estavam os croissants, o suco de laranjas recém-espremidas e os guardanapos de linho sobre as bandejas douradas, como os anúncios mostravam? Ela não deveria estar usando apenas a parte de cima do pijama dele, e Joe apenas a parte de baixo? Ela não deveria estar com o corpo entre travesseiros de penas de ganso, com Joe ajoelhado diante dela colocando colheradas de iogurte em sua boca?... E depois depositando uma gotinha do creme rosado na ponta do seu nariz, provocando incontroláveis acessos de risos rasgados, acompanhados de olhos apertados de felicidade?

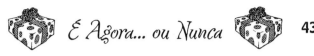

Eles não deveriam sair para dar uma volta de mãos dadas, a fim de alimentar os patos, com o seu riso de amantes saciados ecoando por todo o parque? Katherine não deveria estar colocando a pontinha do pé na água, ao mesmo tempo que usava um chapéu idiota que só permanecia no lugar porque ela o segurava com a mão espalmada sobre a cabeça?

Joe saiu do quarto e, ao voltar, já estava vestido. Isso a fez sentir um terrível vazio.

— Eu lhe telefono — prometeu ele.

— Telefona? — Katherine lançou um sorriso estudado, meio falso. Assim, se ele não tivesse intenção de ligar, ela estava comunicando a ele que já esperava por isso, mantendo desse modo a sua dignidade intacta. Por outro lado, se ele realmente estivesse a fim de ligar, aquilo ia servir como recordação da Katherine misteriosa que ele tanto apreciava. Nossa, aquilo era cansativo!

— Além do mais, vou vê-la no trabalho — disse ele.

— Sem dúvida que vai — concordou ela, com um tom leve.

— Obrigado pela noite maravilhosa. E pelo dia também — acrescentou ele.

— Não há de quê. — Ela inclinou a cabeça de forma graciosa.

O bater da porta da frente ecoou como uma trovoada distante de desolação dentro dela. O que era aquilo?

Pelo menos ela conseguiu manter a onda de carência longe dela. Melhor. Muito melhor do que na última vez. Talvez ela finalmente estivesse amadurecendo. Nesse caso, reconheceu com tristeza, levara 12 longos anos para conseguir isso.

CAPÍTULO 59

A primeira ferida era sempre a mais profunda. E a de Katherine havia sido ainda mais funda do que a da maioria das mulheres. Tinha 19 anos quando sofreu a primeira decepção amorosa, já um pouco velha para a experiência; talvez isso tenha sido parte do problema. Então, menos de um mês mais tarde, escreveu para o pai e descobriu que ele morrera. Desse modo, sua dor se cristalizou.

Na semana seguinte, Tara comentou:

— Fintan e eu já economizamos o bastante para sairmos de Knockavoy. Achamos que você devia vir conosco.

Ao ouvir isso, Katherine sentiu que haviam lhe atirado uma boia salva-vidas. Por um lado, sua vida acabara, de modo que, tecnicamente, não importava em que lugar ela ia suportar o resto de seus dias. A ideia de escapar dali, no entanto, era selvagem e tentadora.

— Para onde vocês vão? — quis saber ela.

— Para uma cidade bem distante — anunciou Tara, com a intenção de tentá-la.

— Não é Limerick, é? — perguntara Katherine, com a voz esganiçada.

— Nossa, não!... Muito mais longe.

— Dublin?

— Mais longe ainda — Tara afirmou, arrogante.

— Não é... Não é Nova York, é? — Katherine mal conseguiu conter a empolgação.

— Ahn... não, não é Nova York. — Tara se mostrou ligeiramente envergonhada. — Será que Londres serve para você?

Katherine preferia que fosse mais longe. Como Los Angeles. Ou Wellington. Ou a Lua. Mas Londres servia.

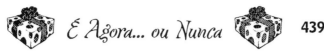

Na manhã de 3 de outubro de 1986, os três chegaram na estação de Euston, compraram um exemplar do *Evening Standard* e alugaram um apartamento em Willesden Green.

Na semana seguinte, Tara arrumou emprego em uma firma de computação, Fintan foi contratado como atendente em uma loja de roupas masculinas e Katherine conseguiu uma colocação como estagiária de contabilidade; a nova vida deles começou.

Havia um monte de homens em Londres. Muitos e muitos homens. Tara e Fintan arregaçaram as mangas e se puseram ao trabalho de conquistá-los, mas Katherine manteve distância do sexo oposto. Para ela, não era sacrifício algum. Sua falta de interesse, no entanto, nem sempre era correspondida. Embora não estivesse exatamente enxotando os homens da sua vida, como se fossem moscas, ocasionalmente era convidada para sair. Sem pensar duas vezes, sempre dizia que não, da forma mais desagradável que conseguia. Ninguém a convidava uma segunda vez.

Até uma sexta-feira à noite, 14 meses depois de sua chegada a Londres, quando Katherine foi a um pub com Tara e seus colegas de trabalho. Entre as pessoas a quem foi apresentada estava um homem chamado Simon Armstrong, o bonitão oficial do escritório. Autoconfiante, charmoso, com corpo atlético, boa-pinta e louro, ele fazia muito sucesso entre as mulheres. Só que Katherine mal o notou. Era como se tivesse um ponto cego nos olhos quando se tratava de homens. Com as antenas sempre ligadas, Simon percebeu a sua *genuína* falta de interesse nele. Não dava para fingir essas coisas. Ele poderia ter qualquer uma das mulheres presentes, mas queria apenas Katherine, intrigado e enlouquecido pela sua indisponibilidade, enquanto seu ego lhe dizia que ele estava destinado a ser o homem a alcançar a mulher por trás da máscara. Ele *tinha* que ser esse homem.

Katherine não era tão insinuante e linda quanto as mulheres com as quais ele geralmente saía, mas, de algum modo, isso fazia com que conquistá-la fosse ainda mais importante. De repente, se viu indo atrás dela, bloqueando-lhe a passagem e sorrindo, com ar de "resistir é inútil".

As outras garotas olharam para aquilo sem acreditar, debochando do cabelo todo arrumado de Katherine e de sua aparência de patricinha.

— Talvez ela o faça se lembrar da própria mãe — concluíram.

Simon conseguiu o telefone de Katherine no trabalho, através de Tara, ligou e convidou-a para sair. Ela disse que não. Ele tornou a ligar. Ela disse novamente que não. Ele avisou que não aceitava um "não" como resposta.

A princípio, Katherine ficou preocupada com a atenção dele. Depois, sentiu-se elogiada. Por fim, empolgada. O bombardeio de Simon, que lhe oferecia atenção constante, conseguiu abrir uma brecha nas muralhas de proteção, e os desejos de Katherine, há muito enterrados, voltaram borbulhando à superfície. Ela queria ser amada. Se conseguisse fazer com que as coisas dessem certo com Simon Armstrong, a sua vida voltaria aos trilhos. Tudo está bem quando acaba bem.

Assim, ela topou se encontrar com ele. E depois, foi a outro encontro. E outro. Depois de três semanas, deitou-se com ele. Ao sair da cama dele, ele avisou que ia ligar para ela naquela mesma noite, mas não o fez. Assim, ela ligou para ele cedo — bem cedo — no dia seguinte. Tentando manter o tremor longe da voz, sugeriu que eles dessem uma saída naquela noite. Quando Simon deu desculpas evasivas, ela implorou, com os olhos fechados e bem apertados:

— Por favor, não faça isso comigo! — O que, obviamente, fez com que ele fugisse desabalado.

De qualquer modo, Simon já perdera o interesse em Katherine. Ela era muito jovem e inexperiente, não era durona, e ele se interessou por ela só para obter mais um troféu para a sua coleção. O que realmente o atraíra nela era a sua indisponibilidade, mas, depois que dormira com ela, aquilo desaparecera imediatamente. Embora fosse magra e bonitinha, não era nenhum avião, e Simon Armstrong gostava de aviões. Sem mencionar que começara a perceber sinais de carência nela, o que o deixou inquieto e desconfortável.

Conhecia uma mulher obsessiva quando encontrava uma.

Nas semanas e meses que se seguiram, Katherine parecia estar em estado de choque, como uma vítima de bombardeio. Não conseguia acreditar que fora novamente dispensada. Pelo jeito, sua habilidade para lidar com os homens piorara, se é que era possível, e ela se sentiu mais insegura do que nunca.

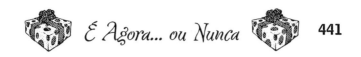

Aquela foi a última vez que ela saía com um homem, jurou a si mesma. Dessa vez ela realmente aprendera a lição.

Nos dois anos seguintes as coisas começaram a dar certo em sua vida. Ela trabalhava duro, passou nos exames de contabilidade, morava com Fintan e Tara, e observava as aventuras românticas deles com um sorriso irônico, enquanto ela mesma se mantinha bem longe de qualquer relacionamento. Ninguém percebia que ela desistira do amor: continuava comprando roupas da moda — nem *tão* na moda, às vezes — e gastava um monte de grana com os cabelos. Além disso, conversava com os homens de forma descontraída, ainda que distante, e ia a todas as festas para as quais os seus amigos de apartamento a convidavam. A única diferença é que sempre voltava para casa sozinha.

Até conhecer Alex Hoist.

Já fazia quatro anos desde que se mudara para Londres. Fintan estava começando a trabalhar com Carmella Garcia e Alex era um dos modelos da grife. Seus maxilares tinham pontinhas de barba aparecendo, os dentes eram perfeitos, o cabelo estilo "asa de corvo" era muito preto e brilhante, e ele tinha um sorriso maroto que dançava nos lábios. Para preocupação dele, ao ser apresentado a Katherine, notou que os olhos dela não se acenderam com o brilho do tesão. Ela foi educada, mas não estava nem aí para ele, e isso o deixou desconcertado. Seu ego devorador necessitava da adoração dela.

Alex era incrivelmente inseguro, pois passara a infância como o gorducho da turma. Através dos recursos da dobradinha "levantamento de peso & bulimia" tornara-se esbelto e lindo, mas se esquecera de fazer musculação na parte emocional. Na sua cabeça, continuava a ser o saco de banha ignorado e zoado por todos. Quando viu Katherine se afastar dele, o tema musical de sua infância, "Você é um balofo bundão", voltou a tocar em sua cabeça.

Ele era mais gentil do que Simon fora, mas tão persistente quanto ele. Mantinha um fluxo constante de telefonemas, mandava flores para o trabalho de Katherine e escreveu-lhe um poema, onde dizia que ela era a mulher mais curiosa e fascinante que ele conhecera.

Katherine resistiu por muito mais tempo do que com Simon. Quando Alex lhe contou que jamais perseguira uma mulher com tamanha determinação, ela debochou, dizendo:

— Aposto que você diz isso para todas.

Quando ele assegurou a ela que não era um don-juan, ela riu de forma cruel e disse:

— Você deve me achar com cara de idiota.

Quando ele decidiu surpreendê-la certa noite, esperando-a na saída do trabalho, ela lhe disse, em um tom frio, que ficar de tocaia e seguir mulheres era crime.

Mas ele não desistiu e ela começou a amolecer. Não conseguia evitar. A atenção que ele lhe dedicava era tão sedutora que ela começou a acreditar em suas declarações de devoção exclusiva. Afinal, ela precisava desesperadamente disso. Então, certa noite, ele lhe contou da vergonha que sentia pelo seu passado de "gordinho do pedaço", e a última das barreiras de Katherine foi derrubada por uma onda de compaixão.

Como acontecera com Simon, Alex se tornou a oportunidade de consertar a sua vida. Por fim, implorando a si mesma que segurasse a onda, tentando se manter firme como uma rocha e jurando por Deus que não ia demonstrar carências nem cobranças, saiu com Alex.

O namoro durou um pouco mais do que o caso com Simon. Porém, antes do que previa, ela sentiu que o interesse de Alex se esvaziava aos poucos. Sempre que o questionava sobre isso ele negava que estivesse menos ardente do que no início, mas ela não acreditava. Katherine se viu sofrendo uma mutação lenta, e de jovem descontraída, independente e com autocontrole foi se tornando uma mulher obsessiva, insegura, paranoica e desesperada. E não conseguia fazer nada para impedir isso. Acusava Alex de ficar olhando para outras garotas e não se importar de verdade com ela. Ele protestou, de forma pouco convincente, e garantiu que se importava muito, sim, com ela, mas ficou três dias sem ligar. Quando finalmente telefonou, foi para lhe dizer que estava saindo com outra pessoa.

Todas as antigas feridas de Katherine tornaram a abrir. A sensação mortificante de que ela não era boa o bastante e a enorme dor causada pelo abismo da perda reapareceram. Ela voltou para o buraco da autodepreciação. A dor era insuportável. Ela se sentia uma tola, uma negação como mulher, um zero à esquerda.

Aos poucos, foi se recuperando. E embora jurasse de pés juntos que jamais, nunca mais, em tempo algum enquanto vivesse, iria se envolver com outro homem, não se sentiu convencida. Afinal, ela já se sabotara duas vezes e vivia aterrorizada de que isso pudesse tornar a acontecer.

Quando estava entre um namoro e outro, sua vida era calma e organizada. Ela se tornou uma contadora plenamente qualificada, comprou um carro que adorava e, algum tempo depois, o próprio apartamento. À medida que ficou mais confiante em sua vida profissional, foi se transformando de garota com carinha ingênua em uma atraente mulher com jeito de criança.

Mas o desejo de ser amada continuava implacável. Vivia voltando para ela como um bumerangue. E reaparecia com frequência, normalmente quando estava sendo assediada por algum supergato.

— Talvez você não devesse sair com esses pedaços de mau caminho — sugeriu Tara, com jeitinho. — Normalmente, esses caras bonitos demais vivem tão apaixonados por eles mesmos que não sobra amor para mais ninguém.

— Não quero falar sobre esse assunto — cortou Katherine.

— Eu sei — suspirou Tara.

Katherine não saía com caras de aparência comum. Simplesmente não conseguia. Eles não demonstravam interesse por ela.

Ela já dormira com seis homens antes de Joe. O "romance" mais longo durara sete semanas, e todos os seis caras haviam terminado com ela. Nem uma vezinha sequer ela conseguira o que tanto desejava — sair por cima.

No fim, o medo de ser largada a fazia esvaziar a relação antes do tempo. Katherine não aguentava ver o homem gradualmente se afastar dela ao descobrir que ela era apenas uma mulher comum, e não o enigma indecifrável que esperava. Assim, ela precipitava as coisas. Começava a se comportar como uma megera psicótica vinda das terras do capeta.

Era melhor apressar logo o que era inevitável. E assim ela foi tocando a vida, com passo incerto, alternando longos períodos de celibato com romances de curta duração, invariavelmente seguidos de extensos períodos dedicados a lamber as feridas. Toda vez que um homem perdia o interesse nela, e dava a entender que ela não era boa o bastante, isso lhe provocava uma avalanche de dores antigas.

Nos momentos de mais sanidade, ela percebia que estava amarrada ao passado e que não era uma pessoa normal. Levou muito tempo, e só quatro anos atrás, aos 27 anos, especulou sobre a possibilidade de a descoberta da morte do pai logo depois da primeira decepção amorosa ser o motivo de ela ter se desviado tanto do caminho certo. Afinal, todo mundo leva um pé na bunda alguma vez na vida, mas só os totalmente esquisitos não superam isso. Aquele golpe duplo, porém, foi uma tijolada que a deixara empacada. De algum modo, 12 anos haviam passado desde então e, ao pensar nisso, ela se perguntava para onde haviam ido todos aqueles anos.

Então chegou aquele dia, há dois meses, quando ela fora apresentada ao novo diretor de campanhas, Joe Roth, e ele começou a despejar atenção em cima dela de um jeito que lhe era assustadoramente familiar.

CAPÍTULO 60

Desta vez eu me comportei bem, pensou Katherine, orgulhosa, olhando em volta da cama desarrumada. O vazio deixado pela saída de Joe se evaporara e ela estava se sentindo instável, mas muito empolgada, depois da noite passada com ele.

Pegou um travesseiro, apertou-o contra o rosto e aspirou o cheirinho dele que ficara ali. Uma emoção forte disparou em sua memória, deixando-a revigorada e muito agitada de alegria. Estava *louca* para conversar sobre o assunto. Já era quase meio-dia... será que era muito cedo para telefonar para Tara?

Minha nossa!... Tara! O que será que acontecera com ela na noite anterior? Katherine agarrou o telefone, mas a ligação caiu na secretária. Tentou o celular, mas caiu na caixa postal. Em seguida, tentou Liv, e a ligação caiu na secretária *dela*. Deixou um recado e ligou para Fintan.

— Alô! — ladrou ele.

— Sou eu. Posso passar aí?

— Agora não. Venha à noite.

— Ok. Tudo bem. Ligue para o meu celular, se mudar de ideia.

Sem esperar aquilo, sentiu-se meio deslocada. Aquele era o primeiro domingo depois de várias semanas, que mais pareciam meses, em que os O'Grady não estavam com ela. Katherine não estava acostumada a ter tempo livre. Especialmente quando a melhor parte do dia já passara.

Poderia fazer uma faxina completa no apartamento, do chão ao teto, mas se sentia muito energizada para fazer algo tão chato. Ou poderia passar o dia esparramada diante da telinha, zapeando todos os canais. Mas lhe pareceu que o controle remoto olhava para ela de um jeito acusador, sentindo-se abandonado. O pior é que ela sentiu vontade de se desculpar com ele, garantindo-lhe que ainda o amava muito, muito... Resolveu dirigir até o centro e foi à Selfridges, mas em vez de se enfiar na seção de roupas, viu-se vagando pelo departamento de artigos de toalete masculina. Como quem não quer nada, pegou uma loção após barba, cheirou-a e em seguida colocou-a de volta na prateleira. Depois outra. E outra. Com vagar, mas de forma constante, passou de prateleira em prateleira, até pegar um dos frascos, abri-lo e quase desmaiar. Toda a volúpia e o desejo da noite anterior voltaram de repente. Tornou a sentir o aroma, respirando bem fundo dessa vez, com os olhos fechados, embalados em recordações. Maravilhoso! De novo! Conseguiu sentir a pele dele, a excitação que circulara por dentro dela como um pássaro engaiolado, o jeito com que ele a tinha feito se sentir adorada e acalentada. Abriu os olhos e olhou para o rótulo. *Davidoff* para homens. Então era isso que Joe Roth usava. Chegou a pensar em comprar um vidro, mas conseguiu se segurar. Esse tipo de comportamento era para gente doida. Sentir o perfume no meio da loja, tudo bem, mas comprar e levar o cheiro para casa era triste demais.

— Vocês estão olhando para uma mulher que está caidinha — declarou Katherine, envolta em um brilho de bem-amada.

— Não quero ouvir falar disso — declarou Fintan, com ar de desdém.

— Pois eu quero — insistiu Tara, muito pálida e com ar cansado.

— Nós também — entoaram Liv e Milo, em coro.

— Eu quero saber também — admitiu o pobre e oprimido Sandro.

Já era noitinha, naquele mesmo dia, e todos estavam reunidos no apartamento de Fintan, esperando as pizzas que haviam acabado de encomendar.

Apesar de quase não ter dormido à noite e da preocupação de que talvez Joe não telefonasse para ela, Katherine parecia superalerta, transbordando de energia. Louca para contar com detalhes a fabulosa experiência.

Enquanto relatava toda a história, a partida de futebol na véspera, o beijo, o jantar no Ivy e o lance do sr. Stallone, todo mundo interrompia para saber mais detalhes.

— Como é que era o cheiro dele? — perguntou Tara.

— Como você se sentiu? — quis saber Milo.

— Quem deu o primeiro passo? — interessou-se Sandro.

— Você sabia que ele ia beijá-la? — interrogou Liv.

— Você comeu a mousse de chocolate? — lembrou Tara.

— Ele pagou a conta enquanto você foi ao toalete? — insistiu Liv.

— Você ficou nervosa? — quis saber Sandro.

— Ele gostou da sua calcinha? — voltou Tara.

— Você tem o endereço dessa loja, Agent Provocateur? — indagou Milo.

A cada detalhe, todos soltavam urros e exclamações, remexendo-se agitados, enquanto Katherine dava gritinhos de alegria.

— Isso é tão bom quanto transar! — guinchou Tara, mas depois caiu em um silêncio triste. Um pouco antes, se recusara a contar a Katherine o que a deixara tão abalada na véspera. — Não quero falar sobre esse assunto. Nossa!... — acrescentou, assustada. — ... Estou falando que nem você!

Durante toda a história que Katherine contava, Fintan permaneceu recostado no sofá, com uma peruca Mary Quant e uma expressão de muxoxo e mal-humorado desinteresse. À medida, porém, que a história foi esquentando, ele levantou a orelha (a tal que era mais baixa) com relutante atenção. De repente se ajeitou no sofá, ficando mais ereto, para em seguida se inclinar e começar a soltar exclamações, "oohs" e "aahs", para, por fim, não resistir e acabar perguntando:

— E você deixou o maravilhoso casaco preto Jil Sander abandonado no chão do saguão a noite inteira?

Katherine fez que sim com a cabeça, demonstrando orgulho, mas um pouco de embaraço também.

— A noite *toda*?

Outro aceno, acompanhado de um sorriso afetado.

— Mas você não saiu do quarto furtivamente, entre uma bimbada e outra, para pendurá-lo em um cabide especial?

Katherine balançou a cabeça, com ar de triunfo.

— Ainda bem que era da coleção passada — aceitou Fintan —, mas mesmo assim...

Nem parecia que era realmente Katherine que estava ali, contando todos aqueles detalhes. Quando chegou na parte em que Joe ficou em pé no meio da sala e tirou toda a roupa, os cinco seguraram uns nos braços dos outros e gritaram:

— Ai, é AGORA!...

— Foderoso! — elogiou Tara.

— Fodelicioso! — rugiu Liv.

A campainha tocou. As pizzas haviam chegado. Sandro quase teve um chilique de frustração.

— Mas *que hora* para o cara da pizza aparecer! — reclamou. — Não conte mais nada, nem uma palavra, até eu voltar! — ordenou a Katherine, e correu, ofegante, para a porta. Ao voltar, com o rosto quase escondido atrás de uma pilha de caixas de pizza, perguntou, com a voz abafada, mas ansiosa: — Perdi alguma coisa?

— Não, mas agora está na hora de *Ballykissangel** — lembrou Liv.

— Dane-se o programa! — reagiram todos, em coro. — Isso é muito mais interessante! Continue, Katherine. Então, ele estava ali, exibindo todo aquele charme, peladão no meio da sala...

— E que charme!... — riu ela, com um astral tão alto que chegou a estremecer por dentro.

— Uau! Que *máximo*!...

Katherine chegou até mesmo a contar sobre o banho de chuveiro a dois no meio da noite.

— Um banho de chuveiro a dois! Essa foi pra fechar! — exclamaram todos.

Milo e Liv trocaram olhares abrasadores.

— Eu não devia estar contando todas essas coisas — admitiu Katherine. — Pode ser que ele nem me telefone mais. Já aconteceu antes.

— Bem, se ele não telefonar, você liga para ele — sugeriu Tara.

— Não, acho que não...

Com uma pressa súbita e quase indecente, Milo e Liv começaram a recolher suas coisas. Entre despedidas apressadas e "até logo" nervosos, foram embora.

---

* Seriado inglês que fala do dia a dia no vilarejo que dá título ao programa. Primeiro trabalho da carreira do ator Colin Farrell. (N.T.)

— Pelo menos conseguimos segurá-los por uma hora, antes de eles saírem correndo para transar — lembrou Tara.

— Uma hora inteira? — sorriu Fintan. — Então eu acho que o tesão deles já está acabando...

Todos repararam, mas ninguém quis demonstrar: Fintan sorrira!

— Acho que eles só estão juntos até agora por causa das crianças — riu Katherine.

— Talvez seja por causa das roupas de cama — informou Tara. — Compraram um edredom novinho, ontem. Acho que andam se dedicando totalmente a ele.

— E agora, você não está satisfeita por eu ter sido um pentelho autoritário? — perguntou Fintan, com ar malicioso, para Katherine. — Você não acha que deve essa noite de paixão a mim?

— Achei que você não estivesse mais dando a mínima para o que eu faço.

— E não estou dando mesmo. Bem, não estava, porque agora, vendo que o lance foi um sucesso, pode me considerar de volta no caso.

— Quem disse que foi um sucesso? Pode ser transa de uma noite só, o que torna tudo pior, porque eu tenho que trabalhar com ele.

— Talvez tenha um recado em sua secretária, quando você chegar em casa, mais tarde — exclamou Fintan. — Quem sabe ele não está ligando para você neste exato minuto? Ele tem o número do seu celular?

Ela balançou a cabeça para os lados, mas estava empolgada. *Talvez* ele ligasse para ela ainda naquela noite. Só que, para seu desapontamento, o número de recados marcados no painel da sua secretária eletrônica era um zero grande e gordo.

CAPÍTULO 61

— Ravi! — chamou Tara. — Onde é que eu consigo uma van?

— Uma van? Como assim, uma van grande, dessas de frete?

— Não, uma menor, mas é isso mesmo que eu quero.

— Sei lá... podemos perguntar aos adultos — e apontou com a cabeça para Vinnie, Teddy e Evelyn.

De repente, percebeu as implicações da pergunta e levantou a cabeça, chocado.

— Por quê? O que aconteceu? — quis saber ele.

— Antes, preciso fumar.

— Pois vamos para o fumódromo!

Tara se sentou na saleta pintada de amarelo e tragou com força um cigarro inteiro, acompanhada de perto por Ravi, que era um antitabagista de carteirinha, a não ser quando era Tara que estava fumando.

— Você vai largar Thomas? — Ravi mal podia acreditar.

— Acho que sim.

— Mas por quê?

— Ah, Ravi... — Tara conseguiu esboçar um sorriso. — *Até você* já tentou me dizer o quanto as coisas com Thomas andam piores do que nunca, e você é apenas um garoto!

— Sim, mas você sempre conseguiu justificar tudo de ruim que acontecia.

— Nossa, as desculpas que eu arranjava... — Tara contraiu o rosto ao lembrar.

— Você vai largá-lo só porque Fintan quer?

— Não, é porque Fintan *não quer* mais. Ele mudou de ideia e não está dando a mínima para o lance. Eu achei que ia adorar essa reação dele. Bem, eu devia ter adorado mesmo, mas não gostei nem um pouco. Fiquei me sentindo deprimida e aprisionada.

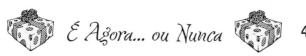

Ravi suspirou, sem dizer nada. As mulheres eram terrivelmente complicadas.

— Então, no momento em que eu coloquei os pés dentro de casa, no sábado, o caldo entornou de vez.

Tara deu uma tragada com mais força no cigarro ao lembrar da cena. Assim que ultrapassara o portal, Thomas berrara:

— Só porque aquela bicha louca pegou uma dessas doenças antissociais, isso não é desculpa para você largar a dieta, Tara.

Ele estava balançando uma embalagem de bombons que acabara de achar na bolsa de ginástica de Tara, e isso a fez ter um ataque de raiva. O *que ela estava fazendo ao lado daquele homem horrível?*

— Como disse...? — sussurrou ela, entre dentes.

— Eu disse... — repetiu Thomas — que só porque aquela bicha louca... — ele estava abusando cada vez mais, vinha se mostrando cada vez mais desagradável e controlador, só que dessa vez fora longe demais.

— Não ouse falar do meu amigo de forma pejorativa! — advertiu Tara, em tom de ameaça.

— Mas eu...

— Não faça isso!

— Tenho direito à minha opinião — replicou ele, com ar agressivo. — Não tenho?

— Não! Você está sendo cruel, e ele não pegou uma doença antissocial! Do jeito que você fala, parece que a culpa é *dele*!

— Mas eu tenho ou não tenho direito à minha opinião?

— É que...

— EU TENHO — gritou ele — OU NÃO TENHO direito à minha opinião? Sim ou não?

— Não se trata de opinião! — Ela levantou a voz, em resposta ao tom dele.

— Escute bem... ele é uma bicha louca mesmo. Estou falando a verdade.

— Você é um preconceituoso nojento! — afirmou ela, com a voz ilusoriamente calma. — Um homem das cavernas, com seu machismo antiquado e quadrado.

Ele a deixou surpresa ao rir disso, com vontade.

— Sim, sou mesmo. Gostei disso. Repita essa parte que fala de machismo.

Tara engoliu em seco, atordoada e sem fala. Uma pequena janela se abriu diante dela: com um namorado daqueles, quem precisa de inimigos?

— Vamos lá! — pediu ele, brincando. — Repita isso, que eu gostei...

— Não foi um elogio — disse ela, com os dentes semicerrados.

— Não foi? Pois pareceu. Sou um homem das cavernas, um macho antiquado e quadrado — e tornou a rir, achando aquilo muito divertido e completando: — Mas você me ama por esses motivos.

É isso que lhe dá tamanha autoconfiança.

Todas as vezes que Tara tinha uma revelação de que nem tudo andava bem entre ela e Thomas, trabalhava duro para esconder o fato. Só que toda a cegueira que ela construíra fora arrastada pela enxurrada de raiva que a inundou e ela não teve outra escolha senão ver a verdade de frente. E o que viu a fez desprezar não apenas Thomas, mas a si mesma também. Sempre detestara homofóbicos e ali estava ela, morando com um! Onde estavam seus princípios? Haviam sido deixados de lado, porque seu desejo de ter um namorado era mais importante.

Os dominós começaram a cair e subitamente Tara viu, de forma nua e crua, o quanto a recusa de Thomas em conhecer os O'Grady fora indesculpável. A sua insistência em não visitar Fintan, as suas insinuações nojentas a respeito da doença dele, o seu desdém casual pelo futuro deles dois, a monitoração constante do seu peso, as críticas constantes à sua aparência, a erosão implacável de sua autoestima, os constantes pedidos de dinheiro emprestado, as brincadeiras para colocar Beryl contra ela. E o pior de tudo: as desculpas que ela arrumara para o seu comportamento.

Ela sempre tentava defender Fintan quando Thomas o atacava. Jamais defendeu a si mesma. Simplesmente se convencia de que aquilo era para o seu próprio bem. Mas estava errada, e agora o seu autodesprezo rastejava lado a lado com a sua raiva.

Descobriu que estava chorando. Eram lágrimas de vergonha, raiva e pesar.

— Ué, por que está choramingando? — quis saber Thomas. — O sinal ficou vermelho?

— O quê?!

— Você está de chico?

— Não. — Começou a soluçar como se o coração estivesse em pedaços.

— Ah, Tara, pare com essa choradeira. Quer uma xícara de chá?

— Não, me deixe sozinha!

Ele lançou-lhe um olhar duro. Como ela ousava? Não sabia o quanto ele era sensível?

— Tudo bem, então — afirmou, com ar arrogante. — *Eu vou* deixá-la sozinha, como você quer.

Saiu do apartamento, batendo a porta com força, e Tara chorou, chorou e chorou. Pelos anos desperdiçados, pela perda de esperança, pela crueldade com Fintan, pela vergonha de ter se iludido, pela felicidade que não tinha e pela vida vazia que via diante dela.

Em algum momento, Katherine ligou, mas Tara, engasgada e sem ar, mal conseguiu falar.

Acendeu um cigarro e ficou sentada, olhando para o nada, querendo saber o motivo de nada em sua vida ter dado certo. *Por que eu? Por que não posso ter um relacionamento feliz? Por que sempre acabo sozinha?*

Alcançara a façanha de se manter um passo adiante de um conflito que foi aumentando aos poucos, especialmente depois que Fintan adoecera. Só que aquilo ficara grande demais e ela já não conseguia fugir.

Será que Thomas sempre fora daquele jeito? Será que piorara? Será que ela não percebera? Ou *se recusara* a perceber?

Estava em estado de choque. Seu corpo não aguentava tudo de uma vez só. Ela tentou se proteger, como se estivesse dando a má notícia aos poucos. Continuou tentando dizer a si mesma que não havia nada com o que se preocupar. Afinal, ele lhe oferecera uma xícara de chá, talvez a coisa não fosse assim tão ruim. Mas não conseguiria desenxergar o que finalmente enxergara, por mais que tentasse. O conhecimento era um fardo pesado e ela ia ter que aguentá-lo, mesmo que isso significasse que a sua vida terminara.

Algumas horas depois, Thomas voltou e, comportando-se como se estivesse tudo bem, convidou-a para sair.

— Não! — recusou ela, pálida e implacável. — Vá você!

Ali, sentada sozinha no apartamento, no sábado à noite, ela começou a se preparar psicologicamente para partir. Tentou cobrir a imensa distância que existia entre saber o que devia ser feito e ser capaz de fazê-lo.

Passou o domingo com Fintan e não mencionou a confusão em que sua cabeça estava. Não que ela não quisesse contar, mas simplesmente não conseguiu. Não teve como colocar em palavras a enormidade da tarefa que pendia sobre ela como uma guilhotina pronta para cair.

Em vez disso, observou Milo e Liv, ouviu a história maravilhosa de Katherine e pensou: *É assim que as coisas devem ser.*

— E é isso aí, Ravi — Tara forçou um sorriso. — Agora você já sabe por que é que eu preciso de uma van.

— Vou olhar agora mesmo nas *Páginas Amarelas* — prometeu ele.

— Você também acha que eu devo abandoná-lo, não acha? — perguntou, ansiosa, agarrando-o pela roupa.

— Mas foi você que acabou de dizer...

— Esperava que você me dissesse que eu estava reagindo com exagero.

— Você não está — disse ele, com a cara triste.

— Estou tão assustada — colocou mais um cigarro na boca e ele o acendeu para ela. — Apavorada por me ver sozinha. Por me imaginar velha e encalhada. Nunca mais vou conseguir ninguém.

— É claro que vai...

— Como é que você pode saber? Um vaca gorda como eu! Puxa, Ravi, você devia ter visto Katherine no sábado. A empolgação dela, a expectativa. Foi maravilhoso, foi como voltar à adolescência, *até eu* consegui sentir...

— Sim, mas esse entusiamo todo não dura muito — disse ele, meio nervoso. — Eu e Danielle, por exemplo...

— De qualquer modo — interrompeu ela —, se duas pessoas estão saindo juntas deviam, pelo menos, gostar uma da outra, não é?

— E você não gosta de Thomas?

— Não. E ele não gosta de mim. Se gostasse não ficaria falando o tempo todo que eu sou uma vaca gorda. Não é sinal de que há algo errado o fato de ele ficar o tempo todo tentando me modificar?

— Sim, você tem razão. Já tentei lhe dizer isso.

— Eu sabia, mas ao mesmo tempo não sabia — Tara ficou pensativa. — Entende o que eu quero dizer?

— Você sabia, mas *não queria* saber.

O filme em câmera lenta e em preto e branco que era a sua vida subitamente começou a rodar mais depressa, em tempo real e em cores.

O choque foi desaparecendo, o pesar foi recuando e Tara ficou apenas com a raiva.

Muita raiva.

CAPÍTULO 62

Quando Katherine chegou ao trabalho na segunda-feira de manhã, Joe já estava lá, mas nem sequer levantou a cabeça. Então, é assim que a coisa vai ser, pensou ela, sentindo-se péssima. Apostei no cavalo errado. De novo.

Com ar cansado, pendurou o casaco e foi se arrastando até a sua mesa. Em cima dela havia um pacote embrulhado no papel azul e dourado da Designers Guild. Evidentemente não era a nova tabela de impostos do governo.

— O que é isso? — perguntou a Charmaine.

— Não sei, já estava aí quando eu cheguei.

Katherine pegou o embrulho e sentiu o peso. O que quer que fosse era macio e mole.

— Abra — pediu Charmaine.

— Certo... — disse ela, bem devagar, tentando imaginar se devia ou não ficar empolgada. Quem mais enviaria algo para ela, a não ser Joe?

Com todo o cuidado para não estragar o papel de presente, Katherine tentou descolar a fita adesiva.

— Rasga logo esse troço! — animou-a Charmaine. — Anda logo, garota. Arrepia!

Foi o que ela fez, e então um objeto branco, de plástico, se desenrolou sozinho e pulou em sua mão.

— Mas que diabo...? — reagiu Charmaine.

Katherine olhou para o objeto, e um largo sorriso se abriu em seu rosto.

— O *que é isso*? — perguntou Charmaine, achando que ficara maluca.

— É um tapete de borracha para colocar no piso do boxe do banheiro — sorriu Katherine —, para a pessoa não escorregar.

Por entre as pestanas, olhou para Joe, mas ele estava muito, muito, muito ocupado, analisando algo em seu monitor. Muito ocupado mesmo. Katherine quase sentiu os músculos do pescoço de Joe se flexionando com força, para impedi-lo de olhar para ela.

— Quem lhe deu isso? — perguntou Charmaine, desconfiada.

— Não faço ideia.

— Não veio nenhum cartão?

— Não.

— Eu, hein, que gente doida...!

Quando Katherine ligou o computador viu que havia um e-mail para ela, dizendo "Para a gente não escorregar da próxima vez".

Rápida como um raio, ela digitou "Quando é que você gostaria de não escorregar?", apertou a tecla de envio e esperou. Então perguntou a si mesma se não fora muito descarada. *Ande logo*, pediu, em silêncio. *Responda!*

Depois de uns três minutos, viu que ele clicava alguma coisa com o mouse. Viva! Ele estava abrindo a mensagem e lendo! Então, com a fisionomia impassível e a maior cara de pau, digitou algo com muita rapidez.

Katherine, na mesma hora, começou a tamborilar com os dedos, louca para ver o ícone de novas mensagens acender. Quando ele piscou, seu coração disparou.

"Gostaria de não escorregar o quanto antes. Avise-me qual é o melhor momento para você", dizia a mensagem.

Ela fez alguns cálculos mirabolantes e enviou:

"Que tal na quarta à noite?" Achou que isso era simpático e bem casual.

Segundos depois, uma nova mensagem apareceu:

"Estou preocupado de acabar escorregando antes. Quarta-feira está muito longe."

"Compreendo a sua preocupação. Que tal amanhã à noite?", replicou ela.

"Continuo preocupado de escorregar antes. Amanhã à noite está muito longe", veio a resposta.

Com os dedos trêmulos, mas deleitados sobre o teclado, Katherine digitou "Compreendo essa preocupação. Hoje à noite pode ser a opção mais segura". Em nenhum momento eles fizeram contato visual. O dia inteiro se mostraram muito educados, sempre que precisavam entrar em contato um com o outro, por questões de trabalho. Em um determinado momento, Joe estava entrando na sala quando Katherine estava saindo. Ele deu um passo para trás, a fim de deixá-la passar, com todo o cuidado para não se tocarem.

— Com licença — murmurou ela.

— Pois não.

— Obrigada.

— De nada.

Havia momentos em que Katherine mal conseguia conter a empolgação de tudo aquilo, e parecia que sua pele ia rachar de tanta excitação. Às vezes, precisava esfregar as pernas uma na outra, sob a mesa, para dispersar a sobrecarga de alegria. Outras vezes, olhando para Joe, muito alto e com aparência profissional, em seu terno elegante, sentia uma vontade louca de se levantar e gritar para todo mundo no escritório ouvir: "Eu já vi Joe Roth completamente pelado! Posso descrever cada centímetro do corpo dele para vocês. Ele é muito lindo!"

O telefone de Katherine tocou à tarde. Era Tara.

— Preciso lhe pedir um favor.

— Peça — disse Katherine, com leveza. Nada poderia alterar seu astral.

— Posso morar um tempo com você?

— Ahn... Ah, meu Deus...

— Desculpe, sinto muito, muito mesmo — disse Tara, sentindo-se humilhada. — Escolhi uma hora péssima, como sempre. Tem esse lance do seu novo namorado, e vocês devem estar querendo transar em todos os lugares da casa, ainda mais depois de você estar celibatária há dois anos, e sei que eu poderia ter rompido com Thomas em qualquer outro momento e esperei para fazer isso só agora, mas...

— Você... *rompeu* com Thomas?

— Não oficialmente, mas vou fazer isso hoje mesmo, depois do trabalho. Vou carregar um monte de troços meus, e Ravi já está arrumando uma van para pegar o resto das minhas coisas até o fim da semana.

— Nossa, eu mal posso acreditar. Adorei a notícia! — reagiu Katherine. *É claro* que ela adorou, mas bem que isso podia ter acontecido em outro momento...

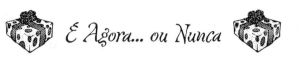

Uma hora depois, Joe enviou um e-mail para Katherine dizendo:

"Com relação à nossa não escorregada de hoje à noite, você gostaria de ir a um restaurante, a um barzinho, ao cinema, ao teatro, à lanchonete, à locadora de vídeo, à boate, ao boliche ou à jacuzzi do meu apartamento? Marque um 'X' no que preferir."

E Katherine teve que responder:

"Receio que tenha havido uma ligeira mudança de planos. É que a minha amiga Tara está passando por um momento difícil..."

Katherine estava inflexível sobre o fato de que ninguém no trabalho poderia saber a respeito deles. Assim, Joe chegou ao apartamento de Katherine meia hora depois dela. Ao abrir a porta, viu que o sorriso largo e íntimo que ele lhe lançou contrastava muito com a distância fria que um havia demonstrado durante o dia em relação ao outro.

Puxando-a para junto de si e envolvendo-a em seu paletó com um abraço apertado, beijou-a com alívio e violência.

— Espero que você não tenha sido seguido — disse ela, com ar sério.

— Eu fui, mas entrei em uma lavanderia chinesa e escapei pelos fundos.

— Saiu em um beco cheio de caixas de papelão empilhadas?

— Sim, e engradados com galinhas também. Em seguida, escalei uma escada externa de incêndio e entrei por uma janela.

— E deu em um quarto onde um homem e uma mulher estavam na cama, juntos?

— Na verdade, acho que era um homem com outro homem Enfim, levantei meu chapéu com toda a gentileza e disse: "Desculpem."

— E um deles falou: "Você viu aquilo?", e o outro respondeu: "Viu o quê?" — completou Katherine.

— Só que eu já tinha fugido — terminou Joe.

Eles riram de forma frívola, felizes pela afinidade que sentiam um com o outro.

— Obrigada pelo tapete para o boxe do banheiro — disse ela, com ar tímido.

— Quando vamos experimentá-lo?

— Vamos ter que nos comportar bem esta noite, porque Tara vai chegar com algumas de suas tralhas a qualquer momento — e balançou a cabeça. — Desculpe. Sei que isso não era o que você esperava.

— Ainda podemos ir à lanchonete e à locadora — disse ele, sem perder a esportiva. — Nem tudo está perdido.

— Sim, mas... — Estava cedo demais para noites assistindo vídeos e beliscando comida para viagem. O casal precisava estar saindo junto há pelo menos três semanas, antes que um programa desses fosse aceitável. — Eu poderia tentar cozinhar alguma coisa — ofereceu ela, meio em dúvida.

— Prefiro que não faça isso.

— É mesmo?

— Não se esqueça, Katherine, que você me contou, séculos atrás, que não sabe cozinhar.

— Bem, pelo menos você se arriscaria a tomar uma xícara de chá preparada por mim?

— Podemos fazer melhor do que isso — e pescou uma garrafa de vinho do bolso do paletó. — Ta-rã...! Reserva especial!

— O seu domingo foi interessante? — perguntou ela da cozinha, enquanto procurava pelo saca-rolhas.

— Começou muito bem — ele parecia pensativo —, mas depois das 11 da manhã começou a perder a graça. Depois disso, o único momento interessante do dia foi uma ida à Homebase, para comprar um tapete para boxe de banheiro.

— Você devia ter ficado aqui em casa comigo — implicou ela.

— Devia? — ele pareceu surpreso. — Bem que eu estava a fim, mas não queria forçar a barra, estourando o tempo regulamentar.

Ao voltar à sala, Katherine torceu para que ele não percebesse o alívio que sentia. Foram a pé até uma lanchonete próxima. Começou a chover.

— Do Ivy para uma lanchonete dessas em menos de dois dias — observou ela, fingindo tristeza ao empurrar a porta para entrar.

— O que vai querer? — perguntou Joe, olhando para o cardápio na parede. — Linguiça frita? Asinhas de frango? Cheesebúrguer?

— Depende do que você vai pedir.

— Duas salsichas com batatas fritas. Podemos dividir uma porção de anéis de cebola empanada.

— Se eu lhe der um pedacinho do meu filezinho de peixe defumado — propôs ela —, você me deixa provar a sua salsicha?

— Pode pegar quanto quiser da minha salsicha — disse ele, com carinho.

De repente a lanchonete desapareceu, com tudo o que havia nela, e ficaram apenas os dois, completamente imóveis e olhando fixamente um para o outro, emudecidos, em mágica união. Erno, atrás do balcão de fórmica e vidro, parou o que estava fazendo e ficou contemplando o casal com vontade de chorar. Amor de jovens. Não havia nada mais bonito.

Eles compraram duas latas de refrigerante, para acompanhar a comida para viagem, e Erno acrescentou mais quatro sachês de ketchup e um saquinho de picles. Foi a sua maneira de brindar à sua felicidade e desejar-lhes tudo de bom.

Depois, foram para a locadora, e Joe pegou na mesma hora o filme *A Princesa e o Plebeu.*

— Você se lembra que falamos sobre esse filme, no dia em que almoçamos juntos? — ele parou e implicou: — No dia em que eu *forcei a barra* para almoçarmos juntos?

Foi a vez dela implicar:

— Eu não fui à força.

— De qualquer modo, estávamos falando de uma noite chuvosa como a de hoje, e sobre assistir a um filme em preto e branco na tevê, e dissemos ao mesmo tempo: *A Princesa e o Plebeu.* Você lembra?

Claro que ela lembrava, mas disse apenas:

— Fizemos isso? Ah, foi...!

Às nove e meia, eles já haviam acabado de assistir ao filme, Tara ainda não chegara e estava ficando cada vez mais difícil manter as mãos longe um do outro.

— Não podemos! — resfolegou Katherine, tentando interromper um beijo apaixonado. — Tara vai chegar bem na hora H!

— Tá legal — reagiu Joe, com o coração descompassado. Quando sua voz voltou ao normal, perguntou: — Por que ela está largando o namorado, afinal?

Katherine começou a dar uma ou outra informação a respeito,

mas acabou contando toda a história sobre Thomas e o verme que ele era. Então, Joe falou de Lindsay, a garota que ele namorara por três anos.

— Quem terminou o namoro? — Katherine tentou manter o tom casual.

— Nenhum dos dois, ou ambos, no caso — riu Joe. — Ela arrumou um emprego em Nova York — explicou ele. — De qualquer modo, já estávamos nos afastando mesmo...

— E você ficou... — ela hesitou — *magoado*?

— Sim, mas você sabe o que dizem.

— O que dizem?

— O tempo cura todas as feridas.

Então, Katherine contou a respeito de Fintan, e do câncer.

— Um dia, no trabalho, você estava chorando — perguntou Joe, meio sem jeito. — Estava calculando minhas despesas e disse que recebera uma notícia ruim. Foi o dia em que soube de Fintan?

— Imagino que tenha sido — respondeu ela, vagamente. — Não valia a pena entregar que ela catalogara na cabeça todos os contatos que eles haviam tido um com o outro.

Em seguida, Katherine se viu contando para Joe a respeito de Milo, JaneAnn e Timothy, e do quanto fora divertida a passagem deles por Londres. E de como Liv e Milo haviam se apaixonado um pelo outro, embora Liv fosse a deusa do estilo e design, enquanto Milo estivesse usando macacão de caipira até recentemente.

— Macacão? — exclamou Joe. Talvez o cara que vira com Katherine naquele dia fosse apenas o irmão de Fintan.

— Sim, macacão — Katherine olhou para ele, sem entender. — Pensei que você conhecesse o nome. É uma espécie de roupa de brim azul com suspensórios, e na frente tem...

— Eu sei o que é um macacão! — riu Joe. — Em que Milo trabalha?

— Ele é fazendeiro. — *Que pergunta estranha*, pensou.

— Então ele não toca em nenhuma banda de rock, nem nada desse tipo?

— Quem...? Milo...?! Você deve estar brincando.

Às 11 horas, o telefone tocou. Para surpresa de Katherine, era Tara.

— Onde você está?

— Estou em casa. Perdi a coragem — disse Tara, com voz sofrida. — Desculpe ter arruinado o seu programa.

— Não arruinou não, Tara, não se preocupe. Estamos curtindo uma noite maravilhosa.

— Talvez eu tome coragem e vá para aí amanhã à noite.

— Quando quiser...

Katherine bateu com o fone no gancho. Que pena!

— Tara não vem — afirmou ela. — O tapete do boxe está liberado!

CAPÍTULO 63

Às sete da noite de terça-feira, Tara estava parada em pé na sala, cheia de caixas e sacolas à sua volta.

Saíra do trabalho mais cedo. Queria tudo empacotado e pronto, para que pudesse fazer o seu pequeno discurso e, logo depois, ir embora.

Não conseguira ultrapassar a última barreira na noite anterior, pois se viu incapaz de encarar a enormidade do passo que ia dar: abandonar o namorado, a casa e se condenar a uma vida de solteirona solitária. Parecia muito mais fácil aguentar o tranco e calar a boca. Respeito próprio não significava nada, entre amantes.

É claro que, para piorar, Thomas tinha sido muito gentil com ela, como se suspeitasse que algo estava para acontecer. Disse-lhe que ela parecia ter perdido um pouco de peso. Ofereceu-se para preparar o jantar. Toda vez que ela abria a boca para lhe dizer que estava caindo fora, sua cabeça girava, sem acreditar, e a ideia parecia maluquice.

No estilo "dois passos pra frente e um pra trás", Tara finalmente ficou pronta. Andara jogando sujeira para baixo do tapete por muito tempo, e agora não dava mais. Armando-se com as lembranças de todas as vezes em que ele a fez se sentir um cocô, se preparou para a batalha. A toda hora, uma nova recordação desagradável surgia, enchendo-a com mais determinação. Ela queria machucá-lo, humilhá-lo, como ele fizera com ela. *Como ela* se deixara humilhar.

Ouviu o barulho da chave na fechadura e sua boca ficou seca. Cansado de um duro dia de trabalho aturando adolescentes, ele mal olhou para ela ao jogar a pasta (marrom) em cima do sofá (marrom).

Então ele percebeu que algo diferente estava rolando. Havia uma atmosfera diferente no ambiente. Por que Tara estava ali, parada, no meio da sala? Por que não estava sentada? E para onde tinham ido todos os livros das prateleiras? Será que a casa fora assaltada?

— Thomas.

— Que é?

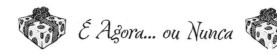

— Tenho uma coisa para lhe contar

— Então, conta.

— Vou deixar você.

— Ah, qual é, Tara! — grunhiu ele. — O que anda acontecendo com você, ultimamente? Tive um dia cheio e não estou a fim de entrar numa de discutir as frescuras de uma mulher com TPM!

— Acho que você não entendeu direito. Não há nada a discutir. Estou terminando com você. Agora!

Thomas fez a sua cara de peixinho de aquário e arregalou os olhos.

— Por quê? — foi tudo o que conseguiu perguntar.

— Deixe ver... — disse ela, pensativa. — Talvez pelo fato de você ser desnecessariamente cruel? Ou patologicamente pão-duro? Ou por você ser um manipulador enlouquecido? Ou será simplesmente por você ser uma pessoa desprezível e eu realmente não gostar de você? É difícil decidir, Thomas. Tudo o que sei é que eu devia estar completamente maluca para ter permanecido com você por dois anos.

O rosto de Thomas foi ficando cada vez mais pálido a cada frase.

— Mas... — protestou ele, trêmulo de raiva por aquele ataque não provocado. — Eu sou desse jeito. Falo o que eu acho, mas amo você, e tudo o que eu disse foi para o seu próprio bem.

— Quer saber de uma coisa...? — compreendeu ela. — Acho que você precisa realmente de algum tipo de acompanhamento psiquiátrico, ou terapia. Sua atitude com relação às mulheres é bastante problemática.

— Você está falando merda! — o tom de Thomas era de escárnio. Estranhamente, porém, ele lembrou que não era a primeira vez que uma namorada lhe sugeria algo desse tipo...

— Você nem ao menos gosta de mim — disse Tara.

— É claro que gosto!

— Não gosta não. Se gostasse, seria muito mais gentil comigo.

Só nesse momento Thomas reparou nas sacolas e caixas aos pés de Tara, e fez a conexão entre aquilo e as prateleiras vazias. Livros, vídeos, CDs, tudo desaparecera. Sobressaltou-se, alarmado.

— Suas coisas... — apontou ele. — Suas coisas estão todas aí?

— Algumas. Vou voltar para pegar o resto no fim de semana.

— Não acredito.

Tara teve que admitir que ele parecia agradavelmente estupefato.

— Para onde você iria? — perguntou ele.

— Eu *estou indo* — enfatizou Tara — para a casa de Katherine.

— Katherine?

— Pelo menos por enquanto — confirmou ela, de forma casual. — Depois, vou ver se compro um apartamento próprio.

— Apartamento próprio?

— Será que tem algum eco por aqui — procurou ela, olhando em volta.

— Podemos conversar a respeito disso — tentou ele, de forma valente. Agora que ela parecia realmente estar indo embora, ele a queria desesperadamente. Sentiu-se novamente com sete anos de idade.

— Já conversamos.

— Quando?

— Na noite do meu aniversário, por exemplo. Quando você disse que ia me largar se eu ficasse grávida.

— Ah, aquele lance...

— E na sexta-feira passada também, quando eu sugeri que devíamos nos casar.

— Não pensei que você estivesse falando sério — resmungou ele.

— Exatamente!

— Tara, não vá — e fez uma pausa. — Amor...! — tentou ele, hesitante.

A determinação dela balançou. Ele jamais a chamara de "amor" antes.

— Admito que eu não tenho sido muito bom para você — suplicou ele.

— Poderia repetir essa frase, por favor?

— Admito que não tenho sido muito bom para você — falou novamente, um pouco mais devagar.

— Essa é boa! — Tara gargalhou, com ar sombrio. — Não tem sido muito bom para mim. Que jeito de expressar o problema...!

— Ei! Ninguém obrigou você a ficar comigo.

— Eu sei — sorriu ela. — Essa parte é terrível, não é? Acredite se quiser, mas eu estou muito mais revoltada comigo mesma do que com você.

— Como pode fazer uma coisa dessas comigo? — seu rosto mostrou-se abatido.

— Quantas vezes eu vou ter que repetir? Porque você é uma pessoa *horrível*.

— Mas você sabe por que eu sou assim. Eu já lhe contei *tudo*. Como a minha mãe me abandonou, e como eu jamais consegui confiar plenamente em uma mulher. E agora estou revivendo aquele domingo de manhã. Entrar e ver todas aquelas malas prontas foi uma coisa traumatizante, Tara.

— Ai, troca o disco!

Thomas não conseguia acreditar naquilo. Sua ferida, que ele alimentara e protegera, regara e tratara com tanto carinho, estava sendo ridicularizada de forma desrespeitosa. Aquela era a sua maior preciosidade, algo que lhe permitia fazer com que as pessoas se comportassem do jeito que ele queria. Que ousadia a daquela vaca gorda...!

— Já sei! — reagiu ele, furioso. — Já saquei tudo. Você conheceu outro cara. Descobri o motivo de todo esse lance.

— Não conheci não. Isso não tem nada a ver com ninguém. Tem a ver apenas com você. E comigo, infelizmente.

— Aquele tal de Ravi. Aposto que vocês andam de sacanagem.

— Não estou de sacanagem com ninguém.

— Não, imagino que não, mesmo — e olhou para ela com desprezo. — Quem ia querer você?

— Isso! Esse é o meu Thomas...! Bem, adeus! — vestiu o casaco. — Foi demais morar com você... *insuportável* demais, é claro.

Perplexo, ele a observou levar as sacolas e caixas para o carro. Quando a viu voltar para o segundo carregamento, arregalou os olhos, chocado.

— Ei! — reclamou. — Deixe a porra da *minha* mesinha de centro em paz!

— Mesinha *de quem*...?

— Minha.

— Quem pagou por ela?

Ele não respondeu.

— Fui eu que paguei! — disse ela, triunfante. — A porra da mesinha de centro é *minha*!

CAPÍTULO 64

— Iuupii!... — Fintan arrancou a peruca de Marilyn Monroe e a girou acima da cabeça como se fosse um laço de rodeio. — Não consigo acreditar que ela fez isso. Dá para acreditar, Katherine?

Ela lembrou de Tara, que estava chorando sem parar há 48 horas e murmurou:

— Humm... acho que eu consigo acreditar sim.

— Conte-me tudo o que você descobriu. Ele ficou arrasado?

— Muito chateado, eu acho.

— Aaaahhhhh... — Fintan fechou o punho. — Queria ser uma mosquinha na parede para ter visto essa cena! Não foi uma pena Tara não ter gravado tudo em vídeo? Como ela está?

— Muito mal, para ser franca.

— Roy Orbison?

— Não. — Katherine sorriu, misteriosa. Roy Orbison estava esquecido no fundo de uma caixa de sapatos, por baixo de quatro álbuns de fotografia, no maleiro do guarda-roupa. Aquela foi uma das primeiras providências que ela tomou quando Tara chegou com suas tralhas, porque ela não ia aguentar mais dois meses de "*Tudo aaacabooooou!...*".

— Ela voltou com aquela história de que vai ser obrigada a virar lésbica porque nunca mais vai encontrar outro homem?

— Voltou... Tudo como antigamente.

— Aulas noturnas?

— Anda falando em aprender a fazer mosaico, tomar aulas de português e quer também aprender a tocar banjo. E já vou logo avisando... ela está falando que vai chamar *você* para aprender com ela.

— Minha nossa! Tocar banjo! Não é um tremendo golpe de sorte que eu tenha uma sessão de quimioterapia marcada para amanhã? O enjoo vai ser tão grande que não vai dar nem para eu *olhar* para um banjo!

— Sortudo!

— Escute... você acha que existe algum perigo de ela querer voltar para Thomas?

— Bem, ele já telefonou para Tara e perguntou se não poderiam continuar sendo amigos.

— Sei... estava a fim de trepar. O que aconteceu?

— Ela disse... veja que resposta ótima, Fintan. Ela disse: "*Continuar sendo...*? Como é que nós podemos *continuar* sendo amigos se jamais fomos amigos, para começar?"

— Excelente! Ela vai superar. O que não podemos fazer, sob nenhuma circunstância, é sugerir que ela parta pra outra. Veja o que aconteceu depois de Alasdair.

— Certo. O que há naquela caixa grande, ali no canto?

— Meu novo aparelho para fazer abdominais. Não se preocupe, vou devolver para a loja. E com você, como vão as coisas?

— Muito bem. — Katherine abriu um sorriso de "gato que comeu o canário". — Muito bem mesmo!

— Continua dormindo apenas três horas por noite?

— Às vezes, nem isso.

— E olhe só para você! Está com uma aparência ótima! Quando é que eu vou conhecê-lo?

— Quando você gostaria?

— É melhor esperar até os efeitos da químio passarem. Não quero vomitar no rapaz logo depois de ser apresentado a ele. Seria muito pooobre, um mico federal! — O telefone tocou e Fintan pediu: — Pode atender, por favor? Você está mais perto. Quem será? Ai, essa agitada vida social me cansa, querida!

— Alô... — atendeu Katherine. — Oi, olá, sra. O'Grady... Sério?... Tem certeza? Não, não sabia de nada a respeito disso. Não, não sabia mesmo, juro por Deus que não sabia. Sim, compreendo... Eu compre... Sim, é claro que eu compreen... Olhe, espere um instantinho. Talvez seja melhor a senhora descobrir se isso é verdade, antes de começar a ameaçar as pessoas de morte.

Katherine passou o telefone para Fintan.

— É a sua mãe. Você sabe de alguma coisa a respeito de Milo vender a fazenda e se mudar para Londres de vez?

Tara saiu da cama e a primeira coisa que fez foi riscar um dia na folhinha que Katherine lhe dera. Dez. Era a décima noite consecutiva que conseguia passar longe de Thomas. Dez noites intermináveis, passadas em claro, com o seu ritmo circadiano indo para o espaço, acompanhado por imensas quantidades de álcool que ela ingeria e que anestesiavam a dor e o medo de seu futuro tediosamente vazio.

Sua coragem inicial, assim que ela caíra fora e abandonara Thomas, se dissolvera antes mesmo de chegar ao apartamento de Katherine. Ela quase deu meia-volta com o carro. Sabia, porém, que pela forma com que ela o humilhara, acabara queimando suas pontes de vez, e não podia mais recuar. Todos lhe diziam que ela ia esquecê-lo, mas ela sabia que a sua vida acabara. Pensou naqueles dias inebriantes e despreocupados de quando tinha vinte e tantos anos, época em que ainda tinha tempo pela frente. É claro que, quando Alasdair a dispensou, ela também achou que a sua vida terminara. Só que dessa vez, dois anos mais tarde, tinha *realmente* terminado.

Já não sentia a mesma disposição de voltar para o campo com toda a garra, como costumava acontecer. Tivera sua última oportunidade e a perdera.

A ideia de voltar para Thomas era perigosamente sedutora. Agora que eles haviam rompido, ele já não lhe parecia tão mau. Sua rabugice não lhe parecia um preço tão alto a pagar pelo companheirismo. Embora tivessem suas rixas, conheciam um ao outro muito bem. Havia um grande conforto nessa intimidade tumultuada. Era melhor alguém ao lado com quem discordar do que não ter ninguém.

Além disso, para ser honesta, tinha de admitir que, embora sentisse saudades de Thomas, também sentia falta do seu papel, a representação pessoal da metade de um casal. Sozinha, ela se sentia nua e fracassada.

Entretanto, apesar da solidão, tinha flashes de uma convicção bem enraizada de que voltar para Thomas seria errado. A não ser que ele mudasse radicalmente. Tara queria muito evitar a repetição da humilhação à qual se submetera com Alasdair. *Por favor, Senhor, não me deixeis telefonar para Thomas*, rezava ela, mil vezes por dia. *Por favor, Senhor, dai-me forças. Por favor, Senhor, fazei com que ele me telefone. Fazei com que ele me garanta que é um novo homem.*

Katherine estava na cozinha, preparando café para ela e para Joe.

— Oi — cumprimentou com os olhos brilhando ao ver Tara. Katherine quase não dormia, mas estava sempre ligada e esperta. Superalerta, a não ser quando embarcava em sonhos lânguidos.

Katherine realmente parecia diferente. Todos estavam reparando. Um daqueles dias mesmo, no trabalho, ao ver um traseiro passar rebolando suavemente em frente à parede de vidro de sua sala, Fred Franklin cutucara Myles e elogiara:

— Grande bunda, para quem pode agarrar.

De repente, Fred sentiu-se petrificado.

— *De quem* é aquela bunda que passou? Não me diga que é da Miss Gelo! Caramba, pior é que é dela mesmo!... Como é que eu pude achar *aquilo* bonito?

De volta à cozinha, Tara conseguiu lançar um sorriso tenso para Katherine.

— Tara — chamou Katherine, falando devagar.

— Que foi?

— Isto! — Katherine colocou o dedo indicador no cós da calça de pijama de Tara e o puxou. A cintura estava larga e o elástico, mais frouxo.

— Ohh!... — Tara olhou para baixo, totalmente surpresa.

— Você está comendo *alguma coisa*?

— Isso sempre acontece. Quando eu termino com um cara não consigo comer nada, fico magrinha, linda, até arrumar um novo namorado. Acho que é o prêmio de consolação da Mãe Natureza — e deu um sorriso fraco.

— Mas, Tara, você precisa comer.

— Não faço questão...

— Não entre nessa! — disse Katherine, com firmeza. — Ele não merecia.

— Até que ele não era assim tão ruim — argumentou Tara. — Ele era legal, *às vezes*.

— Cite um exemplo disso.

— Ele sempre preenchia os formulários para mim — informou Tara, depois de pensar por um segundo. — Como a papelada do seguro do carro e meu imposto de renda, por exemplo. Ele sabia o quanto eu detestava fazer aquilo.

— Pois isso era o mínimo que ele poderia fazer, já que você servia de motorista para ele, o tempo todo. Cite outro exemplo.

— Ele era cavalheiro. Abria as portas para mim, puxava cadeiras para eu sentar.

— Coisa de machista ultrapassado.

— Bem, ele é muito habilidoso — suspirou Tara, com força. — Quando minhas correntinhas de prata se embaraçaram, ele passou horas tirando todos aqueles nozinhos, sem arrebentar nenhuma. Eu jamais teria essa paciência.

Katherine pigarreou com força, sem saber ao certo se devia rir ou não da habilidade de Thomas.

— Nós fumávamos juntos, tentávamos parar juntos e falhávamos juntos — suspirou Tara, com ar melancólico. — Ele costumava acender o meu cigarro, e eu acendia o dele. Era uma camaradagem boa, e eu nunca fiquei sem cigarros, porque ele sempre tinha algum, quando os meus acabavam.

— Você está me dizendo que filava cigarros dele, sem precisar pagar?

— Não, *é óbvio* que eu tinha que pagar — Tara tentou dar um sorriso fraco. — De qualquer modo, nunca ficava sem fumar.

— Anime-se, você está melhor sem ele. Vamos e venhamos, não foi o maior caso de amor de todos os tempos — debochou Katherine.

Ela estava com a razão, considerou Tara. Não era muito trágico nem muito romântico para ser o maior caso de amor do mundo. Mas era o *seu* caso de amor.

— Escute... — Tara abaixou a cabeça. — Eu *sei* que ele era desagradável, *sei* que era pão-duro e concordo com você sobre provavelmente estar muito melhor sem ele. O problema é que quando as pessoas têm um membro amputado por gangrena, ele continua a doer, você sabe...

Katherine ficou feliz ao ouvir Tara comparar Thomas a um membro gangrenado. Claro que isso era uma terrível ofensa aos membros gangrenados, mas representava algum progresso.

— Obrigada por ontem à noite, por falar nisso — murmurou Tara.

— Tudo bem. Ahn, desculpe por rasgar o agasalho.

— Você fez bem em fazer aquilo. Eu estava apenas me enganando.

Na véspera, para horror de Katherine, Tara pegara o agasalho que estivera tricotando para Thomas e disse:

— É melhor eu acabar logo de tricotar isso e dar para ele. É um desperdício deixar o trabalho assim, pela metade.

— Não! — Katherine voou em cima da cestinha, pegou as agulhas, arrancou a manga que estava pela metade e em seguida atacou a lã, desfazendo todo o trabalho, linha por linha, ponto por ponto. — Isso é só uma desculpa para tornar a vê-lo. Da mesma forma que o dinheiro que ele está lhe devendo, a cortina de boxe que você deixou lá e o fato de ter esquecido de chutar Beryl antes de sair. Não, Tara, não!

Tara pareceu compreender, meio atônita.

— Certo — murmurou.

Katherine atravessou a sala para se sentar ao lado de Joe e cochichou:

— Desculpe por fazer você presenciar uma cena como essa.

— Fiquei apavorado! — encolheu-se ele, e todo mundo acabou dando boas risadas, dispersando a tensão.

Nossa, pensou Tara, ele era fantástico! E muito prestativo. Tara suspeitava que o motivo de Katherine e Joe ficarem tanto tempo ali, em vez de estarem escondidos *a deux* no apartamento dele, era ficar vigiando-a. Katherine chegara até mesmo a desligar o telefone da sala e reinstalá-lo no quarto, além de confiscar o celular de Tara.

— Não consigo impedir que você ligue para Thomas durante o dia — explicara ela —, mas, pelo menos, não vai conseguir ligar para ele quando chegar em casa meio bêbada.

Joe e Katherine também impediram Tara de sair de casa uma noite, quando ela tentou sair dirigindo, meio mamada.

— Não vou à casa de Thomas não! — explicou ela, zangada. — Só queria circular *pela frente* do prédio.

— A única circunstância em que eu deixaria você passar pela frente do prédio dele é se você passasse *atirando* — replicou Katherine. — Agora, de volta para a cama!

Tara se arrastou para fora da cama e verificou a folhinha. Vinte dias. Quase três semanas. E depois dessas três semanas, seria quase um mês.

Até aquele momento ela conseguira ficar sem ligar para ele. Mas foi uma façanha sobre-humana, conseguida com um esforço hercúleo. Cada dia parecia uma maratona de 1.000 quilômetros, pontilhada de constantes oportunidades de pegar o fone. Havia momentos em que ela literalmente suava pelo esforço de não telefonar.

Nos fins de semana, sem a distração do trabalho, o tormento era 100 vezes maior.

À medida que o torturante torniquete inicial ia afrouxando, Tara começou a reparar que não era apenas de Thomas que ela sentia falta, mas de tudo o que ele representava: aceitação, aprovação, alguém com quem dividir planos, uma pessoa para quem contar as coisas. Era muito grata aos amigos, mas sem a aliança inquestionável e a rotina que existem entre os amantes, ela ricocheteava pela vida como um radical livre.

Não havia a grande emoção de avisar a Thomas que ela ia chegar mais tarde em casa. Só agora, que não havia ninguém para se importar se ela voltava para casa ou não, é que isso se tornara desejável. E embora ela e Thomas jamais tivessem propriamente tirado férias juntos, tudo o que Tara podia esperar agora era que algum casal — talvez Milo e Liv, ou Katherine e Joe — ficasse com pena dela e a levasse junto, de vela, quando saísse. Ficar pensando essas coisas não valia a pena e não mudava nada, e ela ainda acabava se sentindo culpada, além de solitária.

Tinha tanta saudade da sua antiga vida que sentia falta até mesmo do horrendo apartamento escuro como uma toca, todo marrom. Apesar de a escritura estar no nome de Thomas, aquele fora o lar dela. Agora ela estava com as coisas todas empilhadas em um quartinho, no apartamento de outra pessoa, com medo de incomodar e incapaz de relaxar. Vivia preocupada, imaginando se estava demorando demais no banheiro, sabendo que não tinha o direito de falar tudo o que quisesse, e nem de assistir ao que tivesse vontade, na tevê; sentia-se culpada por gastar eletricidade demais e vivia ligada, sabendo que qualquer sujeira que fizesse deveria ser limpa na mesma hora.

Fantasias constantes, em que Thomas chegava e implorava apaixonadamente que ela voltasse, enchiam os seus pensamentos. Só que, além daquela vez em que ele ligara para perguntar se ainda poderiam ser amigos, não houve mais contato de sua parte. Em seus momentos mais honestos consigo mesma, Tara sabia que jamais haveria. Thomas era um machista de carteirinha e era difícil, para ele, admitir fraquezas ou carências. Mesmo que estivesse morrendo por falta dela, ele não faria nada a respeito.

Paralelamente ao sufoco total de viver sem Thomas, havia a preocupação extenuante com Fintan. Ele já tivera três sessões de quimio e seu organismo ainda não respondera. Seus exames de sangue mostravam que nada mudara, e bastava olhar para ver que o kiwi em seu pescoço continuava imenso como antes.

Os oncologistas insistiam na ladainha de que essas coisas levam tempo e que ele ainda ia ter de piorar, antes de melhorar, mas Tara se mantinha tensa e continuava com um extraordinário interesse em *qualquer* remédio alternativo do qual ouvisse falar.

— Vinte dias! — Katherine e Joe deram uma salva de palmas em sua homenagem no momento em que Tara pisou na cozinha.

Tara se encolheu toda.

— Em plena segunda-feira de manhã, como é que vocês conseguem estar tão radiantes?

— É hora das suas reclamações matinais — brincou Katherine, com os olhos brilhando.

— Obrigada. O desgosto de hoje é que eu detesto não ter ninguém para ir comigo assistir *O Encantador de Cavalos*.

— Mas Thomas não iria assistir a esse filme com você mesmo.

— Não estrague a minha visão do passado com lentes cor-de-rosa, por favor — pediu Tara, com dignidade.

— Nós podemos não querer ir ver *O Encantador de Cavalos* também — disse Katherine.

— Em que noite seria melhor nós *não irmos* ver esse filme? — perguntou Joe a Katherine, alegrando-a com seu sorriso largo.

Houve um momento em que eles ficaram olhando feito bobos um para o outro, antes de Katherine conseguir responder:

— Terça-feira que vem.

— Vocês não precisam ir assistir a esse filme só por minha causa — afirmou Tara. — Já existe romance suficiente na vida de vocês. Muito bem, agora eu vou para o trabalho.

— Curta bastante o seu vigésimo primeiro dia sem Thomas!

— Vou chegar mais tarde em casa — e fez uma pausa, na esperança de que alguém fosse insistir que a queria em casa mais cedo, mas ao ver que ninguém se manifestou, continuou: — Vou à academia e depois vou sair.

— Com quem?

— Com qualquer um que eu encontre... Ravi, ou o vendedor de assinaturas da *Big Issue*, sei lá... não precisam falar nada, porque já sei tudo sobre o lance de passar as noites em pubs e boates, bebendo até cair.

— Pelo menos você quebrou a sua tradição de não ficar com alguém só por uma noite — lembrou Katherine, com simpatia.

— E com uma pessoa de quem você não iria chegar nem a dez metros de distância, se não tivesse acabado de romper com o namorado — acrescentou Joe, com um sorriso do tipo "eu sei o que é isso".

— Esperem só para ver, a coisa ainda não acabou... eu ainda não cantei*.

Quando Tara fechou a porta, percebeu, chocada, como andava acontecendo com frequência, o quanto tudo aquilo estava errado. Por que ela estava abrindo e fechando a porta da frente de outra pes-

* Referência à expressão em inglês "The opera ain't over till the fat lady sings" (A ópera só termina quando a mulher gorda canta), que significa: "Vem mais por aí, a história ainda não acabou."(N.T.)

soa se havia uma porta funcionando perfeitamente bem, e que poderia ser *dela*, a poucos quarteirões?

Estava por ali, em algum lugar. Ficou parada na rua, olhando para todas as casas, apartamentos, lojas e escritórios que se estendiam entre ela e o seu lar verdadeiro, entre ela e a sua vida verdadeira.

Quero ir para casa.

Certo, só que você não pode, disse a si mesma. Sentindo-se péssima, resolveu ir em frente e se enfiou dentro do carro.

— Bom-dia, Tara — zurrou Ravi, assim que ela entrou no trabalho. — Tenho uma grande notícia para você! Vi em um anúncio na revista *ES* que acabou de ser lançado um novo batom da Max Factor. Ele não se apresenta como indelével, mas diz que é *autorenovável*, e acho que isso deve ser tão bom quanto... Estou pressentindo que você vai fazer uma visitinha à Boots!

— Isso é verdade? — animou-se Tara. — Conte o que dizia no anúncio, Ravi.

— Parece que depois que você passa o batom, sempre que estiver preocupada de que ele possa estar sumindo, ou sei lá qual é a palavra, basta apertar os lábios... — Ravi demonstrou como se fazia esmagando os próprios beiços um contra o outro. — ... E tã-tã-tã-tã!... Fica como na hora em que você aplicou.

O telefone de Tara tocou. Era Liv.

— O que houve? — perguntou Tara. — É JaneAnn?

— Nossa, aquela mulher parece um anjo vingador — suspirou Liv. — Não, o problema não é ela. Você tem drogas?

— Como é que é...?

— Haxixe.

— Assim, agora, de repente...? Não. O que está havendo?

— É para Fintan. Ele continua se sentindo péssimo por causa da sessão de quimio, anteontem, e alguém lhe disse que haxixe ajuda a tirar as náuseas. Eu não faço a menor ideia de como conseguir esse troço, trabalho com design de interiores! Cocaína foi o único narcótico que já me ofereceram.

CAPÍTULO 65

— Trouxe um pouquinho da "vermelhinha" para você — disse Tara, balançando um pequeno pacote escuro com a ponta dos dedos e imitando o que imaginava ser sotaque de traficante diante de Fintan. — Ou talvez seja a "marronzinha marroquina", eu não sei a diferença. Você precisa ver o *drama* que foi para conseguirmos isso, Ravi e eu. O amigo de um amigo de uma amiga dele tem uma irmã cujo namorado tem um colega que nos encontrou no salão de sinuca da Hammersmith e nos vendeu o bagulho. Ei — acrescentou, levantando o nariz. — Que cheirinho é esse no ar? Bolo?

Fintan a levou até a cozinha, onde havia uma forma de bolo quase vazia em cima da bancada, apenas com uma espécie de pãozinho dentro, o único que sobrara.

— Broas de haxixe — explicou Fintan. — Desculpe, Tara. Sandro me conseguiu um pouquinho de haxixe, hoje à tarde. Você e Ravi não precisavam ter todo esse trabalho. Puxa vida! — acrescentou.

— Ora, não se preocupe, até que foi divertido, eu não fazia algo desse tipo há séculos. E então, as broinhas ajudaram a acabar com o enjoo?

— Acabei de devorá-las, mas espero que funcionem. É *um saco* ficar o tempo todo com vontade de vomitar.

— Então, vamos cruzar os dedos! E depois, qual é a boa para hoje à noite? — perguntou Tara. — Seria ótimo ficarmos completamente doidões e então sairmos cambaleando até a loja de conveniência do posto para comprar todo o estoque de balinhas de chocolate confeitado...

— ... Mas não conseguir falar uma palavra ao chegar lá, com ataques de riso histérico, sem motivo algum.

— Precisamos lembrar que esse bagulho é para uso puramente medicinal, não podemos abusar. Mas bem que seria legal ficar doidona. Faz tantos anos...

— O único problema desse nosso plano — avisou Fintan — é que eu vou sair.

— *Sair?* Você vai aonde?

— À festa de Natal dos colegas de trabalho de Sandro.

— Já? No dia 1º de dezembro?

— Foi a única noite em que eles conseguiram reservar uma mesa no Nobu*. Dá para acreditar que eles estão com as reservas fechadas até 4 de janeiro?

— Mas você está forte o suficiente para ir jantar fora?

— Quem quer, consegue — garantiu ele. — Preciso me divertir. Comer, beber e ser feliz.

— Tem certeza? Afinal, se você não está se sentindo muito bem...

— Ouça, tocaram a campainha, deve ser o táxi. — Fintan começou a se preparar para sair, e Tara reparou em algo que bloqueou sua garganta.

— É uma festa de Natal à fantasia?

— Não.

— Então, por que você está usando uma bengala?

— Ah, isso!... Com toda essa empolgação com o bagulho e o meu estômago embrulhado, esqueci de lhe contar.

— Esqueceu de me contar *o quê*?

— Essa última sessão de químio fez o maior estrago com as terminações nervosas dos meus pés.

— Que tipo de estrago? — perguntou ela, sentindo uma fisgada de medo atingi-la por dentro. A coisa ia de mal a pior.

— Os pés ficam formigando sem parar e dói quando eu coloco muito peso sobre eles. A bengala ajuda — e riu da cara que ela fez. — Puxa, não fique tão chateada, Tara, é só por pouco tempo. Quando acabar a químio, as coisas vão melhorar. Minha peruca está torta?

Tara olhou para Fintan. Uma criatura esquelética com uma peruca tipo Tina Turner, que caminhava lentamente, com os joelhos

---

* Célebre restaurante japonês de Londres, onde só se consegue reservar uma mesa com semanas de antecedência. (N.T.)

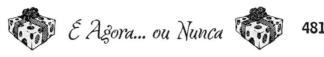

batendo um no outro, em direção à porta. Pensou: *Ele é mais velho do que eu apenas um ano.*

— Quer que eu venha visitá-lo amanhã? — perguntou Tara, seguindo-o em direção à porta, enquanto ia apagando as luzes pelo caminho.

— Não. Vou para a balada com 27 dos meus amigos mais próximos, e você está convidada a se juntar a nós.

— Você vai para a *balada*?

— Exato, Tara. Balada! — a voz de Fintan pareceu um pouco arrogante. — É o ódio, ódio contra a extinção lenta da luz e toda essa baboseira. Estou fazendo como o cara disse: morrendo de raiva.

O coração de Tara pareceu bater em sua garganta, e ela percebeu que Fintan não estava tão zen quanto ela imaginava.

— Você está zangado?

— Não zangado, exatamente. Pelo menos, não nesse exato momento. Mas já que estou no sufoco do "agora ou nunca", como você diz, quero aproveitar ao máximo.

Ela não conseguiu dizer nada, amordaçada por uma estranha mistura de vergonha e admiração.

— Vou sair de cena lutando! — prometeu ele. — Ou, pelo menos, dançando. Enquanto houver ar em meus pulmões e Sister Sledge no som, a vida continua.

CAPÍTULO 66

— Vida profissional! — suspirou Tara, ao entrar em casa cambaleando, fedendo a cigarro e a bebida. — Estou devastada!

— Muito trabalho nessa época do ano? — perguntou Katherine, solidária.

— Nem fale nisso comigo! — declarou Tara. — Tivemos o jantar para comemorar o novo projeto, na noite passada; ontem de tarde foi o almoço da equipe de produção; anteontem foi o almoço do meu departamento; hoje tivemos drinques com o pessoal do resto do andar, e amanhã é o almoço do departamento de criação. Queijos e vinhos amanhã de tardinha, com o pessoal do marketing, e ainda tem a festa oficial da firma, depois de amanhã. É o tal do Natal, me destruindo de vez! Meu fígado já está implorando por misericórdia.

— Sei como é... — concordou Katherine.

Apesar de dizer isso, na Breen Helmsford a diferença entre a festança desenfreada típica de dezembro e as loucas festividades do resto do ano mal dava para ser percebida a olho nu.

As festas de fim de ano não poderiam estar acontecendo em uma época melhor para Tara. A imensa quantidade de álcool e alto astral a mantinham um passo à frente dos próprios demônios.

— Tenho que admitir que sou um país do Terceiro Mundo em forma de gente — comentou ela. — Estou completamente quebrada de grana.

— Mas você vive dura mesmo — lembrou Katherine.

— Agora a coisa está pior. Bebidas e táxis... bebidas e táxis. E roupas, é claro. Acho que vou ter que quebrar meus cartões de crédito novamente. — Tara não conseguia parar de comprar roupa. Embora não fosse muita vantagem, ela já estava conseguindo entrar em vestimentas nas quais jamais conseguiria há um mês e meio.

— Mais algumas semanas dessa agonia — e franziu a testa, para em seguida exibir um sorriso forçado — e é capaz de eu conseguir até usar jeans. Olhe só a saia linda que eu comprei para o almoço do departamento de criação, amanhã.

— Linda mesmo! — admirou Katherine. — Onde vai ser o almoço? Algum restaurante legal?

— Na verdade, não.

Fora decidido que o almoço do departamento de criação ia ser na firma mesmo, porque ninguém conseguira reservar mesa em nenhum dos restaurantes do centro. Ou estavam todos com reservas já feitas ou alguém os avisara a respeito do que aconteceu no almoço da GK Software do ano anterior, quando a hora do almoço se alongara por toda a tarde, invadindo os horários reservados para a noite, e mesmo assim oito ou nove briguentos bêbados se recusaram a sair do restaurante.

Até hoje, quase um ano depois, o dono de um dos restaurantes poloneses da área se benzia e atravessava a rua para o outro lado só para evitar passar na porta da GK Software, com seus funcionários selvagens.

O almoço desse ano até que começou tranquilo. Todas as mulheres se levantaram da mesa às dez e meia da manhã para começar a se arrumar, embora a saída só estivesse marcada para a uma da tarde. Ninguém trabalhou a manhã toda de tão empolgados que estavam. É claro que ninguém estava assim *tão* empolgado, mas ninguém perdia a oportunidade de fazer corpo mole quando ela aparecia.

— O que achou, Ravi? — perguntou Tara, mostrando a saia nova.

— Para onde eu devo olhar? Para as roupas ou para o batom?

— Batoomm, huumm — reagiu Tara, esfregando os lábios um no outro. — Receio que esse tal de batom autorrenovável não é exatamente a solução dos meus problemas. Enganada mais uma vez!

— Olhe, Tara, achei uma coisa para você — Ravi futucou na gaveta de sua mesa. — Isso pode ser a resposta para todos os seus problemas. Aqui está! — e balançou no ar uma página arrancada de alguma revista. — Tatuagem! Para os lábios. Existe um lugar na

Califórnia que faz esse serviço. Tintura labial permanente. É meio esquisito, mas pelo menos você nunca mais vai precisar se preocupar com o batom sair ou não.

— Obrigada, Ravi, mas não... — Tara estava profundamente comovida pelo interesse dele. — Foi lindo você se importar tanto assim com o meu problema, mas... e quando eu quiser usar uma cor diferente...?

— Desculpe. Só achei que valia a pena contar a novidade.

— Puxa, mas foi muito legal!

À uma hora, 30 pessoas se apertaram dentro da sala da diretoria para uma rodada de xerez, peru requentado e biscoitinhos moles. Todos beberam com muito entusiasmo. Como sempre, Tara e Ravi se sentaram juntos e trocaram comentários engraçados o tempo todo.

— Olhe só para Vinnie — riu Tara, com o rosto afogueado. — Ele já está meio alto, até sua careca está vermelha.

— Ele não sai mais tanto quanto antes, e já não aguenta beber muito.

— Então vá pegar mais um pouco de xerez para nós, meu bom rapaz.

— Só mais um — disse ele, fingindo um tom de voz elegante, enquanto brindava novamente, fingindo timidez.

Em um determinado momento, as pessoas responsáveis como Vinnie voltaram ao trabalho, mas vários outros funcionários permaneceram exatamente no mesmo lugar, com o astral bem alto. Ravi e Tara estavam entre eles.

Entretanto, lá pelas quatro e meia da tarde, a combinação de permanecer sem comer há várias semanas com o fato de ela ter bebido tanto que apresentava apenas vestígios de sangue na corrente alcoólica começou a causar estragos, e as coisas ficaram subitamente esquisitas para Tara. Ela começou a chorar, falando de Fintan, depois de Thomas e novamente de Fintan.

— Izéorrível — choramingou ela, com a voz engrolada. — Izéizuportável! Iziele morrê...? Num dizque não, puque ei povravemente vai morrêe memo... Prece até uma faca que vão menfiá no corazão. Pior que perdê Thomas... Muito pior. — Então olhou com ar suplicante para Ravi e informou: — Ravi, eu vô vomitá...

— Abram alas! — berrou Ravi, enquanto meio que arrastava e meio que carregava Tara para o toalete. — Desculpem! — disse ele para o trio de jovens do setor financeiro que estava diante do espelho se preparando para o jantar do seu departamento. — É uma emergência!

— Dá para perceber! — gritaram elas, pulando rápido para sair do caminho de Tara.

— Acho que vamos estar nesse estado daqui a algumas horas — comentou uma das jovens, com um tom esperançoso, ao ver Ravi tirar os cabelos do rosto de Tara e enfiar a cabeça dela na pia, onde ela já estava se separando do xerez que ingerira.

— Nundá preu ir assim pra casa, Ravi... Você me leva? — pediu ela, quando acabou.

— Claro! Fique aqui, enquanto eu chamo um táxi. Fiquem de olho nela — pediu às meninas do setor financeiro.

No instante em que Ravi saiu do banheiro, uma das meninas pegou um tubo de pasta de dentes e insistiu para que Tara colocasse um pouco de pasta na boca e bochechasse.

— Brigada... Me dá! — Tara esticou a mão para ela, quase sem forças.

— Ele é um gatinho — insistiu a jovem.

— Num é gatinho... é o Ravi!

Os bochechos com pasta de dentes se mostraram um exercício inútil, porque assim que acabou de se lavar, Tara tornou a colocar tudo pra fora. E depois, mais uma vez.

Quando o táxi chegou, Steve Cochilo foi bater na porta do toalete feminino.

— Antes de sairmos, será que você não precisa... você sabe... mais uma vez? — perguntou Ravi, com discrição. Mas não foi necessário. Tara já vomitara tudo o que tinha para vomitar. Só que estava se debulhando em lágrimas.

A porta se abriu e entrou Amy, mais esbelta do que nunca e linda.

— Tara! — surpreendeu-se ela. — O que houve? Por que está chorando?

Embora elas não se vissem há muito tempo, Amy não se esquecera de o quanto Tara havia sido gentil com ela, depois que colocara a polícia atrás de Lorcan.

— Meu amigo tá morreno, e eu terminei com o meu namoraaado.

Amy prestou atenção apenas na pior das duas notícias.

— Puxa vida, isso é terrível, Tara! Terminou com o namorado? Pobrezinha! — e então teve uma feliz e maravilhosa ideia. — Já sei! Meu namorado tem um amigo muito legal. Vocês foram feitos um para o outro. Seu nome é Benjy, vou marcar para sairmos nós quatro, em janeiro.

— Parece legal — disse Tara, entre lágrimas. — Não parece, Ravi?

— Fantástico!

— Contanto que você não se apaixone por Lorcan — riu Amy, nervosa.

— Contanto que eu... — concordou ela.

Ravi foi acompanhando Tara, que continuava chorando, de forma descontrolada, enquanto passavam pela recepção, onde um grupo de homens muito bem-vestidos, do departamento financeiro, estavam prontos, de saída para o jantar. Todos olharam boquiabertos para Tara, que lhes lançou um olhar turvo.

— Foi alguma coisa que ela comeu — justificou Ravi, na mesma hora.

Quando Ravi ajudava Tara a descer o pequeno lance de escadas que ligava a recepção à calçada, ela começou com novas ânsias.

— Espere um minutinho só... — avisou Ravi, apavorado, buscando em volta deles algum recipiente onde ela pudesse vomitar. — Segure só um...

Mas não deu tempo e Tara não conseguiu evitar de vomitar o restinho do xerez em cima do corrimão de metal que corria junto dos degraus da entrada.

— Desculpe, Ravi — disse ela, com a voz pastosa. — Eu zou nojenta!

— Está tudo bem, querida — acalmou-a Ravi, torcendo para que o taxista não se recusasse a levá-los. — Será que algum de vocês poderia dar uma limpadinha nisso aqui, por favor? — pediu ele, falando por sobre os ombros para o pessoal agrupado na recepção. É claro que ninguém moveu um músculo sequer. Nenhum dos funcionários do setor financeiro pretendia correr o risco de sujar sua roupa nova com respingos de vômito alheio. Se tinham que limpar o vômito de alguém, que fosse o deles mesmos, mais tarde.

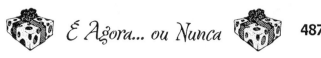

Segundos depois, Alvin Honeycomb, o diretor executivo da GK Software, saiu a passos largos do elevador, na recepção. Alto, exibindo têmporas de aspecto distinto (grisalhas, em outras palavras) e com feições bonitas, seguiu envergando um lindo sobretudo azul-marinho, de casimira. Levava uma pasta pesada e caminhava com um ar de "sou um homem importante e muito ocupado". Ele, também, estava se dirigindo para uma festa.

— Boa-noite a todos — saudou ele, com sua voz grave e suave, enquanto continuava com determinação em direção à saída do prédio. Orgulhava-se de ser sempre simpático com os funcionários, e fez uma pausa quase imperceptível, esperando ouvir o coro de "Boa-noite, sr. Honeycomb". Ele sempre descia os degraus da frente como quem apresenta um balé ensaiado. Era um fluir de passos firmes, porém executados com leveza, graças a seus sapatos italianos de couro macio, que sempre o levavam até a calçada no momento exato em que passava um táxi vazio, para o qual invariavelmente acenava. Naquele dia, porém, ao se apoiar no corrimão da entrada para dar início ao seu elegante número de sapateado até a calçada, teve um "contato imediato" com o xerez que Tara acabara de regurgitar. Para grande alarme do sr. Honeycomb, seu braço escorregou direto pelo corrimão, que se apresentava muito deslizante devido à camada de vômito fresco que o cobria. O resto do seu corpo seguiu o braço com uma rapidez espantosa e o sr. Honeycomb sentiu como se acabasse de ser arremessado sobre uma piscina. Seus pés tentaram, mas falharam na tentativa de reaver contato com os degraus, e antes de perceber o que acontecera, já se estabacara pelos sete degraus, rolando até a calçada, o que lhe provocou um feio corte no queixo e uma promessa de ombro roxo. Sua pasta deslizou, rodando pelo pavimento escorregadio e, por alguns segundos, ele permaneceu todo esparramado, de cara virada para o chão, apoiado apenas pelo queixo e com o traseiro constrangedoramente virado para cima. Totalmente pego de surpresa, não conseguiu se levantar de imediato. Um casal muito bem-vestido, a caminho de um jantar com o pessoal do trabalho, suspirou, pulou por cima dele com cuidado e comentou:

— Francamente! Esse pessoal abusa demais nas comemorações de Natal. Se uma pessoa não consegue aguentar, não devia beber tanto assim!

Na manhã seguinte, ao acordar, Tara não se sentiu assim tão mal. Havia um zumbido distante dentro de sua cabeça, e não dava para perceber muito bem o contato dos seus pés com o chão, mas ela conseguiu se levantar, tomar banho, se arrumar e preparar o novo vestido, um tubinho preto, bem como as sandálias igualmente pretas, de salto alto, para a festa daquela noite.

Em seguida, foi dirigindo para o trabalho, parecendo estranhamente desconectada do que fazia ao volante. Ao entrar, passou pelo sr. Honeycomb, na escada principal. *Onde será que ele ferira o queixo daquele jeito?*, perguntou a si mesma, vagamente. *Provavelmente entrara com vontade na manguaça, na noite anterior, até cair de cara no chão. Que grande exemplo para os funcionários, hein?...*

Encolhendo os ombros e lançando sorrisos amplos, ela se desviou da torrente de perguntas que todos queriam lhe fazer.

— Obrigada! — disse para Ravi, fazendo mímica da palavra com os lábios e grata por, devido a algum motivo que lhe escapava, não estar se sentindo culpada e nem com vergonha. Graças a Deus, parecia meio anestesiada.

Até descobrir que alguém, provavelmente Vinnie, a designara para receber dois clientes revoltados, às dez da manhã. Aliás, eles já estavam lá esperando por ela, andando de um lado para outro e parecendo muito irados, conforme anunciado. Ainda bem que ela conseguira chegar no trabalho, em vez de passar o dia todo deitada na cama, pedindo a alguém para ir correndo buscar um penico, como seria de esperar.

Porém, assim que Tara os encaminhou para a sala de reuniões, percebeu que ainda estava muito, mas muito bêbada. Não só isso, como também estava arrastando as palavras.

— Zinhor Forde, Zinhor Ransome, podem chi zentá...

Sua língua inchara dentro da boca, parecia ter adquirido proporções gigantescas, e ela mal conseguia despregá-la do céu da boca. Começou a suar de medo.

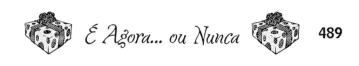

— Zim... Poishh naum... Eu acho que compreendo as zuas reclamazões a reshpeito do chervicho que echtamos lhes fornechendo — disse, desesperada.

Será que aquilo era um sonho?, perguntou a si mesma.

Ela não conseguia se defender das reclamações. Não lhe vinham à cabeça os argumentos certos para usar. Seu sistema nervoso central estava todo alterado, e os sinais que normalmente corriam à toda velocidade de uma terminação nervosa para outra pareciam estar atolados em alguma substância pegajosa.

A salinha lhe pareceu quente demais.

E então, sentiu um cheiro estranho. Um odor que não era adequado para uma sala de reuniões, muito menos às dez e quinze da manhã.

Álcool. Dava para sentir no ar o cheiro de álcool. Quente e denso. Exalando dos seus poros dilatados pelo medo.

Já chega, decidiu ela, naquele exato momento. *Já é o bastante.* Ela já tivera a sua fase obrigatória de farra autodestrutiva pós-rompimento amoroso, que a levava a agitar e beber demais. Agora era hora de parar.

CAPÍTULO 67

A primeira coisa que Frank Butler sempre dizia a Tara quando ia pegá-la no aeroporto de Shannon era "Quando é que você vai voltar para Londres?". Para quebrar a tradição, no entanto, quando ele apanhou Tara e Katherine na quarta-feira antes do Natal, essa foi, na verdade, a segunda coisa que ele disse. A primeira foi:

— Acho que Fintan O'Grady está com aids.

— Não, papai, ele está com câncer.

— Sei... câncer uma ova! Eles devem achar que somos um bando de idiotas que acredita nisso. Vamos lá, o carro está ali adiante. — Desviando-se das pessoas e seguindo devagar pela massa humana que lotava a área de desembarque, reclamou: — Será que eles pensam que não lemos jornais, nem assistimos a tevê?

— Não é verdade, sr. Butler — assegurou Katherine, com a combinação exata de submissão e autoridade. — Ele não está com aids.

Isso convenceu Frank. Katherine Casey não mentia. Era uma boa menina. Embora ele tivesse reparado algo de diferente nela. Na verdade, se não achasse tão pouco provável, em se tratando dela, usaria a palavra *insolente* para o ar que exibia.

— Quando é que você vai voltar para Londres? — ladrou para Tara.

— No dia 1º de janeiro.

— E imagino que vá querer uma carona para o aeroporto.

— O senhor imaginou certo.

Nesse momento, Frank lembrou de algo que o deixou empolgado na mesma hora. A respeito dessa outra história ele tinha mais certeza.

— Olhem... — contou ele, empolgado. — Eu soube que Milo O'Grady se enrabichou por uma divorciada suíça que o está obrigando a vender a fazenda.

— Ela não é suíça, pai!

— E não é divorciada, sr. Butler.

— E ela não o está *obrigando* a vender a fazenda. Milo está fazendo isso porque quer.

— Mas eles estão realmente enrabichados um pelo outro, sr. Butler, se isso servir de algum consolo.

Frank seguiu em um silêncio depressivo. Com ar sombrio, atirou as malas no porta-malas do Cortina, e então avaliou Tara de cima a baixo com atenção, sentenciando:

— Você está terrivelmente esquelética.

— Obrigada, papai.

— Se bem que, antes, você estava com uma cara redonda de bolacha. Mais parecia a lua cheia no meio da neblina, eh-eh-eh!...

Déjà-vu, pensou Tara, atônita. *Aquele era exatamente o tipo de conversa que rolava o tempo todo com Thomas. Eu devia estar louca para conseguir aturar isso.* Pela primeira vez, sentiu que era verdade: preferia ficar sozinha pelo resto da vida a viver daquele jeito novamente.

Katherine e Tara ficaram em casa por dez dias. Como os voos de Londres para a Irlanda viviam lotados, elas haviam marcado a passagem em março. Na ocasião, Katherine se congratulara por isso, achando-se esperta. Agora, estava terrivelmente arrependida. A ideia de ficar longe de Joe por dez dias era horrível.

Fintan fora obrigado a ficar em Londres, porque estava com outra sessão de quimio marcada, mas insistiu para que Tara e Katherine fossem à Irlanda.

— Eu já vou ficar cheio de gente à minha volta — reclamou ele. — Sandro, Milo e Liv vão ficar em Londres. Harry, Didier, Neville, Geoff, Will, Andrew, Claude, Geraint e Stephanie insistiram em vir para cá na noite de Natal. E JaneAnn e Ambrose também estão vindo da Irlanda.

— Caraca! — reagiu Tara. — JaneAnn e Liv! JaneAnn já perdoou Liv por ela ter arrancado Milo de Knockavoy?

— Não exatamente, mas ela vai ter que se comportar.

* + *

— Onde está mamãe? — perguntou Tara a seu pai, voltando ao momento presente assim que entraram em casa.

— Olá!... — entrou Fidelma, com passinhos curtos e sorrindo de alegria. Estava cheia de penas espalhadas pelos cabelos e usava uma camiseta onde se lia "Minha vizinha esteve em Londres e tudo o que me trouxe foi esta camiseta". — Não posso ficar conversando agora não — explicou. — Só vim dizer olá. Estou atolada de trabalho, depenando perus lá no galpão. Tem tanta pena em volta que estou quase flutuando no meio delas! Mas... minha nossa, menina, você virou a Olívia Palito! — notou. — Foi por causa do seu namorado?

Tara concordou com a cabeça e seu rosto começou a tremer sem parar em um violento ataque de choro. Mas estava tudo bem, chorar ali. Ela estava com a mãe.

— E aposto que você deve estar assim por causa do pobre Fintan, também. — Fidelma sentiu vontade de chorar também, ao lembrar daquilo, mas aquela não era hora para isso. — Deixe suas preocupações para trás — ela tranquilizou Tara, abraçando-a. — Vamos cuidar de você. Você nem vai se reconhecer quando voltar para Londres. — Tara esfregou o nariz no pescoço macio e acolhedor de sua mãe, soltando o ar com alívio ao sentir o poder curativo do amor materno. Agora, poderia deixar de se fazer de forte, porque sua mãe ia carregar um pouco do peso por ela. Pela primeira vez em muito, muito tempo, sentiu-se totalmente segura.

Tara teve um Natal maravilhoso. Adorava o fato de estar em casa e apreciou muito a oportunidade de rever os três irmãos mais novos, Michael, Gerard e Kieran, que se orgulhavam de exibir um comportamento mal-humorado típico de adolescentes, embora já estivessem com 23, 24 e 28 anos. Katherine, porém, contava os dias para a volta a Londres. Passava horas a fio no telefone com Joe, que estava com os pais em Devon, e nenhum dos dois conseguia desligar.

— Desliga você...

— Não, desliga você...

— Não, você primeiro...

— Muito bem. Então, vamos contar até três e desligamos ao mesmo tempo.

— Tá legal...
— Certo... Um...
— ... Dois...
— ... Três!
— Joe?
— Que foi?
— Você não desligou.
— Eu sei. Desculpe. Mas você também não...
Na manhã de Natal, Agnes perguntou a ela:
— Esse seu namorado... Ele lhe deu algum presente de Natal?
— Sim, vovó — ronronou Katherine. — Ele me deu uma estrela.
— Como assim lhe deu uma estrela?
— Ele conseguiu dar o meu nome para uma nova estrela. Uma de verdade, daquelas que existem no céu — e levantou a cabeça para o teto. — Agora, existe uma estrela oficialmente denominada Katherine Casey. Ele disse que eu era uma estrela, entende? — confidenciou ela, meio envergonhada. — E disse que uma estrela com o meu nome parecia apropriado.

— Na minha época nós preferíamos uma estrela de ouro para colocar no bracelete — resmungou Agnes. A jovem Katherine demonstrava sinais tardios, porém preocupantes, de estar se transformando em outra Delia.

Frank Butler e Agnes não foram os únicos a reparar que Katherine mudara.

— Não sei explicar exatamente o que é, mas ela está ficando muito parecida com a mãe — comentavam todos, muito intrigados, pelas lojas e pubs de Knockavoy.

— Mas ela não está usando os trapos horrorosos que a mãe usava.

— Não, realmente não está! E tem umas roupas muito bonitas, por sinal. Olhem! Lá vem ela!

Todos os homens que se acotovelaram no balcão se viraram para trás no pub do Forman, a fim de olhar para Katherine, que passou vestindo uma saia de couro preto brilhante e um cardigã curto e colado no corpo.

— Todo mundo no pub está olhando para você — cochichou Tara.

Katherine levantou os olhos e viu um monte de figuras com o nariz achatado no vidro, observando-a. Tara ficou na expectativa de testemunhar o olhar de raio laser que ia ser lançado na direção do bar, apavorando a todos. Katherine, porém, simplesmente sorriu de modo gracioso, e Tara suspirou. Vivia esquecendo que aquela era a nova versão de Katherine Casey, muito aprimorada, por sinal.

No bar, todos murmuraram entre si:

— É aquele brilho nos olhos dela que está fazendo isso.

— ... Sete, seis, cinco, quatro, três, dois, um. FELIZ ANO-NOVO!

Tara olhou para o cigarro que trazia entre os dedos, fumado pela metade.

— Já que comecei, vou terminar esse aqui — murmurou para si mesma. Em seguida, com grande alarde e cerimônia, amassou os 16 cigarros que ainda restavam no maço, jogando-os em um cinzeiro do pub do Forman.

— Ai!... — Timothy O'Grady franziu os olhos. Aposto que isso dói.

— Até que não... — mentiu Tara, com ar descontraído. — Meu ramadã particular começa agora. Não vou comer, não vou beber e certamente não vou fumar!

Quatorze horas mais tarde, Katherine e Tara estavam sentadas na área para não fumantes do aeroporto de Shannon, esperando pelo voo que as levaria de volta a Londres.

— Quatorze horas desde o meu último cigarro — anunciou Tara, com orgulho. — *Quatorze* horas!

— Mas você dormiu 11 dessas 14 horas — lembrou Katherine, com um tom seco.

— Olha só para aquele cara! — indicou Tara, apontando com discrição para um homem na área de fumantes, tragando um cigarro com muita força, como se sua vida dependesse daquilo. — Não é nojento? Como é que ele consegue fazer algo assim consigo mesmo? Colocar todas aquelas substâncias tóxicas e revoltantes para dentro do próprio corpo?

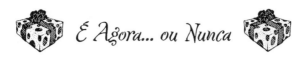

Dez minutos depois, Tara abriu uma embalagem de Nicorette.

— Esse aqui é que é o grande lance! — disse, mascando uma pastilha de forma frenética. — Quem precisa de tabaco?

Vinte minutos depois, Tara estava sentada na área de fumantes, ainda mascando o Nicorette e tragando profundamente no cigarro que filara do mesmo sujeito que havia criticado antes.

— Sou uma fumante! — reconheceu com tristeza, ao lado dele. — É melhor assumir de uma vez esse fato.

CAPÍTULO 68

Tara começou a ter aulas à noite. Agora já não ficava de porre todos os dias da semana, mas apenas dia sim, dia não, e às vezes de três em três dias. Afinal, precisava preencher o tempo de algum modo, e ir para a academia ou visitar Fintan não era exatamente uma distração. As aulas de banjo, porém, não passaram da primeira.

— Era muito difícil — reclamou ela. — Além do mais, vocês *não fazem ideia* de quanto custa um banjo. Eu iria à falência se fosse comprar um.

O artesanato em mosaico também não foi muito longe.

— É um troço irritante, todos aqueles caquinhos... eu estava ficando doida!

Quanto às aulas de português:

— A turma estava cheia de gente esquisita. Mas, deixa pra lá — anunciou ela, alegre. — Eles ainda têm vagas para as aulas de meditação, pintura em tecidos e canoagem. Um desses cursos deve ser legal.

Não eram.

— Meditação! Nossa, que tédio!... Meus nervos estavam ficando em frangalhos com todo aquele silêncio. Parecia um daqueles jantares constrangedores, cheios de gente desconhecida.

A pintura em tecidos também não funcionou.

— Eu *tenho cara* de hippie, por acaso?

Da aula de canoagem, ela não contou muita coisa. Simplesmente voltou mancando, com os cabelos sujos e emaranhados.

— Como foi? — perguntou Joe.

— Não muito bem. Eles me colocaram na água, de cabeça para baixo, e eu achei que ia me afogar. Machuquei o joelho e meu cabelo ficou arruinado.

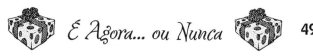

Tara ficou com o astral muito baixo, terrivelmente consciente de sua solteirice. Buscara consolo e afeto na hora da aula de canoagem; alguém que pudesse abraçar com força, para afastar o choque de ter sido submersa na água gelada sem esperar; alguém que depois lhe desse um beijinho no joelho machucado.

Chega de aulas noturnas!, decidiu. Tara curtia a injeção de esperança no início de cada aula, a empolgação de que aquela nova atividade pudesse consertá-la por dentro. Mas nada funcionou. Não havia razão para continuar tentando escapar da solidão através de um novo interesse.

Agora, seu único hobby era “Não Ligar para Thomas”, e isso já era um exercício dificultoso e irritante. Nem um dia se passava sem que esse fosse o seu primeiro pensamento ao acordar. Katherine, no entanto, vivia lembrando a ela o quanto fora pior, nas dez semanas anteriores.

— Não se esqueça — dizia ela — que você mal dormia, e jamais comia. Sei que continua se sentindo péssima, mas já fez grandes progressos. Eu não precisei mais impedi-la de pegar o carro para ir até lá durante a noite, desde antes do Natal.

— Acho que fiz bem em não ligar para ele — disse Tara, baixinho. — Mas estou muito fragilizada, entende? Estou com a força de vontade de um inseto.

— Não, você está agindo de forma maravilhosa — elogiou Katherine. — E vai superar tudo ainda mais depressa, graças à falta de contato com ele. Desligar-se da pessoa aos poucos só serve para piorar a agonia. É como arrancar esparadrapo da pele. Quando a gente puxa de uma vez só, dói mais, mas o sufoco acaba rapidinho.

As palavras de Katherine serviam de conforto, mas também deixavam Tara irritada. Ela queria superar Thomas, porém, de um jeito louco e paradoxal, a ideia de relegá-lo ao passado a deixava triste.

Ela se arrastava pela vida. Às vezes, olhava para si mesma no espelho. Uma mulher de trinta e poucos anos com um bom emprego — apesar de estar sempre sem grana, a culpa não era do seu salário —, que trabalhava duro, ia para a academia todo dia, comprava roupas bonitas, não via nenhum homem no horizonte e preenchia esse vazio com bons amigos e vinho branco. Sentia-se um clichê ambulante, um fracasso em forma de gente.

Morria de saudades da época em que estava gorda como uma porca, tão obesa que foi obrigada a parar de comprar a revista *Vogue* porque olhar para todas aquelas roupas maravilhosas nas quais jamais conseguiria entrar a deixava arrasada. Pelo menos, naquele tempo, havia um namorado.

Para Tara, Katherine, Milo e Liv visitar Fintan era algo que entrara na rotina de forma automática, como escovar os dentes de manhã. As visitas diárias eram tão normais que eles se sentiam estranhos quando passavam um dia sem vê-lo.

As emoções radicais que sentiam nos primeiros dias depois do diagnóstico haviam se equilibrado. Embora todos continuassem a viver em constante expectativa, e apesar do fato de que qualquer dor aguda ou fisgada que Fintan sentisse ainda lhes provocasse ansiedade, o horror já não era tão comum. O choque agudo diminuíra e a sensação de algo anormal fora assimilada. Não havia escapatória, segundo Liv.

— Quando a pessoa carrega um fardo psicológico muito pesado — explicava ela —, acaba se acostumando. Continua sendo desgastante, mas o choque inicial do peso desaparece.

Nenhum deles alimentava a mesma esperança do início. Mesmo depois de quatro aplicações de químio, Fintan não apresentara melhora alguma.

Até mesmo seus acessos de raiva, desespero e esperança, que se alternavam, pareciam não ultrapassar os limites do próprio vaivém, como um pêndulo. De certa forma, tudo parecia muito normal.

Só de vez em quando a bizarrice da terrível situação impunha a sua presença. Como na noite em que Katherine, Joe e Fintan foram assistir a uma peça e Fintan não conseguiu um táxi, na saída.

— Que droga eu não poder lhe dar uma carona — lamentou Katherine, enquanto os três continuavam em pé, na calçada, observando os táxis que passavam um atrás do outro, mas todos cheios. — Esses carros só com dois lugares são um problema!

— Mas eu poderia ir no colo de Joe — ofereceu Fintan.

Rindo, Katherine começou a ralhar com ele, por ficar flertando o tempo todo com Joe na frente dela, mas de repente viu que ele estava falando sério. O choque se aprofundou ao perceber que a ideia era até plausível. Fintan, muito magro e abatido, estava quase do tamanho de uma criança.

Mal conseguiu falar enquanto dirigia, vendo ao seu lado Fintan, que um dia fora tão grande, forte e saudável, aboletado como um boneco de ventríloquo sobre o joelho de Joe, que o segurava entre os braços, com jeito protetor.

Milo colocou suas terras à venda e anunciou que ia virar paisagista.

— Adoro Londres, mas sinto falta de trabalhar com a terra — explicou ele. — Gosto de sentir a terra entre os dedos. Todos nós temos um jeito especial de ser.

Liv olhava para ele como se fosse desmaiar de tanta admiração que sentia.

— Você está feliz, Liv? — perguntou-lhe Tara, baixinho.

— Feliz? — perguntou ela, meio em dúvida. — Estar feliz não é a minha praia. Mas larguei o Prozac, deixei de tomar erva-de-são-joão, óleo de prímula, suplementos de vitamina B, abandonei minha caixinha simuladora de luz solar e não tenho pensamentos suicidas há séculos.

— Mas está feliz com *Milo*?

— Ah, ele...?! — o rosto de Liv se acendeu. — Ele é maravilhoso. Nem acredito na sorte que tive. Milo mudou a minha maneira de enxergar o mundo. Quando começa a chover, em vez de se preocupar que o seu cabelo possa ficar todo eriçado, ele nem repara, ou então diz coisas como "Essa chuva é abençoada, muito boa para as colheitas". Apesar disso — acrescentou Liv, depressa, para que ninguém saísse por aí dizendo que tudo eram flores em sua vida — ... devemos lembrar sempre que só nos conhecemos por causa da doença de Fintan. Isso nos aproximou, por um lado, mas por outro nos deixou preocupados e culpados. E, é claro, JaneAnn está fazendo a minha caveira. Nada é perfeito.

— Não, nada mesmo — Tara tentou não rir.

— Mas — Liv teve a *decência* de reconhecer — acho que as coisas vão tão bem quanto seria possível.

* * *

Em meados de fevereiro, chegaram notícias sobre Thomas ter arranjado uma namorada nova. Seu nome era Marcy, a mesma que dissera a Tara, no dia do aniversário de Eddie, que estava tentando engravidar através de um banco de esperma.

— Faz sentido... — reagiu Tara, com bravura, ao saber da novidade. — Ela deve estar realmente desesperada. — Embora todos à sua volta insistissem na história de ele ser um empecilho em sua vida, Tara admitia, tensa e pálida: — O ciúme está me matando! Só consigo me lembrar do quanto ele era legal para mim.

— Thomas jamais foi legal para você — lembrou Katherine, tentando animá-la.

— Foi sim, Katherine. Ele era adorável, no princípio. Era louco por mim e agia como se eu fosse linda. Por que outra razão eu teria saído com ele, e depois permanecido ao seu lado por tanto tempo?

— Diga-me você...

— Porque eu estava tentando fazer com que as coisas voltassem a ser como eram no início. Sei que estou melhor sem ele, mas ainda o sinto como meu. E agora ele está sendo legal para ela, em vez de ser para mim.

— Thomas vai tornar a vida dela um inferno.

— Isso não me serve de consolo. Era a *minha* vida que ele devia estar transformando num inferno. — Tara colocou o rosto entre as mãos e gemeu: — Estou de saco cheio de me sentir assim. E o que torna a coisa 20 vezes pior é que ela é magrinha!

— Você tem olhado para o espelho ultimamente? — Katherine olhou para o corpo de Tara, faminto e modelado.

— Mas ela é magra em estado permanente — sussurrou Tara. — É uma magra de verdade. Eu sou apenas uma impostora, e vou engordar tudo de novo. — De repente falou, com coragem: — Isso é apenas um obstáculo em minha vida. Depois de ultrapassar mais esse, a coisa vai melhorar. Essa história significa apenas — acrescentou, com ar triste — que agora a coisa realmente não tem volta.

— Mas você não estava mesmo pretendendo voltar, estava? — perguntou Sandro, chocado.

— Não, mas... a gente atinge um novo nível de "acabou" quando o ex-namorado arranja outra pessoa — e sorriu, de leve. — É um

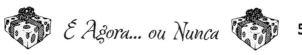

choque. E não é nada agradável imaginar que ele está tocando a vida, mesmo sem a minha presença.

— Mas você também está tocando a sua vida sem a presença dele — consolou Liv.

— Ah, claro que não... ainda não encontrei ninguém, até agora. O que me deixa puta da vida é que para os homens é superfácil, eles logo arrumam alguém. Levou só três meses para ele. Isso é muito injusto.

— Você também podia arrumar alguém rapidinho, se estivesse assim tão desesperada — assinalou Fintan. — Você conseguiu dormir com dois caras no mês passado.

Tara estremeceu só de lembrar.

— Eu estava completamente de porre, *fiquei* com eles só por uma noite, e os dois eram os caras mais medonhos do hemisfério Norte. Um era o Homem-Elefante, e o outro era o irmão mais feio do Homem-Elefante. Só dormi com eles porque precisava de um pouco de afeto.

— É assim que as coisas são — decretou Fintan, com ar jovial. — As mulheres fazem sexo com os homens em busca de afeto, e os homens são afetuosos com as mulheres para poderem fazer sexo com elas.

— Transas de uma noite só me deixam ainda pior. Não valem a pena — garantiu Tara.

— E como vai aquela gracinha do Ravi? — perguntou Fintan, com a maior inocência.

— Ravi? Aquele Ravi com quem eu trabalho? O Ravi que é três anos mais novo do que eu? O Ravi que fica acordado a noite inteira jogando videogame? O Ravi que pensou que *Duro de Matar* fosse um documentário? *Esse* Ravi? Ele está muito bem, Fintan, por que a pergunta?

— Estou só puxando assunto — sorriu ele, com ar astuto. — Ele continua namorando aquela Danielle?

— Não, eles terminaram o namoro no Natal.

— Sééério...? — Fintan e Sandro se cutucaram, deliciados. — Isso... é... verdade? Então ele está solto na praça? Você bem que podia pensar a respeito disso.

Tara olhou com cara feia para Fintan e sentenciou:

— Se algum dia eu pensar nisso, você pode me dar um tiro!

No dia seguinte, Tara se encontrou por acaso com Amy, no saguão do prédio.

— Oi! — sorriu Amy. — Como vai? Não via você há séculos. Desde o Natal.

— Caramba! — Tara escondeu o rosto com as mãos. — Acabei de me lembrar! Você me viu naquele dia horrível, quando eu estava completamente bêbada e vomitando todas. Nossa, que vergonha!

— Não esquente com aquilo. Eu também quase entrei em coma alcoólico naquela noite, e tive que tomar uma injeção na bunda para parar de vomitar.

Tara sorriu, aliviada. Admirava o tipo de beleza de Amy, em estilo clássico "pintura de Rafael", e era bom saber que Amy era humana.

— Precisamos sair juntas uma noite dessas — continuou Amy —, a não ser que você tenha voltado com o seu antigo namorado.

Tara balançou a cabeça para os lados, com ar pesaroso.

— Não sei se você se lembra, mas eu lhe contei que o meu namorado tem um amigo muito legal, chamado Benjy, e aposto que vocês dois iam se dar muito bem. Por que não marcamos de sair todos juntos?

— É uma boa... — disse Tara, sentindo uma fisgadinha de empolgação. Talvez ele fosse um cara pelo menos decente de se olhar. — Quando?

— Sábado à noite?

— Não posso. Que tal no outro sábado?

— Combinado.

— Ele é um cara legal, esse tal de Barney?

— Benjy. É um amor!

— Bem... se ele for pelo menos parecido com o seu namorado, deve ser lindo! — elogiou Tara. E foi embora tão depressa que não percebeu o ar alarmado que surgiu no rosto de porcelana de Amy.

CAPÍTULO 69

— Pelo trigésimo primeiro ano consecutivo, o prêmio de Melhor Conjunto de Moléculas vai para Katherine Casey — elogiou Joe, sorrindo para Katherine, que estava esparramada, nua e lânguida na cama dele. — E esse prêmio, como sabem, não se refere apenas ao planeta Terra — acrescentou, com ar de quem sabia das coisas —, mas a todo o universo.

— Temos que nos levantar para ir trabalhar — disse ela, sem muita convicção.

— Você não vai a parte alguma, mocinha — disse Joe, com a cara séria. — Não até que o médico a tenha examinado toda.

Katherine deu uma risadinha, mas seu coração se apertou, com uma fisgada de excitação. Esse joguinho era muito melhor quando ela estava vestida, mas que mal havia em fazer assim mesmo?

— Muito bem... Vejamos, onde está o seu problema? — a expressão de Joe era severa.

— Está doendo.

— Onde?

Ela balançou a mão, sem definir um lugar exato, e por fim apontou para o próprio abdômen, informando:

— Aqui!

— Mostre! — ordenou ele, com firmeza. — Sou um homem muito ocupado, mostre-me o lugar exato.

— Aqui. — Ela se tocou de leve e estremeceu ligeiramente, embaraçada e excitada.

Joe colocou a mão fria sobre o seu púbis e começou a massageá-la com o polegar, de forma casual.

— Aqui?

— Um pouquinho mais embaixo.

— Srta. Casey, precisa me indicar o local exato!

Ela fechou os olhos, pegou na mão dele e a encaminhou.

— Aqui? — quis saber ele.

— Aperte mais um pouco — gemeu ela.

— Aqui?

— Sim.

Algum tempo depois, a voz abafada de Katherine saiu de baixo de Joe.

— Agora, temos realmente que ir para o trabalho — avisou ela.

A caminho do chuveiro, ela quase tropeçou nos halteres que estavam juntando poeira ao lado da porta. Eles entraram no banheiro, onde havia uma planta morta há muito tempo, no peitoril, o único xampu era de marca barata e não havia condicionador algum.

O apartamento de Joe era exatamente o que se esperava de um lugar típico de homem solteiro, mas não por muito tempo. Katherine tinha intenção de modificar algumas coisas por ali.

Ela voltou para o quarto envolta em uma toalha bege meio desfiada.

— Estou atrasada. Ainda preciso passar a minha blusa.

Joe tentou arrancar a toalha dela, mas ela ralhou com ele:

— Não. Deixe-me em paz e vá tomar o seu banho, senão você vai se atrasar também.

— Sim senhora. — Com um jeito desanimado, ele foi se arrastando até o banheiro.

Katherine já estava vestida quando ele voltou e a analisou de cima a baixo em seu terninho azul-claro.

— Provavelmente, esta é a melhor namorada do mundo — disse ele, baixinho.

— Aposto que a sua cerveja predileta é a Carling Black Label — replicou ela, olhando para um ponto abaixo da cintura de Joe. — Vamos lá, vá se vestir.

— Ok — suspirou ele.

Katherine secou os cabelos, aplicou maquiagem e procurou algo na bolsa.

— Puxa, Joe, vou precisar de um trocado para a passagem de metrô.

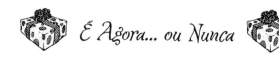

— Sirva-se — ofereceu ele, virando o bolso da calça de lado e mexendo o quadril na direção dela.

— Não... — ela deu uma risadinha. — Não pretendo enfiar a mão no bolso da sua calça.

— Se quiser o trocado para o metrô, terá que fazer isso — e riu, fingindo uma cara de mau.

Ela hesitou por um breve instante, e então enfiou a mão com a palma aberta na caverna secreta do bolso dele, passando pelo forro lisinho, um pouco frio, e sentindo a ponta do quadril de Joe, para finalmente alcançar o fundo, onde havia algumas moedas. Logo, porém, perdeu o interesse no dinheiro porque, por trás do bolso, sentiu algo a mais. Uma estimulante protuberância que parecia estar aumentando de tamanho, movendo-se, expandindo-se, despertando, endurecendo e ganhando vida por baixo de seus dedos. Sua mão, sem sentir, começou a tatear aquele volume e alisá-lo, movendo-se sobre ele e...

— Não! — exclamou ela. — Assim, não vamos conseguir sair para o trabalho!

Pegando um monte de moedas, Katherine selecionou as que precisava e devolveu o resto, deixando-as cair no fundo do bolso, com seu barulhinho típico.

— Desculpe — Katherine fez cara de encabulada. — Pego você mais tarde...

— Agora sim! — ele sorriu. — Que tal uma sessão particular comigo no toalete masculino, no trabalho?

— Não.

— Ahhh — ele fez um muxoxo.

— Estava guardando essa ideia para o seu aniversário. Agora você estragou a surpresa.

— Estava mesmo? — perguntou Joe, curioso. Em se tratando de Katherine, ele nunca tinha certeza. Ela era uma mistura divertida de pudica com obscena.

— Você vai ter que esperar até julho para descobrir, não é? — Ela recolheu suas coisas. — Nossa! Esse telefone pesa uma tonelada.

Katherine desligara o telefone e carregara o aparelho para a casa de Joe, só para evitar que Tara tivesse ideias de ligar para Thomas em sua ausência.

— Nos vemos no trabalho! — Ela o beijou. — É melhor você me dar uns dez minutos de dianteira, antes de aparecer lá.

— Você não precisa me dizer a mesma coisa todas as manhãs, Katherine — disse ele, com gentileza. — Eu já sei. Bem que eu gostaria que o nosso namoro não tivesse que ser mantido em segredo de todo mundo no trabalho. Você tem vergonha de mim? — Ele tornou a rir, mas ela percebeu que havia um pouco de mágoa na pergunta.

— Não! — respondeu ela, o mais rápido que conseguiu. — Claro que eu não tenho vergonha de você. Simplesmente não gosto que as pessoas fiquem sabendo da minha vida. Preciso manter um ar de autoridade no trabalho, e se eles descobrirem que eu estou transando com você, vão achar que eu sou *humana*. Se isso acontecer, vão se meter a engraçadinhos com os cálculos para reembolso das despesas e estourar as contas... — Katherine pensou nisso por alguns instantes. Talvez estivesse sendo rígida demais. Ah, qual era a diferença? — Tudo bem, então — liberou ela —, contanto que não cheguemos juntos no trabalho.

Eles já estavam saindo juntos há quase cinco meses e, no que dizia respeito a Katherine, cada dia representava um novo milagre. Quem diria, em novembro, que ao chegar o mês de abril eles ainda estariam juntos! Um homem que não fosse especial como ele teria fugido aos gritos de todo o drama que rolava na vida de Katherine, mas Joe arregaçara as mangas e mergulhara de cabeça. Testemunhara em primeira mão as manobras de Tara para voltar atrás, assim que ela se livrou de Thomas, não recuara diante das suas histórias chorosas e servira de árbitro para as lutas noturnas entre Tara e Katherine pela posse do telefone.

O mais importante é que oferecera todo o apoio a Katherine, nos momentos em que se tornava difícil lidar com Fintan. Jamais reclamou da quantidade de tempo que ela dedicava ao amigo, e parecia disposto a devotar muito do seu tempo a isso também. Não criou caso nem mesmo no dia em que conheceu Fintan e foi paquerado por ele o tempo todo.

— Obrigada — disse Katherine, quando eles voltavam para casa nesse dia.

— Pelo quê?

— Por não ficar sem graça quando Fintan começou a dar em cima de você.

— E o que há para agradecer? — perguntara Joe. — Afinal, se um cara pintoso flerta comigo, eu poderia considerar isso até mesmo um elogio.

— Pois então é melhor se acostumar, porque eu acho que ele gostou de você.

A intensidade de todas aquelas emoções e acontecimentos funcionou como uma panela de pressão. Katherine e Joe se tornaram muito chegados em pouco tempo. Ela jamais tivera um namoro que durasse tanto quanto aquele. E fazia muito tempo desde que ela confiara em um homem da maneira que confiava em Joe. Não que ela confiasse nele *tanto assim.*

— Eu confio em você o suficiente para avisar que não confio — ria ela.

— Obrigado — reagia ele, muito sério. — Não há pressa, pode levar o tempo que quiser, e saiba que muita gente confia em mim.

Embora ela resguardasse o seu passado como se fosse uma joia preciosa, finalmente começou a achar que precisava parar de ser tão fechada a respeito de sua família. Afinal, ela já conhecia tudo a respeito da família dele, e o seu silêncio forçado sempre que a palavra "pais" vinha à tona começou a parecer uma reação exagerada. Assim, um belo dia ela se sentou com ele e contou tudo sobre a sua mãe maluca e a inexistência do pai em sua vida.

— Puxa, eu já estava achando que você ia me contar que assassinou alguém no passado! — exclamou ele quando, depois de muito suspense e drama, ela finalmente conseguiu colocar tudo para fora — Por que você age como se isso fosse motivo de vergonha?

— E você acha que não é?

— Claro que não!

— Mas eu sou filha ilegítima.

— Você é Katherine Casey — replicou ele.

Embora ficasse tão cansada que teve de ir para a cama mais cedo, devido à exaustão provocada pelas revelações, Katherine começou a vislumbrar como era uma vida sem medos, enquanto Joe foi alcançando um novo nível de compreensão a respeito de como ela era.

CAPÍTULO 70

— Algo de muito esquisito está começando a acontecer — disse Tara a Katherine.

— O que é?...

— Acho que superei a perda de Thomas.

— Ótimo. Já estava mesmo na hora da poeira baixar. Como Joe costuma dizer, "o tempo cura todas as feridas".

— Não, eu não estou dizendo que a coisa esteja ficando mais fácil aos poucos — insistiu Tara, com intensidade. — Estou dizendo que ao acordar, hoje de manhã, notei que tudo passara.

Não foi como nas outras manhãs, quando ela acordava e se sentia confusa por alguns segundos, sem sentir a dor da perda, mas logo em seguida entrava em foco, como uma fotografia que ia sendo revelada aos poucos, até a agonia se instalar com toda a riqueza de detalhes.

— Acabou de vez. Foi como uma explosão de fumaça — explicou Tara. — Minha vida com ele parece fazer parte da existência de outra pessoa, e a sensação é a de que o mais *sensato* é superar tudo, porque ele simplesmente não me merecia.

— Todo mundo já sabia disso, você está chovendo no molhado.

— Tudo o que sinto agora é pena dele.

— Pega leve, Tara.

— Mas é sério, Katherine. Ele jamais vai ser feliz.

— Bem feito, ele bem que merece.

— Não importa o que eu fizesse, ele jamais se satisfaria. Mesmo que eu ficasse pesando 30 quilos ele ia reclamar de alguma outra coisa em mim. Porque o problema não era comigo, era com ele.

— Você não está falando tudo isso só por falar, está? — perguntou Katherine, desconfiada.

— Não, não estou. Isso não é o máximo? Eu queria ter a chance de desfilar diante dele, para ele ver o quanto eu fiquei magrinha, e agora nem ligo se ele jamais descobrir. E não dou a mínima para a tal de Marcy. Você estava absolutamente certa, ele vai tornar a vida dela um inferno. Tenho certeza de que ele disse a ela que eu vivia chateada, da mesma forma que fez comigo, ao falar das antigas namoradas; ela deve estar achando que não deve demonstrar nenhuma emoção negativa, exatamente como aconteceu comigo. E que se dane ela, porque a minha vida não é mais aquele martírio e estou gostando disso!

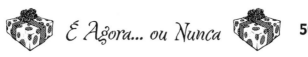

As duas deram-se as mãos e executaram uma pequena dança alegre.

— E eu não estou dizendo que *quero* ter filhos, mas pelo menos agora tenho escolha, ao contrário da pobre Marcy. Acho que com a inseminação artificial ela estava mais bem arranjada — avaliou Tara. — Obrigada por tudo, Katherine. Obrigada por me acolher, por me dar todo esse apoio e por me aturar. Vou começar a procurar um lugar para morar, no próximo fim de semana. Ah, e o mais importante de tudo: obrigada por não me deixar ligar para ele, nem ir visitá-lo.

— Foi muito melhor você não manter nenhum contato com ele — concordou Katherine. — Fazer do outro jeito só serve para prolongar a agonia e trazer falsas esperanças.

— Puxa vida, eu nem acredito! — exclamou Tara, maravilhada. — Faz só cinco meses desde que eu o larguei, e sempre achei que dor de cotovelo era algo que podia se arrastar durante anos a fio, basicamente até você encontrar outro cara. Pelo menos *comigo* sempre foi desse jeito — acrescentou.

— Eu sei. — Katherine testemunhara de perto a corrente quase contínua de namorados de Tara, durante dez anos. — Isso é um verdadeiro milagre. Antes, sua vida amorosa era de alta rotatividade. Você mal acabava com um e já estava com outro.

— A coisa era tão feia assim?

— E *como*!...

— Eu bem que estava querendo um namorado novo, desde que larguei Thomas — admitiu Tara. — A solidão era insuportável. E, para falar a verdade, fiquei com alguns carinhas por uma noite só — e recuou, franzindo o rosto ao lembrar.

— Pelo menos você os considerou como caras para uma noite só e não continuou a sair com nenhum deles.

— Isso é porque eram uns idiotas completos, e eu já gastei muito tempo da minha vida com idiotas. Não quero mais entrar nessa.

— Então, você não percebe? — perguntou Katherine, empolgada. — Tara, você jamais pensou desse jeito antes! Preferia ficar e continuar com um idiota a não ter ninguém. Você mudou.

— Você também.

— Todas nós mudamos. Liv está diferente, você está diferente. Concordo que até mesmo *eu* estou diferente. Por que será?

— É por causa de Fintan, não é?

— Acho que tem alguma coisa com o fato de ele estar doente. Sei muito bem que aquela história de curtir o dia de hoje e fazer o melhor possível com cada segundo é uma postura difícil de manter o tempo todo — admitiu, sentindo-se culpada. — É mais fácil esquecer e aceitar tudo na vida como garantido.

— Há momentos em que eu olho para ele... — interrompeu Tara — ... tão jovem e tão mais perto da morte do que eu. Então, de repente, eu penso: ei, podia ser eu no lugar dele!... e isso me faz... — ela hesitou e por fim soltou um sorriso luminoso. — Isso me faz querer ter uma vida melhor.

— Exato! — Katherine também sorria e repetiu: — Isso me faz querer ter uma vida melhor também.

— Voltar para Thomas não seria ter uma vida melhor — afirmou Tara. — Muito menos sair com um zé-mané bundão, mas se apaixonar por Joe Roth é.

— O que está querendo di...

— Desculpe, desculpe, acho que você ainda não mudou por completo — disse Tara, com tristeza. — Quer saber de mais uma coisa?

— O quê?

— Acho que jamais cheguei a amar Thomas.

— Isso faz sentido para mim.

— E você sabe por que eu jamais o amei?

— Por quê?

— Porque acho que, no fundo, jamais superei a perda de Alasdair. Andei pensando muito a respeito disso, e sabe de uma coisa?...

— Que foi?

— Vou dar um telefonema para Alasdair.

Katherine ficou arrasada ao ouvir isso. Sabia que era bom demais para ser verdade. Já estava disposta até mesmo a devolver o celular de Tara. Ainda bem que não fizera isso.

— Tara, ele está casado — tentou ela. — Já se passaram vários anos desde que vocês se viram pela última vez.

— Ah, mas eu não estou pensando em voltar com ele não — avisou Tara, com leveza. — Só queria virar essa página. E que momento melhor para isso do que agora, quando estou vestindo 40?

Katherine pareceu muito preocupada.

— Não se preocupe — tranquilizou-a Tara. — Mesmo que eu estivesse desesperada por um homem, o que não é o caso, vou me encontrar com um cara no sábado. Sabe aquela garota do meu trabalho sobre a qual eu lhe contei? Pois o namorado dela tem um amigo...

— Mas isso já não era para ter acontecido há meses?

— Era, mas eu fiquei gripada, depois ela viajou, depois eu andei superocupada, mas agora está *confirmado*: vamos sair no sábado.

Katherine estava torcendo para que Tara esquecesse aquela ideia de procurar Alasdair, ou então para que não conseguisse encontrá-lo. Porém, para sua preocupação, Tara anunciou que falara com ele, que ele continuava no mesmo emprego e que os dois iam se encontrar para tomar um drinque depois do trabalho, na quinta-feira.

Às nove e meia da noite, Joe e Katherine estavam assistindo a tevê e tomando uma garrafa de vinho quando Tara irrompeu na sala.

— E então, como foi?

— Ele está gordo, careca e ridiculamente feliz. Eles tiveram um bebê, um menino, e a mulher dele já está esperando outro para agosto.

— Entendo.

— Acho que eu estaria mentindo para você, Katherine, se dissesse que não havia um pouquinho de esperança dentro de mim.

— Não brinca!...

— Nem havia percebido isso, até o momento em que coloquei os olhos nele.

— Viu só?

— E eu também queria algumas respostas. Como é que ele conseguiu ficar comigo por tanto tempo, numa boa, e então, de repente, caiu fora e se casou com outra tão depressa? Ele me garantiu que não conseguia explicar. Disse apenas que quando conheceu a sei-lá-o-nome as coisas se encaixaram. Ele simplesmente *soube* que era ela.

Katherine e Joe evitaram olhar um para o outro.

— Você tinha que vê-lo! — exclamou Tara. — Eu quase não o reconheci. Está parecendo o pai de alguém. Imagine, Alasdair gorducho! Lembra de como ele era magricela? Desculpe, Joe, esqueci que você não o conhece, mas pode acreditar em mim, ele era magro como um caniço. Agora, está cheio de pneuzinhos na barriga. Acho que isso significa felicidade. Por falar nisso, vocês dois também engordaram um pouco.

Eles se mexeram no sofá, meio desconfortáveis.

— Ele disse que eu estou com ótima aparência — orgulhou-se Tara.

— E está mesmo.

— Mas deu para sacar que não estava dando a mínima para mim.

— Ah, bom!...

— Então, tenho que tocar a vida.

— Ótimo!

CAPÍTULO 71

— Como último recurso, finja que é gay — catequizou Lorcan —, ou então diga que sente dúvidas com relação à sua sexualidade.

— Por quê? — perguntou Benjy. Pareceu-lhe que aquela era a última coisa que um homem devia fazer, se pretendia levar uma mulher para a cama.

— Porque... — suspirou Lorcan, diante da burrice de Benjy — toda mulher *adora* achar que foi ela que curou um homem de sua homossexualidade. É um desafio, uma *ego trip*. Ela vai tentar arrastar você para a cama, perguntando o tempo todo "Isso está gostoso, não está?", e se você acabar transando com ela, em vez de se sentir suja ou usada, ela vai achar que foi uma vitória.

— Já que você tem tanta certeza... — Benjy estava meio em dúvida. Os conselhos de Lorcan jamais haviam funcionado para ele. Jamais. Ainda estava meio bolado ao lembrar da festa à qual eles dois haviam ido, no fim de semana anterior, quando Lorcan lhe emprestara o seu isqueiro especial, aquele que não funcionava. Em vez de a garota se mostrar encantada pela ansiosa vulnerabilidade de Benjy, pela surpresa que demonstrou e o elaborado ar de cão sem dono que exibiu no momento em que o isqueiro não acendeu, ela fungou com desdém, falando, simplesmente: "Que cara bundão!", antes de se virar e ir embora.

Lorcan se encostou na parede e berrou para o quarto de Amy:

— Fale-nos um pouco mais a respeito dessa sua amiga Tara. Ela é meio... "cheinha", você disse?

— Sim. Se bem que já não está tão gorducha quanto era. Na verdade, agora que você tocou no assunto, ela está até magra. E é muito bonita...

— Então, tudo bem — disse Lorcan, com impaciência, fechando novamente a porta. *Não queria* que Amy ouvisse o que ia dizer. — Ouviu, Benjy? Ela é gorda.

— Mas Amy acabou de dizer que não é.

— Estava apenas querendo ser gentil, tentando vender uma boa imagem da amiga para você. De qualquer modo, você está com sorte. Benjy, meu garoto!...

— Estou com sorte? — Benjy não conseguia enxergar qual era a graça de se encontrar com uma gordinha.

— Pura sorte! Tenho uma técnica especial, e você vai ouvi-la diretamente dos lábios do mestre. Escute com atenção, pois é isso que precisa fazer: não há necessidade de dizer para essa garota, essa Tara: "Ei, você é gorda! Vou trepar com você só por pena!" Não diga isso, Benjy, porque ela já sabe que é gorda, e *você* também sabe que ela é gorda, certo? Porém, sem dar a perceber que você acha que ela podia perder alguns quilinhos, você reclama das mulheres que têm mania de estar sempre esqueléticas. Entendeu?

Benjy concordou com a cabeça, bem devagar.

— Você conversa com ela, como se estivesse apenas puxando assunto, independentemente de ela estar explodindo para fora da roupa, e diz que é um mito essa velha história de os homens preferirem mulheres magras. Diga-lhe que jamais ouviu um homem comentar com outro "Ela era linda, só pele e osso, com todas aquelas costelas aparecendo, parecia um esqueleto e me fez lembrar uma daquelas refugiadas de países onde há fome. Quase me atravessou com o osso da bacia, e morri de tesão só de olhar para ela". *Compris*?

Benjy assentiu com a cabeça.

— Próximo passo: como quem não quer nada, e está só comentando detalhes, você começa a reclamar a respeito dessas modelos famosas. Diga que nenhum homem com sangue nos músculos deseja uma mulher que mais parece uma adolescente anoréxica. Mencione Jody Kidd. É claro que *você* sabe, como eu também sei, que passar uma noite com uma modelo famosa como a Jody Kidd ia ser o máximo dos máximos, mas não conte isso à gorda da Tara. Porque, quando menos esperar, a gorda da Tara vai se sentir no paraíso e pronta para entregar o ouro.

— Nossa, você é inacreditável, Lorcan. Totalmente desprovido de moral.

— Obrigado. — Lorcan encolheu os ombros e disse, com jeito tímido: — Também não precisa me encher de elogios. Para que servem os amigos, afinal?

— Só tem um problema — admitiu Benjy, sentindo-se desconfortável. — Não sei se eu vou gostar de uma garota gorda.

— Mas as gordas têm as suas vantagens. O que eu lhe digo o tempo todo?

— Para perguntar às mulheres qual o xampu que elas usam.

— Não, sem ser isso.

Benjy não sabia e Lorcan explodiu:

— Já não cansei de lhe dizer que as gordas estão sempre mais a fim do que as magras?

— Sim, você sempre fala isso.

— Sinto como se estivesse perdendo o meu tempo com você, Benjy.

— Desculpe.

— Você ouve alguma das dicas que eu lhe dou?

— Ouço, ouço sim. Desculpe.

— Tudo bem. Você está fazendo o melhor que pode. Agora, preste atenção para outra joia de informação que eu vou transmitir a você, e olhe que pouca gente sabe disso: as gordas *sentem* mais prazer.

— Você transaria com uma gorda? — perguntou Benjy, esperançoso. Se Lorcan, seu herói e mentor, topasse isso, então estava tudo bem.

— Claro que sim! — declarou ele, magnânimo. — Claro que sim... mas veja bem — acrescentou —, você jamais vai me ver circulando em público com uma mulher assim, porque isso ia queimar o meu filme. Na privacidade da casa delas, porém, não teria problema algum em brincar de esconder o salame.

— Tá... bem, talvez essa Tara seja uma garota legal. — Benjy sentiu-se invadido por uma forte esperança.

— É... — os olhos de Lorcan se estreitaram, pensativos. — Talvez seja...

* * *

Lorcan foi para o banheiro, a fim de se aprontar. Sentia-se estranhamente deprimido. O que havia de errado com ele? Andava com sensações novas e preocupantes nos últimos seis meses, e ajudar Benjy já não o deixava tão empolgado quanto antes. Ele já não tinha o estômago nem a energia para isso como antes. Continuava a se comportar como o *bad boy* de sempre quando se tratava de Amy, e costumava deixá-la louca e infeliz ao negligenciá-la ou flertar abertamente com outras mulheres na frente dela. Só que tudo aquilo já não era tão agradável quanto antes. Ele sempre rolara de rir diante da ideia de sossegar o facho com alguém e, pior ainda, de ter filhos. Ultimamente, porém, andava com umas vontades estranhas e cativantes, e pensava na possibilidade de um pequeno Lorcan em sua vida. E talvez uma garotinha também, quem sabe...?

Tinha quase 40 anos. Suspirou. Crise de meia-idade.

Com um floreio, passou a escova de Amy pelos cabelos cheios, brilhantes e sedosos, e se animou. Seu cabelo sempre o deixava de alto astral. Curtiu uma das brincadeiras que fazia com o cabelo, que consistia em passar a escova com força até as pontas dos fios, esticando-os o mais que conseguisse, para depois arrancar a escova com força e observá-los pulando e dançando com alegre elasticidade, até voltarem à posição original. Lorcan nunca enjoava de fazer isso.

Ficou ali mais algum tempo, se distraindo, afofando e enrolando os fios, dando palmadinhas amigáveis, levantando-os um pouco mais e realinhando o penteado. Então, tornou a pegar a escova e viu algo que lhe fez o sangue gelar nas veias. Havia cabelo preso entre as cerdas! Um monte de cabelo! Cabelo ruivo. *Seu* cabelo!

A escova caiu de suas mãos inertes no momento em que ele se lançou em frenética investigação da sua gloriosa coroa avermelhada. Todo mundo perdia cabelo, mas será que a quantidade que havia na escova implicava que algo de muito mais sinistro estava acontecendo? Com exagerado cuidado, passou os dedos através da cabeleira e percebeu, com horror, que os fios pareciam estar um pouco mais ralos no topo. Ele estava perdendo cabelo! Pontos negros espocaram diante de seus olhos em pânico. Ele não podia estar ficando — quase engasgou diante da palavra — *careca*. Ele precisava do cabelo. Especialmente em sua carreira. De repente, tudo lhe pareceu estar chegando ao fim antes mesmo de ter começado.

Lançando-se em um nível mais profundo de medo, lembrou-se do pai. Ele perdera o cabelo ainda jovem, o que não era problema para quem exercia a profissão de carteiro. Lorcan, porém, era um ator internacional. A aparência era o seu ganha-pão. *O que poderia fazer?* Desesperou-se. Quando o alto da cabeça ficasse ralinho e deserto de cabelos, será que ele teria que manter os fios remanescentes bem compridos, *à la* Michael Bolton? Ou deveria cortar o que sobrasse e depois passar máquina, para ficar totalmente careca, como Grant Mitchell?

Sentindo-se diminuído e quase em lágrimas diante da ideia, deu uma olhada cuidadosa na imagem refletida. E perguntou a si mesmo o porquê de estar tão preocupado. Ele ainda tinha *um monte* de cabelo. Toneladas. Compridos e sedutores, brilhantes e luminosos. Um xampu para dar volume era tudo o que precisava. Um cuidado especial na parte próxima à testa, e para isso havia o "cabelo líquido", novo produto da Wella para fios danificados, que ele estava apenas esperando um pretexto para experimentar. Aquela era uma boa oportunidade.

Apontou para o espelho com o indicador, deu uma piscada, estalou a língua para si mesmo e, com um sorriso caloroso de quem gostou do que via, avisou:

— Não mude nada, hein, gatão?...

— Como estou? — perguntou Tara, esbelta e sexy em um macacão colante preto, desfilando diante de Katherine e Joe.

— Linda! Escute, Tara...

— E se esse carinha, o tal de Benjy, for legal, hein? — cortou Tara.

— Tara, aconteceu algo. Quando você estava no chuveiro, Sandro ligou para falar de Fintan.

— Ah, meu Deus! — Tara respirou fundo e se largou na poltrona.

— Não, não, a notícia é boa!

O rosto pálido de Tara surgiu por entre os dedos com os quais o cobrira.

— É uma notícia boa de verdade. Sandro contou que, nos últimos dias, o tamanho dos tumores diminuiu drasticamente.

Tara continuava gélida, com os dedos ainda sobre o rosto.

— Aquele caroço do pescoço está com metade do tamanho que tinha, segundo ele, e mal dá para sentir os outros caroços no pâncreas — afirmou Katherine.

— Ai, graças a Deus! — Tara começou a rir por entre lágrimas. — Já não era sem tempo, depois de seis meses de químio. E quanto à medula óssea e o tórax?

— Ainda vão ser necessários outros exames, mas os gânglios linfáticos melhoraram e podemos supor que há grandes chances de ter acontecido isso nos outros locais também.

— Não acredito! — Tara respirou fundo, ainda chorando. — Não posso acreditar! Faz tanto tempo que não acontecia nada de bom com Fintan. Eu já estava certa de que não havia motivos para ter esperança.

— Eu sei.

— Eu já estava começando a me conformar, isto é, não exatamente me conformar — explicou, depressa —, mas é que, se ele não melhorasse, eu já não ia ter um choque tão grande; entende o que quero dizer?

Katherine fez que sim com a cabeça.

— Isso é fantástico! — Os olhos de Tara brilhavam com as lágrimas.

— Acho que não devíamos ficar empolgadas demais, por enquanto — avisou Katherine com ar cauteloso. — Essa doença é imprevisível.

— Ah, qual é?... Vamos nos deixar empolgar sim, pelo menos *um pouquinho*. Quer dar uma passada lá agora mesmo, para visitá-lo?

— Não. — Katherine mal conseguia disfarçar a impaciência. — A gente passa lá amanhã. Vá para esse seu encontro e divirta-se.

Katherine queria se livrar logo de Tara, porque havia um assunto que estava louca para discutir com Joe, desde a véspera.

— Tudo bem. Vamos nos ver mais tarde, então.

— Tomara que corra tudo bem. Até logo.

A porta se fechou.

CAPÍTULO 72

— Joe?

— Que foi?

— Rolou alguma coisa entre você e Angie? Você sabe... Angie, lá do trabalho.

Katherine sentiu que ele ficou muito quieto de repente, como se seu sangue tivesse parado de circular, e então ele se ajeitou no sofá, sentando-se com as costas retas. Olhou para ela e seu rosto estava triste.

— Não precisa me contar — mentiu ela, falando depressa. — Não é da minha conta, eu sei, mas é que ela nos viu chegando juntos, ontem de manhã, e veio me perguntar se eu estava saindo com você. Eu disse que não, mas ela me pareceu chateada. Então... eu fiquei me perguntando se algo de especial aconteceu entre vocês dois. Aconteceu?

Joe olhou para Katherine com um carinho infinito e depois franziu o rosto, como se estivesse com dor. Abriu a boca para falar, e ela o observou com toda a atenção, torcendo para ouvi-lo dizer que não.

— Sim — confessou ele, e Katherine sentiu uma pedra rolar por dentro dela. Não reaja com exagero, implorou a si mesma. Por favor, não se transforme numa megera enciumada.

— Durou quanto tempo? — seu coração disparou. — Isto é, o que aconte... quer dizer, vocês ficaram juntos por muito tempo? Estavam apaixonados?

— Não — exclamou ele, com ar cansado. — Nada disso. Foi lance de uma noite só.

Uma noite já era estrago bastante, pensou Katherine, com a alma se corroendo em um ciúme doloroso. Lembrou da silhueta adorável de Angie e ficou com vontade de matar Joe. Então, teve a horrível sensação de que sabia exatamente em que noite o encontro acontecera. Isso tornou as coisas ainda piores. Foi no dia em que ela o acusara de assédio sexual. Joe fora tomar um drinque com Angie e apareceu no trabalho, no dia seguinte, usando a mesma roupa da véspera. Na ocasião, ela teve um pressentimento ruim, e estava tendo outro ainda pior naquele momento. O tempo todo, durante os últimos cinco meses, ela pensara em perguntar a Joe o que havia acontecido, mas não teve coragem, porque a resposta poderia ser algo que não queria ouvir. Agora, porém, vendo o quanto Angie ficara chateada, não teve escolha.

— Eu não devia ter feito aquilo — disse Joe, arrasado. — Não é uma coisa que eu faça normalmente. Mas sou um ser humano e cometo erros.

— Estou certa de que Angie Hiller não ia gostar nada de você estar se referindo a ela como um erro — disse Katherine, de forma desdenhosa.

— Não, não estava me referindo à pessoa dela. *Ter me envolvido com ela* é que foi um erro.

— Envolvido? Pensei ter ouvido você dizer que foi só uma noite.

— E foi.

— Então deve ter sido uma noite muito intensa, se você está falando em ter... — respirou fundo antes de soltar, quase cuspindo as palavras — ... *se envolvido.*

— Foi apenas uma palavra que eu usei. Obviamente, uma palavra infeliz.

Katherine prendeu a respiração, esperando que ele lhe dissesse que tudo o que fez foi dar alguns beijinhos nela, ou então que acabou dormindo no sofá da sala, ou que estava bêbado demais e não conseguiu transar. Ele, porém, não disse nada disso. Então ela perguntou:

— Quer dizer que você dormiu com ela?

— Sim.

— Estou perguntando assim, tipo, você *fez sexo* com ela? — Katherine achou que ia vomitar.

Ele balançou a cabeça para a frente. Sim.

O estômago de Katherine começou a se embrulhar ainda mais.

— E depois disso ficou circulando pela firma, mandando todo mundo chamá-la de Gilete. Uma atitude muito madura de sua parte, Joe.

— Eu não fiz nada disso! — ele parecia alarmado e enojado. — Não sei quem colocou esse apelido nela, provavelmente foi Myles, mas não teve nada a ver comigo.

— Pois muito bem. Então, obviamente, você saiu por aí contando para todo mundo que trepara com ela. Muito legal, Joe!

— Eu não contei a ninguém. Foi Angie que contou a Myles, se quer saber.

— E afinal, você tornou a vê-la?

— Não desse jeito. Na manhã seguinte nós conversamos a respeito do que houve, eu expliquei que sentia muiro pelo que rolara e que aquilo não tornaria a acontecer.

— E como acha que ela se sentiu? — Uma onda súbita de cólera aguda e cruel a inundou, deixando-a transtornada. — Você a leva para a cama, trepa com ela e depois diz que uma vez só já foi o suficiente. Que grande cavalheiro!

— Desculpe — pediu ele.

— Desculpá-lo de quê? — perguntou ela, com frieza. — Você está solto por aí mesmo.

— Por favor, não aja assim comigo — pediu ele, baixinho.

— Agir assim como?

— Por que está tão zangada? Eu e você não estávamos saindo juntos na ocasião. Aliás, foi logo depois de você ter insinuado que eu estava cometendo assédio sexual que...

Eu sei, ela teve vontade de gritar.

— Eu achava que você não dava a mínima para mim. Para ser franco, Katherine, eu me senti realmente cortado e...

— ... E que maneira melhor de lidar com isso do que dormir com outra mulher? Puxa, isso é mesmo bem típico dos homens!

— Não deveria ter acontecido — repetiu ele. — Fiquei arrependido de ter feito aquilo. Sei que não é desculpa, mas estava bêbado e me sentindo desprezado. Estava fora do meu normal, estava errado e cometi um erro. As pessoas cometem erros.

Ela fechou a boca com força, formando com os lábios uma linha fina e fria.

— Todos têm um passado, sabia? — perguntou ele, baixinho. — Ninguém chega em um relacionamento com a ficha totalmente limpa.

Mesmo assim, ela não conseguiu falar nada. E quando quebrou o silêncio, foi para perguntar:

— Por que não me contou?

— Eu *tentei* contar. Mas você me disse que não queria discutir os nossos romances do passado, lembra?

— Sim, mas... eu simplesmente estava dizendo que não queria que você soubesse dos meus. Eu queria saber dos seus.

— Isso não é nem um pouco justo, você não acha, Katherine?

— Você me falou de Lindsay — acusou ela, mudando de tática. — Se me contou de Lindsay, por que não me contou de Angie?

— Eu tentei! — exclamou ele. — Mas você me disse que precisava de tempo e que tinha dificuldades para confiar nos homens. Eu respeitei isso. Tentei não forçar a barra, nem acelerar demais as coisas para você e...

— E como acha que eu me sinto agora? — interrompeu ela. — Tenho ido ao trabalho sempre, entra dia, sai dia, e de repente descubro que Angie Hiller estava rindo de mim o tempo todo pelas costas, porque já tinha dormido com o meu namorado.

— Mas ela nem sabia de nós! E por que acha que iria rir de você? Afinal, você é que ficou sendo a minha namorada, e não ela.

— Ah, quer dizer, então, que eu sou uma sortuda, não é? — debochou ela.

Katherine sentiu que estava fora de controle, sob perigo de arruinar tudo, mas não conseguiu se segurar. Ouviu a torrente de palavras amargas e contundentes saindo de sua boca, sentiu-as ganhar vida própria e entrar em chamas, mas não conseguiu impedir o fluxo.

— Katherine — ele sussurrou, com a voz baixinha. — Se você está preocupada de que isso possa tornar a acontecer, ou que eu tenha sido infiel a você em algum momento, você está totalmente enganada. Não estou falando isso só porque você está zangada comigo, e sim porque o que eu sinto por você é... — Joe parou de falar nesse momento, ao ouvir o barulho de chaves na fechadura. Um segundo depois, Tara entrou na sala, acompanhada do que pareceu ser um batalhão de gente. Joe desistiu de falar na mesma hora.

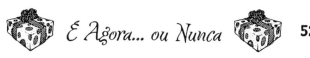

Puxa, quanto mais rápido Tara conseguisse arrumar um lugar para ela melhor seria.

Enquanto Joe tentava pregar um sorriso feliz para receber as visitas, Tara começou a tagarelar sem parar, muito entusiasmada, gesticulando para as pessoas que vinham atrás dela.

— Estávamos de passagem aqui em frente e achei que seria legal vocês se conhecerem, porque todos já ouviram falar de todos. Essa é a Amy, do meu trabalho, esse é Benjy... — parou e abriu a boca com exagero, antes de continuar: — Esses são alguns dos meus amigos — e apontou para Katherine e Joe, apertando o estômago discretamente e girando os olhos, como se estivesse com vontade de vomitar devido à formalidade do momento. Em seguida continuou: — E este aqui é...

Foi nesse momento que Joe sentiu um choque. Ele reconheceu a terceira pessoa. Era impossível não reconhecer. Ele quase ocupava todo o espaço da sala, com sua altura exagerada, seus ombros largos e os cabelos ruivos e compridos. Era o detestável ator mimado do comercial da manteiga, Lorcan não-sei-de-quê.

Obviamente Lorcan também reconhecera Joe, porque interrompeu a sessão de apresentações exclamando bem alto e com muita surpresa:

— Ei, eu conheço você!

Joe inspirou com força e se preparou para momentos desagradáveis. Foi quando algo o preencheu por dentro com um medo inexplicável. Ao seguir a linha de visão de Lorcan, viu que ele não estava lhe dirigindo a palavra. Ele estava falando com Katherine.

CAPÍTULO 73

Katherine estava pálida como papel.

— Olá... — cumprimentou ela, sem muito entusiasmo.

— Oi... — sorriu Lorcan, estalando os dedos ao tentar se lembrar do nome dela. Não conseguia saber exatamente de onde a conhecia, mas suspeitava que, em algum momento do passado distante, já fizera sexo com ela. Ele era mesmo um assombro!

As apresentações empolgadas de Tara pararam de forma abrupta no instante em que ela reparou que outra dinâmica acabara de entrar em cena, e ela já não estava mais com o controle da situação.

— Vocês dois já se *conhecem*? — perguntou ela, muito surpresa, olhando de Katherine para Lorcan, e então novamente para Katherine.

— Parece-me que sim. — Lorcan lançou para Katherine um sorriso que denotava intimidade. Nós já nos conhecemos, não é?

Ela fez que sim com a cabeça.

Diante disso, sem nenhuma razão em especial, a atmosfera se modificou. Joe continuou sentado no sofá, estático e receoso. No meio da sala, Benjy, Amy e Tara continuaram em pé, calados e sérios. Uma emoção meio viscosa e impenetrável se irradiava de Katherine.

— Nossa, eu nem reconheci você, assim de roupa — disse Tara, tentando ser engraçada, desesperada para aliviar a tensão e o peso sinistro que havia no ar. Só que a piadinha pareceu deixar todos ainda mais tensos. Atrás dela, dava para sentir o medo de Amy. Dava até para *cheirá-lo*, na verdade.

— Você é a... ahn... — Lorcan tentava se lembrar do nome da garota. *Jessica? Inez? Mary? Nossa, podia ser qualquer uma dessas.* O genérico "gatinha" salvara a vida de Lorcan em muitas ocasiões, especialmente nas manhãs em que ele acordava e não conseguia lembrar o nome da mulher que estava ao seu lado, só que ali, naquela situação, isso não ia adiantar. E de onde, afinal, diabos, ele a conhecia exatamente? — Eu sou péssimo para guardar nomes. — Lorcan lançou seu sorriso do tipo "por favor, me perdoe" enquanto continuava a olhar para Katherine, que parecia oculta por uma névoa. Aliás, ela era uma gracinha, e ele não se importaria de refrescar a memória!

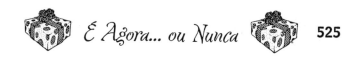

Apesar do choque inicial, Katherine estava revoltada consigo mesma. Quantas vezes ela rezara para que aquele momento acontecesse? O momento em que ela ia finalmente reencontrá-lo e fingir que não tinha a menor ideia de quem ele era? Durante quantos anos ela treinara no espelho olhares para reduzir homens adultos, transformando-os em crianças assustadas apenas com um arquear da sobrancelha perfeita, para que quando a hora certa chegasse ela fosse capaz de usá-los contra ele? E agora, mal conseguia despregar a cabeça do encosto do sofá.

Mais vergonhosa ainda do que sua apatia física era o fato de ela *querer* que ele se lembrasse dela. Trêmula, ela o observou, torcendo para que ele lembrasse pelo menos do seu nome. Mas tudo se passara muito tempo atrás...

— É Katherine — sussurrou ela.

Com um sorriso luminoso, Lorcan bateu com a palma da mão na testa.

— Claro que é... Katherine! *Agora* eu me lembrei de você.

— Katherine com K — enfatizou ela, baixinho.

Lorcan repetiu, com um sorriso indulgente:

— Isso mesmo! Katherine com... — De repente ele fez uma pausa e o sangue desapareceu por completo do seu rosto. Acabara de se lembrar *realmente* quem era ela. Nossa! Na mesma hora se arrependeu por abrir a boca e afirmar que a reconhecia de algum lugar. — Você está... diferente — soltou ele.

— Já faz muito tempo.

— Sim, faz mesmo, não é? Já deve ter, deixe ver, uns sete anos.

— Onze anos e meio — assegurou ela, sem conseguir se segurar.

Nesse momento ela odiou a si mesma, odiou *de verdade*. Como é que foi se mostrar assim tão transparente?

— Você contou até os meses? — riu Lorcan, nervoso. De repente ficou com uma vontade urgente de ir embora, mas ao começar a se mover em direção à porta, reparou no homem que estava sentado ao lado de Katherine com K. Santa Mãe de Cristo, o que estava acontecendo ali? Era o executivo boa-pinta que o expulsara do comercial da manteiga. Com o coração subitamente apertado e sentindo-se paranoico, Lorcan refletiu se aquilo não seria uma pegadinha. Seria uma espécie de peça que estavam pregando nele, com gente do passado? Sua vida pregressa finalmente derrubando-o no chão? Onde estavam todas as várias outras mulheres revoltadas e os ex-companheiros de trabalho decepcionados? Será que estavam escondidos no quarto, aprontando-se para aparecer diante dele? Então, disse a si mesmo para parar de ser idiota. Coincidência, era apenas isso.

— Ei! — ele voltou a falar, tentando esconder a ansiedade com um risinho brincalhão. — E você é Joe... Joe Roth.

— E você é Lockery Liggery... — concordou Joe, com hostilidade disfarçada. — Ora, mas que surpresa!

— Meu nome é Lorcan Larkin!

— E não foi o que eu disse? — o tom inocente da voz de Joe não enganava ninguém.

Um brilho surgiu nos olhos de Lorcan. Ele não se esquecera da humilhação que sofreu no dia da gravação do comercial, nem da pobreza que teve de aturar desde aquele dia, nem da carreira que continuava estagnada.

— Vocês dois são...? — Lorcan apontou para Katherine e depois para Joe.

— Vocês dois são o quê?!... — perguntou Joe.

— Vocês estão saindo juntos?

— E isso é da sua conta? — perguntou Joe, com ar educado.

— Não... não me diga que vocês são *casados*! — Lorcan riu.

— Não somos casados — disse Katherine, com a voz fraca e distante.

— Ótimo! — reagiu Lorcan, com empolgação. Então, para alarme geral, sentou-se no sofá, ao lado de Katherine, e então, de forma deliberadamente lenta, beijou-a no rosto. — Quer dizer que ainda há esperança para mim, então?

Amy reagiu com um rugido fraco e angustiado, enquanto Joe olhava aquilo com ar de quem não estava gostando da história, e falou:

— Espere um momen...

Mas, enquanto todos olhavam a cena, incrédulos, Katherine deu as costas para Joe e se virou, como uma flor que busca o sol, na direção de Lorcan.

CAPÍTULO 74

Ela jamais conseguira resistir a ele, e não era agora que ia conseguir.

Katherine tinha quase 19 anos e estava no balcão de um bar em Limerick, conversando, com ar sério, com uma senhora com a qual trabalhava, quando Lorcan a avistou pela primeira vez. Ele andava entediado e irritado, como gato sem canário, e subitamente o seu astral melhorou.

— Olhe só para aquela garota ali, que gata! — disse ele, cutucando o amigo Jack.

— Acho que ela não é o seu tipo — disse Jack, surpreso.

— É uma garota — afirmou Lorcan. — Isso a transforma em meu tipo. Observe, porque eu vou atacar.

Quando Dolores, a senhora com quem Katherine conversava, saiu para comprar cigarros, Katherine ouviu atrás de si, surpresa, uma voz doce, com textura de chocolate, que lhe perguntou, com ares de intimidade:

— Doeu?

Espantada, virou para trás e se viu diante do homem mais bonito que já vira em toda a sua vida recatada. Ele estava encostado com o cotovelo no balcão e sorria para ela, fazendo seu rosto se afoguear diante da admiração em estado bruto que transmitia.

— Doeu o quê?...

Ele manteve-se calado por alguns calculados segundos e fitou-a com os olhos violeta escuros, com muita intensidade, e finalmente respondeu:

— Quero saber se doeu quando você caiu do Paraíso.

Ela enrubesceu e se perguntou se ele estava apenas querendo puxar papo. Se estava, era de um jeito inédito para ela.

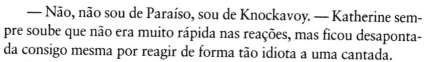

— Não, não sou de Paraíso, sou de Knockavoy. — Katherine sempre soube que não era muito rápida nas reações, mas ficou desapontada consigo mesma por reagir de forma tão idiota a uma cantada.

Lorcan, porém, achou graça na resposta.

— Adorei isso! Não sou de Paraíso, sou de Knockavoy. Essa foi ótima!

Uma sensação gostosa e desconhecida começou a esquentar Katherine por dentro.

— Qual é o seu nome? — perguntou Lorcan, com suavidade.

— Katherine. Katherine com K — acrescentou, com um ar solene que o deixou encantado.

— Eu sou Lorcan. Lorcan com L.

Ela deu uma risadinha, pensando na resposta.

— Acho que só poderia ser Lorcan com L — comentou ela, pensativa, e tornou a rir.

Lorcan observou os dentes dela, pequenos e muito brancos, bem como sua pele orvalhada, sem maquiagem, seus cabelos lisos e brilhantes, sua postura de garotinha autoconfiante, e sentiu uma sensação que já conhecia. Sabia que com uma garota como aquela ele teria de lidar de forma muito delicada, porque havia uma pureza em torno dela, uma espécie de *inocência*. Não apenas pela aparência, mas também pelo comportamento: nenhum balançar provocante de pestanas, nada de frases de duplo sentido, nem biquinhos de flerte. Ele se sentiu imensamente atraído por seu ar de virtude e limpeza, pois pretendia sujá-lo.

— Então me conte, Katherine com K... O que veio fazer em Limerick?

— Estou fazendo estágio para ser contadora — revelou ela, orgulhosa.

Ele conseguiu manter a aparência de quem estava muito interessado, perguntando-lhe coisas sobre a sua vida, e soube tudo o que precisava. Descobriu que ela recebera notas excelentes no vestibular, já estava morando em Limerick há nove meses, ouviu da sorte que teve em conseguir estágio na firma Good & Elder, de como ela morava em um conjugado simples, mas agradável, com seu próprio banheiro, do quanto ela sentia saudades de dois grandes amigos que haviam ficado em Knockavoy, Tara e Fintan, e soube ainda que, às vezes, ela se comunicava com eles, ligando do escritório, e também que ia para casa a cada 15 dias.

— Por que eles não vêm trabalhar em Limerick também? — perguntou Lorcan, parecendo genuinamente interessado.

— Eles trabalham no hotel em Knockavoy. Estão economizando dinheiro, pois pretendem ir para o exterior.

— Bem, espero que eles venham visitá-la aqui, pelo menos.

— Acho que isso não vai acontecer — explicou ela, meio sem graça. — Sabe como é, eles têm que trabalhar nas noites de sábado, enquanto eu trabalho durante a semana e estudo à noite, então não ia adiantar nada eles virem...

— E as pessoas com as quais você trabalha? Elas são legais?

— Bem... são sim. — Katherine lançou um olhar em volta e baixou a voz, em tom conspiratório, completando: — O problema é que são todos um pouco velhos.

— Então você não tem muitos amigos por aqui?

— Não muitos, eu acho...

Isso não impediu Katherine de apresentar Lorcan para o bando de velhos enrugados com os quais ela estava, e ele foi obrigado a ficar batendo papo com eles por séculos. Quando já não aguentava mais aquele papo sacal, inclinou-se para ela e murmurou ao ouvido:

— Por que não escapamos daqui, nós dois, e vamos para algum lugar onde possamos conversar direito?

Assim que se viu na rua, Lorcan sugeriu, em tom casual:

— Vamos para a sua casa.

Katherine parou de andar na mesma hora. Será que ele achava que ela era uma garota burra do interior?

— Nada disso! — disse, com firmeza. — Vamos para outro bar.

Lorcan caiu na gargalhada.

— Você é uma garota ligada, hein, Katherine com K? Faz muito bem em ser cuidadosa, mas em mim você pode confiar.

— De qualquer modo, era exatamente isso que você diria...

— E por acaso eu tenho cara de estuprador? — perguntou ele, fingindo-se de ofendido e abrindo os braços com ar de súplica.

— E como é que eu poderia saber como é a cara de um estuprador? — perguntou ela, com sarcasmo.

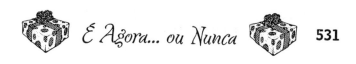

Lorcan parou, colocou as mãos grandes sobre os ombros frágeis dela e se aproximou do seu rosto.

— Eu jamais magoaria você — prometeu ele, com um ar sério e aquela voz baixa e melódica. — Estou falando sério.

Katherine ficou tão comovida com a sinceridade dele que perdeu a fala. E acreditou em suas palavras. Estar na presença daquele rapaz, com o seu ar poderosamente viril, lhe pareceu muito certo, como se ela estivesse destinada a ficar sempre ali. Foi como se a última peça do quebra-cabeça de sua vida tivesse acabado de se encaixar no lugar.

— Então está certo — falou ela, com a voz aguda. — Você pode vir até o meu apartamento para tomarmos uma xícara de chá, mas nada de gracinhas, hein? — Com ar severo, ela balançou o dedo indicador no nariz dele, e Lorcan, com ar brincalhão, tentou mordê-lo. Katherine quase desabou de tanto rir.

— Vamos, então. — Lorcan abraçou-a pela cintura e os dois saíram quase correndo pela calçada.

— Estou falando sério — repetiu ela, olhando fixamente para ele, enquanto era levada. — Nada de gracinhas.

— Nada de gracinhas! — concordou Lorcan, com ar afetuoso.

Mas houve gracinhas.

Ao chegar em seu apartamento conjugado, assim que ela lhe entregou a xícara de chá ele a pousou em cima de uma pilha de livros de contabilidade. Então, com determinação, pegou a xícara dela também e a colocou ao lado da sua.

— O que está fazendo? — a voz dela ficou rouca.

— Não quero que você entorne o seu chá.

— Mas eu não vou entornar.

— Pode acontecer, sem querer. É muito difícil ser beijada e beber chá ao mesmo tempo.

Ela ficou aterrorizada. Ele era um estuprador, afinal! Chegou a abrir a boca para protestar, mas ele a puxou em sua direção, com o braço imenso e forte segurando-a por trás. Em seguida, abaixou o rosto lindo, colocou suavemente a boca maravilhosa sobre a dela e a beijou.

Ela sentiu repulsa durante um décimo de segundo, mas pouco antes de empurrá-lo para longe dela, a magia se instalou. Ela já fora beijada antes, mas jamais daquele jeito, e no momento em que ele parou, ela já não queria mais que parasse. Quando, relutante, ela abriu os olhos, todo o seu corpo já estava inclinado para a frente, na direção do dele.

— Podemos nos encontrar amanhã, Katherine com K?

— Podemos — disse ela, sem fôlego.

Quando as freiras ensinaram para as alunas que elas jamais deveriam usar sapatos de verniz com saia curta, para que os homens não conseguissem ver as calcinhas pelo reflexo, até mesmo Katherine achou isso ridículo. Porém, mesmo assim, alguns dos ensinamentos da Igreja Católica criaram raízes dentro dela. Ela não se importava com a forma como Tara e Fintan pautavam a sua vida, mas sempre teve a intenção de se casar virgem. Mostrava-se inflexível com relação a isso e sabia que jamais iria até o fim com Lorcan. Nada estava tão definido em sua vida quanto isso. Mas ela ficou feliz por ele tê-la beijado. E ele sempre a beijava.

Eles sempre se encontravam à noite. Muitas vezes, ela ia para o apartamento dele, mas na maioria era ele que passava na casa dela. Ali, eles ficavam deitados na estreita cama de solteiro de Katherine e, enquanto os livros de contabilidade acumulavam poeira em sua pequena escrivaninha, eles se beijavam por horas a fio. Eram beijos demorados, quentes e profundos, com ele meio por cima dela. O peso do corpo dele sobre o dela era assustador, mas também delicioso. A perna dele enlaçava-a, a sua mão lhe acariciava a curva atrás da cintura e o corpo dela se inclinava para ele.

O cheiro másculo meio enfumaçado e muito adulto da jaqueta de Lorcan, os cabelos dele, muito sedosos, entre as mãos dela, o jeito com que ele grunhia baixinho quando ela lhe acariciava a nuca e a pressão quente e doce de sua boca maravilhosa contra a dela a deixavam enfeitiçada. Quando, porém, ele começou a mexer no fecho do seu sutiã, Katherine ficou duplamente horrorizada: com ele, pela sua audácia, e com ela mesma por desejar tanto que ele fizesse aquilo. Diante disso, ela o obrigou a parar e afastou-o dela; sentou-se com as costas retas, disse-lhe que não era uma daquelas garotas que aceitavam esse tipo de coisa e avisou que ele não deveria repetir o que tentara fazer. Ele se desdobrou em mil desculpas.

Na noite seguinte, porém, quando estavam juntos, ele tornou a tentar, e Katherine adquiriu a ira de um anjo vingador.

— Vá para casa! — ordenou ela.

Ele ficou arrasado. Chegou a chorar e jurou que jamais faria aquilo novamente. Ela, porém, simplesmente repetiu:

— Quero que você vá embora.

Ele foi, e ela se acabou de chorar, pensando que tudo acabara. Embora eles estivessem se vendo há apenas duas semanas, ela jamais se sentira tão abandonada e só.

Às sete da manhã do dia seguinte, porém, alguém bateu na porta do apartamento dela. Ao atender, ainda pálida e meio enjoada, depois de uma noite em claro, Katherine deu de cara com Lorcan, a própria imagem do remorso e da angústia. Sem dizer uma palavra, eles se lançaram nos braços um do outro e ela o levou para se deitar em sua cama. E quando ele desabotoou o pijama dela e tocou em seus seios, usando em seguida os dentes, de leve, para excitá-la, até transformar os seus mamilos macios e rosados em dois cones quentes e duros, ela não protestou.

Embora soubesse que aquilo era errado, ela adorou. A vergonha se misturou com o desejo sujo e a excitação, e todas as vezes que os dois se encontravam, ela queria, mas não conseguia ordenar a Lorcan que parasse de tocá-la. Por fim, entrou em acordo consigo mesma e fez um tratado de paz com a sua abalada consciência ao decidir que acima da cintura tudo era permitido. Afinal, todas faziam isso. Tara deixava os meninos tocarem em seus seios desde os 14 anos. Contanto que ela e Lorcan não estivessem fazendo nada "lá embaixo", ela estaria bem. Além do mais, ele era louco por Katherine. Não poderia ser mais gentil e amava tudo que se relacionava com ela.

Durante uma das conversas íntimas que eles tinham, entre as sessões de beijos ardentes, ela se convenceu de que o que estava acontecendo entre eles era algo muito especial. Lorcan olhara para ela de um jeito significativo, os olhos semicerrados, e disse:

— Aposto que você já teve milhões de namorados.

— Não. — Ela era inexperiente demais para mentir. — Não muitos... apenas dois.

— Agora você me deixou com ciúme — afirmou ele, com cara de ofendido. E não estava fingindo.

— Não, não, não precisa ficar com ciúme! — exclamou ela. — Foram apenas dois meninos que vieram passar as férias em Knockavoy. Com nenhum dos dois a coisa foi assim... desse jeito.

— Bem... então, valeu a pena esperar por mim? — riu ele.

— Sim. — Era exatamente isso que ela estava pensando. Lorcan era a recompensa dela por ter sido uma boa menina. Quem espera, sempre alcança. — E... — perguntou ela, muito envergonhada — você teve muitas namoradas antes de mim? — e se preparou para ouvir a resposta, pois sabia que ele devia ter tido muitas. Especialmente considerando que ele era sete anos mais velho do que ela e incrivelmente bonito.

— Ahn... uma ou duas — disse ele, com ar casual. — Nada de importante.

Falando ao telefone, entre sussurros, ligando do trabalho, Katherine contou a Tara e a Fintan que arranjara um namorado. Durante semanas ela confidenciou aos amigos que ele era lindo, que estava louca por ele e que ele também estava louco por ela. Então, perguntava quando é que eles iam aparecer em Limerick, para que ela pudesse exibi-lo?

Só que nenhum dos dois podia ir até lá antes do mês seguinte, porque estavam fazendo horas extras à noite.

— Tudo bem — Katherine ficou desapontada.

— Puxa, sentimos muito, adoraríamos ir — disse Tara. — Estamos loucos para conhecê-lo. Conte novamente o quanto ele é bonito. Ele é tão lindo quanto o Danny Hartigan?

Katherine soltou uma sonora gargalhada. Danny Hartigan fora namorado de Tara durante duas semanas, dois verões atrás, e era o padrão a partir do qual todos os outros rapazes eram avaliados. Comparado à cachoeira de beleza que era Lorcan, porém, Danny Hartigan era apenas um *esguicho*.

— Ele é muito melhor do que Danny Hartigan — garantiu Katherine. — Mais parece um galã de cinema, e na verdade ele é ator, eu não contei, não?...

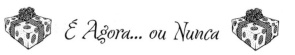

— Cacilda!... — Tara estava quase se matando de inveja. Um ator! — Nossa, Katherine, explique essa história pra gente!

"Ele é um *ator*!", Katherine ouviu Tara berrar para Fintan, longe do fone. De repente a sua voz voltou, mais alta e muito empolgada:

— Será que nós o conhecemos? — perguntou, toda assanhada. — Já o vimos em algum filme?

— Pode ser... — Katherine quase transbordava de orgulho. — Sabe aquele anúncio do amaciante de roupas? Aquele em que aparece um monte de rapazes jogando futebol e...

— Eu-não-acredito!... — cantarolou Tara. — Vai me dizer que é o juiz que manda todo mundo tirar as camisas para colocar na máquina de lavar? Ele é LINDO!

— Ele é lindo! — Katherine ouviu o guincho de Fintan, fazendo eco ao fundo.

— Não, não, para falar a verdade, ele não é o juiz — admitiu Katherine. — É apenas um dos jogadores, aquele na marca do escanteio do lado direito, no fundo do campo.

— Pode sossegar o seu facho — Tara avisou a Fintan, afastando o fone do ouvido. — Ele não é o juiz.

— Mas dá para vê-lo bem — disse Katherine. — Ele está correndo em campo, mas as suas costas aparecem em destaque... Já lembrou quem é?

— Acho que sim — afirmou Tara, meio em dúvida.

— Ele é ruivo e muito alto.

— Ruivo! Você não tinha falado que ele era ruivo! E muito alto?... Tem *certeza* de que ele é bonito? Está me parecendo mais o Ronald McDonald!

— Pois ele não é nem um pouco parecido com o Ronald McDonald — disse Katherine, ofendida.

— Desculpe, não quis sacanear você não. Então me conte... A coisa é séria?

— Ah, sim, acho que sim.

— Uau, agora estou gostando! Bem, tente conseguir uma foto dele e venha nos encontrar aqui no hotel, assim que descer na rodoviária, sexta-feira à noite.

— Não posso ir para casa nesse fim de semana — explicou Katherine, falando depressa. — Resolvi ficar para passar mais algum tempo com ele, entende?

— Novamente?

Lorcan lhe provocava sensações irresistíveis. Quando ele a beijava, ela se sentia quente e agitada por dentro; quando ele cobria seu mamilo com a boca, parecia que ela ia explodir. Às vezes, quando estava sozinha, ela se apalpava por cima da calcinha e adorava o formigamento quente que sentia. Ela não se confessava na igreja há algum tempo e se perguntava como é que ia ter coragem de fazer isso agora.

Um dia, quando os dois estavam deitados na cama dela, como sempre, beijando-se apaixonadamente, ela ouviu o barulho de um zíper se abrindo, e notou que Lorcan estava colocando a mão dentro da braguilha de sua calça. Em seguida, ouviu o barulho de brim deslizando sobre a pele e compreendeu que ele estava arriando as calças.

— O que está fazendo? — perguntou, alarmada.

— Você não precisa fazer nada — disse ele com a voz rouca, esfregando a mão em si mesmo. — Coloque apenas a mão em cima dele. Uma vez só.

— Não!

— Por favor! Você vai gostar.

— Isso não está certo.

— O que é que não está certo? Nós nos amamos.

Era a primeira vez que ele falava aquilo, e Katherine ficou deliciada. Apesar disso, nada ia demovê-la.

— Acho que não devemos...

— Claro que devemos! Nós nos amamos.

E assim, trêmula, ela deixou que ele pegasse na sua mão e a conduzisse até o seu pênis ereto. Ela fechou os olhos com força e deu um grito, assustada, assim que as pontas de seus dedos tocaram a pele surpreendentemente macia, sem se permitir registrar o tamanho nem a rigidez.

— Pronto! — disse ela, afastando a mão na mesma hora. — Espero que esteja satisfeito, e não vou fazer isso novamente.

Ela realmente pretendia fazer isso, mas na vez seguinte, ao se encontrarem, ele tornou a abrir as calças. Em vez de simplesmente guiar a mão de Katherine até tocar nele, como fizera da outra vez, ele agarrou-a pelo pulso, colocou a mão dela com a palma para baixo e a prendeu em volta do membro, mantendo os próprios dedos sobre os dela. Então, começou a movê-la lentamente, para cima e para baixo, para cima e para baixo.

— Não — implorou ela.

— Agarre com mais força — gemeu ele. — Mais depressa! — Eu amo você. Mais depressa!

A cama estreita começou a balançar. A respiração dele estava ofegante, junto do ouvido dela, e seu rosto vermelho e distorcido de desejo o transformou em um homem estranho. Ela se sentiu suja e insultada, e quando algo quente e gosmento escorreu pela sua mão, ela se sentiu profundamente enojada.

Depois que ele saiu, porém, e ela ficou sozinha, se viu revivendo aquele momento, e essa lembrança preencheu o vazio que havia em seu estômago — e mais embaixo — com excitação. Imagine só poder fazê-lo se sentir daquela forma! Ela se sentiu poderosa e sexy, perigosa e adulta, e queria repetir a dose. Com uma fisgada de medo, perguntou a si mesma se já estava oficialmente em estado de pecado mortal. Será que se ela morresse naquele instante seria condenada a passar toda a eternidade ardendo nas chamas do inferno? Embora o seu lado prático e lógico insistisse em lhe dizer que o fogo do inferno era apenas um monte de superstições sem sentido, sua resposta emocional foi de ansiedade e medo. Não dava para *saber* ao certo. E se *fosse* verdade?

Ela poderia ir ao confessionário para conseguir absolvição e ficar com a ficha limpa, caso morresse de repente. Mas sabia que o padre ia mandar que ela parasse de fazer aquelas coisas com Lorcan, talvez até exigisse que eles parassem de se ver de vez.

Ela não conseguiria atender a essa exigência. Estava completamente viciada nas coisas que faziam em sua cama, e era inconcebível nunca mais tornar a vê-lo. Assim, tentando não reconhecer o quanto os seus padrões morais haviam se deteriorado, decidiu que, pelo fato de amarem um ao outro, isso neutralizava a questão do pecado mortal. Ela sempre dissera a si mesma que não importa o que mais fizesse com ele, jamais iria "até o fim". Afinal, nem mesmo Tara fora "até o fim"! Com o passar das semanas, porém, Lorcan foi corroendo aos poucos toda a resistência de Katherine, até chegarem ao ponto em que sempre que os dois se deitavam na cama ele já estava com as calças abaixo dos joelhos, as calcinhas dela ficavam no meio das coxas e ele colocava a ponta da sua ereção na portinha de entrada dela.

— Jamais iremos além deste ponto, não é? — sussurrava ela.

— Nunca — sussurrava ele de volta.

Só que às vezes ele se empurrava um pouco mais de encontro a ela, e isso inundava ambos com sensações tão doces e poderosas que ele acabava enfiando um pouco mais.

— Mas você não vai enfiar de vez, vai? — sussurrava ela.

— Não, não vou enfiar de vez — sussurrava ele de volta. — Vou só ficar movimentando-o de leve... assim. Isso não é gostoso?

Ela concordou com a cabeça. Era a sensação mais maravilhosa que ela jamais experimentara. E, contanto que eles não fossem mais adiante do que aquilo, ela ia ficar bem.

— Tudo bem se eu empurrá-lo mais um pouquinho? — murmurou Lorcan.

— Ahn... está bem, contanto que você não empurre tudo.

— Não vou fazer isso.

Depois de alguns instantes, Katherine disse, ligeiramente alarmada:

— Acho que você está empurrando demais.

— Não estou não — assegurou ele, com a voz rouca, enquanto os quadris faziam leves movimentos de vaivém. — Ainda estou do lado de fora, apenas me movimentando um pouco...

Mas os quadris dele continuaram a se mover, agora com mais força e mais depressa, e, para horror de Katherine, quando uma sensação rasgou-a por dentro, inundando-a e penetrando-a, ela ouviu Lorcan dizer, triunfante:

— *Agora* é que eu entrei!

Ela chorou muito depois de tudo, mas ele a embalou nos braços, acariciando seus cabelos e dizendo, sem parar:

— Tudo vai ficar bem, gatinha, tudo vai ficar bem.

Ela olhou para ele com o rosto cheio de lágrimas e disse, com ar pesaroso:

— Jamais vamos tornar a fazer isso. Não pense que vai me convencer, porque não vai. Essa foi a pior coisa que eu fiz na vida. Se eu morresse agora, ia direto para o inferno.

Mas eles tornaram a fazer. E fizeram novamente. E depois, mais uma vez. Quando Lorcan começou a dar indiretas sobre "proteção", ela reagiu dizendo que não havia necessidade, porque eles nunca mais iam tornar a fazer aquilo.

É claro que fizeram. Não porque Lorcan ameaçasse abandoná-la se ela não aceitasse continuar com a brincadeira. Ele nem precisava fazer isso. O próprio corpo dela a traía, e era o fator mais convincente, pois ela não conseguia resistir a ele.

O que a consolava nos momentos de vergonha e autocensura era a lembrança de que ele a amava. Depois que eles se casassem, tudo ficaria acertado, em uma espécie de validade retroativa, por assim dizer.

Não que a palavra "casamento" fosse realmente mencionada, mas a ideia estava implícita, não só pelo brilho nos olhos dele sempre que a via, mas também pelo calor de sua voz ao declarar que a amava.

CAPÍTULO 75

Foi Benjy que falou, quebrando o silêncio horrível que se instalara na sala de Katherine.

— Ahn... — pigarreou ele, meio sem graça, perguntando a si mesmo por que será que era sempre ele que acabava ajeitando as confusões que Lorcan armava. — Acho que isso prova que, na verdade, existem apenas 13 pessoas no planeta, e só parece que há mais gente por causa dos truques com os espelhos. Acho melhor irmos andando. Amy? Tara? Lorcan?

— Sim, acho melhor — concordou Amy, com a voz embargada.

Lorcan pareceu não ter ouvido nada.

— Lorcan? — chamou Benjy, um pouco mais alto.

— Mas aqui está ótimo — disse Lorcan, de forma cruel, com a voz suave. Então sorriu para Katherine, que parecia estar largada, sem vida, espremida entre ele e Joe. O sorriso de Lorcan dizia: *Eu volto...*

Com um charme preguiçoso, Lorcan manteve todos esperando durante mais alguns segundos, enquanto lentamente se levantava do sofá, saindo de perto de Katherine.

— Até logo — cantarolou ele, andando de forma cadenciada em direção à porta.

— Até logo — grasnaram Tara e Benjy, querendo sair dali o mais depressa possível.

Amy abriu a boca para se despedir, mas o que saiu dos seus lábios foi:

— Aaarrrgh!

A porta bateu, um pesado silêncio baixou e a sala ficou quase vazia, mas cheia de hostilidade.

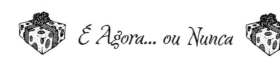

— Onde foi que você conheceu Lorcan? — perguntou Katherine a Joe, com um tom de voz agourento. Ela nem se virou para olhar para ele.

— Eu trabalhei com ele nas gravações de um comercial. Ou melhor, eu *não trabalhei* com ele.

— Como assim?

— Ele nos causou tantos problemas que tivemos que arranjar outro ator.

— Isso faz sentido. Lorcan é assim mesmo. Um superastro. — Joe não sabia se ela falava sério ou não.

— E você, como o conheceu?

— Perdi minha virgindade, entre muitas outras coisas, para ele — disse ela, com a voz distante.

O jeito com que ela disse aquilo provocou em Joe um medo gelado. Ele tentou abraçá-la, mas ela se esquivou, pedindo:

— Não.

— Não?

— Quero que você vá embora — disse-lhe ela, com frieza.

— Não faça isso comigo — implorou ele.

— Quero que vá embora.

Joe não compreendeu. Apenas sentiu que algo mudara entre eles, de forma inevitável; que ele perdera Katherine. Será que a causa foi ela ter ficado chateada com a história de Angie? Ou aquilo tinha algo a ver com Lorcan? Ele suspeitava que era mais Lorcan do que Angie. Durante todo o tempo em que Lorcan estivera na sala, Joe se sentira como se não existisse.

— Vá, agora — ordenou ela.

Desesperado, ele tentou mais uma vez, mas ela estava em um lugar inalcançável.

— Ligo para você amanhã — prometeu ele e, ainda relutante, saiu.

Tara estava louca de preocupação quando voltou, uma hora mais tarde.

— Katherine, eu sinto muito, sinto mesmo. Que coincidência terrível. Se eu tivesse ideia, um pingo de desconfiança de que você pudesse conhecer Lorcan, eu jamais o traria nem *perto* daqui.

— Você voltou cedo para casa — comentou Katherine, com tristeza.

— Foi... pois é! — A noite azedara de vez depois que eles saíram, porque a tensão entre Lorcan e Amy era quase tóxica. — Olhe, deixe ver se eu entendi o lance direito — disse Tara. — Lorcan era o Ronald McDonald? Aquele que foi seu namorado, quando você morou em Limerick?

Katherine confirmou com a cabeça, lentamente.

— E ele deu o fora em você.

— Isso. Ele deu o fora em mim.

— Puxa, *bem que* Fintan e eu desconfiamos que tivesse havido um problema amoroso com você naquela época.

— Mas eu não quis conversar sobre o assunto.

— Foi, nós notamos — confirmou Tara, com um tom seco.

— Desculpe.

— Ele é muito bonito — comentou Tara. — Não é de estranhar que você tenha ficado tão arrasada quando voltou para Knockavoy. Mas ele é um tremendo babaca também. Ele se considera uma dádiva divina para a humanidade. Viu só o jeito com que ele flertou com você, na frente da namorada?

— Sim... ele é assim mesmo.

O jeito meio lento com que ela disse isso, quase gemendo em vez de falar, colocou Tara em estado de alerta. Alarmada, analisou o comportamento de Katherine. Ela parecia drogada.

— Você está doidona?

— Não.

— Está bêbada?

— Não.

— Está se sentindo bem?

— Estou ótima.

— É que você parece... sei lá, meio esquisita. Ficou chateada? Foi um choque muito grande reencontrar Lorcan?

— Por que seria um choque?

— Sei lá, diga-me você! — Tara a observou com atenção, e então percebeu uma coisa. — Onde está Joe?

— Foda-se o Joe.

— Como assim? — Tara quase perdeu a voz.

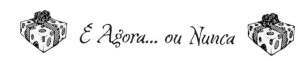

— Joe foi para a cama com uma colega do nosso trabalho.

— Não! Não pode ser. Diga que está brincando.

— Não estou brincando.

— Mas ele não parecia ser esse tipo de homem. Dava pinta de estar louco por você. Esses homens são todos uns filhos da puta, todos eles, não escapa *um*! E isso estava rolando durante todo esse tempo em que vocês namoravam?

Katherine abriu a boca, mas não disse nada. Ah, dane-se, não havia como esconder, tinha de dizer a verdade.

— Bem, na verdade isso aconteceu *antes* de eu começar a sair com ele. Mas mesmo assim... ele nunca me contou. Eu trabalho na mesma sala que a garota e...

— Ei, ei, ei, espere um minuto!... Podemos dar uma conferida no nível de realidade no tanque do seu veículo, senhorita? Katherine, você pirou?! Ficou puta porque ele dormiu com uma garota *antes* de você começar a sair com ele? Você achava que ele era virgem? Que estava se guardando para você?

— Não, mas...

— Você também dormiu com outros caras. Ronald McDonald foi um, por exemplo. Você não tem o direito de reclamar de Joe. Qual é?!... Mostre-me uma pessoa que não teve alguém no seu passado e eu lhe mostro um chato de galochas.

Katherine sacudiu os ombros e deixou-os cair, desanimada.

— Será que isso tem alguma coisa a ver com você ter reencontrado Lorcan? — Um ar alarmado floresceu em Tara. — Você não está com esperança de, tipo assim... *reatar* com ele, está? Porque isso seria muita piração, Katherine.

— Eu sei.

— Isso rolou há 11 anos e meio, Katherine! Uma vida! Ele tem namorada, e você tem Joe.

— Se Joe me ligar ou tocar a campainha, eu não quero falar com ele — avisou Katherine, com fria determinação. — Você entendeu?

— Até quando?

— Depois eu decido até quando.

— Mas...

— O apartamento é meu!

E isso encerrou o assunto.

Joe telefonou várias vezes na manhã seguinte e deixou um monte de recados na secretária.

— Por favor, fale comigo, Katherine — pediu ele, com um tom de voz educado que não conseguia esconder o desespero.

Tara achava um tormento ouvir aquilo.

— Vamos lá! — disse ela para Katherine quando o relógio chegou às duas da tarde. — Temos que visitar Fintan.

— Sair daqui? — Katherine pareceu espantada com a ideia. — Eu não quero sair.

— Mas... por quê?! Você não quer ver os caroços dele? Ou melhor, o desaparecimento dos caroços?

— Hoje, não.

— Mas, Katherine, nós estamos esperando há seis meses por essa melhora, e ela finalmente aconteceu. Você não se importa?

— Eu me importo, só que não quero ir lá hoje. Sinto muito. Sinto muito mesmo — acrescentou, com aparente sinceridade.

— Katherine, deixe-me ajudá-la — pediu Tara. — Você está se comportando de um jeito tão esquisito! Por favor, converse comigo, sim?

— Vá até lá sozinha. Dê um beijo em Fintan por mim. Eu vou vê-lo uma hora dessas.

Com o coração pesado de presságios, Tara finalmente saiu e Katherine respirou aliviada.

Sentiu-se feliz ao se ver sozinha. Embora soubesse que estava se comportando de forma estranha, era como se estivesse se olhando de muito longe, sem poderes para interferir; era como observar uma boneca de corda que anda pela casa a esmo, batendo nas paredes e nas portas, sem direção e sem se preocupar com a sua segurança. Ela passara tanto tempo fantasiando a respeito de Lorcan que mal acreditava que ele havia caído em seu colo. O choque abalou-lhe os alicerces. Embora mais de uma década tivesse se passado, ela jamais considerara aquele assunto como realmente encerrado. Ele era um caso em aberto, e como era um caso especial, que servira para moldar o presente, era até mais importante do que o presente.

Ao longo dos anos, ela imaginara muitas e muitas cenas para aquele reencontro. Na maioria delas, Lorcan se prostrava a seus pés cheio de desculpas, ela o fazia sofrer por algum tempo e finalmente o perdoava. Em outras versões, ele assumia, muito convencido, que poderia carregá-la com ele quando saísse, mas ela, com um monte de olhares fulminantes muito bem ensaiados, o aniquilava.

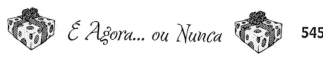

Sua intenção era a de que a partir do momento em que Lorcan voltasse — e ela estava convencida de que ele *iria* voltar em um ou dois dias — *ela* era a pessoa que estaria no comando. O fim da história seria reescrito, desta vez para beneficiá-la. Embora Katherine ainda não tivesse muita certeza se a última cena seria aquela onde ela o rejeitava, arrasando com ele de forma implacável, ou a outra, onde os dois saíam de braços dados caminhando em direção ao pôr do sol. Possivelmente, as duas.

A única coisa da qual tinha absoluta certeza era que o fim da história do jeito que estava não servia. Lembranças do último e terrível momento dos dois juntos a assaltaram e, mesmo depois de tanto tempo, ela recuou diante da cena.

— Precisamos nos casar. — Os olhos de Katherine estavam fixos nos de Lorcan.

— Por quê?

Ela parou e deu uma olhada cuidadosa em torno do pub em que os dois estavam. A princípio, achara que um lugar público seria melhor para dar a notícia a ele, mas agora já não estava tão certa.

— Porque — engoliu em seco, e teve de fazer um esforço para continuar — eu vou ter um bebê. — Embora soubesse que Lorcan não ia sair correndo, estava meio receosa, pois todos diziam que era comum os homens escaparem para o meio do mato, a fim de se esconderem, nesse momento delicado. Por fim ela se acalmara com o pensamento de que homens fujões só aconteciam no caso de garotas burras e largadas por aí, e ninguém era mais cuidadosa em relação a isso do que ela. — Diga alguma coisa! — pediu ela, ansiosa. — Você ficou chateado? Se está, não devia, porque um bebê não se fabrica sozinho e...

Ele, porém, não parecia chateado, simplesmente cansado.

— Eu não posso me casar com você — anunciou ele, com pena desespero.

— *Por que não?* — A voz dela ficara mais aguda e seus olhos se transformaram em dois poços escuros e profundos sobre a pálida paisagem de seu rosto aterrorizado.

— Porque... — e suspirou, começando a ficar irritado — ... eu já sou casado.

Ela quase desmaiou. Em meio a um rugido ensurdecedor, o pub foi se transformando e virou uma visão do inferno. Ao olhar para Lorcan, o seu rosto foi se modificando e suas feições familiares e lindas foram se modificando para formar a imagem do diabo. Sua boca maravilhosa afinou-se em uma linha cruel, seu nariz bem desenhado de repente era uma machadinha pontuda, seus olhos violáceos viraram carvão em brasa.

— Eu não compreendo — disse ela, porque realmente não compreendia.

— Eu já sou casado — disse ele, mais alto, sentindo que a culpa o estava deixando de mau humor. — Não posso me casar com você porque eu já sou casado!

— Mas você *não pode* ser casado — insistiu ela, tentando escapar do pesadelo por alguma fresta. — Você jamais me contou isso!

— Ah, qual é?!... você deveria ter sacado.

— Pois não saquei. Jamais teria permitido... jamais teria...

— Ah, já entendi! Então você estava me preparando uma armadilha e engravidou para que eu me casasse com você — acusou Lorcan, com vontade de jogar todas as mesas para o alto.

— Não, nada disso! — defendeu-se ela, com a respiração chegando em espasmos fracos e ofegantes. — Simplesmente pensei que se nós fôssemos, ahn... se nós fôssemos... — forçou-se a terminar a frase — se nós fôssemos para a cama, era sinal de que você iria se casar comigo.

— Pois bem, eu não ia, como não vou. Não posso me casar, entende? — acrescentou ele, com a voz um pouco mais gentil.

— Não consigo acreditar, não consigo acreditar! — murmurava Katherine sem parar, com o rosto entre as mãos. Katherine Casey jamais poderia engravidar de um homem que não casasse com ela. O enredo de sua vida simplesmente não era esse.

Ela olhou para ele por entre os dedos e disse:

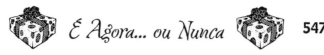

— Então, vamos passar a morar juntos. A partir de agora. — Aquilo estava longe de ser a situação ideal, e nem era a mais respeitável, mas ia ser daquele jeito mesmo. — Isto é... — falou ela, com a voz mais alta: — *Imagino* que você esteja separado da sua mulher.

— Pois imaginou errado. — Ele expirou com força.

Mais uma vez ela pensou que fosse desmaiar ali mesmo.

— Bem, eu não estou exigindo necessariamente uma separação legal — ela já estava aceitando qualquer migalha que conseguisse. — Você e a sua mulher não estão vivendo juntos, tipo assim, morando sob o mesmo teto, estão?

— Nós moramos juntos sim, se é o que quer saber — Lorcan já estava olhando para a porta e se perguntando em quantos décimos de segundo conseguiria chegar lá.

— Mas como assim vocês moram juntos?!... — guinchou ela. — Eu estive no seu apartamento. Não havia esposa nenhuma lá.

— Ela estava viajando.

— Viajando?! — perguntou Katherine, anestesiada de espanto. Lembrou das plantinhas, da prateleira cheia de vidrinhos de tempero que viu na cozinha e das tigelinhas com pétalas aromáticas que viu espalhadas por toda parte. Ela achou que fora Lorcan quem pusera tudo aquilo ali.

— Sim, ela estava fora da cidade em todas as vezes que você dormiu lá — confirmou Lorcan, esgotado.

Katherine não conseguiu falar. Aliás, mal conseguia respirar diante da enormidade da informação, que assentava pouco a pouco. *Você é uma amante. Uma amante! Como é que isso pôde acontecer?*

Era em momentos como aquele que Lorcan sempre se arrependia de deixar o passarinho fugir da gaiola. O pior é que ele curtira muito os momentos com Katherine, ela era uma gracinha. E também se maravilhava com a sua mestria de conquistador, que a conduziu com delicadeza no ritmo certo, até convencê-la. Mas agora já não sabia se todo aquele trabalho valera a pena. E ela engravidara. Caramba, que confusão! Ele precisava escapar dali o mais rápido possível.

Através da névoa de terror que a atingiu, Katherine viu uma espécie de solução.

— Você vai ter que largar a sua mulher imediatamente. Vamos juntos — propôs ela, com a foz firme, sentindo-se mais confiante. — Eu vou com você, vamos explicar tudo para ela.

Ela já estava pegando a bolsa e o casaco, e Lorcan foi tomado pelo pânico. Às vezes, Katherine era muito determinada, e chegava a ser controladora, sempre remodelando o mundo para se encaixar em uma versão que servisse a ela. Lorcan não pretendia abandonar a esposa, pelo menos por enquanto. Apesar de suas ocasionais infidelidades, ele era muito ligado a Fiona. Eles se completavam. Sem mencionar o fato de que era ela quem bancava tudo em sua vida.

Ele ficou abalado só de pensar em morar com Katherine e, minha nossa, com um *bebê*. Katherine iria aprisioná-lo em uma daquelas casinhas bem longe do centro, onde ele ia ter que cortar grama, ir à missa, converter a garagem em oficina de ferramentas, pintar os cômodos, além de levar uma vida tediosa enquanto a mulher ia ficar lendo revistas tradicionais e ficar comentando os planos dos vizinhos. Todas as coisas que inicialmente o encantaram em Katherine pareciam agora, subitamente, sufocá-lo.

Além do mais, ele já conseguira o que queria dela. A emoção da caçada acabara e agora ele estava apavorado.

— Não — disse ele com firmeza. — Deixe Fiona em paz!

Ouvi-lo falar de outra mulher de forma tão protetora foi a maior dor que Katherine já sentira. Ela jamais pensara ser possível sentir tamanha agonia.

— Você não vai me dizer agora que a ama, vai? — perguntou ela, com a voz embargada.

Ele não pretendia fazer isso, mas subitamente lhe pareceu uma boa ideia.

— É claro que eu a amo, ela é a minha esposa.

— Mas você não pode amá-la, você me ama!

Ao ver que ele não dizia nada, ela perguntou:

— Você me ama, não ama? Você me garantiu que sim.

— Eu sei que fiz isso, mas... sinto muito. Olhe, eu tenho muito carinho por você, saiba que você é uma moça muito atraente... — e se encolheu todo ao ver que ela recebera mal essas palavras. — Sinto muito — repetiu. — Acho que fui um mau menino novamente e...

— Novamente? Quer dizer que você já fez isso antes? Eu não fui a primeira?

Ele balançou a cabeça lentamente para os lados. Ela não fora a primeira.

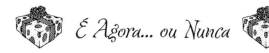

— Mas eu sou especial, não sou? — quis saber ela, dando a ele um espaço para se redimir. Tudo o que ele disse, porém, foi:

— Você é uma garota muito legal, e eu sinto muito.

Antes de conseguir usar essa informação indesejada para chegar a uma conclusão desagradável, seu cérebro esvoaçou e alcançou outro nível de horror. Eram tantas coisas terríveis acontecendo ao mesmo tempo que ela nem sabia com qual lidar primeiro.

— Mas eu vou ter um bebê! — um traço de histeria apareceu em sua voz.

Deus, que desastre, pensou Lorcan, sentindo-se pouco à vontade. Ele nem podia sugerir a ela que fizesse um aborto, pois não tinha dinheiro para pagar a sua parte.

— O que vamos fazer? — implorou ela com os olhos.

— Não sei, não sou eu que estou grávido. — O rosto de Lorcan assumiu uma expressão de desagrado, pelo fato de ela estar fazendo com que ele se sentisse assim tão mal.

— Como assim?

— Foi você que embuchou. Eu não queria que isso acontecesse. Avisei para que você se protegesse, mas você não me ouviu. Agora, resolva o problema como quiser. Tenha o filho, não tenha o filho, você é que sabe!

— O que está tentando me dizer? — Ela tinha uma vaga ideia, mas torcia desesperadamente para estar errada.

— Eu, por mim, acho melhor não me envolver nesse assunto — afirmou ele, orgulhoso pela forma gentil com que dissera aquilo.

— Mas você tem que se envolver — gritou ela. — É inevitável. Você tem que deixar a sua esposa e...

— Olhe, Katherine, eu realmente acho que...

— Esse não é o meu nome! — disse ela, com um ar selvagem. Ao ver o olhar confuso dele, insistiu, parecendo louca: — Eu me chamo *Katherine com K*. Esse é o nome especial que você usa para falar comigo. Diga!

— Katherine — disse ele, em um tom de voz mais alto e muita firmeza. — Acho que é melhor não nos vermos mais.

— NÃO! Não me deixe!

— É melhor assim.

— Melhor para você, talvez, mas como é que eu vou aguentar?

— Você vai ficar bem — garantiu ele, falando mais depressa e se virando para o outro lado. — Você vai ficar bem, vai superar isso.

— Por favor — disse ela, quase se engasgando. Em seguida se ouviu dizendo: — Estou implorando!

Porém, como se fosse um pesadelo em câmera lenta, viu que ele se levantava. Estava tentando se colocar em pé para se afastar dela. Ela sabia que se ele saísse dali naquele momento tudo estaria acabado e nunca mais o veria.

Ele já estava se afastando da mesa, mas ela o agarrou pelo braço e começou a ser arrastada, enquanto ele andava. Um dos bancos do bar caiu e ele começou a abrir os dedos dela, para se desvencilhar. Ela bateu com o quadril na mesa, mas não sentiu dor alguma. As pessoas levantaram a cabeça e começaram a olhar para os dois, por trás dos drinques, enquanto ele dizia algo. Palavras duras. Palavras cruéis. Sai fora! Me deixa em paz! Um copo caiu no chão com estrondo e seus cacos se espalharam pelo piso de madeira, entre restos de espuma de cerveja. O barman já corria na direção deles.

— Mas você não me ama? — ela se ouviu gritando.

— Não! — reagiu ele.

Não.

CAPÍTULO 76

Tara insistiu em revistar Fintan, apalpando-o como se ela fosse uma policial do esquadrão antidrogas. Passou as mãos nele de cima a baixo, maravilhando-se com a redução dos caroços.

— Sabe o que eu estou sentindo? — perguntou, ao passar a mão pela lateral do corpo dele.

— O quê?

— NADA! — gritou ela, de alegria. — Nada! — Ela deu um passo para trás e o avaliou. Calvo, esquelético, apoiado em uma bengala. Mas o caroço em seu pescoço estava do tamanho de uma uva. — Você está espetacular! — exclamou. — Tão apetitoso que dá até vontade de morder. Como se sente?

— Muito bem. Estou cheio de energia e comendo melhor. O futuro me parece brilhante. Mas onde está Katherine e o meu Joe?

— Segurem-se nas poltronas. Tenho uma história para vocês dois — e brindou Fintan e Sandro com os dramáticos eventos da véspera.

— Ronald McDonald — Fintan repetia o tempo todo, balançando a cabeça sem acreditar. — Depois de todos esses anos, quem é que aparece? O Ronald McDonald de Limerick.

Quando, porém, Tara lhes contou sobre a situação dela e de Joe, eles se mostraram indignados.

— Ela não pode fazer isso com Joe — lamentaram, olhando um para o outro, em busca de confirmação. — O que deu nessa garota?

— Estou superpreocupada com ela — admitiu Tara. — Nem queria deixá-la sozinha. É como se ela tivesse batido com a cabeça.

— Você não está achando que ela mandou Joe cair fora por estar novamente a fim de Ronald, não é? — sugeriu Fintan.

— Não! — Sandro mostrou-se revoltado com a ideia. — Como é que ela pode se importar com uma pessoa que magoou seu coraçãozinho de *bambina*?

— Talvez ela queira se vingar dele. O que acha, Tara? — perguntou Fintan. — Quem sabe ela está planejando ir para a cama com ele para no último segundo tirar o time de campo e zoar o pinto dele, chamando-o de minúsculo?

— Eu realmente não sei... — Tara estava desesperada. — Podem crer, é impossível saber o que está rolando na cabeça dela.

— Nossa, acho que todo mundo adoraria ter a oportunidade de fazer isso com o babaca que lhe deu um pé na bunda, não é? — perguntou Fintan, com ar sonhador. — De qualquer modo, Sandro, não se preocupe, ela vai ficar bem. Ronald tem namorada, o que o deixa fora do anzol.

Por algum motivo, Tara duvidava que Amy fosse empecilho para as aventuras sexuais de Lorcan.

— Além disso, Joe vai cuidar dela — acrescentou Fintan. Desde que Joe conseguira um encontro entre Fintan e Dale Winton, o famoso apresentador de tevê, ele tinha uma fé inabalável na capacidade de Joe para resolver *qualquer problema.*

— Você tem razão. — As preocupações de Tara desapareceram. — Ela deve ter tido um choque, mas logo, logo estará em forma.

— E como foi o seu encontro, Tara?

— Eeeca!... Que cara horrível! Era baixinho, está ficando careca e ainda por cima era gorducho.

— Mas era um sujeito legal?

— Pareceu legal, mas estou de resguardo. O próximo cara com quem eu sair vai ter que ser perfeito, não vou aceitar o primeiro idiota que aparecer na minha frente. Prefiro ficar sozinha.

— Graças a Deus! — exclamou Fintan. — Como mudamos, hein? O que aconteceu com a Tara que estava no sufoco do "agora ou nunca"?

— É!... — interrogou Sandro, com ar de quem sabe das coisas. — Para onde foi aquela Tara Detesto-Ficar-sem-Homem Butler?

— Isso mesmo... Onde está a Tara Prefiro-Ficar-com-um-Babaca-que-me-Chama-de-Gorda-do-que-Não-Ter-Ninguém Butler? — implicou Fintan.

— Eu não era patética? — perguntou ela, franzindo a testa. — Sufoco do "é agora ou nunca", faça-me o favor! Então eu não tenho a vida inteira pela frente?

— Igualzinha a mim! — Fintan parecia transbordar com *joie de vivre*.

— Não tenho a menor ideia do que mudou — admitiu Tara. — Só sei que a minha autoconfiança era zero quando eu estava morando com Thomas. Achava que não conseguiria sobreviver sem ele, mas agora cheguei à conclusão de que *ele* era o motivo de eu não ter autoconfiança. Além disso, é maravilhoso não me sentir aterrorizada o tempo todo.

— Aterrorizada com o quê?

— Com a possibilidade de ficar sozinha. Achava que essa era a pior coisa que poderia me acontecer, mas agora que o pior acabou acontecendo, não é tão mau. É até bom, para falar a verdade.

— É até bom?... — Fintan levantou uma sobrancelha. — Depois dessa, posso dizer que já ouvi de tudo na vida.

— É bom, às vezes — admitiu ela. — Não estou dizendo que não sinto solidão. É claro que adoraria ter um cara lindo ao meu lado, mas o caso é que eu me sentia solitária do mesmo jeito ao lado de Thomas. Pelo menos agora, que estou sozinha, tenho grandes oportunidades de encontrar alguém. E isso pode acontecer mesmo, sabiam? Vejam só o caso de Katherine. Ela encontrou um cara fabuloso, e é ainda mais velha do que eu.

— Só seis semanas — lembrou Fintan. — Mas estou gostando da sua atitude. É tudo uma grande aventura. E quanto a Ravi?

— Ah, Fintan, *por favor*. Ravi é meu amigo.

— Ahá... acho que ele bem que gostaria de ser mais que amigo — piscou Sandro, com malícia.

— Esse volume no seu bolso é um tubo de drops ou você está apenas feliz por me ver, Ravi? — perguntou Fintan, de forma sugestiva.

— Prefiro o tubo de drops, obrigada.

— Mas ele é louquinho por você, não é?

Tara ficou vermelha e se contorceu de vergonha.

— Talvez — reconheceu. — Ele jamais me disse nada a respeito, mas, sim, acho que... talvez. Apesar de achar também que ele preferia mais quando eu estava gorda. Se bem que talvez ele esteja com sorte. Já estou voltando a usar 42. Esse é o problema de não ter problemas. O contentamento sempre me faz engordar.

— Você está no ponto certo — consolou Fintan. — Antes você estava com aquele ar de desespero, tipo deprê. Sim, sim, sei muito bem que, no momento, não sou nenhum candidato a comprar roupa na loja das gordinhas. Mas pode acreditar, você está ótima! Toda modelada e magra. Falando sério — Fintan questionou Sandro —, você não acha que Tara e Ravi formariam um casal perfeito?

— Ele tem um corpo *fabuloso* — concordou Sandro.

— Não façam isso! Eu gosto tanto dele... mas não estou pronta, eu... — ela não conseguia achar as palavras certas. — Quero sair com um monte de caras — exclamou. — Manter a cabeça leve e me divertir. Fiquei sem liberdade por tanto tempo que agora não estou pronta para abrir mão disso.

— Pode ser que ele não fique esperando por você.

— Eu não ligo, Fintan! Não ligo!

— Maravilhoso — sussurrou ele. — Absolutamente maravilhoso.

A cinco quilômetros dali, em outra parte de Londres, uma tremenda briga acontecia. Amy berrava com Lorcan. Estava desgastada e, depois de aturar a falta de respeito dele por muitos meses, o flerte descarado com a amiga de Tara tinha sido a gota d'água que transbordara o seu copo.

A discussão avançara pela noite adentro e recomeçara às primeiras luzes da manhã.

— Como é que você pôde me humilhar daquele jeito? — Seu rosto lindo estava contorcido devido à dor e às lágrimas.

— Como é que eu pude? — reagiu ele, com a voz arrastada. — Foi fácil. Você não viu como rolou? Eu simplesmente flertei em público com outra garota.

— Mas por quê? — guinchou ela. — Eu não compreendo. Por que você fica comigo, então? Só para me magoar?

Por quê?, pensou ele. *Porque é fácil demais para mim.*

A voz dela foi aumentando cada vez mais, até se transformar em gritos agudos, capazes de estilhaçar vidro.

— Por que age dessa forma? O que *espera* da vida? O que você *quer*?

Já lhe haviam feito aquelas perguntas milhares de vezes. Ele parou e pareceu ficar considerando a questão, com ar pensativo.

De repente, abriu a boca e, com um sorriso cruel, respondeu:

— A cura da aids. — A última vez que alguém lhe fizera essa pergunta fazia mais ou menos duas semanas. Fora uma farmacêutica com o coração arrasado que se chamava Colleen. Na ocasião, ele dissera:

— Você quer saber o que eu busco na vida? Que tal uma mulher que trepe como uma coelha e depois se transforme em pizza às duas da manhã?

O estoque de respostas engraçadas estava acabando. É claro que isso era algo que as mulheres não iam ficar comparando umas com as outras, mas era uma questão de orgulho pessoal jamais usar a mesma fala duas vezes. Entretanto, essa resposta fora demais para Amy.

— Fora daqui! — Ela se levantou, esticando ainda mais o corpo que já possuía uma altura considerável, e apontou o dedo com determinação para a porta da rua. — Caia fora!

— Você fica linda quando está zangada — comentou Lorcan, dando uma risadinha. Mentira da grossa, é claro. Amy zangada era tão linda quanto uma pilha de estrume.

— Fora! — repetiu ela.

— Você tem ações da companhia telefônica?

O rosto dela, apesar de feroz, pareceu curioso.

— Porque... — ele explicou, entre risadas — as ações da companhia telefônica vão subir vertiginosamente quando você começar a dar aqueles milhares de telefonemas para mim, implorando que eu volte.

— Fora!

Ele foi caminhando em direção à porta com toda a calma do mundo e, antes de fechá-la atrás de si, colocou a cabeça de volta na fresta e avisou:

— Olhe, eu vou levar uma meia hora, mais ou menos, até chegar em casa, então espere esse tempo para dar o primeiro telefonema.

Foi caminhando para a estação do metrô, muito satisfeito consigo mesmo, ao pensar nas provocações bem-humoradas e inteligentes que inventava. Logo depois, porém, uma espécie de ressaca se instalou em sua cabeça. Seu astral, que subira às alturas, caiu de volta pesadamente, envenenando os sentimentos de euforia com emoções desagradáveis. Isso andava acontecendo com frequência ultimamente. Quando ele representava o papel de *bad boy*, nunca conseguia parar na hora certa. Era sempre tão divertido... porém, enquanto o zumbido dessa última briga ia se dissipando, ele se viu forçado a questionar se já não era tempo de fazer a coisa certa e deixar Amy ir embora, parar de atormentá-la e libertá-la. Quanto mais ele pensava no assunto, mais convencido ficava de que já estava mais do que na hora de ele buscar outra pessoa, e dessa vez para fazer a coisa certa. Talvez ele até já tivesse encontrado essa pessoa...

Chegara o momento de pensar com cuidado, longamente e de forma responsável, a respeito da vida e da época de Lorcan Larkin.

— Ei! — riu ele consigo mesmo. — Eu devo estar amadurecendo.

Amy pegou o fone e digitou um número. Mas não era o de Lorcan.

CAPÍTULO 77

Katherine não foi trabalhar na segunda-feira. Pediu a Tara para ligar para o trabalho por ela, a fim de avisá-los.

— Não vai trabalhar por quê? Está doente?

— Mais ou menos.

— Mas você não está com cara de doente.

— Você vai ligar ou não?

— Por que não vai trabalhar? Você nunca fez isso antes.

— Não consigo olhar para Joe.

— Por que não vai até lá para falar com Joe? Ele gosta tanto de você...

— Por favor, Tara.

— E por que você não sai mais de casa? Você não colocou os pés na rua desde sábado à noite.

— Por favor, Tara, por favor! — suplicou Katherine, com um jeito histérico que deixou Tara horrorizada.

Tara não tinha ideia do que estava acontecendo com Katherine, mas o fato é que ela estava muito, muito assustada. Exibia ao mundo um rosto pálido e confuso, porém, por baixo da superfície, um verdadeiro caos sísmico se instalara. Tara não queria deixá-la sozinha. Tudo poderia acontecer. Embora não tivesse motivos palpáveis para pensar nisso, receava que Katherine poderia até tentar o suicídio. Havia algo de muito errado com ela. Tudo começara no sábado à noite, e Joe, obviamente, não era o causador daquilo. Ele fora apenas uma testemunha inocente, relegada a segundo plano.

— Por favor, Tara.

— Tudo bem. — Sua sensação de impotência era terrível.

Naquele dia, Tara ligou para Katherine quase tantas vezes quanto Joe. Quando chegou em casa, do trabalho, Katherine estava toda arrumada e maquiada.

— Você vai sair? — perguntou Tara, torcendo para que ela estivesse indo ao encontro de Joe.

— Não.

— Puxa, então você se enfeitou toda só para me receber?

— Rá-rá...

— Rá-rá para você também.

Elas passaram uma noite peculiar e tensa, assistindo tevê e fingindo que o telefone não estava tocando a cada meia hora com recados de Joe.

Tara passou o tempo todo olhando meio de lado para Katherine. O ar de tensa expectativa combinado com o cabelo arrumado e a maquiagem completa dizia muita coisa. Quando o programa *Panorama* acabou, uma luz se acendeu na cabeça de Tara e ela subitamente compreendeu tudo.

— Você está esperando por ele, não está?

— Hein?!... — disse Katherine, meio desconfiada, virando a cabeça de repente, com os olhos assustados.

— Você está esperando por Lorcan, não está? É por isso que você não saiu de casa o dia todo. Ele não sabe o seu telefone, mas sabe o endereço, e você está com medo de não estar em casa, se ele aparecer.

Katherine não disse nada e Tara percebeu que acertara. Ver a loucura de Katherine a deixou arrasada. Pulando da poltrona, ela se sentou diante da amiga.

— Escute o que eu vou dizer — pediu ela, com visível sinceridade. — Olhe para mim, Katherine, por favor.

Katherine levantou a cabeça e se virou para ela com um olhar hostil.

— Deixe-me tentar colocar um pouco de juízo nessa sua cabeça — disse Tara, com determinação na voz. — Esse Lorcan foi o seu primeiro amor. Nós jamais esquecemos o primeiro. Você era muito jovem e um pouco inocente. Para piorar, ele é muito bonito, o que não ajuda muito. Tenho certeza que foi um choque dar de cara com ele daquele jeito, no sábado à noite, e você tem todo o direito de se sentir estranha e um pouco abalada. Aconteceria com qualquer uma. Se eu desse de cara com Thomas eu certamente ficaria chateada, é *aceitável*. Mas só por um tempinho, porque a vida continua. Especialmente para você, porque existe Joe na sua vida.

O rosto de Katherine estremeceu ligeiramente diante da menção a Joe, mas logo em seguida retomou a sua expressão fechada.

— Qual é, Katherine, isso rolou há muito tempo! Vá em frente e supere esse lance, é a coisa certa a fazer. Puxa, até mesmo *eu* consegui superar Thomas. Se eu consegui essa façanha, qualquer um consegue!

— Mas você não engravidou de Thomas — os lábios de Katherine mal se moveram. Tara deixou as palavras se dissolverem lentamente até o silêncio baixar. O choque era grande demais. — Além do mais, Thomas não era casado — completou Katherine, com a voz distante

— Você está me dizendo que...? — Tara chegou a tropeçar nas palavras, enquanto digeria a informação de Katherine. — Você engravidou de Lorcan? E ele era casado? Quando você tinha 19 anos?

Os olhos sem vida e sem esperança de Katherine confirmaram tudo.

— Mas, meu Deus, Katherine! Por que você não nos contou?

Tentando encontrar as palavras, quaisquer palavras, Katherine olhou para Tara, completamente muda. Como conseguiria descrever o horror de se sentir muito jovem, sozinha e grávida? O verdadeiro inferno ao qual ela descera? A agonia de deixar Lorcan ir embora sem entrar em contato com ele?

E a pior verdade de todas... Na época, levara alguns dias para a ficha cair, mas ela notou por fim que, por ser solteira e estar esperando um filho de um homem casado, *ela se tornara a sua mãe*. A mãe de quem ela tentara ser completamente diferente, com todas as suas forças, a vida inteira.

Dezenove anos de religiosidade, limpeza, roupinhas passadas, deveres de casa sempre feitos, pontualidade, além da vida organizada e certinha não haviam feito diferença nenhuma. Ela era quase da mesma idade também. Sua mãe engravidara dela aos 20 anos.

— Por favor, me fale a respeito disso — incentivou Tara, com terrível ansiedade. — Imagino que deve estar sendo difícil para você.

— Não tão difícil quanto na ocasião em que aconteceu. — Seus dentes de trás estavam cerrados com firmeza. — Você não faz ideia do quanto eu não aceitava estar grávida. Ficava deitada na cama, olhando para a minha barriga com vontade de gritar. Tinha vontade de gritar até a cabeça estourar, Tara, literalmente.

— Por quê? — Tara mal conseguia falar.

— Porque alguma coisa lá dentro, tão minúscula que nem dava para ver, era a ruína da minha vida. Um pequeno estranho estava crescendo, tornando-se maior a cada dia, dentro de mim. Jamais me senti tão encurralada Era como estar na prisão, só que dentro do meu próprio corpo. Não havia saída.

Tara balançou a cabeça, com ar de infelicidade.

— Eu queria arrancar minha barriga fora. Costumava me imaginar como a garota do circo que era serrada em três partes e tinha a parte do meio colocada em uma caixa de madeira para ser jogada no lixo. Queria que todas as partes atingidas fossem removidas.

Olhou para Tara, desesperada para ser compreendida, e então lhe contou como, às vezes, puxava a própria pele, em uma tentativa impossível de se despregar do corpo e deixar intacta apenas a parte dela que não estava grávida, a Katherine verdadeira.

— Você fez um aborto? — perguntou Tara, da forma mais gentil que conseguiu.

Aborto.

— Você sabe muito bem que eu não concordo com isso... ao menos não concordava. — Katherine não conseguia olhar Tara nos olhos, enquanto lembrava de como, na escola, ela sempre fizera discursos de apoio às freiras, dizendo que aborto era assassinato e *ninguém* tinha o direito de negar a vida a um bebê. Tudo isso, porém, fora varrido pelo medo terrível que se apossara dela. No momento em que Lorcan a abandonara, ela decidiu que queria fazer um aborto. Não via outro modo de evitar que a sua vida desmoronasse. Sabia que ia queimar no inferno, mas não se importava. Já estava no inferno.

Se ao menos tivesse a chance de se livrar do bebê, ela marcaria uma linha divisória em sua vida, com a promessa de que a partir daquele dia seria a melhor pessoa que já existira. Redobraria os esforços para levar uma vida controlada e cuidadosa. Sabia muito bem que outras garotas solteiras engravidavam, tinham seus filhos e os amavam muito. Ela, porém, Katherine Casey, era diferente. Em algum lugar, logo abaixo da superfície, sentia que aquela gravidez era um castigo para garotas que levavam vidas promíscuas e libertinas. Por ter sido sempre tão bem-comportada, achava que isso era a última coisa que poderia lhe acontecer. A última coisa que merecia.

— Katherine — incentivou Tara — ... continue.

— Eu não poderia contar a ninguém — disse ela, em tom de súplica, com a garganta doendo devido às lágrimas que surgiam. — Jamais me senti tão sozinha.

— Você devia ter contado a mim e a Fintan.

— Não consegui, Tara, não consegui. Se eu admitisse o fato para vocês, estaria admitindo-o para mim mesma. Eu queria apenas que tudo acabasse, e seria muito mais fácil fechar as portas ao passado se fosse eu a única pessoa a conhecê-lo.

— Nossa, mas isso é horrível — Tara estava branca de tão pálida. — Quer dizer que você enfrentou tudo sozinha. — Nesse momento, lembrou de algo. — Devia ter contado para a sua mãe, ela jamais condenaria você.

— Não — concordou Katherine, tentando exibir um olhar de lamento. — Ela provavelmente adoraria essa história. Teria providenciado um aborto e depois me usaria como bandeira de suas ideias.

E Katherine jamais voltaria a ter o moral elevado de antes. Já era ruim o bastante ser igual à sua mãe, mas permitir que ela *descobrisse...*

— Então, o que você fez? — perguntou Tara, com jeitinho, convencida de que era muito importante que Katherine falasse a respeito daquilo.

Ela suspirou pesadamente e se preparou para uma viagem de volta ao inferno.

— Eu não tinha a menor ideia de como providenciar um... — mesmo agora ela tinha dificuldade de pronunciar a palavra — ... aborto. Tudo o que sabia é que era um procedimento ilegal na Irlanda e que eu teria que procurar algum lugar na Inglaterra.

Tara concordou com a cabeça, torcendo para que sua agonia não transparecesse, enquanto Katherine contava toda a história. Enquanto ela descrevia como, enjoada, com os seios sensíveis e extremamente aterrorizada, colocara 200 libras na bolsa e pegara um trem com destino a Dublin, onde havia um lugar onde poderiam ajudá-la. Como ela mal conseguia contemplar o absurdo de sua situação, ou o que estava prestes a enfrentar. E como ela tentara se concentrar apenas no futuro, quando ela se enxergava liberada do pesadelo.

Ficara mortificada ao caminhar pelas ruas, em direção ao local indicado, certa de que seria reconhecida por alguém. Porém, ao chegar lá, todos foram simpáticos e gentis com ela. Foi examinada por um médico, que confirmou que ela estava com oito semanas de gravidez, e em seguida foi obrigada a ter uma conversa com uma psicóloga, que tentara lhe apresentar algumas alternativas.

— Eu não quero ouvir nada — fora a reação de Katherine, engasgada de emoção. — Quero apenas... Por favor, quero apenas que isso acabe.

A psicóloga concordou com a cabeça. Ela já vira cenas exatamente como aquela antes. Garotas cegas de pânico, tão apavoradas com o que estava lhes acontecendo que nem conseguiam raciocinar direito.

— Você tem certeza?

Ao ver que Katherine fazia que sim com a cabeça, determinada, a psicóloga lhe dissera, com gentileza:

— Muito bem... há uma clínica em Liverpool. Vou ligar para eles. Quando você pode ir?

— Agora — disse ela, tentando manter a voz firme. — O mais depressa possível.

A psicóloga a deixara sozinha, sentada na beirada da cadeira na sala minúscula. Após 15 minutos, voltou com um sorriso caloroso, embora soubesse que isso não conseguiria derreter o bloco de gelo no estômago de Katherine.

— Está tudo combinado — anunciou ela, baixinho. — Já escrevi tudo aqui, com detalhes. Há uma balsa que parte esta noite, às oito. Ela vai deixar você na...

Katherine ouvira todas as informações como se estivessem sendo ditas a distância. Trens, mapas, táxi para a clínica, viagem de volta, nova consulta com a psicóloga.

— Obrigada — foi só o que dissera.

Ela vagara por Dublin durante o resto do dia, mas não conseguia se lembrar dos lugares por onde passara. Sem mais nada para fazer, acabou chegando ao porto cedo demais. Andando de um lado para outro na sala de espera, em um prédio que mais parecia um galpão, subitamente sentiu algo quente e úmido entre as pernas. Pegando sua bolsa, correu, ofegante, para o toalete das senhoras, onde viu que estava sangrando. Só nesse momento percebeu a dor.

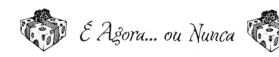

O barco partiu sem ela e, na manhã seguinte, já não mais grávida, ela pegou o trem de volta para Limerick, ainda se sentindo dentro de um pesadelo.

— Então, você não fez o aborto, afinal — disse Tara, tentando animá-la.

— Não, mas teria feito — admitiu Katherine, com um rosto inexpressivo. — É tão mau como se eu tivesse feito de verdade.

— Não, não é.

— Eu me sinto do mesmo jeito.

— E então você voltou para Limerick e não quis conversar a respeito disso — lembrou Tara. — Estava tão amarga. Agora entendo o porquê.

— Foi quando eu escrevi para o meu pai — admitiu Katherine. — Perdido por um, perdido por mil.

— E o que ele disse? — Tara tentou permanecer calma. Se o pai de Katherine também a rejeitara logo depois de Lorcan, não era de espantar que ela vivesse sempre tão tensa.

— Meu pai estava morto — disse ela, apenas. — Ele falecera seis meses e seis dias antes.

— E como você se sentiu?

Katherine hesitou, antes de encontrar as palavras certas.

— Me senti com vontade de morrer também — disse, por fim.

Tara respirou fundo, horrorizada.

— Depois, nós três mudamos para Londres — continuou Katherine. — Eu enfrentei um desastre amoroso atrás do outro e cá estamos nós. — Tentou formar um sorriso incerto.

— Mas eu tive desastres amorosos também, um atrás do outro — insistiu Tara.

— Não do jeito que eu tive.

Tara teve de concordar e argumentou:

— Talvez tenha algo a ver com você ter descoberto a respeito do seu pai logo depois dessa terrível história com Lorcan.

— Talvez.

— Graças a Deus você me contou essas coisas. É claro que estava escrito no seu destino que Lorcan ia aparecer aqui no sábado à noite — os olhos de Katherine se acenderam, mas o coração de Tara despencou —, porque isso serviu para trazer o seu passado à tona — continuou, falando depressa —, e agora você vai ter a chance de superar tudo.

— Ah, sei...

— Então eu estava certa? Você estava à espera, para o caso de ele aparecer?

— Por favor, Tara, tente compreender. Para mim, essa história jamais foi encerrada. E vem me assombrando por todos esses anos.

— E o que a faz pensar que ele vem?

— Instinto.

— Isso está mais parecendo desejo — Tara a olhou com ar sagaz. — De qualquer modo, mesmo que ele tivesse aparecido aqui, do que ia adiantar tornar a vê-lo? É claro que você nem consideraria a hipótese de tornar a sair com ele, não é?

Tara ficou desolada ao ver que Katherine não negou essa possibilidade na mesma hora.

— Não sei o que eu quero — disse Katherine, desesperada, e a sua confusão era genuína. — Simplesmente não quero continuar a me sentir desse jeito com relação à minha vida e ao meu passado.

— E você acha que a melhor forma de resolver o problema é tornar a se envolver com ele? Depois do jeito que ele a tratou, você deveria ter sido extra-super-mega*cruel* com ele, em vez disso!

— Mas eu vou ser.

Mesmo assim, Tara ficou nervosa. Lorcan era bonito demais, charmoso demais, sexy demais, perigoso demais. Sairia sempre vencedor. E o jeito estranho que Katherine exibia ao falar, como se ele realmente fosse aparecer em sua porta a qualquer instante, tornava tudo ainda mais alarmante.

— O que planejou?

Katherine pensou em todas as fantasias que fizera a respeito disso e respondeu, com ar vago:

— Eu não tenho exatamente um plano. Tudo vai depender...

— Mas isso não vai acontecer — disse Tara, com um tom tranquilizador. — Você vai conseguir superar tudo o que aconteceu, mesmo depois de tanto tempo. Vamos lhe arranjar um acompanhamento psicológico. Você sabe que eu vou ajudar, e Joe também, é claro. Além do mais, Liv é uma *mina* de informações a respeito desse tipo de coisa. Embora, pensando melhor, talvez isso nem seja necessário, porque você me parece ótima. Veja só como as coisas com Joe estão correndo superbem e...

A campainha tocou e as duas deram um pulo.

— Mas que diabos...? — reagiu Tara. — São dez para meia-noite.

O rosto de Katherine se afogueou.

— Acho que é para mim — disse ela, baixinho.

— Quem é? É Joe?

Era Lorcan.

CAPÍTULO 78

— Eu não acredito! — reagiu Tara, ofegante, quando Katherine atendeu o interfone e apertou o botão para abrir o portão lá embaixo.

Que cara de pau! Katherine não estava tão maluca de achar que ele viria, afinal.

Katherine abriu a porta. Seus joelhos começaram a bater um no outro assim que o viu, com seus ombros largos e sua virilidade marcante. A expressão sedutora de seus olhos escuros a lançou 12 anos no passado. O balançar arrogante de seus cabelos cheios não havia mudado nada.

— Entre. — Ela tentou encurralar o desejo de vingança, antes que ele escapasse diante do rosto hipnótico e lindo que via diante de si. Ela estava novamente com 19 anos e sentia-se zonza, sem acreditar que ele estivesse realmente ali.

Ele passou pela frente dela e entrou na sala de visitas, onde Tara estava à espera, com uma expressão dura.

— Oi... — Tara o cumprimentou com frieza. — Não estávamos esperando você.

— Creio que Katherine estava. — O olhar significativo e pesaroso que lançou em direção a Tara deixou subentendido que se ele não estivesse se guardando para Katherine, certamente se interessaria por ela.

— Onde conseguiu o número do telefone daqui? — perguntou Tara, sem se deixar impressionar. Será que ele não percebia que ela não caía mais na rede de homem nenhum?

— Ora, mas eu não telefonei não — explicou ele, com outro daqueles sorrisos do tipo "meu Deus, mas como você é atraente!".

— Entendo.

— Tara, será que você se incomodaria...?

Tara saiu da sala pisando duro, surpresa por se sentir tão zangada. Lorcan era um babaca, qualquer um podia enxergar isso. Pela primeira vez ela percebeu como deviam ter sido frustrantes para todos à volta as vezes em que ela insistira em permanecer ao lado de homens inadequados.

A porta da sala se fechou. Katherine e Lorcan se sentaram um de frente para o outro, ele no sofá e ela em uma cadeira.

— Então...? — começou ele.

— Pois é... — concordou ela, com os lábios trêmulos. Em seu cérebro, tudo parecia meio vaporoso, mais leve que o ar, agradavelmente insubstancial. Ela não conseguia incorporar a ideia de que ele estivesse realmente sentado ali, diante dela. — Por que veio até aqui? — ela quis saber, com uma dureza na voz que lhe exigiu algum esforço. Na versão número um das fantasias que a haviam consolado através dos anos, Lorcan se desmanchara todo em declarações apaixonadas, do tipo "Eu jamais me esqueci de você, e sempre achei que deixar você ir embora foi o maior erro que cometi na vida. Vamos esquecer esses 12 anos, já perdemos tempo demais...". Esta fala lhe abriria a maravilhosa oportunidade de informar a ele, com detalhes, todas as maneiras pelas quais ele poderia enfiar tudo aquilo no rabo.

Em vez do discurso imaginado por ela, no entanto, ele disse simplesmente, muito confiante e com descontração:

— Puxa, foi muito legal nos encontrarmos novamente assim, sem querer. Podemos relembrar os velhos tempos. — Em seguida, surpreendeu a si mesmo acrescentando: — E gostaria de saber também... — ele hesitou, mas acabou pousando os olhos luminosos cor de violeta sobre ela. — Gostaria de saber o que aconteceu com o bebê.

Escorregadia como uma enguia, a raiva que Katherine acalentara começou a tentar lhe escapar por entre os dedos. Ela deveria estar se sentindo furiosa por ele ter esperado tanto tempo para se interessar pelo que acontecera ao seu filho, mas, em vez disso, sentiu-se ligeiramente confortada.

— Conte-me o que aconteceu — pressionou ele. — Você o teve? Posso me encontrar com ele?

Ela balançou a cabeça para os lados.

— Você resolveu tudo passando o aspirador na casa? — perguntou.

Ela hesitou ao ouvir isso e respondeu, por fim:

— Não.

— Não?

— Eu sofri um aborto espontâneo.

— Mas você chegou a pensar em se submeter a um aborto?

Envergonhada, ela concordou.

Então, não havia filho algum. Lorcan ficou aliviado. Ele nem sabia o que o levara a perguntar pelo destino da criança, para começar. Por um momento, havia se deixado levar pela ideia de que talvez houvesse um lindo filho seu correndo e brincando por ali. Mas, pensando melhor, quem é que precisa de tamanha responsabilidade?

— Então, cá estamos nós... — Lorcan queria logo passar ao assunto que interessava. Aquilo não estava nem um pouco parecido com nenhuma das milhares de cenas que Katherine imaginara. Ele não parecia nem arrependido e nem arrogante. Ela se vira jogando todas as desculpas que ele apresentasse de volta na cara dele, como se fosse um punhado de cascalho. Se ele tentasse algum movimento em sua direção, ela já treinara tantos contragolpes cruéis, com a agilidade de um espadachim, que se achava preparada para deixá-lo envergonhado e arrasado. (Tudo, desde o clássico "Eu lhe disse que você poderia tocar em mim?" ao seu favorito "Assédio sexual é crime".) Naquele momento, porém, sentiu que não conseguiria atingi-lo nem mesmo com uma pistola d'água. O choque de sua presença era debilitante e ela não conseguia demolir a pesada sensação de irrealidade que acompanhava todas as palavras que ela lhe dizia e todos os olhares que ele lhe lançava.

Foi um esforço imenso conseguir recuperar o controle sobre si mesma.

— Eu costumava ver você na tevê, no seriado *Briar É Assim*, sempre que ia para a Irlanda, nas férias. — Forçou um sorriso imponente. — O personagem era a sua cara.

— Rá-rá-rá... — O personagem de Lorcan em *Briar É Assim* era o de um mulherengo que enganava jovens iludidas. — É isso aí... a gente faz o que pode por um bom papel.

— Você saiu do seriado?

— Pois é, passei daquela fase. — Lorcan perguntou a si mesmo, nervoso, se ela desconfiava do quanto a sua carreira andava estagnada nos últimos anos.

— Pelo jeito, você passou de várias fases — e lançou-lhe um sorriso sarcástico. — O que aconteceu com a sua esposa?

— Seguimos cada um para um lado. — Foi na época em que ele começara a ganhar dinheiro e não precisava mais dela, mas não havia necessidade de mencionar esse detalhe.

— Por quê?

— *C'est la vie.* A gente ganha algumas rodadas, perde outras.

— Mas por quê? Por que cada um seguiu para um lado?

Lorcan se remexeu no sofá, pouco à vontade. Gostaria que ela calasse a boca. Mesmo depois de todo aquele tempo, ele ainda lembrava do quanto Katherine era determinada. Quando mordia com força, não largava o osso.

— Nós amadurecemos em direções diferentes um do outro — tentou ele.

— Que pena que isso não tenha acontecido quando você me engravidou — comentou ela, com um tom impertinente.

— Pois é. Mas ouça — disse ele, apressado —, gostaria de lhe dizer que você parece ter florescido. Sempre foi uma gracinha, mas se transformou em uma mulher maravilhosa.

Katherine já estava para perguntar a respeito da namorada dele quando Lorcan estendeu a mão e a colocou sobre o rosto dela. O toque das pontas dos seus dedos sobre a sua pele foi como um choque elétrico. Todas as terminações nervosas do seu corpo começaram a se agitar e cantar, e o pensamento racional foi expulso de campo.

— Você se transformou em uma mulher maravilhosa — repetiu ele, com a voz rouca. Passeou com a palma da mão por sobre as bochechas dela e seguiu até a testa, lentamente, enquanto ela permanecia parada como uma estátua, com os olhos fechados. Ela sabia que estava perdendo uma oportunidade fabulosa para colocar em ação a versão dois das suas fantasias, na qual ela enfiava o cotovelo entre as costelas dele com toda a força, por sua presunção. Mas não conseguiu se mover, inundada pela intensidade da viagem de volta ao passado.

— Sente-se aqui ao meu lado. — Ele deu uma palmadinha no sofá. Ela balançou a cabeça. — Ora, vamos lá... — insistiu ele, sorrindo com ar de lobo. Suas costas já estavam começando a doer por ele ficar por tanto tempo naquela posição, inclinado na direção dela. Pensando bem, suas costas andavam doendo muito, ele precisava dar uma olhada nelas...

Ele não sabia o quanto de resistência ia ter de enfrentar com Katherine. No sábado à noite, sentiu que ela teria fugido com ele ali mesmo, naquela hora. De lá para cá, porém, ela já teria tido tempo de lembrar da raiva que sentiu, portanto já estava na hora de ele atacá-la com artilharia pesada.

— Sabe de uma coisa, Katherine com K...? — afirmou ele, olhando direto para a sua alma. — Eu nunca, nunca mesmo, me esqueci de você.

— Eu não acredito nisso.

— Mas é verdade.

Ela tornou a balançar a cabeça.

— Juro por Deus que é verdade — repetiu ele. — Você era muito especial para mim, e se eu não fosse casado na época... — a sinceridade do seu olhar começou a lançar luzinhas trêmulas e curadoras em seu coração. — Será que você não quer mesmo vir até aqui, sentar ao meu lado? — chamou, com suavidade.

Katherine não conseguiu impedir o que aconteceu em seguida. Como um autômato, ela se levantou do lugar, meio sem graça, e se sentou ao lado dele. Não sabia o que a estava motivando a fazer aquilo. Sua mente estava uma bagunça completa, e o desejo de vingança estava fortemente entrelaçado com outras emoções, entre elas a atração sexual que sentira aos 19 anos e a necessidade de ajustar a rota de sua história pessoal.

Assim que Katherine sentou, Lorcan emoldurou o seu rosto miúdo com as mãos grandes e confiantes, como se estivesse a ponto de beijá-la. Ela sabia que podia dar-lhe um golpe nos rins ou um soco em sua cara, mas todos os exaustivos ensaios para aquela cena jaziam espalhados no chão à sua volta. A raiva e a ânsia de vingança haviam perdido toda a energia. Em vez disso, a ideia de que ele ainda a desejava serviu como bálsamo para as velhas feridas.

No fundo de sua mente, porém, havia uma coisa que ela estava querendo saber. O que era mesmo...? De repente, ela lembrou.

— E quanto à sua namorada?

— Não se preocupe — Lorcan deu uma risadinha, lançando-lhe o olhar "você é a mulher mais especial do mundo". — Terminei tudo com ela. — Então, preparou-se para apresentar a Katherine a sua mais fantástica superprodução, em estilo puramente Lorcan Larkin, o tipo de beijo capaz de destruir as mulheres: suave, porém confiante; doce, mas extremamente viril; firme, mas provocante; erótico, mas tranquilizador.

Paralisada, Katherine observou, atônita, o rosto que vinha chegando perto dela, até ele se aproximar tanto que ficou fora de foco. Exatamente no instante em que preparava a descida final, Lorcan acrescentou, em um tom casual:

— Ela não era nada de importante.

Ela não era nada de importante.

Ela não era nada de importante.

Aquelas palavras começaram a ecoar na cabeça de Katherine. Com uma súbita e indesejável clareza, ela percebeu que isso era exatamente o que Lorcan teria dito a respeito dela para a sua mulher, se ela descobrisse sobre o namoro dos dois.

"Quem, aquela garota, a Katherine? Não se preocupe, não significou coisa alguma para mim, ela não era nada de importante."

Do nada, veio-lhe à cabeça um pensamento a respeito de Joe. Ele não faria isso com ela. Ele jamais faria isso com *ninguém*.

Lorcan vinha chegando cada vez mais perto, até que finalmente os seus lábios tocaram os de Katherine. Desesperada, tentando respirar, ela se viu abaixando a cabeça e saindo por baixo, livrando-se do seu abraço.

— Preciso ir ao toalete — disse ela, ofegante.

Para sua surpresa, ele não reclamou. Foi quando ela reparou no olhar indulgente que Lorcan lhe lançara, e compreendeu que ele estava achando que ela queria escovar os dentes, antes do amasso.

Com os joelhos meio bambos, ela conseguiu ir até a porta do corredor. Assim que a fechou, Tara apareceu do nada e a agarrou pelo braço, entrando com ela no banheiro.

— O que é que vocês estão fazendo lá na sala? — quis saber, histérica.

Uma onda de pânico invadiu o rosto de Katherine.

— Eu não sei — confessou ela.

— Deixe-me lembrar a você que esse cara nem mesmo conseguiu se lembrar qual era o seu nome no sábado à noite. E continua sem lembrar qual era o seu sobrenome, porque senão teria descoberto o seu número na lista telefônica. E por que será que ele apareceu aqui tão tarde? Onde ele estava até agora? Não venha me dizer que ele estava trabalhando, porque Amy me disse que não estava. — Tara passara os últimos 20 minutos em agonia, atolada em preocupações. — Aliás, por falar em Amy...

— Está tudo acabado entre eles — murmurou Katherine. — Ele me contou.

— E você *acreditou*? Nossa, ele deve ter realmente exagerado nos pedidos de desculpas.

Katherine hesitou um décimo de segundo, mas foi o bastante.

— Ah, não!... — cochichou Tara. — Você está me dizendo que ele não pediu desculpas? Oláá-áá... tem alguém em casa?! — e apontou para a cabeça de Katherine ao dizer isso.

Katherine perdera totalmente a cor.

— Eu acho que... eu pensei... — mas não importa por que ângulo encarasse a situação, não conseguia justificativas. Tara tinha razão.

Lorcan não pedira desculpas; ela esteve a ponto de permitir que ele a beijasse, e ela nem ao menos protestara. Como foi que isso pôde acontecer? Era *ela* quem devia estar no controle da situação, e não ele. No entanto, ela se mostrara tão impotente e humilhada quanto no momento em que ele a abandonara naquele pub, mais de 12 anos atrás. Com seu rosto lindo e sua conversa mole, ele conseguira ludibriar as suas emoções de uma tal forma que ela nem conseguiu pensar direito, exatamente como nos velhos tempos.

— Sinto muito por estar sendo tão cruel, Katherine, mas você faria o mesmo por mim. Aliás, você *fez* isso por mim, em todas aquelas noites em que me impediu de pegar o carro e ir até a casa de Thomas.

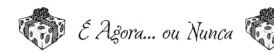

— Aquilo era diferente — tentou Katherine, de forma pouco convincente. Longe da presença física de Lorcan, sua cabeça começou a clarear, fazendo-a se sentir humilhada e desvalorizada ao pensar na facilidade com que quase capitulara.

— Lorcan Larkin é um canalha — insistiu Tara. — Basta ver como ele trata a namorada. Além do mais, Katherine, pense, eu lhe imploro, apenas *pense* no que ele fez com você. E esteja certa de que ele faria de novo. Ele foi o maior erro que você já cometeu.

— Mas foi também o meu erro predileto.

— O cara é um babaca! Não consigo entender como é que você ainda deixou o sujeito entrar na sua casa. Admito que ele é um supergato e que você provavelmente ainda se sente atraída por ele, mas depois de tudo o que ele fez com você?!...

— Eu pensei que se conseguisse encontrá-lo novamente seria capaz de consertar o passado. — Katherine estava achando cada vez mais difícil defender seus atos. — Minha vida é um desastre, e a origem de tudo isso foi ele. Eu imaginei que se ele fosse legal comigo, ou se eu fosse horrível com ele, eu finalmente me sentiria bem.

— Sua vida não é um desastre! — reagiu Tara, irritada. — O passado já foi consertado, você não consegue enxergar? Em sua cabeça, nada mudou desde que Lorcan estragou as coisas, mas tente se ver através dos meus olhos. Você tem um emprego muito bom, possui um carro lindo, tem ótimos amigos e, o que é mais importante, tem um relacionamento que funciona. Você e Joe formam um casal que deu certo! Você está saindo com ele há cinco meses. Ele é louco por você. Você é louca por ele. Funciona! É um *sucesso*.

— Mais cedo ou mais tarde, ele vai dar o fora em mim — disse ela, com tristeza. — Eles sempre fazem isso.

— Joe não. Você já passou desse estágio com ele. Joe conhece você.

— Mas por que dessa vez está sendo diferente, então?

Tara buscou, freneticamente, uma razão para aquilo.

— Talvez seja por causa de Fintan — tentou ela, em desespero de causa. — Você anda tão preocupada com ele que não teve tempo de ser neurótica.

Foi um tiro no escuro. Para sua surpresa, porém, Katherine concordou com a cabeça, lentamente.

— Minha nossa! Talvez você esteja com a razão, Tara. — Ela foi se deixando cair lentamente, até sentar na borda da banheira. — Puxa, acho que você tem razão.

— E se você não segurar sua onda bem depressa e parar de tolices com esse Lorcan, vai acabar perdendo Joe.

— Vou acabar perdendo Joe — repetiu Katherine, de forma mecânica, e a ideia de ficar sem ele quase a desequilibrou. Ela não conseguiria *suportar* isso.

Uma sequência de cenas começou a passar diante de seus olhos. A noite em que ela e Joe haviam tentado preparar um jantar caseiro a partir do zero, no apartamento dele, e quase colocaram fogo na cozinha; a quantidade de horas que Joe dedicou a Fintan, sem reclamar; as quedas de braço que ele sempre deixava ela ganhar; as várias vezes em que ele gravou *Ally McBeal* da tevê sem precisar que ela pedisse; o dia em que ele comprou um batom *quase da cor exata* que ela queria; sua insistência em tentar consertar o carro dela, que enguiçara pela enésima vez; sua aceitação incondicional, quando ela conseguira contar tudo a respeito do seu pai; o companheirismo que havia entre eles e que era fabuloso. Katherine lembrou, por sua vez, do seu esforço em consolar Joe no dia em que o Arsenal perdeu de cinco a zero para o Chelsea; o par de meias com estampa de *Wallace & Gromit* que ela comprara para ele, porque as velhas estavam furadas; o pote de chocolate com avelãs que ela catara por toda a cidade e deixara no armário da cozinha, porque ele uma vez mencionara que adorava; o tempo e o esforço que ela gastara para aprender como funcionava a contagem de pontos para os times da primeira divisão do campeonato, só porque achou que isso ia agradá-lo; o jeito dela não se importar quando Joe mostrava-se incapaz de consertar o carro e ela acabava tendo que levá-lo para Lionel, o mecânico, que dizia que Joe havia piorado as coisas.

Antes de conhecer Joe, sua vida era uma página em branco fria e sem vida, e agora transbordava de cores e formas. Ela não podia voltar para trás, isso iria matá-la. Atônita, diante da retrospectiva clara como cristal de sua vida antes e depois de Joe, ela reconheceu o fato de que fora bem longe, mudara muito e tinha uma vida muito mais rica e feliz.

E pensar que estivera a ponto de atirar tudo aquilo pela janela por um homem que a descartaria com a maior facilidade.

Foi como acordar de um sonho. Um sonho onde as coisas mais loucas fizeram sentido por alguns momentos, mas que agora, com ela acordada, eram claramente ilógicas e ridículas.

— Sabe de uma coisa, Tara? — Os olhos de Katherine estavam cheios de vida. — Acho que você tem razão. A coisa é para valer com Joe, não é? Funciona, não funciona? Ele gosta de mim, não gosta? Tara, preciso telefonar para ele!

— Ahn... — Tara acenou com a cabeça, de forma educada, na direção da sala. — Há ainda o pequeno detalhe do cara ruivo que está esperando para ser servido.

— O que eu faço com ele? Você não quer se livrar dele por mim?

— Eu, hein!... Não chego perto dele nem que a vaca tussa! Simplesmente mande-o embora.

— Assim, na boa?... Considerando que ele me engravidou e depois me deu um pé na bunda — argumentou Katherine, sentindo-se liberta. — Será que eu não podia deixá-lo chateado? Só um pouquinho?

Tara considerou a ideia, com relutância.

— Tudo bem — concordou ela —, mas tenha cuidado. Chegar perto daquele cara faz mal à saúde mental. Se você não voltar em cinco minutos, vou entrar lá para resgatar você.

Katherine não precisava nem pensar no que ia dizer. Ela já praticara diversas falas nove milhões de vezes. Voltou com ar insinuante para a sala.

— Agora... Onde é mesmo que nós estávamos? — ronronou para Lorcan.

— Bem aqui — e passou a mão imensa ao longo dos cabelos dela, puxando-a para perto dele, e pousou os lábios sobre os dela, mas, antes do beijo engatar, ela se desvencilhou.

— Não! — disse ela, afastando-se dele.

— Não? — estranhou ele.

— Desculpe — e suspirou, com ar pesaroso. — Você não me atrai.

— Como é que é?!...

— Você não é mais o homem que era antigamente. E sabe do que mais?... — ela olhou e reparou que era verdade. — ... Você está ficando careca.

Ele ficou branco como giz.

— Isso tem a ver com a sua amiga sapatona, não é? — reagiu ele, zangado. — Você estava caidinha e muito a fim antes de ir ao banheiro.

— Impressão sua, e isso não tem nada a ver com ninguém, a não ser com a sua falta de *sex appeal*. — Sorriu para ele de forma cruel. — Descuuulpe...!

— Você é uma piranha mentirosa.

— Não fale comigo desse jeito! — Ela se mostrou subitamente fria. — Como ousa?

Ela lhe lançou um olhar aterrorizante do nível 3 e ele se encolheu todo diante do choque inesperado. Ela parecia um animal!

— Como ousa me tratar do mesmo jeito que tratou, anos atrás?

Um olhar massacrante de nível 4 foi lançado e ele ficou sem conseguir respirar. Ela parecia um animal *louco*. Alucinado. Raivoso!

— E como *ousa* vir até aqui e se comportar como se não tivesse feito nada de errado? — continuou ela. — Como ousa?!

Ela respirou fundo e torceu para conseguir colocar a expressão que pretendia no rosto. Ela estava meio sem prática. Cerrou os dentes, apertando os maxilares, e, com um esforço monumental, lançou-lhe o terrível olhar de Medusa. Pela expressão aterrorizada que viu no rosto dele, percebeu que conseguira.

Ele estava desnorteado de tanto medo. Ela parecia o mal encarnado. O *Mal*.

— Vou-me embora! — anunciou ele.

— Gozado... tem alguma coisa fedendo por aqui — comentou ela.

— Piranha — murmurou ele, e passou direto por Tara, que estava sentada no saguão de entrada como um cão de guarda. — Piranha! — murmurou ele, novamente.

— Babaca! — respondeu ela, alegremente.

Roger, do apartamento de baixo, quase teve um infarto ao ouvir o barulho da porta, que Lorcan bateu com toda a força.

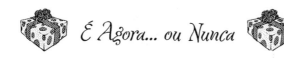

Tara e Katherine olharam uma para a outra. Katherine não sabia se ia cair na risada ou no choro, até que Tara soltou uma gargalhada gostosa, e Katherine a acompanhou.

— Estou tão feliz — disse Katherine, entre convulsões de riso — por ter conseguido usar o meu olhar de Medusa, já que eu treinei a vida toda tendo essa cara em mente.

— Muito bem. E agora, você vai telefonar para Joe ou vai direto até a casa dele?

— Você acha que eu devo esquecer aquela história da Angie?

— Katherine!

— Tá legal, tá legal, já esqueci!...

CAPÍTULO 79

Lorcan saiu na rua fria e escura sentindo-se muito nervoso e furioso por se achar injustiçado. Que cara de pau a daquela mulher! Como é que ela ousou? Ele fora até lá para dar em cima dela só para se vingar do galãzinho Joe Roth e porque se sentira entediado. Se não fosse por isso, ele não ia ser visto ao lado dela nem morto.

Puxa, ele não achou que ela poderia substituir Amy, achou? *Claro que não.* Tudo bem, admitiu, até que ela era bonita, servia para uma trepada rapidinha, e ele estava a fim de saber o que acontecera com o bebê. Mas também não estava *tão* interessado assim. Imagine só, que tipo de mulher ela era, pensando em fazer um aborto do próprio filho? Pior do que isso, uma mulher que considerara a ideia de abortar um filho *dele*! Doente, ela só podia ser doente!

Lorcan, de forma conveniente, esqueceu que fora ele mesmo quem propusera a famosa solução anticoncepcional de "trancar a casa depois de arrombada", e marchou de forma arrogante pela noite.

Um lindo Karmann Ghia azul-bebê passou por ele e o distraiu por um instante. Lorcan gostava de um carrão, como qualquer homem. De repente, reconheceu Katherine ao volante e viu que ela estava gargalhando e fazendo-lhe um sinal obsceno!

O que estava havendo?

A que ponto o mundo chegara!...

Continuou caminhando, mas o choque da rejeição de Katherine continuou a assaltá-lo, com golpes renovados. Aquilo nunca lhe acontecera antes.

Literalmente, jamais lhe acontecera. Lorcan estava com 39 anos e em momento algum da sua vida uma mulher o rejeitara. Perplexo, irritado, passou as mãos com força pelos cabelos, tentando de acalmar. Seus passos firmes tornaram-se vacilantes e ele quase tropeçou ao ver, sob a luz de um poste, um punhado de fios ruivos em seus dedos. Minha nossa! Puxa, meu Deus do céu!

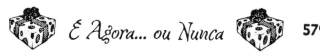

Uma mulher acabara de dispensá-lo de sua vida. Seu cabelo estava desaparecendo. Ele não tinha emprego. Subitamente a sua energia e a sua zanga se dissiparam e ele se sentiu terrivelmente velho. Velho, acabado, ultrapassado. Derrubado, exausto, deprimido.

Então se lembrou de Amy. A doce Amy. A leal, paciente Amy, de natureza tão dócil. *Ela* não o decepcionaria. Ela o receberia de volta com os braços abertos, curaria as suas feridas e levantaria o seu moral. Onde estava com a cabeça quando decidiu que era hora de libertá-la? Ele só podia ter enlouquecido!

Começou a correr em direção a ela. Devia estar realmente louco para desperdiçar o seu tempo com Katherine. E também com aquela outra garota, Deedee, com quem estivera naquela noite, mais cedo. Amy era muito mais bonita. Para falar a verdade, pensando melhor, talvez ele... talvez ele... talvez ele *amasse* Amy.

Correu ainda mais, com pena de não ter dinheiro para pegar um táxi. Era muito importante ver Amy o mais depressa possível, para lhe contar o que sentia. Ele achava que jamais ia querer se casar novamente. Em Amy, porém, ele encontrara um refúgio seguro, um lugar onde repousar a cabeça cansada (a tal cabeça onde os cabelos estavam desaparecendo). Talvez até mesmo ter uns dois filhos, afinal. Desistir de ser ator, pois o palco era um mundo cheio de traidores e egocêntricos superficiais. Conseguir um emprego adequado. Um dia de trabalho duro em troca de pagamento honesto.

Na rua deserta, um táxi apareceu com a luzinha de "livre" acesa. Lorcan, alegremente, fez sinal para ele parar. Amy pagaria a corrida quando ele chegasse lá.

Quando o táxi parou do lado de fora da casa de Amy, Lorcan disse ao motorista:

— Espere um minuto. Preciso pegar dinheiro com a minha namorada.

— Então deixe sua jaqueta aqui no carro, só por segurança.

— Mas vai levar apenas um segundo.

— A jaqueta fica!

— Ok, tá legal...

Amy atendeu a campainha no terceiro toque. Estava enrolada em uma toalha e, pelo visto, Lorcan a acordara.

— Ahn... oi — sua voz estava sem expressão.

— Oi. — O sorriso dele a envolveu. Ele não conseguia parar de rir de tão feliz que estava por vê-la... O seu docinho de coco, o seu anjo, a mulher que amava.

Como ela não fez nenhum gesto convidando-o para entrar, ele perguntou, ainda sorrindo:

— Posso entrar?

— Não.

— Ô meu amor, eu sinto muito. Desculpe pelo que aconteceu naquela noite, com aquela garota, Katherine. Eu estava só brincando, foi um flerte, entende? Você sabe como eu sou... — e lançou um sorriso envergonhado, do tipo "não consigo evitar".

— Eu realmente sei como você é — concordou ela. — Benjy me contou tudo. — Benjy apareceu na sala, ao lado dela.

— Oi, Benjy, como vai, cara? — cumprimentou Lorcan, meio distraído, voltando, em seguida, toda a atenção de volta para Amy. — Precisamos conversar, Amy. — Seu sorriso era uma promessa de bons momentos pela frente. — Seria bom que você soubesse de algumas coisas que vão agradá-la. — Com irritação, reparou que Benjy continuava circulando de um lado para outro, no corredor, e então franziu a testa para ele, lançando o olhar "caia fora e nos deixe a sós". — Olhe, Benjy, Amy e eu vamos ter uma conversinha em particular — avisou ele, com ar sério.

Ao ver que Benjy não se mexeu do lugar, Lorcan tornou a franzir a testa e pediu:

— Como é cara, você se importa...?

Foi só neste momento que Lorcan percebeu que havia algo errado. Já passava de duas da manhã. O que Benjy estava fazendo na casa de Amy? E por que os dois estavam enrolados em toalhas? O que estava acontecendo ali?

— Nós estamos apaixonados — anunciou Benjy.

Lorcan tentou prender o riso, mas não conseguiu e soltou uma gargalhada explosiva, dizendo:

— *Você eu sei* que está apaixonado — debochou. — Sempre esteve, não é, Benjy? Mas ela é minha!

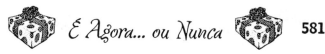

— Não sou não... — garantiu Amy. — Sou de Benjy.

Os músculos do rosto de Lorcan se contraíram, primeiro para baixo e para cima, e depois para dentro e para fora, como um acordeão. Ele não sabia se ria ou rugia, debochava ou duvidava.

— Eu te amo, Amy — finalmente conseguiu soltar.

— Mas eu amo Benjy — disse ela, simplesmente.

Ela *não amava* Benjy, na verdade. Mas gostava muito dele e de sua companhia, e talvez acabasse aprendendo a amá-lo com o tempo. Estava magoada demais com Lorcan para se importar com ele. Tudo o que desejava agora era uma vida sossegada com um homem que adorava o chão que ela pisava. Benjy lhe prometera ser fiel e amá-la para sempre.

— Nem todos os homens são canalhas — ele havia garantido a Amy. — Eu, por exemplo, não sou.

E ela acreditara nele.

Ele não era bonito o bastante para ser canalha.

— Vocês realmente...? — Lorcan quase se engasgou, olhando de Benjy para Amy, e de novo para Benjy. — Vocês dois realmente fizeram barba, cabelo e bigode?

— Fizemos sim — concordaram os dois, balançando a cabeça, confiantes.

— Eu não acredito! — foi a única coisa que Lorcan conseguiu dizer.

— Não se preocupe — disse Amy. — Com o tempo, você vai acreditar.

— Que merda de amigo você me saiu, hein? — Lorcan virou-se para Benjy. — Depois de tudo o que eu fiz por você! Depois de todos os conselhos que eu dei sobre como conquistar uma garota, é assim que você me paga, seu safado?

— Os seus conselhos são uma bosta! Além do mais, não precisei deles — afirmou Benjy, orgulhoso. — Meu amor honesto por Amy, isso foi tudo o que eu usei.

Amy começou a fechar a porta quando Lorcan lembrou, em pânico, que ainda havia um problema.

— Ei! — gritou ele. — Será que vocês me emprestam cinco libras para pagar o táxi?

— Não.

E a porta foi batida na sua cara.

O taxista já tinha levado vários calotes, mas agora mantinha uma marreta debaixo do banco para tais eventualidades, e não tinha medo de usá-la.

A batata de Lorcan Larkin não estava apenas assando... ela já fora preparada, servida, comida, os restos haviam sido colocados no freezer, o molho foi usado em sanduíches para o dia seguinte, ainda sobrou um pouco para fazer fricassê no outro dia, purê com curry para depois de amanhã e ainda havia bastante para fazer bolo de batata no fim de semana.

Em um apartamento no bairro de Battersea, Joe Roth abriu a porta da frente e viu Katherine diante dele.

— Oi! — disse ela. — Desculpe aparecer assim tão tarde, mas eu posso lhe contar uma história?

EPÍLOGO

No restaurante em Camden, cheio de vidros e metais cromados, a atendente magra passava a unha turquesa ao longo do livro de reservas, murmurando:

— Casey, Casey... onde está esse nome?... Ah, achei! Mesa 18. Vocês...

— ... Fomos os primeiros a chegar? — emendou Katherine, terminando a frase por ela.

— Não, eu ia dizer que esta mesa é aquela ao lado da janela. Alguns dos seus amigos já estão lá.

Joe e Katherine atravessaram o salão em direção a Tara, Liv e Milo.

— Desculpem pelo atraso — pediu Katherine. — Emergência capilar. De qualquer modo, feliz aniversário, Tara!

— O que há de feliz nisso? — riu Tara. — Você estava feliz no dia em que completou 32 anos?

— Para falar a verdade, estava superfeliz. — Katherine deu um risinho satisfeito para Joe.

— Eu também estava — contribuiu Liv.

— Eu não me lembro do meu... já faz tanto tempo! — disse Milo. — Mas me disseram que eu estava contente.

— E como vai a nossa grávida? — perguntou Katherine.

— Está bem — respondeu Milo, orgulhoso. — Vomita mais que a menina do *Exorcista* de manhã, mas, quando chega a hora do almoço, ela fica bem.

Liv exibiu um sorriso benigno, bem maternal, e colocou as mãos em concha, de forma protetora, sobre a barriga, embora estivesse apenas com nove semanas de gravidez e seu abdômen estivesse reto como uma tábua. Um ar de contentamento vinha dela, em ondas serenas.

— Está tudo bem com você? — perguntou Milo, ansioso. — Quer que eu peça uma almofada para colocar atrás das suas costas? O desejo de comer jornal já passou?

— Jornal?

— Ontem eu comi a página com a programação da tevê — admitiu Liv, com timidez. — Milo ficou chateado.

— Não diga isso — ralhou Milo, com carinho. — Eu não fiquei chateado. Simplesmente pedi para você comer a seção financeira da próxima vez. Vejam... Fintan e Sandro estão chegando!

Uma espécie de tensão fez todo mundo se ajeitar na cadeira. Fazia três meses que Fintan passara pela última aplicação de quimioterapia, e ele fizera um check-up com o oncologista naquela manhã. Todos torciam para ouvir que ele estava curado.

Seus passos pelo restaurante foram acompanhados com atenção pelos garçons e pela maioria dos clientes. Alto, com o corpo delgado e se apoiando em uma bengala, sua cabeça estava coberta de uma penugem translúcida e amarela como as penas de um pintinho. Cabelo de bebê. De acordo com informações de JaneAnn, ele era muito lourinho quando nasceu.

— Aids — sussurraram os clientes daquela sexta-feira à noite uns para os outros, acenando com a cabeça e exibindo um frenesi excitado. — Só pode ser aids!

— Ora, pode ser alopecia.

— Nããão... olhe só como ele está magro! E veja só, aquele rapaz junto dele é o namorado. Apostaria 10 libras como é aids!

Sandro ajudava Fintan, segurando-o pelo cotovelo, e os dois sorriam. Será que aquilo queria dizer que as notícias eram boas?

— Feliz aniversário! — os dois aterrissaram em cima de Tara. — Sabemos que o dia é amanhã, mas feliz aniversário mesmo assim!

— Deixem isso pra lá — reagiu Tara. — Queremos saber o que o oncologista disse.

— Garantiu que eu fico vivo pelo menos até a meia-noite.

— Ah, fala sério, Fintan. Qual é o prognóstico de longo prazo?

— O prognóstico, a longo prazo, é que eu vou morrer. — Ao ver o círculo de rostos assustados, Fintan riu e completou: — *Todos nós* vamos morrer! — Mas seu riso era de alegria, e não de amargura.

— Mas o câncer, você sabe, tipo assim... estacionou? — perguntou Milo, um pouco ansioso.

— Bem, ele está bem comportadinho no momento. Está oculto, por assim dizer, está se mantendo discreto. Eles estão morrendo de medo de me dizer que pode ser que ele volte. Não é uma certeza, mas uma possibilidade.

— Mas também pode ser que não volte — enfatizou Sandro.

— Sim, vamos ter que esperar para ver... — concordou Fintan. — Imagino que eu vá continuar no sufoco do "agora ou nunca", mas a coisa já não está tão ruim assim.

Tara olhou para Fintan e ouviu a si mesma perguntando:

— Você não se incomoda com essa incerteza?

As palavras haviam saído de sua boca antes que ela conseguisse evitar; então, ficou com vontade de se matar pela falta de tato. Mas Fintan sorriu e foi um sorriso cheio de luz, vida e prazer.

— Não — garantiu ele, e então a surpreendeu, perguntando: — Você se incomoda?

— Eu me incomodo com o quê?

— Com a incerteza?

Ela abriu a boca para argumentar que a sua expectativa de vida não era incerta, mas não chegou a dizer nada e mordeu a ponta do lábio, com ar tristonho. Era fácil esquecer tudo o que ela aprendera no último ano.

— Não — disse por fim, sorrindo. — Estou muito contente com a notícia, de verdade. Quando lembro de você, tudo me parece mais... não vá rir de mim, hein?!... Precioso.

— Quem é que está rindo?

— Muito bem, tudo isso merece um champanhe — anunciou Joe.

— Agora me conta uma coisa, Tara — perguntou Fintan, empolgado. — Como foi o seu encontro, na hora do almoço, com o... Qual é mesmo o nome dele? É difícil de guardar... Gareth?

— Sim, Gareth. Vamos colocar do seguinte modo: é melhor você guardar o conjunto de toalhas de banho com "Ele" e "Ela" bordados, que você ia me dar de presente.

— Um desastre, é?

— Não exatamente um desastre, mas é que ele não tinha muito senso de humor.

— Como assim?

— Gareth — ela suspirou, com ar desconsolado — é o tipo de cara que seria capaz de levar você para passar as férias no interior da África só para poder apontar para fora da janela e dizer "A vida lá fora é uma selva", entende?

— Tudo isso faz parte da rica tapeçaria que é a vida — consolou Katherine.

— É mesmo, e olhe que a minha tapeçaria anda muito rica no momento.

— Contanto que você se divirta...

— Ah, mas eu estou me divertindo.

— E quando acabar de se divertir, pode se acomodar e começar a curtir o devotado Ravi.

— Pelo amor de Deus Pai, seu Filho e o Espírito Santo, não comece! Será que vocês podem parar de falar em Ravi?

Houve um silêncio pesaroso, quebrado por Milo, que murmurou:

— Euzinho achar que dessa vez ela não ia protestar muito...

— Euzinho achar o mesmo — assentiu Joe.

— Euzinha também — concordou Katherine.

— Querem falar uma língua que eu entenda, por favor? — implorou Liv.

— Tudo bem, tudo bem, tudo bem! — Tara desistiu. — Vocês ganharam! Estou louca por Ravi e vamos nos casar.

— Parece que ninguém se espantou com a notícia — disse Fintan, com toda a calma.

— Querem parar? Estou pronta para receber os presentes, meus caros. Espero que todos tenham se lembrado que estou montando apartamento, e não aguento mais ferver água na frigideira e dormir num sofá detonado.

— Como poderíamos esquecer? Não ouvimos outra coisa há um mês.

— Excelente. Então, qual de vocês ficou de me comprar uma cama de presente?

— Será que fui eu? — perguntou Fintan, fingindo ansiedade. — Estou trabalhando há menos de um mês e estou dividindo o cargo com outro funcionário, então só vou receber meio salário.

Tara entregou-lhe um pacote.

— Então você me dá isso. Vai chegar o dia em que Carmella Garcia vai chegar de joelhos, implorando que você volte a trabalhar para ela.

— Claro que sim, mas eu não me importo mais com isso — disse Fintan, rasgando o papel de presente —, ela que tenha boa sorte. O que é isso? Uma toalha de mesa em tecido emborrachado?

— Não, é uma cortina para boxe de banheiro.

— Ah... Legalzinha. Feliz aniversário, boneca. Você aceita que eu pague o presente com cupons de desconto em supermercado?

Depois que Tara fez oohs e aahs diante da nova chaleira, do pufe inflável, o porta CDs em forma de girafa, um vale-presente da loja Aero e a cortina de boxe, Fintan disse:

— Agora você se incomoda se eu perguntar se Ravi lhe deu algum presente de aniversário?

Tara olhou meio sem graça, e finalmente disse:

— Ele me deu sim.

— E podemos saber o que foi?

— Na verdade — o embaraço de Tara começou a ser substituído por um ar de entusiasmo —, até que foi uma coisa maravilhosa. Vocês sabem há quanto tempo eu estou à procura de um batom que não saia de jeito nenhum, não sabem?

Todos concordaram, com ar desanimado.

— Pois Ravi catou por toda parte, até encontrar esse fantástico produto chamado Lipcote, que é para passar *por cima* do batom. É um líquido incolor e você tem que esperar um minuto para ele secar, mas depois nem mesmo uma guerra mundial é capaz de tirá-lo dos lábios. E sabem o que é melhor? Ele funciona de verdade! Veja! — ela pegou o gim-tônica e disse: — Observem o momento em que eu *pressiono* os lábios contra a borda do copo. Vou esfregar um pouquinho... Agora, vejam... nenhum traço de batom ficou no vidro... bem, só um vestígio. Não é fabuloso?

— Fabuloso.

O champanhe chegou. Joe fez a rolha espocar. Fintan e Sandro olharam aquilo e ficaram prendendo o riso e se cutucando, enquanto a espuma branca escorria pelo gargalo.

Desculpe, Liv, mas você não pode beber — avisou Katherine, servindo a bebida em seis taças.

— Agora, a que vamos brindar?

— A Fintan, é óbvio — insistiu Tara.

— Não. A Tara, porque é o seu aniversário — concedeu Fintan, magnânimo.

— Não, não, alguma coisa que tenha mais valor, por favor! — protestou Tara.

— Vamos brindar a quê, então?

— À vida — sugeriu Liv, levantando uma taça cheia de leite.

— Essa é uma boa sugestão — concordaram todos, com alarde, pegando e levantando as taças de champanhe.

— E aos homens com pau grande! — completou Fintan.

— Melhor ainda!

— À vida!... — Sete taças se encontraram no meio da mesa, enquanto sete vozes completaram, em coro: — E aos homens com pau grande!